本草古籍辑注丛书·第二辑

2020年度国家古籍整理出版专项经费资助项目

尚志钧本草文献全集

U0239790

尚志钧本草文献研究集

尚志钧 / 辑注
尚元胜 尚云飞 / 整理
尚元藕 任 何

尚志钧 编著
尚元藕 整理

尚志钧百年诞辰典藏

北京科学技术出版社

图书在版编目（CIP）数据

本草古籍辑注丛书．第二辑．尚志钧本草文献研究集／
尚志钧编著；尚元藕整理．—北京：北京科学技术出
版社，2021.10

ISBN 978-7-5714-1287-6

Ⅰ．①本… Ⅱ．①尚… ②尚… Ⅲ．①本草–中医典
籍–注释②本草–文献–研究 Ⅳ．①R281.3

中国版本图书馆 CIP 数据核字（2020）第263475号

策划编辑：侍 伟 段 瑶
责任编辑：杨朝晖 董桂红
文字编辑：刘 雪
责任校对：贾 荣
图文制作：北京艺海正印广告有限公司
责任印制：李 茗
出 版 人：曾庆宇
出版发行：北京科学技术出版社
社 址：北京西直门南大街 16 号
邮政编码：100035
电 话：0086-10-66135495（总编室） 0086-10-66113227（发行部）
网 址：www.bkydw.cn
印 刷：北京捷迅佳彩印刷有限公司
开 本：787 mm × 1092 mm 1/16
字 数：424 千字
印 张：23.75
版 次：2021 年 10 月第 1 版
印 次：2021 年 10 月第 1 次印刷
ISBN 978-7-5714-1287-6

定 价：490.00 元

总前言

把工作放在日后做，是空的。一日不死，工作不止。

——尚志钧

千年中医，巨变振兴。真正的学者是将学术与生命紧密地联系在一起的，尚公直面人生的艰辛，以理性的思维、冷性的文字、激越的情怀著书立说，将一生奉献给了中医药学。站在中医药学发展的角度，纵观纷繁的沧桑医事，也许更可以使人获得理性的通明，使今天的中医药学术更加繁荣。

一

辑佚，在北宋已成为一门独立的学科。南宋·郑樵说："书有亡者，有虽亡而不亡者。"近代余嘉锡也说："东部藏书者书虽亡，而天下之书不必与之俱亡。"对于亡书，或原书已亡佚，但部分内容保存在史书、类书、方志、金石、古书注解、杂纂散抄之中的书，可以通过搜集诸书所征引的章句，窥其原貌，甚至可以通过类书总集，恢复原书旧貌。

孟子说："不专心致志，则不得也。"尚公下苦功数十年，终成本草大家，他辑复的《新修本草》填补了本草文献整复工作的空白。范行准先生早年指出："我们知道从事重辑《新修本草》者，中外不止一家，而俱未能问世。今尚先生竟能着其失鞭，使1300年前世界上第一部国家药典的原貌，灿然复见于世，是值得我们庆幸的一件事。"

对《吴氏本草经》《名医别录》《雷公炮炙论》《新修本草》《食疗本草》《日华子本草》《开宝本草》《本草图经》等主要的19部本草名著的辑复，是尚公最重要的学术成果。其中，《新修本草》是中国最早也是世界上最早的国家药典，文献价值极高，原书在国内久佚。清末，日本人发现其传抄卷子本10卷，尚缺10卷。清人李梦莹、近人范行准，及日本的小岛宝素、中尾万三、冈西为人等都曾试图对其进行辑复，但均未成功。尚公自1948年开始辑复《新修本草》，于1958年完成初稿，后又重辑，以油印本发行；后尚公再修改、补充之，并于1981年正式出版该书。尚公辑复《新修本草》，历时33年，援引各种参考书91种，做详细校记6319条。他先选定底本、主校本、旁校本和其他资料，再把各种古书中所载《新修本草》药物条文全部录出，加以比较互勘。他以最早的敦煌出土的《新修本草》残卷，及武田本《新修本草》、傅氏影刻本《新修本草》和罗振玉收藏的抄本《新修本草》为底本；《新修本草》所缺，即以《千金翼方》为底本；《千金翼方》亦缺，再以人民卫生出版社影印的《重修政和经史证类备用本草》为底本；最后以其他后出本为核校本核校之。尚公不仅校误字，还校书中有关错引、脱漏、增衍以及《神农本草经》文与《名医别录》文的混淆等。此外，他还对避讳字、通假字进行了解释，对全书进行了断句标点。他所辑复的《新修本草》还原了该书本来面貌，对找回后世本草脱漏佚失的资料有重要价值，如蒲公英治乳痈、蚤休解蛇毒、乌贼骨疗目翳等药物功效，在《新修本草》中即已有记述。此外，对《新修本草》进行辑复还有助于鉴别后世本草中资料的真伪，有助于校正后世本草的舛错，如《本草纲目》卷一"历代诸家本草"项"《名医别录》"条和"陶隐居《名医别录》合药分剂法则"项下所节录的注文，实为《本草经集注》的内容，并非《名医别录》的内容。

二

在驾驭大量本草文献史料上，尚公表现出极强的能力。他自觉地摆脱历史上不同时期本草文献资料谬误对遗佚本草辑复的干扰，力求通过目录学、版本学、校勘学、辑佚学、避讳学等多种学科的知识，结合具体对象和内容，手抄笔录，全面、系统地核实诸多文献记载，建立本草书籍、本草人物及单味药物3个系统的卡片档案，由源及流，追根问底，查清药物运用的概貌。在此基础上，他旁征博引，上下贯通，建成了一张辑佚医药方书的联合网图，进入了左右逢源、得心应手的学术研究佳境。32部本草文献的辑复本、校点本、注释集纂编写本，见证了其学术功底的深厚广博。

《神农本草经》原书已佚，尚公在校注该书时，首先理顺了其文献源流。尚公认为《汉书·艺文志》没有记载《神农本草经》，故可以推测《神农本草经》成书于东汉。《隋书·经籍志》记载《神农本草经》有6种，《本草经》有9种。其中有的《本草经》既含有最早的《神农本草经》文，亦含有名医增补的《名医名录》文。陶弘景将诸经中《神农本草经》文加以总结，收入《本草经集注》中，以朱笔书写，定为《神农本草经》文。尚公以《本草经集注》为分界点，把在《本草经集注》以前的多种《本草经》称为"陶弘景以前的《本草经》"，其存于宋以前类书和文、史、哲古文献的注文中；把收载于《本草经集注》中的《本草经》称为"陶弘景总结的《本草经》"，其存于历代主流本草专著中。经过勘比考订可知，"陶弘景以前的《本草经》"在内容上有产地、生境、药物性状、形态、生态、采收时月、剂型、七情畏恶等，并且含有名医增补的内容。"陶弘景总结的《本草经》"有产地但无药物性状、形态、生态和七情畏恶等内容。所以，尚公得出结论：现存的《证类本草》中的白字内容，向上推溯，是由陶弘景综合当时流行的多种《本草经》的本子而成的。明清时期国内外学者，又从《证类本草》白字内容辑成多种单行本《神农本草经》，这些文字实际上是陶弘景整理的，并不是原始古本《神农本草经》。尚公校点的《神农本草经》将文献源流系统、条理地展现出来，对不同时代、不同版本的《本草经》药物条文、内容、取材论断均甚得法，资料搜集甚广，并务求其本源。

三

就尚公具体的学术成就与贡献而言，《〈唐·新修本草〉（辑复本）》和《神农本草经校点》这2部传世之作，打通了一道长期令人望而生畏的难关。但仅靠对本草辑复的贡献和成就，还难以窥见尚公学问之全貌。下面就尚公学术思想之一端，进一步证实其学问之博大精深。

"药性趋向分类"是尚公提出的一种新的药性分类方法。尚公根据药物作用趋势将药物分为行、守两大类。行类又分为上行、下行、通行、化行4类。上行类药物功用以升散为主，如升举下陷、发散外邪；下行类药物功用以降下为主，如平喘止咳、泻下利水；通行类药物功用以通畅为主，如使气血通畅以止痛；化行类药物功用以转化为主，如将食积、痰饮通过转化，成为无害物质。守即固守，不固守即出现虚损，凡虚损宜补。守类又分为补益和收敛2类。各类再分若干小类，每小类先述概要、举药名，次述共同作用、用途，再次述各药其他作用。尚公积50多年研究本草之经验，使药物分类更科学，药性更清晰。他对300多种常用中药的药性作用直说引述，正说反证，浅说深论，描述得淋漓尽致，十分切合临床，这是尚公对本草学研究的一项创新。

尚公不仅在本草学领域有颇多建树，在临床领域也有所创新。如尚公在《脏腑病因条辨》一书中，以中医五脏、六腑和病因（风、寒、暑、湿、燥、火、气、血、痰、饮）为单元，对临床症状进行归类。例如，患者胃脘隐隐作痛，喜暖喜按，泛吐清水，四肢不温，舌质淡白，脉虚软。从症状分析，胃脘痛和吐清水说明病在胃；四肢不温是脾寒；脉软表示虚；舌质淡白为虚寒。辨证应是脾胃虚寒证。此证是由3个单元——脾、胃、寒组成，脾属脏，胃属腑，寒属病因。从上个例子可以看出，五脏、六腑和病因3个单元是组成多种证的基础。

综上可以看出尚公之博学多思，勤于实践、总结。

四

尚公集毕生精力和情感于本草文献，在古本草史料的世界寻寻觅觅，始终如一地刻苦钻研而终于成为本草文献的知音。《尚志钧本草文献研究集》"论文题录"部分收录了尚公268篇学术论文。这些论文的内容广博而深入，不仅有对古本草史料的广搜精求，也有对纸上遗文的爬梳考订和辨证精释，还有对新发掘的地下实物的阐释（如对马王堆出土《五十二病方》、敦煌出土残卷等的整理和运用）。在268篇学术论文中，关于李时珍和《本草纲目》的论文有《〈本草纲目〉版本简介》《〈本草纲目〉断句误例二则》《〈本草纲目·序例〉辨误两则》《〈本草纲目〉标注〈本经〉药物总数的讨论》《金陵版〈本草纲目〉引〈日华子本草〉误注例》等。

在学术思想方面，《本草文献研究的意义及作用》《本草文献研究的目的》等是"熔铸古今，学以致用"的实践，亦相当引人入胜。一方面，尚公自觉脱除旧染与时弊，融目录、版本、校勘、考据、章句、修辞之法于本草学之中；另一方面，其继承并发展中国学术传统中的优秀方法，并赋予它们新的时代内涵，使之超胜前人。这既彰显出尚公的本草学思想和风格，亦彰显出其著述之功力。

五

客观地讲，除分散在各综合本草著作的矿物药外，自唐以来，矿物药专著寥若晨星。唐·梅彪撰写的《石药尔雅》疏注了唐以前道家炼丹书所用的药物。王嘉荫编著的《本草纲目的矿物史料》仅收录了《本草纲目》正文及集解中所列有关矿物、岩石等 137 种；李焕编写的《矿物药浅谈》、谢崇源等主编的《药用矿物》分别介绍了 70 种和 50 种矿物药的性味功用等；郭兰忠主编的《矿物本草》收载了 108 种矿物药。尚公的《中国矿物药集纂》一书独树一帜，对矿物药进行了详尽而深入的论述。该书分上、下两篇，上篇为总论，分述历代主要矿物药发展概况、矿物药的分类、矿物药化学成分概述、矿物药化学成分与药效关系、矿物药的物理性状、矿物药有关中药的药性、有毒矿物药毒性、矿物药配伍宜忌、矿物药炮制加工和煎煮。下篇收载单味矿物药 1200 余种，几乎将矿物药搜罗殆尽。书末附珍贵的矿物药研究资料 10 篇。从尚公对历代本草专著矿物药文献的排检和整理，可见其编纂工作之认真及对矿物药资料学术别择之广博与细致。《中国矿物药集纂》一书不仅在文献整理方面有很大价值，而且在集纂方面亦有很大价值，其体大思精的特点，反映了尚公学术的创新，更能为中医药学术发展指出一条道路。

《中国矿物药集纂》展现的是尚公精彩而寂寞的本草人生。自 1977 年以来，尚公闭户不交人事，甘坐冷板凳，独得东坡"万人如海一身藏"的状态。诚如熊十力所云"不孤冷到极度，不堪与世谐和"。尚公堂堂巍巍做人，独立不苟为学，一生出版著作近 3000 万言，这些冷性文字蕴含着他激越的情怀及集毕生精力和情感于本草文献的决心。尚公在古本草史料的世界里寻寻觅觅，搜剔爬梳，终于成为本草文献的拓荒者和耕耘者。

六

写到这里，我需要交代一下关于本丛书的一些情况。立意编纂本丛书始于 2008 年冬日追悼尚公的余绪；形成具体计划，确定出版，是在 2017 年春月，其间经历了 8 个春秋。尚元藕学妹、尚元胜学弟全力支持和参与这项工作，谨在此，深致谢忱。北京科学技术出版社与我们不约而同地意识到"文章千古事"，出版尚公本草文献，利在当代，功在千秋。在合作过程中，北京科学技术出版社的工作人员精勤慎细，审校书稿，为本丛书的编校质量提供了有力保障。

一个时代有一个时代的学术观念，一个时代的学者有其处身时代的思想烙印。愿本丛书能在追求本草学术的途中与你相遇。

任 何

于合肥倚云居，戊戌春日

序一

自《墨子·贵义》"譬若药然草之本"论出，《神农本草经》莅世，此后药物之学概称"本草"。其学"师道有风，源远流长"。中国药学史上，名家灿现，著述迭出，排列着一座座丰碑。在当代，尚志钧教授以其 60 余年披坚执锐的探寻，蹈厉正气搏书海，在继绍中药学理论的同时，使那些医药宝库中的重宝，走出封尘，重现于世。这位不懈奋斗的老骥，在探骊取珠之际，也润融了瑰宝的灵性，以其治学过程，展现了他人生的辉煌。

孔子说："士志于道。"尚公就是以他的人生理想和对待祖国文化遗产的责任尽粹于本草而依托生命的。在他已经出版 32 部医药专著和发表近 300 篇论文之后，现在又把《尚志钧本草文献研究集》一书奉献于世，这部著作包括已出版著作的提要和钩稽解说其所提出的理论、已发表的部分论文、对古今药学研究方法的整理和他治学的体会。这是祖国的文化遗产也是尚公的成就，是他的心血也是功夫，是"硬功夫"也是"笨功夫"。这部著作以其增益了我国的科学财富而令人欣慰。

尚公从 20 世纪 50 年代起就把本草文献学研究定为他的主攻方向。此前的西药专业知识、实验技术乃至企业和医政管理经验，都成为他新目标的铺垫。中药、方剂和承载它们的历代本草著作，是他的日新之学也是他的研究对象，注释考证与点校辑佚是他的工作也是方法，他向来把学习和研究融为一事。这是一项"望龙光知古剑，觇宝气辨明珠"的工作，既是对吴普、陶弘景、苏敬等历代药学家们的继承，又以芟复补遗、善校精训和他们互为表里。这项工作不仅以高层次的医药知识为基础，还需要精深的文献学养。对于后者，施蛰存先生在《浮生杂咏七十五》中曾感叹道："圈点古书非易事，从来章句有专功。谬本流传吾滋愧，鲁鱼亥豕患无穷。"岂止如此，中药文献因于理论演进、学派传承、度量衡制度等因素，把握起来更为繁难。药名、方义和剂量，误在几微之间，关乎性命，不得舛谬。此外，有的医药名词，还有"一家一义"的特点。这也决定了，要弄懂本草和方书的理论和应用，还必须有文献学，特别是要有考据学的功夫不可。

本草考据学方法的创新和辑佚高质量的方药典籍是尚公的两大成就。传统的考据学在清代朴学中已登极高峰，乾嘉学者的渊博和小学功力，似乎不可比肩，但是，新时代的学人自有超越前贤的优越之处，那就是新材料、新视野和新方法。殷墟甲骨卜辞发现以后，王国维乘时而起，提出了古史研究的"二重证据法"，以经史"纸上材料"和甲金文"地下材料"相结合，超越了以往的训诂考释。王国维在《古史新证》中，完全贯彻了这种以地下资料补充和匡正文献记载的文法论原则。这一文法经王氏首倡后在文史界产生了巨大的反响。陈寅恪先生就曾在《王静安遗书·序》中扬抴阐述。之后饶宗颐、姜亮夫、卫聚贤、李玄伯、徐旭生等诸贤，又进一步将其与比较古文字学、人类学等相结合，把"二重"发展为"三重"，开拓了考据学的新格局。尚公的成就得益于他的治学方法，其中最主要的就是在二重证据的基础上，结合现代植物分类及药物学新知识，这是三重证据思想在中医药文献领域的应用，可称为"本草三重证据法"。从他的《〈诗经〉药物考释》《〈五十二病方〉药物注释》《脏腑病因条辨》以及本书的内容中，均可见其思路和运用。

当年梁启超先生在评价清代考据学时指出："考出一个名物，释出一个文字，等于现代天文学界发现一颗新星。"考据学要求惟精惟博，校书难，辑书尤难，巨大付出才可能有点滴所获。清·王鸣盛提出，点校古书，主要是"改讹文、补脱文、去衍文。又举其典制事实，诠解蒙滞，审核舛驳"。自刘向以后，校书成为学者博学宏通之事。清人标格的"校雠二涂"，即"一是求古，二是求是"，不仅要恢复古书原貌，还须做一些内容诠解工作。尚公校勘的本草和方书，精用4种校法，辨误纠谬已达数百条，改正讹字以千为计。以梁启超发现新星比拟于他，实不为过。他向往顾炎武"采铜于山"的学风；钦佩当年阮元为改正《后汉书》中"不为"的"不"的衍字，亲往郑玄故乡拜谒墓祠，在泥沙中寻得碑文而澄清的佳典。他认为考证药名、剂量等，都应遵行这种作风。《药性论》《本草图经》等书，经尚公的爬梳抉剔，析其疑滞，拾遗规过，达到条理贯穿，易于读通。他可堪为原作者的功臣。

在尚公辑佚的诸书中，以《新修本草》最传佳话。辑佚乃是艰苦之事，在北宋时已经成为一门独立的辑佚之学。历代文献不断产生又不断亡佚。宋代郑樵说亡书可通过辑佚而复还的理由："书有亡者，有虽亡而不亡者。"近代余嘉锡也说："东部藏书者书虽亡，而天下之书不必与之俱亡。"亡书或它的部分内容保存在类书、史书、总集、方志、金石、古书注解、杂纂杂钞以及其他书中。以述为作，最能保持章句的原貌。可以将诸书所征引的章句语句搜集起来，编排成书。甚至可以从类书总集中直得原书。北宋黄伯思从《意林》《文选注》《舞鹤赋》中辑出《相鹤经》，南宋王应麟"采掇诸书所引"，辑出《三家诗考》与《周易郑康成注》。清代辑书弥向高潮，在修《四库全书》时，仅从《永乐大典》中就辑佚古籍达375种之多。在辑佚医书方面，南宋王炎最早辑出《本草正经》即《神农本草经》，由此开辑佚医书的先河，可惜辑而复佚。明清以后国内外《神农本草经》的辑本已有十几种。目前行世的医书中，如刘禹锡的《传信方》、王衮的《博济方》、严用和的《济生方》、钱乙的《小儿药证直诀》等都是辑佚本。唐代苏敬等22人奉诏编修的54卷《新修本草》全称《唐新修本草》，又称《唐本草》，成书于公元659年，是我国也是世界上的第一部药典，比公元1618年成书的《伦敦药典》早900多年，成书70年后传到日本，当时日本将其列为医学生必修课本之一。此书在宋代以后失传。1899年在敦煌288号石窟中发现2片手抄残卷，现分别藏英国大英博物馆和法国巴黎图书馆。另外在日本仁和寺和聿修堂也收藏部分古抄卷子。在辑佚本方面，尚公辑佚《新修本草》之前有2种，一是日本小岛知足氏1849年的部分补辑本，二是我国清末李梦莹的部分补辑本。上述残卷和补辑本合起来也不足以展示《新修本草》全书的原貌。

尚公从1948年就开始了《新修本草》的辑校工作。《新修本草》在成书以后，其内容递次被《开宝本草》《嘉祐本草》《本草纲目》等载引，因《开宝本草》《嘉祐本草》均亡佚，尚公即以《本草纲目》为底本进行辑佚。经过10年的努力，到1958年完成初稿。也就是在行将完成之时，在辨章考镜中领悟到，李时珍所引据的是从《证类本草》转录的资料，不尽是第一手资料，于是他断然推倒重来。他接受了范行准先生的建议，以卷子本为辑佚底本，再次辑复，于1962年以油印本出版。此期间尚公曾撰写有关该书的学术论文多篇，之后又修改补充，终于在1981年出版了《新修本草》的辑佚本。这一番改换底本三易其稿，前后历时32年终观厥成。20世纪60年代，曾编撰《宋以前医籍考》的日本冈西为人也在做这项工作，其辑注的《新修本草》在 1964 年出版。当时，专家们将该书与尚公的油印本进行比较，均认为尚公辑本学术性强而更完整。

《尚志钧本草文献研究集》是他穷其一生精力研究本草文献的总结。但我们在本书中，透过学术还能看到他 60 多年来在本草渊薮中寻步的径迹和人品。他奋发编摩又困知勉行，有逆境中的从容，也有顺境中的淡泊。他既传本草又传本心。治本草文献在当世并非显学，这累人的活计，要求指身为业者广求众籍、穷尽搜罗，有真积力久之功方能辨其名实、引据证验。这是寂寞之道，多是独耕垅亩、亲力亲为。尚公正是这样荒江独钓的野老，他不作凿空之论，不搞学术拼盘，更不屑包装。但是偏偏天赐机遇，使他不期然而然。他丰厚的著作让药学史的目录又添新裁，他名高而身不知。阅读他的著作，让我辈"更觉良工用心苦"。说也有趣，他的相貌也颇似濒湖——睟然貌，癯然身。这难道是造化天成！尚公推重过程，但是就是在探宝的历程中他自己也成为国之重宝。人生至此庶几无憾矣。

孟庆云

于中国中医科学院

2007 年 7 月 4 日

序二

　　像尚老这样德高望重、耄耋之年仍在学术园地耕耘的中医药界老前辈不多了，表彰他们的学术成就、弘扬他们的无私奉献，确实是十分必要的。

　　尚老生于 1918 年，1944 年毕业于重庆国立药学专科学校（简称重庆国立药专）。自 1946 年以来，一直致力于本草文献研究。60 多年来，尚老以其一己之力，矢志不渝地钻研本草学术，共发表论文 268 篇，辑复、校点、注释、集纂本草古籍及编写本草学方面的专著 30 多种。其间所做的文字工作何止几千万言，可谓名副其实的著述等身！

　　我在 20 世纪 80 年代中期初识尚老时，尚老已年过古稀。记得当时我跟随安徽出版界的老专家任弘毅先生前往尚宅拜访。尚老的家极其简陋，可以说没有一件像样的家具，二居室连带厨卫不过四五十平米，中间的小厅置一张餐桌，靠墙边放着陈旧的长沙发和两只方凳，只有桌上一台电视机显出一点现代气息。听任弘毅先生讲，尚老原来寄居在一个工厂的筒子楼里，阴暗潮湿，条件更差。后来，任弘毅先生向新华社安徽分社反映，有记者来访，笔之于新华社内参，才促成住房等待遇的改变。尽管这样，我见到的依然是地地道道的陋室，与一个下岗工人的家庭绝无二致。

　　然而陋室之中有宝藏。进得卧室兼工作室，但见四壁密密匝匝，一包包的文稿、资料堆叠如山，每包文稿、资料外面均用报纸包裹，用毛笔注明着书稿名、资料名，使人惊叹眼前这位瘦弱的老人为此耗费了多少精力！

尚老耳背，不便于行，已多年足不出户。但只要跟他谈到本草，便顿时精气神十足，滔滔不绝，如数家珍。身患心脏病的老伴在一旁说："老头子搞了一辈子本草，本草就是他的命！"10多年来我几乎每年都来芜湖，每次必至尚宅拜访求教。与尚老交流，对我、对他都是莫大的快乐：于我，解决了许多文稿中的疑问，弥补了我的知识缺憾；于他，也可消解一点人生的寂寞吧！

研究本草耗费了他毕生的精力。早年他也当过临床医生，疗效好，医名广，以至夜半叩门求治者不乏其人。但当他认定了本草研究之路，就矢志不渝，一直走下去。

出书难。尤其对于像他这样闭门苦干、埋头学问、绝少社会交往的人。

1962年，芜湖医学专科学校（简称芜湖医专，皖南医学院的前身）就为尚老油印了《新修本草》辑本，作为内部交流之用。20世纪70年代，蒙所在单位领导慧眼识金，鼎力相助，将他当时已辑复校点完的《神农本草经》《吴氏本草经》《日华子本草》《药性论》等予以油印出版。今翻检这些几乎成为文物的发黄发脆的油印本，有恍如隔世之感。当年的刻印，一块钢板，一枝铁笔，手推油滚子，完全的手工劳动，多么不易啊！而尚老的原稿更是他一笔一画、孜孜不倦、爬梳钩沉的心血结晶。

我初次接触这些油印本，对尚老顿生敬意。我与他谈天，谈到为什么搞本草研究？是什么力量支撑他搞本草的？尚老淡淡地说："人过一辈子，总是要做点事，总不能虚度光阴。早年我也有过多种选择。但当我接触了本草，钻进去了，就感到本草学是个宝库，内容太丰富了，可做的事太多，而做这种事的人又太少了。依我的个性，不善交际，不喜张扬，埋头于故纸堆，做做学问还是合适的。"

古人云：板凳要坐十年冷，文章不著一字空。尚老自己都没有想到，在这条冷板凳上坐了60多年了！

对于学术界的现状，尚老虽足不出户，也还心知肚明，表现出一种通达和宽容。他说："改革开放，市场大潮的冲击，使不少人耐不住寂寞，无心于学术了。这是可以理解的。人各有志，不必勉强。我何尝不想日子过好一点，把房子装修一下，让老伴、家人改善生活。老伴跟我这么多年，吃苦、受累，真是对不起她！"说到此，尚老动情了。在求索本草的道路上，他数十年如一日，青灯黄卷，寂寥孑行。衣食住行，柴米油盐，他百事不问，倘无家人的理解和支持，取得这么多学术成果是不可能的。

随着早年的这些油印本交流到各高校、科研机构，甚至国外（皖南医学院院长宋建国教授20多年前在日本留学时见到过），尚志钧的名字渐渐为学术界所知晓。这中间，也衍生出一些意外的事：有的人窃取尚老的油印本拿出去发表；更有人径将尚老的手稿剜去"尚志钧"三字，填上自己的名字，当作自己的成果寄给了卫生部。卫生部转给了出版社，出版社又转请文献专家耿鉴庭先生审稿。恰恰此前尚志钧已将此稿请耿老看过。耿老一见此稿即通知了尚志钧，此事即被戳穿。20年后，尚老在回忆此事时，只是淡淡一笑："当时有人出于好心，以广本草传布……"云云。尚老为人之宽厚可见一斑。

进入20世纪80—90年代，尚老陆续在人民卫生出版社、安徽科学技术出版社、华夏出版社等出版了不少本草辑本、校本，引起学术界的关注。其间，更有日本汉医学团体人士来访，港台地区媒体的报道评价，使他的名字远播海内外。但尚老为人低调，他一再对我说："如果不是单位领导的理解，没有出版社的支持，我搞的东西最后可能只能成为一堆废纸！"他多次提到新华社资深记者宣奉华、安徽科学技术出版社第一任总编辑任弘毅对他的帮助；在他生病时，是其单位老院长夏祥厚教授亲自主刀；时任皖南医学院弋矶山医院院长芮景教授每年春节拜望尚老时，总是带着尚老单位刚参加工作的学士、硕士一道上门。他说："要让年轻人感受一下老一辈学者是怎样做学问的，这是重要的第一课！"

作为他家乡出版社的编辑，我有幸为尚老编发过数百万字的书稿，晤谈数十次，信函百余通，他的为人、为学给我印象至深。

在他的本草人生中，最具有学术价值的当数辑复《新修本草》。原中国中医研究院中医文献所所长郑金生教授等对此评价甚高。《新修本草》是唐代由政府编撰颁行的国家药典，成书于659年，比西方最早的药典《纽伦堡药典》还要早。《新修本草》始终指导着我国本草学的发展，然而该书的正文部分在北宋后期就已难见其全貌。近代在日本和我国敦煌陆续发现了《新修本草》残卷，但只得原书之半。因此，整复《新修本草》成为海内外学术界的普遍期待。多年来，中日两国本草学者为之奋斗不已，但毕其全功者，只有中国的尚志钧、日本的冈西为人。两位大师级学者各自独立完成了全书的整复。冈西为人的本子在1964年出版；尚老的本子正式出版在1981年，但油印本已于1962年出版，还是早于冈西为人。故有人称之为中日两国学者之间的无形竞赛。尚老为本书付出了多年的努力，援引校勘文献达40多种，作校记6000多条，可见耗费心血之巨大了！

除辑复本草外，尚老还编著了几种较有价值的本草学专著，其中最有特色的是

《药性趋向分类论》。

尚老辑复了诸多本草古籍，加之早年的临床实践，对用药已经了然于胸，更有感于初学者对各种繁复药性记诵的不易，他意识到药性是用药的首要问题、核心问题。他精心设计了一个提纲挈领的分类方法，将所有药物按药性趋向分为行与守两大类，在行与守之下再细分若干小类，小类之下列出药物，分述其共性与个性。这样，将所有药物均纳入上述系统之中，使药物分类更清晰，学习更简捷，记诵更方便。《药性趋向分类论》已于2006年出版。读者反映，如此分类，纲举目张，这是尚老对本草学的一个创新。

在求索本草的道路上，尚老走过了一个甲子。举凡本草学术方面的古籍，他几乎都作过研究、探讨和比较，并摘录了许多卡片。如何从宏观上、总体上把握中国本草古籍文献，探求各朝代本草的特点及其关系，总结本草发展的源流，是他多年思考的大问题。在他90岁寿辰之前，他终于完成了《中国本草要籍考》，堪称为本草领域的一本系统的、有分量的工具书，对后来者学习、研究及检索文献都很有帮助，这是尚老留给我们的极有价值的财富。

《论语》云："智者乐，仁者寿。"尚老的乐，乐在本草中。倘若没有本草之学，他何乐之有呢？尚老之寿，寿在本草中。倘若没有他所钟爱的、求索一生的本草之学，寿的价值又何以体现呢？因此，可以说，尚老的一生就是奉献给本草的一生。

胡世杰
于安徽科学技术出版社
2007年6月26日

序三

尚老是我最尊崇的前辈学者之一。像他这样清贫、执着、渊博的老学者，在当今中国已不多见了。尚老虽然身居芜湖，但受过他教诲之恩的学生却散布全国。1970 年我大学毕业在江西药科学校任教的时候，第一次在图书馆见到尚老辑复的《唐·新修本草》油印本。那时我对本草一无所知，就是从这本书知道了原来药学研究中还有这样一块领域。1978 年，我考取了中国中医研究院的第一批医学史硕士研究生。个人对中药学的爱好使我选择了本草历史和文献作为研究方向，因此更多地知道尚老在本草领域的建树，非常钦慕向往。

1979 年，我回江西南昌探家时绕道安徽芜湖，专程拜访了尚老。那时尚老的家中因人口多而拥挤局促。旧式的民居，光线很暗。但这些都没有妨碍我们一见如故的深谈。就在那一天，我们从下午谈到深夜，谈本草、谈治学、谈人生。那一天，尚老对我这个初进本草之门的学生赠送了一句话："学贵乎博而业贵乎专。"这也是尚老自己身体力行的座右铭。近 30 年来，我一直牢记尚老的教导，专心致力于本草历史和文献的研究。那一天，尚老没有和我多谈他在本草研究中取得的成就，相反更多的是谈他研究本草所走过的弯路。他在笑谈中介绍了他辑复《唐·新修本草》时两次大返工的经历，但我能体会到这两次大返工意味着多少个日日夜夜的辛劳。就是尚老的前车之鉴，使我在此后的研究道路上一帆风顺。那天晚上，我们越谈越投机，直到师母前来告诉我，尚老血压很高，不能过于激动和熬夜，我们才结束第一次的长谈。

从那次以后，尚老就成了我本草研究道路上的指路人。我们师生之间的书信往来不断。令我感慨的是，尚老给我的信，有的信封是用香烟盒翻过来糊成的。清贫，让他不得不节俭如斯。以后我还多次去过芜湖，每一次尚老展示给我的，是他增添的皱纹和白发，还有一本又一本整理而成的本草新作，然而只有清贫如旧。成箱累篓的资料和书籍，甚至没有一个像样的书架来摆放，只能用旧报纸包裹着，堆在狭小的房间里。住房虽然已经换了楼房，但桌椅还是20多年前的旧桌椅，房子也没有任何的装修。说尚老家徒四壁恐怕有点过，但至少可以说是"素面朝天"。

尚老本人对清贫安之若素，所以每次我去他家，他也从不在乎"寒舍"的"脸面"。但有一次尚老却为这"寒舍"大犯其愁。2005年，日本茨城大学著名本草学家真柳诚教授对我提出，他想亲自去登门拜访受到日本本草学界尊崇的尚志钧教授，问我能否代为联系。我说没有问题，愿意专门陪同。当我打电话与尚老联系时，才发现尚老显露出前所未有的踌躇、嗫嚅。尚老为难地告诉我，说在这个简陋的家里接待日本友人，有失礼貌。我在劝慰尚老的同时，再次与真柳诚教授联系，说尚老希望在当地某饭店见面，请他吃饭。真柳诚教授激动地说："我不是为了吃饭去见尚老。尚老虽然居住条件差，但他在学术上、精神上是非常富有的，我去拜会他是为了表示我的敬意。看看尚老的家，将会更激励我们这些条件好的人要更努力地从事研究。"经过斡旋，尚老家人才同意在家接待日本友人。这年的2月19日，冒着严寒，我陪同真柳诚教授去尚老家拜访。这一晚，中、日两国神交已久，并且在学术上有过多次友好往来的本草学者，终于聚在一起，畅谈本草研究。尚老亲自用硬纸板做成函套，将他多年整理的本草医药著作集中在一起，送给真柳诚教授。真柳诚教授参观了尚老贫寒的家，我看见他眼睛里流露的全是肃穆敬仰。

尚老数十年挥蚊呵冻，整理出诸多本草名著，其中，尚老整理最佳的一本书是《唐·新修本草》辑复本，安徽科学技术出版社于1981年3月出版，全书共有46.6万字，1300多年前由苏敬主纂。该书反映了梁·陶弘景《本草经集注》以后中国本草学的发展和对外邦药的吸收应用，是我国最早由政府颁行的官修本草。该书曾流传朝鲜、日本诸国，成为这些国家的医学教材。自宋开宝以后，此书湮没无闻。为了填补本草文献中的这一空缺，弄清唐前后各种本草资料的来龙去脉，尚老花了32年时间，三易其稿，终于以清代在日本发现的日本人摹写的残本和敦煌出土残片为底本，参照《本草和名》《医心方》《千金翼方》《证类本草》以及诸类书中引录的有关《新修本草》的条文，予以辑复。虽然只包括原书的"本草"部分，未辑入药图和图经，但已经是目前国内外最好的辑复本。该书出版以后，我曾专门写过述评。2004 年 7 月此辑本修订再版，共 123.4 万字，并附录各种《新修本草》残本影印件及有关研究资料。尚老在各条目下作详尽校记 6319 条，为纠正宋以后诸家转录刊刻中的差误提供了依据……

尚老、林乾良教授和我三人共同撰写了《历代中药文献精华》（1989）。这是当时内容最丰富的本草历史和文献书目著作。像尚老这样的学者，毕生为了心爱的本草学术，不知道付出了多少心血，但却没有给自己带来多大的利益。尚老能这样甘于坐冷板凳，能这样痴迷地钻研中国古代本草宝库，数十年如一日，真正的不容易！

我以上说的话，只是希望读者在阅读《尚志钧本草文献研究集》一书的时候，不要忘记一个赤诚的本草前辈学者，曾为之呕心沥血。

郑金生

中国中医科学院中国医史文献研究所

2007 年 7 月 11 日

前　言

本书是我穷毕生精力研究本草文献的总结。

我出身于农民家庭，自幼喜爱中医药典籍，在弱冠读经书时，已能背诵《药性赋》《汤头歌诀》等中医启蒙读物。20 世纪 40 年代起我接受尚启东老中医"医药文献整理大有可为"的建议，从此专注本草文献研究，至今已越半个多世纪，并在文献研究中摸索出一套方法，形成了自己独特的风格。

我整复的第一部本草书是《新修本草》，初以明代《本草纲目》为底本，花了几年功夫，行将完成之时，才领悟了李时珍所引是从《证类本草》转录的资料，不是第一手资料，不能作为辑佚依据。于是断然推翻原稿，从头搞起。又经过几年挥蚊呵冻，终于于 1958 年完成初稿。复借赴北京进修之便，苦钻北京图书馆藏书，其间得以借阅赵燏黄先生本草善本藏书，并不断得到范行准等先生的审阅指导。最后我接受范行准先生的建议，以卷子本为辑佚底本，再次作了大量修改与补充，直到 1981 年正式出版。前后历时 32 年，稿凡三易，终于填补了本草文献辑复工作之空白，受到国内外一致好评，被认为是本草文献整复工作中的一大成就。

多年来，我阅读了大量有关书籍，不仅得见一些孤本、善本本草书，还手抄笔录积累了大量资料，全面系统核实了一些文献记载，建立了本草书籍、本草人物及单味药物 3 个系统的卡片档案，由源及流地加以整理。作为整个本草研究的开始，我把全部精力集中于宋以前本草，以此为突破口，上溯下引，追根问底，查清药物运用的概貌。从 1962 年起，我又着手整理《肘后方》，并于 1966 年基本完成。以这两条线为基础，旁征博引，上下贯通，构成一张辑佚医药方书的联络网图，进入了左右逢源、得心应手的学术研究佳境。先后出版了许多辑本，如 1981 年的《唐·新修本草》辑复本，1983 年的《补辑肘后方》，1986 年的《名医别录》辑校本，1987 年的《吴普本草》，1989 年的《脏腑病因条辨》、《历代中药文献精华》，1991 年的《雷公炮炙论　濒湖炮炙法》合刊本以及《神农本草经校点》《海药本草》辑校本、《本草图经》、《日华子本草》辑释本、《〈本草拾遗〉辑释》、《药性论》、《本草经集注》辑校本、《〈五十二病方〉药物注释》、《雷公药对》辑复本等，撰写学术论文 268 篇。

在整理方法上，我是继承运用乾嘉学派考据的方法，同时参考了现代植物分类及药物学的有关新知识等。

我认为，作为一个本草文献研究者，知识面应广，而研究的领域必须缩小在一定范围内，以求深入、有创见；治学态度必须十分严谨，没有充分依据，即不急于发表仓促的论断或主观的臆测。对本草资料要掌握娴熟，理论基础要雄厚，临床实践要有一定根底。就我自己而言，正是因为 60 年如一日地孜孜以求，坚持学贵乎博，业贵乎专，因此才能取得一些成就。

兹将本人历年出版的著作，大致按每本书的前言、说明加以介绍；所发表的论文以题录的形式呈现；论本草文献研究思路和方法的文章也介绍如后。从这些已出版的著作和已发表的论文中，可以看出本人一生研究的成果。

由于本人年老多病，精力、体力不足，所记可能有错误，敬请读者批评指正。

尚志钧

于皖南医学院弋矶山医院

2007 年 9 月 20 日

编校说明

（一）本书为尚志钧先生本草文献研究著作。本次整理以尚志钧先生已出版的《本草人生——尚志钧本草文献研究文集》原书（以下简称"原书"）为基础书稿。

（二）原书有简化字，也有繁体字，本书统一使用简化字。本书在编辑加工时，主要依据国家语言文字工作委员会文字规范文件（《简化字总表》《异体字整理表》等）的规定，以及《汉语大字典》的相关释义，在不影响原义的情况下，将原书中的繁体字、异体字、通假字等改为现行规范字，但在以下情况中做变通或特别处理。

1. 本书中部分内容需要借助繁体字、异体字加以说明，则相关繁体字、异体字不予改动。

2. 将原书文字进行简化时，若简化后字义容易淆错或不明晰，则慎重直接简化。如中医病名"癥瘕"之"癥"不简化为"症"。

3.《异体字整理表》等书中归并不当或关系有歧见的异体字，本书不做简单归并。如《异体字整理表》将"剉"并入"锉"，但"剉"（本草古籍中的"剉"为中草药切制的方法）与"锉"使用的工具、加工的方式与结果都不相同，故不予归并。

4. 尚志钧先生摘录古籍药名时为尊重古籍文字原貌，所写药名与现代规范药名不同的，本书不做改动。如"旋复花""荜拨""漏卢"等。但在非古籍引文部分，仍用现行规范名称表述。

（三）本书由尚志钧先生辑注的多部本草著作的相关内容组成，因不同著作表述方式有异，无法做到全文统一，故仅进行局部统一。

（四）对于本书中明显的错别字以及常识性错误，编加时直接予以改正，不予出注。

（五）为方便读者阅读，在描述古籍卷页时，均用阿拉伯数字表示。如"卷7页13"等。

（六）本书中部分内容前后不一致之处，经尚元藕老师以及相关资料求证，确有错误处，已进行修改；无从查证处，遵原书，不予改动。

在本书的编辑整理过程中，有幸得到了尚志钧先生弟子郑金生研究员以及国内多位中医文献学者、古籍出版专家的悉心指教。由于本书专业性强、体量较大，且出版时间紧促，编辑水平有限，疏漏谬误，恐所难免，欢迎广大读者批评指正，以期再版更正。

目 录

第三篇　论文题录

第四篇 思路方法

附录

后记

第一篇　学术传略

求学之路，艰难坎坷
（1928—1948）

尚志钧，1918 年 2 月 4 日出生于安徽全椒县东乡西观圩小庄村一个祖辈务农的家庭，母亲早亡。1928 年举家迁至全椒县西乡中兴集北江王村。同年冬天，父亲送他入私塾读书，教书先生颇为严格，尚志钧学习很勤奋，《四书》《五经》能琅琅成诵。1932 年进入全椒县西门宝林寺小学四年级插班学习。1934 年报考当地县立初级中学，以总分第一名的成绩被录取。1937 年参加高中考试，被芜湖第七中学（今芜湖一中）录取。开学不久，由于战事芜湖七中随之解散，尚志钧遂返回全椒县中兴集北

晚年尚志钧先生

江王村。旋即全椒县亦沦陷。1938 年春，他离家随着流亡的人群西上，走到安庆轮船码头时看到一张告示：凡是芜湖、合肥、安庆的中学师生，可以去安庆对岸的至德县第四临时中学报到就读。于是 3 月初他暂时落脚于该校。2 个多月后，日本人由芜湖转攻安庆，学校又被迫奉命西迁，师生 600 余人开始步行出发，9 月中旬到达湖南洪江时只剩下 90 多人了。该校新校址设在嵩云山庙里，校名也改为国立第八中学高中第三分部。在兵荒马乱的年月，中国的年轻人尽管面临着死亡的威胁，却始终没有放弃读书学习。在读高中的这 2 年时间里，尚志钧常常利用星期天去江边码头上打短工，维持学业。高中毕业后，他只身来到重庆。

尚志钧来到这里后，报名参加了大学统一考试，当时报考的学校是陕西武功的

西北农学院。虽然被录取，但因无路费未去成。其后，四川成都的中央大学医学院牙医专科招考，他参加考试后被录取，但仍因路费问题没有去成。后经刚从重庆国立药专毕业的安徽同乡林启寿先生帮助，报考重庆国立药专，并以第一名的成绩被录取。1944 年毕业后，尚志钧在当时的四川合川卫生署麻醉药品经理处及其附设的国立第一制药厂工作将近 1 年。由于整天的工作都是称药、分药、封瓶包装、贴标签等重复性体力活，尚志钧对此工种实无兴趣，从未被苦难和艰辛吓倒的他第一次感到了苦闷和彷徨。

恰在此时，日本战败投降，27 岁的尚志钧为时局的扭转而欣喜若狂。年轻气盛的尚志钧希望在养育他的故乡行医制药，大展宏图。他决意辞掉包药、贴标签的工作，参加卫生署医疗防疫第二大队。医疗防疫第二大队前往安徽，当时的队址定在芜湖。回到了阔别 8 年之久的老家后，他才知道父亲、长兄、长嫂及小妹均已过世，只剩下祖母、继母和二哥、二嫂。而当时的江淮大地一片疮痍，制药工作无法开展，他便暂时栖身于安徽省卫生处，挂技术专员的头衔，但无具体工作可做。

彼时的尚志钧经常回全椒县与族兄尚启东（1902—1986，字元显）交谈，并就前途请教族兄。正值风华年少的尚志钧急于为家乡的医药事业作一番贡献，而那时族兄尚启东已是当地颇有名气的"老中医"了。尚启东不是一位普通的中医临床医生，他有着敏锐的目光和深厚的汉文功底，勤于著述，曾撰《华佗考》和《中医论衡》二书，治验丰富。他学识广博与专精，这从他 1981 年 7 月为尚志钧《补辑肘后方》一书所作之跋可略见一斑。他十分了解并且赏识这位年轻却颇具书生气的族弟。他知道尚志钧背井离乡 8 年归来，最为珍重的东西是从重庆携来的那一摞线装古书；他知道尚志钧购买这些书的钱来自他省吃俭用和他所获得的奖学金。于是他因势利导鼓励尚志钧走上中医药文献研究之路，并且告诉他这一行虽然清苦，但人的一生做点学问才是正事，况且做这一行可以结合尚志钧在重庆国立药专学的知识，学以致用。尚启东说："若能从事本草文献研究，一定大有作为。用清人的考据方法来研究中医本草文献是一件十分有意义的事，因为清代的考据学家们很少涉及这一领域，可以说这是一个学术上的空白点，需要有识之士为之奋斗终生。"当时尚志钧认为族兄所言极是。然而尚志钧对研究本草文献缺乏基础知识，于是他下决心自学补课。

1945—1947 年，举凡中国古代历史、地理、目录学、文献学和清代乾嘉学派代表人物的考据笔记类书籍，甚至动植物学、矿物学等都成为尚志钧先生从头硬唷的"新"学科。尚志钧大约用了 2 年时间，即奠定了一定的本草文献研究基础。

1947 年，尚志钧与井子东女士结婚，育有四女一子。由于尚志钧参加工作后，上班时间白天忙公务，晚间、节假日全忙于本草文献研究，对家务实在无暇顾及，家务全由井子东女士一人承担。

尚志钧先生和夫人井子东与家人合影

（左为儿子尚元胜夫妇，右为女儿尚元藕夫妇）

从 1948 年开始，尚志钧即着手辑复《新修本草》，有计划地对各种古本草及经、史、子、集，包括《十三经注疏》和《诗经》等先秦古籍，以及历代史志作品加以研究，并将其中凡与《新修本草》相关之处一一摘出。在摘录过程中，他摸索出一套行之有效的搜集资料的手段。比如要想全而不乱，得有一个大的分类才行，在这个分类之下，再按时间顺序搜集资料、制作卡片。这样做就能事半功倍、有条不紊。在那时，他已将资料卡片按本草人物、本草书籍和本草诸药三部分来分类了。即便现在重新审视这套分类方法，也不失为一种全面、简捷而合理的选择。

创业伊始，峥嵘初露

（1949—1957）

2003 年 12 月 12 日尚志钧在一封信笺中不无自信地说："我若处在 20 年前，一定回家挂牌行医，我的医技声誉在家乡比我的本草文献响亮得多。"尚志钧此言绝非虚语，其实并非是在 20 年前的 65 岁，即便是在 55 年前刚刚步入而立之年时，尚志钧在家乡已是医名大著了。

1949 年中华人民共和国成立后，31 岁的尚志钧离开安徽省卫生处，回到全椒县老家。当时家中还有几十亩薄田，由祖母、继母和兄嫂们操持着。但是他没有选择种田，而是继续研究本草，兼走行医的道路。他向家乡父老们承诺：来就诊者一律先看病，看好了再付钱，付多少也由患者量力而行；看不好的不付钱。患者痊愈后付不起钱的，纷纷给尚志钧送来了米、油及各种蔬菜，他再也不用为填不饱肚子犯愁了。在此期间，他还利用自己掌握的制药知识"加工"了一种医治咳嗽的药丸，名为"尚氏止咳丸"。因为疗效卓著，"尚氏止咳丸"一时间声名大振。

1949 年 9 月，尚志钧接到一封重庆国立药专的同学从山东济南寄来的书信。该同学向尚志钧透露，他所在的白求恩医学院目前正在搜罗人才，现缺少化学教师，希望他能去试一试。尚志钧是学过化学的，同时他为了寻求一个良好的研究环境，也想到济南去看看。况且尚志钧打小就有一个读书、教书的教师梦，这正是一个圆梦的机会。在济南白求恩医学院药剂科任教期间，他备课极为认真，上讲台时从不带课本，板书条理清晰、规范整洁。学生们都敬佩他，连隔壁教室里的学生都"溜"来听尚志钧的课。但白求恩医学院的教书实践，只是尚志钧一生中的一个短暂经历。虽然在课堂上他是成功的，但他舍不得丢掉对本草的研究，常想在课余时研究本草，而大量本草书和资料都在全椒县家中，于是他打算再次回到全椒县，重操旧业，继续行医，有患者来即看病，无患者时即研究本草。恰巧这时，即 1950 年秋，他的继母生病，写信叫他回芜湖，尚志钧便踏上了回芜湖之路。

应当说，从济南再次返回芜湖，是尚志钧一生的重要转折点，从此他便与安徽芜湖，与教学育人，与本草文献真正结下了不解之缘。也许是芜湖甘甜可人的水，也许是芜湖安宁静谧的土，也许是芜湖朴实无华的真，留住了这位了不起的学者。自那以后的半个多世纪，尚志钧的根却牢牢地扎在了芜湖。

尚志钧于 1950 年秋回到芜湖后，参加了"卫生训练班"的筹办工作，饱尝了创业的艰辛和甘苦。训练班后来发展成为"卫生干校"，不久改名为芜湖中级卫生技术学校、芜湖卫生学校（以下简称芜湖卫校）。1951—1953 年，尚志钧都在芜湖卫校授课。办学之初，人手紧张，不管哪门课，凡无人上，都由尚志钧来代。1954年他被调至安庆卫生学校，1955 年又被调回芜湖卫校。1958 年芜湖卫校改名为芜湖医专；1970 年芜湖医专并入安徽医学院，尚志钧被分在中药班授课；1972 年芜湖医专又从安徽医学院分出，校名改为皖南医学院，该校名一直沿用到现在。尚志钧在这一阶段改授中医学概论，兼从事中医科门诊工作，只能利用晚上时间整理古代亡佚本草。可以说无论多少风风雨雨，尚志钧总与该校相伴。

尚志钧经常感到工作压力大，时间紧张不够用。当时，他白天在芜湖卫校授课，8小时以外时间全部用来辑复《新修本草》或闭门读书，从不到任何人家去串门，这种沉寂过程持续了七八年。尽管在这一时期面临着种种困难，但期间他对本草的兴趣却是越来越浓。正是因为这份执着，身处逆境的他，虽然无法选择外部环境，却以百倍的严格要求自己。他放弃休息时间，不顾身体健康，追着目标努力奋斗。多少年来，尚志钧几乎没有睡过一个完整的觉。

尚志钧先生在书房查阅资料

从历史和社会发展来看这似乎是件很奇怪的事，越是在时事纷扰时，越是有愿意沉寂下来的学者，即便这种沉寂的代价使当事人都不愿去过多回忆。这也许就是滚滚长江水中所裹携的沙子和金子的区别吧——在惊涛骇浪中，沙子随波翻涌，尽显风流；而金子却总是最先沉寂，并且越是纯正，便越是沉寂。虽然免不了经受诸多风雨的打击，但尚志钧独有的、与生俱来的金子般的毅力，将他历练成为一个"观其户寂若无人，披其帷其人斯在"的学者。

此时，他对本草的兴趣已越来越浓厚，他一生中最为重大的一项工作——《新修本草》的主要辑复工作正是在这一时期完成的。虽然历经反复，但在此期间他追本溯源，最终发现明·李时珍的《本草纲目》蓝本资料得之于宋·唐慎微《证类本草》者独多；而《证类本草》的基础是宋时官修的《嘉祐本草》；《嘉祐本草》的分类框架又悉尊唐《新修本草》。《新修本草》又叫《唐本草》，是唐朝政府组织编修并颁布的药学专著，现已被学术界视为世界上最早的药典，比《纽伦堡药典》要早 800 多年。要想穷尽本草文献之源，《新修本草》的辑复便成了尚志钧要突破的第一关。在这个创业伊始艰难的自学、求索过程中，我们已能约略看出尚志钧做学问注重寻根溯源的自发特点。日后几经磕碰，这一特点进一步由自发转向自觉，从而让读其书者，每每为其书之博大精深而掩卷叹服。

再造升华，炉火纯青
（1958—1965）

尚志钧辑复《新修本草》的工作早在 1948 年就开始了。他刚开始辑复此书时，是以李时珍的《本草纲目》为底本进行的。随着工作的深入，他越来越明显地感觉到，李时珍所引资料并非第一手资料，而是转引自《证类本草》，并且由于李时珍得见《证类本草》版本不佳等缘故，其引文中还存在一些不准确的地方。大约在 1955 年，尚志钧发现《本草纲目》将《证类本草》中的"唐本余"误为《新修本草》。当然也有一些现存《新修本草》残卷中的错误被发现，比如 1955 年上海群联出版社出版的《新修本草·磁石》误将"颈核喉痛"写作"颈核唯痛"，而这类错误的纠正则需要《千金翼方》和《证类本草》的相互佐证才做得到。

这些发现固然极其重要，然而对于尚志钧的本草辑复工作来说，却是一个不小的挫折，因为此时将《本草纲目》作为底本的辑复工作已近尾声。但发现的喜悦和一种骨子里的责任感支撑他推翻原稿，从头再来。因为他要提供给后人的是完整可靠的历史资料，绝不是自欺欺人、以讹传讹的东西。从 1948 年着手辑复到 1958 年基本定型，尚志钧用了 11 年才基本完成《新修本草》的整复初稿。

1958 年，卫生部在北京中医学院举办的中药研究班成立了，这一年的 10 月他来到了首都北京，来到了这个人人向往的首善之区。秋天是北京最美丽的季节，但他无暇欣赏那片片飞舞的香山红叶，也无心理会庄严大气的颐和园胜景，而是埋头学习，虚心请教。事实上他在 1957—1959 年间，一连在国内发表有关本草学的学术论文 8 篇，在中药文献研究界已经引起了一些反响。

他是带着《新修本草》的初稿来到北京的，在北京给他极大帮助的人有赵燏黄（1883—1960）、范行准（1906—1998）、陈邦贤（1889—1976）等先生。先生可敬，后生可畏。赵先生慷慨地拿出本草善本藏书给他阅读；范先生建议他采用影印的《新修本草》卷子本作为辑佚底本进行修改；陈先生热情地写推荐信，将他的修改稿送交人民卫生出版社。人民卫生出版社随即将其列入出版计划。然而，在随之而来的 3 年里，《新修本草》一书由于种种原因终未出版。为了让这部重要文献不再尘封，尚志钧所在的芜湖医专于 1962 年将其油印出版，供学术界交流。

显然，另起炉灶、从头再来，让本书的辑复质量进一步得到了提高；而出版上的几经周折和不断润饰升华，更使其校注变得绵密细致、几近无讹。因此，在北京的 2 年时间，不但是《新修本草》一书得到升华提高的关键时期，也是尚志钧本人的学术水平步入炉火纯青的开始。

尚志钧先生本草学辑复本最初的油印本

范行准先生在 1962 年 11 月 3 日为此书油印本所写的序言中，对此书的辑复成功给予了极高的评价，他说："我们知道从事重辑《新修本草》者，中外不止一家，而俱未能问世。今尚先生竟能着其先鞭，使 1300 年前世界上第一部国家药典的原貌，灿然复见于世，是值得我们庆幸的一件事。"而对于尚志钧来说，"值得庆幸"还有另一层含义——日本学者冈西为人根据从我国传过去的一些残片断简，也辑复了《新修本草》。但冈西为人的本草是 1964 年出版的，比尚志钧的辑本还要晚 2 年。有专家将这 2 个本子对照研究后，发现尚志钧的辑本更完整、学术水平更高。这是对尚志钧 15 年来的辛勤劳动的一个肯定。但即便如此，尚志钧并没有放弃对此书稿的进一步推敲。事实上，此后的 10 多年间，尚志钧数易其稿，直到 1981 年才由安徽科学技术出版社正式出版。从着手写作到最后铅排出版总共用了 34 年的时间，不可谓不长。

　　可以说尚志钧对此书的关注，甚至超过了他对家庭、对子女的关心。尚志钧结婚的第 2 年正是《新修本草》着手辑复的开始。许多年后，他的儿女们回忆说："小时候，记得别人的父亲出差回来，总给孩子们带回好吃的或者新衣服；可我们的父亲回来，不管是在车站还是在码头，我们去接时，东西倒是有几麻袋，可都是资料卡片，不会有一样吃的东西。我们对父亲的这种出差也早已习惯了。从我们记事到现在，印象中的父亲，除了睡觉，总是在看书。父亲经常说，时间是挤出来的。他研究本草都是利用 8 小时以外的时间，有时上下班、等公交车，甚至连上厕所时嘴上都在背着、记着。"而与之相依为命半个多世纪的老伴井子东女士则说："在我的记忆中，尚志钧从来没有一个节假日，哪怕是大年三十，没有哪一天不是到饭菜上桌，他手上的书才放下来。"言语间多少有些由爱及嗔。周颖记者在 2005 年 6 月 17 日的《中国中医药报》上撰文《苦乐人生探本草——皖南医学院弋矶山医院教授尚志钧系列报道之一》，文中指出："一个人在短期内耐得住寂寞、忍受清贫并不难，难的是一辈子甘愿寂寞、淡泊名利、安贫乐道。"这话用在尚志钧身上，是再适合不过的。

相濡以沫的老两口

　　"多年来，尚志钧都是利用医疗工作之余的时间来研究本草文献的，所积累的大量资料也是利用节假日和星期天从各图书馆搜集的。他出版的书籍，也是回家以后开夜车整理出来的。即使在 1966—1976 年，他仍利用休息时间看书学习，坚持研究，晚上很少在 11 点以前睡觉。在弋矶山医院小区居住的人都知道，尚志钧家是小区里最晚熄灯的人家"（见 2005 年 6 月 24 日周颖记者在《中国中医药报》发表的《烛光摇红照后人——皖南医学院弋矶山医院教授尚志钧系列报道之三》一文）。尚志钧以身教代言教，他的执着与敬业精神深深地影响着他的家人。他的爱人默默地承担起了全部家务劳动，而他的子女也在各自的工作岗位上出色地工作着。其长子尚元胜在芜湖九中教化学，是特级教师，并曾协助尚志钧完成《雷公药对》的辑复；幼女尚元藕在 1977 年 6 月就被皖南医学院调回借用，作为尚志钧的助手，帮助尚志钧深入整理《新修本草》。随后在皖南医学院弋矶山医院的支持下，尚元藕从 1989 年 3 月起协助尚志钧，用经书及古方书《备急千金要方》《外台秘要》《本草衍义》等书复校《证类本草》一书。最终，该书于 1993 年 5 月由华夏出版社出版。该书现已成为《证类本草》成书 900 年以来的首次全面校注本，学术价值极高。

受到冲击，矢志不渝
（1966—1976）

尚志钧曾说："我在北京时读了两年书，寒暑假都在北京，整天泡在图书馆中，手抄笔录，集文摘卡 7200 余张。"1969 年尚志钧参加教改小分队，搞开门办学，搞农村巡回医疗。他被分在医疗小分队，在霍邱县叶集镇从事中医门诊工作。到 1970 年皖南医学院教学恢复，他才回到学校，医院亦由农村迁回芜湖。尚志钧被分配在弋矶山医院中医科出门诊，兼从事教学工作。8 小时以外，他仍坚持进行本草文献整理。到 1974 年，他因长期缺乏睡眠，加上工作量过重，把身体弄垮了，不仅不能上班，连生活都不能自理。从那以后，他便长期病休。

待身体好转，尚志钧仍想去医院出门诊。有一天，安徽师范大学生物系教授兼系主任钱啸虎先生来看望尚志钧。他了解到尚志钧对本草文献很有研究，劝尚志钧应该坚持下去。他说到门诊看病仅能治好几个人，如果把本草文献整理好，可以使更多的人受益，造福子孙后代。尚志钧在钱啸虎先生的启发下，放弃医疗工作，继续坚持本草文献的整理工作。而当时皖南医学院弋矶山医院的教学工作要求教师对前期课能上讲堂上课，后期课能下门诊、病房看病。整理本草文献属于科研范畴，并且中医本草文献学在当时以西医为主的皖南医学院弋矶山医院并未受到足够的重视，所以当时领导并不同意尚志钧这样做。

1966—1976 年是尚志钧学术研究损失最大的一段时间。此前尚志钧不仅仅整理出了《新修本草》《吴普本草》《名医别录》《本草经集注》《本草拾遗》《食疗本草》等书之初稿，有的甚至还以油印本的形式出版、交流，而且他还发表了本草方面的相关文章达 45 篇之多。但这一时期开始后这个正常的学术交流过程被人为地中断了。然而不论环境怎样艰难，尚志钧始终没有放弃自己的追求。1966 年，他存放在办公室里的图书资料包括《名医别录》清稿、笔记，以及从北京各大图书馆摘录下来的 7200 多张卡片因故遗失，从未被苦难和艰辛吓倒的尚志钧为此痛哭流涕。

在这一时期下乡行医的过程中，尚志钧也没有放下本草研究工作。当时他"带了两本 1957 年人民卫生出版社出版的《本草纲目》，从中摘录 3 种内容，一是《炮炙法》，二是《集简方》，三是《纲目》中每个药的'发明'内容。后来，只有《炮炙法》与《雷公炮炙论》合为一集出版，其他两稿均丢失，情况一言难尽……"

尚志钧先生在书房工作

这里有必要着重提一下《名医别录》清稿失而复得的曲折经历，让我们透过一本书的命运，来了解一下这一时期尚志钧的命运。也许是命中注定尚志钧一生与书为缘，以至于我们几乎分不清，是他的书还是他本人更具有传奇色彩。在此期间尚志钧放在办公室的《名医别录》清稿丢失，他擦干泪水后，在极为困难的情况下，凭着记忆和尚幸保存的底稿重新来做这一工作。经过 4 年的时间，尚志钧终于在 1970 年，又回忆、整理出一部《名医别录》简化稿。

1976 年 10 月，尚志钧又重新回到本草文献研究的道路上来。1977 年他将《名医别录》简化稿交由皖南医学院油印出版，供学者们交流。直到 1984 年前后，尚志钧又将此书书稿寄给中国中医研究院耿鉴庭先生，略述该书书稿"丢而又做"的经过，并坦言想请耿先生为他这本书将来出版时写个序。然而耿先生的回信让他大吃一惊，信中说："你的书稿并没有丢失，就在我手上。"原来，耿先生手上真的有一部《名医别录》的书稿，字迹与尚志钧的手稿字迹一样，不说内容，甚至所用的稿纸都一样，但署名却是"振英梁静波"。为此，尚志钧连夜给皖南医学院打报告，请求学校派人调查此事，学校也立即向安徽省卫生主管部门报告。经调查，原来"振英梁静波"是从一个收破烂的货郎手中买得此稿，一看书稿作者是"皖南医学院"的一位老先生，考虑事隔多年，猜想尚志钧可能已经作古，于是就署上自己的大名，将此书堂而皇之地送进某出版社。该出版社为慎重起见，将书稿送至中国中医研究院，并请耿先生审阅，此事遂水落石出。几经周折，这本书终于在 1986 年以尚志钧本人的署名于人民卫生出版社出版。虽然从 1964 年成书，到 1986 年原样出版，经历了漫长的 22 年，但历史的真实得到了维护。

回想此事，尚志钧先生每每感慨万千："《名医别录》在辑复过程中失而复得，也是我的生命史上的一个插曲！这个插曲，如今想来，真是耐人寻味。"我想 1500 年前陶弘景集《名医别录》时也未必有如此的曲折、艰难和离奇。因此，此书的失而复得，也许正是命运对于矢志不渝的一代本草学人的一种默默的肯定和回馈。

改革时代，再次创业
（1977—1995）

1974 年春，尚志钧曾病重卧床不起。经过一年多的休养，尚志钧身体逐渐好转，这时他整理本草文献的念头又产生了。于是他又一点一点地开始整理。由此可见，尚志钧强烈的事业心再次将他推进了浩繁的本草文献整理工程之中。但那时尚志钧本人心中仍想白天去医院上门诊，做医疗工作。

1977 年，尚志钧在钱啸虎先生的启发下，决定放弃医疗工作，继续专心致志地进行本草文献的整理工作。由于中医本草文献的研究工作与单位的专业不甚对口，因此单位领导对他尚存一些反感。凡是尚志钧应得的福利如安排住房、涨工资、评职称等，都没有他的份，这个情况由安徽科学技术出版社第一任总编辑任弘毅向新华社安徽分社反映。1982 年新华社安徽记者站记者宣奉华同志来芜湖采访，专门问到尚志钧的情况。宣奉华记者回省向省领导反映后，学校才将尚志钧的一切待遇情况（如住房、工资、职称等）更正过来。所以尚志钧一直认为，在这一时期他的本草文献整理成果的取得，除了离不开家人的支持与理解外，更重要的还应归功于宣奉华记者无私的帮助。

的确，这一时期是尚志钧整理出版本草文献书籍最集中、最多的一段时期。诸如《神农本草经校点》（1981）、《唐·新修本草》辑复本（1981）、《药性论》（1983）、《日华子本草》辑释本（1983）、《补辑肘后方》（1983）、《〈五十二病方〉药物注释》（1985）、《名医别录》辑校本（1986）、《吴普本草》（1987）、《历代中药文献精华》（1989）、《脏腑病因条辨》（1989）、《雷公炮炙论 濒湖炮炙法》合刊本（1991）、《证类本草》（1993）、《雷公药对》辑复本（1994）、《本草经集注》辑校本（1994）、《本草图经》（1994）等书籍都集中出版于这一时期。

此外，这一时期尚志钧还与他人合作编撰图书或为他人之书提供重要的帮助。1981 年谢海洲、马继兴、翁维健、郑金生等人的《食疗本草》一书提到"辑校时得到皖南医学院尚志钧副教授等同道的大力帮助"，该书于 1984 年 7 月由人民卫生出版社出版。尚志钧与包锡生合撰的《常用中药别名小辞典》于 1985 年由中国展望出版社出版。此外，这一时期尚志钧在各类报纸、杂志上发表的文章总计有 202 篇之多，堪称当时我国最努力的科技工作者之一。更值得一提的是，尚志钧一生的著述和文章都紧扣"本草"二字。尚志钧在做学问时，始终奉行"学贵乎博，业贵乎专"的理念。

1986 年尚志钧晋升为教授。1990 年 10 月他被国家人事部、卫生部、中医药管理局确定为全国首批 500 名老中医药专家学术经验继承工作指导老师之一。1991 年其因在本草文献辑复工作中的突出成就，被推荐为中国社会科学院学部委员候选人（因超龄，上级未批）；同年被国家评定为对国家高等教育事业有突出贡献的专家，享受国务院政府特殊津贴。

1990 年 10 月，尚志钧在接受"师带徒"的任务后，立即给院领导写了一份"带徒表"，称这是国家对中医事业特殊照顾的政策体现，而中医药古籍的研究又后继乏人，他愿意在有生之年，把自己整理研究中医药古籍的经验传授下去。同时，他又向领导汇报了自己招收徒弟的"特殊要求"：学生必须在 3 年内读完中国主要的 16 本本草古籍，对每一本本草书籍都要写一篇书评；并在省级以上学术刊物发表文章，3 年内完成并发表 10 篇以上论文。3 年里，他的 2 名学生平均每天学习 10 小时以上，每人整理的笔记和读书心得的文字量达 100 万字。3 年后，2 名"苦行僧"终于出师。其中刘晓龙任安徽中医药高等专科学校研究员、科研处长，兼中国药学史学会委员、《现代中药研究与实践》杂志副主编等职务，是安徽省人大代表、安徽省名中医之一。

在改革开放的新时代，尚志钧不但迎来了著书立说的黄金时代，而且随着"师带徒"任务的顺利完成，他的学业亦后继有人。这些都是他事业上再创辉煌的具体体现。这对于一位 77 岁高龄的老人来说是多么的不易！

晚年生活，幸福美满
（1996—2008）

尚志钧的晚年生活幸福而美满。这体现在以下几个方面。第一，保健得当，身心愉悦。第二，子女孝顺，且各自工作成绩斐然。第三，培养了学术继承人。第四，参与了力所能及的兼职工作，为社会作出了更大贡献。第五，学术上进入全面收获的黄金阶段。78 岁以后，尚志钧还有七八部分量极重的著作得以定稿和出版。主要有《补辑肘后方（修订版）》（1996）、《海药本草》辑校本（1997）、《开宝本草》辑复本（1998）、《本草纲目（金陵初刻本校注）》（2001）、《大观本草》（2002）、《〈本草拾遗〉辑释》（2002）、《食疗本草》考异本（2003）、《吴氏本草经》（2005）、《药性论 药性趋向分类论》合刊本（2006）、《绍兴本草校注》（2007）。这一时期他发表文章约 20 篇，都是厚积薄发之传世佳作。第六，生平事迹见各种报纸、杂志，他的本草人生得到了社会的承认和赞扬。第七，时间几乎抹平了艰苦岁月带来的所有损失。

尚元藕说："父亲这么多年来实在是太苦了！家中四壁，唯一靠墙壁的，就是书架；书架上，清一色的是一捆捆发黄的牛皮纸包着的古书、资料。在他的卧室里、床架上、墙壁上，到处挂的都是纸条，上面密密麻麻地写着本草文献资料的条目等，都是他要背诵的。"尚志钧书屋的照片，我们可以从《安徽画报》《新安晚报》《安徽日报》《医药新纪元》等相关报纸、杂志采访文章的配文图片中看到。应当说，与 50 年前相比，今天安定的社会环境，使尚志钧得以重新营建一个简单而又丰富、朴素却很实用的理想的读书环境。虽然尚志钧的书房兼卧室——倚墙靠着的书架、牛皮纸包的资料、随处可见的纸条和偶尔可见的快餐杯——这些组合，绝不能用"气派"和"奢华"来形容，但尚志钧一直这样认为，今日的居所对他来说堪称优越的环境，这是宣奉华记者在 1982 年春为他争取来的，他从内心深处感谢宣奉华记者的大力帮助。

尚志钧年逾 90 之时，仍然精神矍铄，平时注重劳逸结合，充满了对未来的憧憬。他的未酬壮志，就是他尚未出版的十几种研究手稿。他希望在有生之年全部出版，让这些他曾倾尽全力的学术成果能够保留下来，供后人研究利用。学苑出版社 2008 年出版的《唐以前中医经典丛书·神农本草经校注》的扉页，有以红色字写着的"恭贺尚志钧教授九十华诞。学苑出版社戊子年四月"几行字，这种礼遇在学术书籍中是非常罕见的，这是出版人对尚志钧所表达的一种崇高敬意。

斯人虽逝，风范犹存

2008 年 10 月 9 日 6 时 30 分，尚志钧在皖南医学院弋矶山医院与世长辞，终年 91 岁。次日午时，我接到正从合肥赶往芜湖为他送行的任何研究员和王松涛女士发来的一则短信，脑海中一片空白，我没有细问什么，甚至误以为 10 月 10 日尚老刚刚离去，时间在那一刻停止。我久久地伫立在山西省中医药研究院的那株林檎老树下，任凭鹅黄丹红的秋叶随风乱舞，沙沙地落在身前身后……累了，于是蹲下，或许无状，却已无法顾及路人的目光，因为思绪同样凝固，等我回过神来时，发现自己已经静静地坐在了树下，我才明白，无奈也会让人气结。不仅仅在中国，人们为失去这样一位本草大家感到悲恸，事实上，连邻国日本也同样有学者为此扼腕。2009 年 7 月 9 日，我接到真柳诚先生的一封短函，他不无惋惜地说："去年尚志钧、王雪苔，今年大冢恭男、王洪图也都先后去世了。我尊敬的老师们都一个一个地离开，真难过。"真柳诚先生得到这个哀讯已是尚老过世 9 个月以后的事情了，或许他不知道尚老亲自编订、尚元藕女士整理完成的《本草人生·附录一·日本学者写给尚志钧的信》中的第一封信，便是他 1988 年 11 月 9 日寄来的短函。这种思念与痛并不会因为时间的流逝而减少，斯人虽逝，风范犹存。

2008 年 8 月 30 日至 31 日，安徽合肥新安迎宾馆，任何研究员主持"尚志钧本草文献研究的学术成就与经验数据库系统研究"课题开题。尚老因年事已高，不能亲临这次开题会，但对本次开题会十分关心，亲自写好了开题发言。会上，皖南医学院胡剑北教授诵读尚老亲自发来的书面信函。尚老深有感慨地说："建立尚志钧本草文献研究的学术成就与经验数据库系统，把我研究的东西输入电脑，给他人研究带来方便，是一件很好的事情。这个工程很大，任何主任辛苦了！谢谢项目组

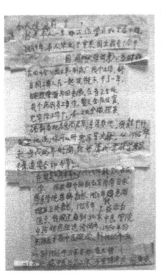

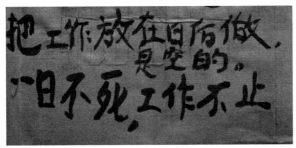

尚志钧先生遗墨

的领导、专家、老师们！" 2008 年 11 月 14 日至 16 日，合肥望江宾馆，任何研究员主持 "尚志钧本草文献研究的学术成就与经验数据库系统研究" 课题专题讲座，此时离尚老过世尚不足 40 日，这是一次关于尚老本草文献研究的重要学术会议，

尚志钧先生捐赠油印本本草著作后收到的捐赠证书和回函

尚元藕女士参会。中国中医科学院医史文献研究所所长柳长华教授对项目给予了高度评价："尚老最大的贡献是本草文献学术。他是传人，更是一种精神，要把这种

精神代代相传，要把尚老的文献学术逐步保护，应将项目升级为国家级课题，并申

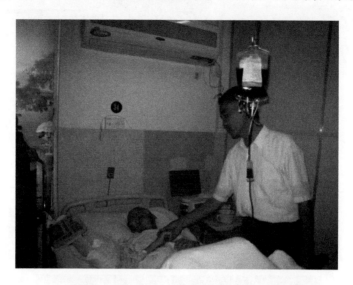

尚志钧先生病重期间，任何研究员前往病房探望

报非物质文化遗产。"2009 年 8 月 6 日，皖南医学院弋矶山医院，任何研究员的学生王松涛女士主持"中国本草名著文献学术源流考数据库系统"课题开题论证会的召开。尚老在同任何研究员通力合作校注金陵版《本草纲目》的过程中，认为任何研究员既具备本草文献研究的深厚功底，又有丰富的临床经验，遂将《宋前本草名著文献源流考》一书初稿交给任何，并出示委托书，全权委托任何研究员整理研究此项工作。任何研究员应其所请，约请有志于中医文献的同道从加强整理研究的深度出发，商定除进行全面整理加工尚老已完成书稿外，还增加宋以后的本草名著的文献源流考内容。2009 年 1 月，尚志钧著《嘉祐本草》辑复本由中医古籍出版社出版；2010 年 1 月，尚志钧著《中国矿物药集纂》由上海中医药大学出版社出版；2010 年 1 月，尚志钧著《本草人生——尚志钧本草论文集》由中国中医药出版社出版；2017 年 5 月，尚志钧著《本草图经》辑校本由学苑出版社顺利出版……一次又一次，密集的学术活动围绕尚老的学术和著作展开，这种学术活动并没有因为尚老的逝去而终止。斯人虽逝，风范犹存。

　　皖南医学院弋矶山医院坐落在安徽芜湖弋矶山风景区内，1888 年由美国基督教会创办，到尚老逝世的 2008 年已有整整 120 年的历史。尚老在此工作和生活了40 余年。在相关的纪录短片中我们看到年逾古稀的尚老亲自查房，指导下级医师的诊疗；我们看到身着白大褂的尚老在资料柜间俯身找寻相关文献；我们看到在书桌旁尚老认真讲解并指导学生学习本草知识。尚老的生命已无法与这座美丽的小岛医院分开，而这座医院也没有忘记尚老洒下的辛勤汗水。皖南医学院弋矶山医院的

网站上有"医院文化"的专门版块，2008年12月8日那里静静地增加了"怀念尚志钧先生"的专栏。而尚老与安徽省中医文献所结缘亦有十七八年之久，这与任

尚志钧先生与业内同仁的合影
（从左至右依次为胡世杰、任何、尚志钧、王林生、王德群）

何研究员是分不开的。尚老与任何研究员相知、相交始于20世纪80年代初。20世纪90年代初，任何研究员被调至安徽省中医文献所工作，此后安徽省中医文献所和尚老的学术合作逐渐展开。1994年春，任何研究员与尚老着手合作校勘注释《本草纲目（金陵初刻本校注）》，该书于2001年9月在安徽科学技术出版社出版。全书270万字，卷1至卷18由尚老承担，卷19至卷52由任何研究员承担。2005年4月15日，安徽省中医文献所毛喜荣、任何、王松涛一行3人，专程前往皖南医学院弋矶山医院请教尚老"续本草纲目"课题编写的一些问题。交谈过程中，尚老说："编写《续本草纲目》，20年前我就想做，但我不是医生，很多临床方面的问题，我不懂。"尚老还从书架上搬出一大堆手稿，说："我打算把本草每味药进行集汇，分3个部分：第一，常用药；第二，《本草纲目》和《本草拾遗》上的药；第三，现在常用的草药及《本草纲目》和《本草拾遗》以外的药。我已完成部分药物的编写。这种工作很吃苦，要集中人力，集中时间，3～5年坚持下去""我给你们推荐一个人，他是湖南省一个卫校的一名教师，他可以帮助你们完成文献整理"。尚老还说："《本草集汇》不仅要按《本草纲目》体例，还要按《证类本草》体例进行。"尚老本意是将所有手稿请安徽省中医文献所同志们拿去无偿使用，但任何研究员仅仅留取《本草集汇》中的单味药牡丹皮的样稿，并且留下完

备的借阅手续。2007 年 11 月 30 日至 12 月 1 日编撰"续本草纲目"项目开题时，尚老发来贺词："'后续'一词，不是一个新鲜的题目，这样的工作，不仅过去有人做，现在也有人想做，将来还有人会做。谁做得好，由他花的精力与时间以及所收的内容等因素来决定。任何主任有志气，有决心，肯下功夫，深信他一定能成功。"

　　这种交流与合作代表着一个专业机构的热忱，并不因为尚老的逝去而终止。斯人虽逝，风范犹存。

（赵怀舟）

第二篇　著书立说

辑复本

一、《吴氏本草经》辑校本

辑校 《吴氏本草经》 序

《吴氏本草经》是魏晋时期多种同名异书的《本草经》之一。陶弘景称这些《本草经》为"诸经"。"诸经"就是魏晋诸名医在 4 卷本《本草经》基础上修订的多种同名异书的《本草经》。

梁·陶弘景在《本草经集注·序》云:"今之所存,有此四卷,是其《本经》……魏晋以来,吴普、李当之等,更复损益,或五百九十五,或四百四十一,或三百一十九,或三品混糅,冷热舛错,草石不分,虫兽无辨,且所主治,互有得失……今辄苞综诸经……"

按陶弘景序所云,《吴氏本草经》是魏晋时期"诸经"中的一种。它包含 4 卷本《本草经》的内容,也包含名医增录的内容。在药品数量上,和《本草经集注》(简称《集注》) 中 "《本经》"药数不同;在药物条文书写体例上,也和《集注》中 "《本经》"药物体例不同。

《吴氏本草经》保持陶弘景以前"诸经"体例模式与风格,它是研究魏晋时期《本草经》的重要参考资料,同时也是中医药学中一部重要的本草学专著。

《吴氏本草经》为魏·吴普所著。吴普约生于汉代永和年间，殁于魏嘉平初年，师承华佗之学，为华佗高足。

本书约成于 3 世纪初，亡于宋，历代文献多引用之。医药书如《本草经集注》《唐本草》《蜀本草》《嘉祐本草》《本草图经》《证类本草》；农书如《齐民要术》；类书如《艺文类聚》《初学记》《北堂书钞》《太平御览》；字书如《一切经音义》；史书如《汉书》注；日本著作如《香药钞》《药种钞》《秘府略》等，亦多所采撷。由此可见，该书在本草学中有一定地位和影响。

本书从宋以后逐渐亡佚，清·孙星衍将《御览》吴普文附于孙本相应条下，清·焦循亦辑有手稿，但二人所辑吴普文均不完备。笔者于 1958 年在北京卫生部举办的"中药研究班"进修时，完成了本书的重辑工作。在辑复的过程中，有很多问题都请教过范行准先生。

如孙星衍以《御览》"本草经"所引"蓍实"条为吴普文，并附于卷 1 "蓍实"条下；焦循以《御览》"甄氏本草"所引"复盆"条为吴普文，收入手稿中。通读诸类书，俱未见吴氏引用过此类药，笔者请教范老，范老认为孙、焦二氏或出于笔误，可以不录。

1960 年，笔者回芜湖医专后，连同范老审阅过的《唐本草》《集注》等稿，于1962 年由芜湖医专油印成册，供国内学术界交流。

其后笔者又加修订，增录为 270 条。按陶弘景《集注》分为玉石 1 卷、草木 3卷、虫兽 1 卷、果菜米谷 1 卷，共为 6 卷，各类药物又分上、中、下三品。每药按正名、别名、药性、产地、药物形态、采收时月、功能主治、七情畏恶药例等次序排列。由于各书所引吴普佚文残缺，所以每味药内容中，很少有齐全的。

对诸书所引吴普文同一条目，互有异同，以早出者为底本，以晚出者补之。对其间差异，择其善者而从之，并出注说明。

由于本人学术水平所限，错误、缺点难免，敬希读者指正。

（此为 1981 年 6 月尚志钧先生为《吴氏本草经》辑校本撰写的序。）

辑校说明

（一）书的名称

称《吴普本草》，有《隋书·经籍志》"神农本草八卷"注云："（梁有）华佗弟子《吴普本草》六卷。"郑樵《通志·艺文略》"医方类"有《吴普本草》6 卷。

称《吴氏本草》，有《御览》所引书目及掌禹锡"补注所引书传"均作《吴氏本草》。

称《吴氏本草经》，有《初学记》《御览》药物条文所引书名，作《吴氏本草经》。如《御览》卷 993 茈胡、房葵条，均冠有"《吴氏本草经》曰"。

称《吴氏本草因》，有《新唐书·艺文志》"医术类"记有《吴氏本草因》6 卷，题吴普撰。

称《吕氏本草》，有《御览》郁核、石蚕条，所引书名作"吕氏本草"。

称《吕氏本草因》，有《旧唐书·经籍志》"医术"记有《吕氏本草因》，题吴普撰。

上述 6 个书名中，以"吴氏本草经"名称较为合理，因为吴普书是在《神农本草经》基础上修订的。

梁·陶隐居序云："魏晋以来，吴普、李当之等，更复损益（指修订《本草经》）。"《嘉祐本草·补注所引书传》云："《吴氏本草》，魏·广陵人吴普撰。普，华佗弟子，修《神农本草》成四百四十一种。"可见本书是吴普修《本草经》而成。查《御览》药物引文，冠"《吴氏本草经》曰"共有 48 条，说明在《御览》编纂时，确有《吴氏本草经》书名存在，故本书即以"吴氏本草经"为书名。

（二）本书收载药数

梁·陶隐居序记载："或五百九十五，或四百四十一，或三百一十九。"《嘉祐本草·补注所引书传》谓吴普修《神农本草》成 441 种。据此可推断，《吴氏本草经》原书载药是 441 种。其书虽亡，但部分药物尚残存于唐宋类书和本草中。如《御览》存吴普药物 193 种，剔除重复，亦有 191 种。合计他书所引，辑得药物 270 种，仅为原书的 61%。

（三）本书分卷

据历代书志所载，本书为 6 卷。但《蜀本草》"假苏"条，注《吴氏本草》为 1 卷，明代《药品化义》亦从《蜀本草》为 1 卷。梁·陶隐居序云："今之所存，有此四卷，是其《本经》。"按《神农本草经》载药 365 种，分为 4 卷，而吴普修订后的《神农本草经》载药 441 种，其卷数当多于《神农本草经》，则诸书所记《吴氏本草经》为 6 卷是可信的。本书按陶弘景《本草经集注》，分玉石 1 卷，草木 3 卷，虫兽 1 卷，果菜米谷 1 卷。各卷又分上、中、下三品。

（四）本书三品分类

本书三品分类是据敦煌出土《本草经集注》"七情畏恶药例"次序编排，《集注》药物三品位置与《证类》药物三品位置不完全相同。例如水银、龙眼、石龙芮、秦椒、水萍等，《集注》列在上品，《证类》列在中品；防风、黄连、五味、决明子、芎䓖、丹参、续断、白沙参、海蛤、石蚕等，《集注》列在中品，《证类》列在上品；桔梗，《集注》列在中品，《证类》列在下品；款冬、牡丹、防己、女菀、泽兰、紫参、蚤廉等，《集注》列在下品，《证类》列在中品。所以本辑本药物三品位置与《证类》亦不完全相同。

（五）本书辑校

本书久佚，无任何底本可据。本辑文以现存资料年代最早者为主，以晚出者补之。由于各书所引吴普文都是残文，因此本书所辑的条文，很少是完整的。

同一条文，诸书所引，互有差异时，择其善者而从之，并出注说明。

本辑本从《御览》辑录最多，并且用5种不同版本的《御览》进行校勘，其中以商务本为底本，其他本为校本。

本辑本校勘，以所据资料年代早者为据，校之以晚出者，并以各自不同版本对校，参以他校，适当采用理校，同时分别出校记。但对他校本中明显的错误或脱漏处，不出校记。

凡校勘处，均在其字词句右上角加脚注序码，注文附于条目之下。

凡吴普文与《神农本草经》相同加墨点为标记，与《名医别录》相同加横线为标记。

所辑原文（包括古体字、异体字）改为简化字，个别药物正名除外。

（六）相关文献问题

至于《吴氏本草经》有关文献之一般问题，另作专题论述，不在书中讨论。详见《吴氏本草经》所附文献研究。

（七）本书校注文中书名简称介绍

1. 《御览》 即《太平御览》，宋·李昉等撰，1936年商务印书馆影印本。

2. 《御览》其他校本 指不同版本《御览》。"明抄本"即明代抄本；"学本"即学训堂聚珍本；"鲍本"即嘉庆十二年（1807）歙鲍氏校宋本；"从本"即从善堂藏本。

3. 《初学记》 唐·徐坚撰，孔氏三十有三万卷堂藏本。

4. 《北堂书钞》 唐·虞世南撰，南海孔广陶校注本。

5. 《艺文》 即《艺文类聚》，唐·欧阳询等撰，1959 年中华书局影印宋绍兴本。

6. 《要术》 即《齐民要术》，后魏·贾思勰撰，商务印书馆版，《丛书集成初编》本。

7. 《后汉书》 范晔撰，中华书局聚珍仿宋版印，《四部备要》本。

8. 《证类》 即《重修政和经史证类备用本草》，宋·唐慎微撰，1957 年人民卫生出版社影印，4 页合 1 页本。

9. 《纲目》 即《本草纲目》，明·李时珍撰，1957 年人民卫生出版社据清光绪十一年张氏味古斋本影印。

10. 孙本 即《神农本草经》，孙星衍、孙冯翼合辑，1937 年商务印书馆铅印本。

11. 问本 即《神农本草经》，孙星衍、孙冯翼合辑，清嘉庆四年己未阳湖孙氏刻，《问经堂丛书》本。

12. 周本 即《神农本草经》，孙星衍、孙冯翼合辑，清光绪十七年辛卯池阳周学海刊本。

13. 黄本 即《神农本草经》，黄奭辑，清光绪十九年癸巳黄奭辑刻，《汉学堂丛书》子史钩沉本。

14. 焦本 清·焦循辑《吴氏本草》，手抄本。

15. 《唐本草》 即《唐·新修本草》，唐·苏敬撰，尚志钧辑校，1981 年安徽科学技术出版社铅印本。

16. 《本草汇言》 明·倪朱谟撰，清顺治间刊本。

17. 《一切经音义》 唐·释慧琳撰。日本元文三年（1738）刊本。该书是 100 卷本，又称《大藏经音义》。

18. 《一切经音义》 唐·释元应撰，清同治八年，武林张氏宝晋斋刊本。该书是 25 卷（按，释元应原名释玄应，清代刻本因避康熙皇帝玄烨讳，改"玄"为"元"）。

19. 《编珠》 隋大业四年著作郎杜公瞻奉敕撰。清康熙三十七年高士奇校刊巾箱本（按，张心澂《伪书通考》944 页谓《编珠》是伪书）。

20. 《记纂渊海》 宋·潘自牧著。明万历己卯胡维新刻本。

21. 《广群芳谱》 即《佩文斋广群芳谱》，明·王象晋著。清康熙四十七年刘灏等奉敕重校刊本。

22.《渊鉴类函》 清康熙四十九年张英等奉敕撰。

23.《广雅疏证》 清·王念孙疏证，中华书局聚珍仿宋版印，《四部备要》本。

24.《图考》 即《植物名实图考长编》，清·吴其濬撰，1963年中华书局版。

25.《秘府略》 日本·滋野贞主等集，《吉石盦丛书》本（按，该书为公元830年日本官方据北齐《修文殿御览》编纂的类书）。

26.《药种钞》 日本·亮阿阇梨兼意抄集。

27.《香药钞》 日本·亮阿阇梨兼意抄集。

二、《名医别录》辑校本

辑校《名医别录》情况介绍

该书资料辑于1958—1960年，当时笔者在北京中医学院，参加由卫生部举办的中药研究班的学习。2年时间共摘录文献卡片7200余张。

学习结束后，笔者携带大量资料回芜湖医专整理，到1964年整理出《名医别录》。从2000余条资料中，剔除重复，归并后，得745种。校勘同异2000余处，出校注2653条。书成后，写总结，并抄成清稿。次年将清稿投人民卫生出版社。人民卫生出版社于1965年5月17日退回〔附函（65）中字第1319号〕。清稿丢失，后流落到梁某手中，梁某擦去稿上原作者名，换上自己之名，投寄卫生部。卫生部中西医结合领导小组办公室于1977年12月29日给梁回信说："你11月7日的信收到，已阅，《名医别录》……已转人民卫生出版社，正在联系能否出版。"人卫社将此稿送请中国中医研究院耿鉴庭研究员审阅。耿老曾见过此稿，是芜湖医专稿纸抄的，唯稿中尚志钧名字被擦掉，换上梁某之名，擦的痕迹很明显。耿老快函通知笔者。笔者立即写报告连同耿老的信，挂号邮寄安徽省中医局，经省中医局组织戴真光、吴沛昌等人组成调查组，进行调查，确认此稿非梁某所作，是尚志钧所辑，物归原主，后由人民卫生出版社于1986年出版。

关于《名医别录》中的问题，历来争论很多，笔者查阅大量资料，进行考证，撰成专论在杂志上发表，并汇编成册附于《名医别录》单行本之后。

辑校说明

（一） 作者的确定

本书所辑录的资料，主要来源于《大观》《政和》等本草书中的墨字部分。该墨字源出于陶弘景《本草经集注》中的墨字，该墨字是陶弘景苞综魏晋诸名医"附经为说"的文字，经过整理而成。所以本书题陶弘景集。

（二） 底本的确定

本书以现存最早引用《名医别录》原文的各书为底本。首先用吐鲁番出土的《本草经集注》残卷为底本，当《本草经集注》所缺（按，《本草经集注》残卷仅存豚卵、鼺鼠、天鼠屎、鼹鼠鼠4味药，其余皆缺），即以敦煌卷子本《新修本草》残卷为底本；如《新修本草》残卷所缺（按，《新修本草》残卷仅存草部下品之上，即自"甘遂"至"白蒴"等30味药是存在的，其余皆缺），即以武田本《新修》为底本；武田本所缺（按，武田本《新修》仅存卷4、卷5、卷12、卷15、卷17、卷19，其余皆缺），即以傅氏影印《新修本草》为底本；傅氏影印本所缺（按，傅氏影印本缺草类和虫鱼类），即以孙思邈《千金翼》为底本；《千金翼》所缺（按，《千金翼》缺"彼子"和《新修本草》的注文），即以唐慎微《大观》为底本。

（三） 核校本的选用

核校本主要用来区分《神农本草经》文和《名医别录》文。因本书多数是用《新修》《千金翼》作底本，但该二书中无《神农本草经》《名医别录》标记，必须借助于各种版本《大观》《政和》中白字标记来区分《神农本草经》《名医别录》的文字。

由于不同版本的《大观》《政和》其白字标记不尽相同，如成化本《政和》及商务印书馆版《政和》中菖蒲、龙胆、白英、麝香、鹿茸、姑活条文无白字标记，人民卫生出版社版《政和》"曾青"条亦无白字标记，不仅这几味药标记有差异，而且很多药物条文白字、墨字标记亦有出入，因此，必须根据其他版本的《大观》《政和》旁证之，才能确定菖蒲、曾青等条是否属于《名医别录》的文字。有时还须参考明清诸家所辑《本草经》来作旁证。

核校本以宋代以前的本草为主，宋以后的本草，其中散见的《名医别录》资料，多数已被后人所改动，非庐山真面目，不能作为本书辑校的依据。

（四）《神农本草经》文与《名医别录》文的区分

在核校时，如遇核校本《神农本草经》文和《名医别录》文标记不同于底本时，但又不能确定底本是否有误，仍以底本为正。例如"鸕屎"条的《名医别录》文，原以吐鲁番出土《本草经集注》残卷为底本，该残卷"鸕屎"条中，有"生高谷山平谷"6字作朱字《神农本草经》文，但核校本《大观》、玄《大观》、《大全》、《证类》、《政和》、成化本《政和》、《品汇》、《纲目》等皆注作《名医别录》文，又孙本、黄本、顾本、森本、狩本均不取此6字为《神农本草经》文，按核校本应订为《名医别录》文，但又不能确定底本属误，所以本书仍从底本为正，不取此6字为《名医别录》文。

在核校时，如能确认底本对《神农本草经》文和《名医别录》文标记有误，即依核校本订正。例如"白薇"条，原以敦煌卷子本《新修本草》残卷为底本，底本"白薇"条有"无毒"2字作两种标记，"无"字作朱字《神农本草经》文标记，"毒"字作黑字《名医别录》文标记。通检《大观》、玄《大观》、《大全》、《证类》、《政和》、成化本《政和》皆作《名医别录》文，森本、狩本、孙本、黄本、顾本亦不取此2字为《神农本草经》文，按此2字应为《名医别录》文，本书即订正"无毒"2字作《名医别录》文。

（五）校勘

在确定《名医别录》文后，辑校者对文中歧异、增衍、脱漏的字句均作了校勘。如遇底本与核校本有不同时，但又不能确定底本有误，仍以底本为正。例如"乌头"条全文，原以敦煌卷子本《新修本草》残卷为底本，底本"乌头"条中有"力视"2字，此2字在《千金翼》、《大观》、玄《大观》、《政和》、成化本《政和》、《大全》、《证类》、《品汇》、《纲目》、《图考长编》、《疏证》等核校本中均作"久视"，从完整句意来看，核校本作"目中痛不可久视"，而底本作"目中痛不可力视"并无错误，所以本书仍以底本为正。如能确定底本有误，即据核校本订正。例如"羖羊角"条，原以武田本《新修》为底本，底本"羖羊角"条中有"咳昧""补寒"等词，各核校本如《千金翼》、《大观》、玄《大观》、《大全》、《证类》、《政和》、成化本《政和》、《品汇》、《纲目》等均作"咳嗽""补中"，本书即从核校本订正为"咳嗽""补中"。

在校勘时，如能确定底本有脱漏，即据核校本补。例如"蔓荆实"条，原以武田本《新修》为底本，底本"蔓荆实"条中有"去长"2字，其他各本如《千金翼》、《大观》、玄《大观》、《大全》、《证类》、《政和》、成化本《政和》、《品汇》、《经疏》、《纲目》、《图考长编》等均作"去长虫"，本书即根据核校本补"虫"字。

在校勘时，如能确定底本有增衍，即据核校本删。例如"苍石"条，原以武田本《新修》为底本，底本"苍石"条中有"无毒有毒"4字，其他核校本如《千金翼》、《大观》、玄《大观》、《大全》、《证类》、《政和》、成化本《政和》、《品汇》、《图经衍义》、《纲目》等皆作"有毒"2字，并没有"无毒"2字，本书即据核校本删"无毒"2字。

在校勘时，如底本与核校本有字句歧异者，即作理校，根据药物作用来推断底本正误。例如"茯苓"条，原以武田本《新修》为底本，底本"茯苓"条中，有"好唾"2字在玄《大观》作"好垂"，在《千金翼》《大观》《品汇》作"好唾"，在《政和》、成化本《政和》、《大全》、《证类》、《纲目》、《图考长编》、《疏证》等作"好睡"。按，"唾"与"睡"字形很相近，可能因传抄舛误，但从药物作用推论，"好唾"较可信，因茯苓利水，利水能治"好唾"，当以"好唾"为正。

在核校时，如遇某些字的古今写法不同，即改用现行的写法。例如"闭""脑""桑""叶""枣""因""热""蛇""血"等字，在武田本《新修》、傅氏影印本《新修本草》、敦煌卷子本《新修本草》残卷皆作"閟""膿""桒""葉""棗""曰""埶""虵""血"等。本书不按武田本《新修》写法，而是采用一般通行字的写法。

在校勘时，对某些义同形异的字，如"能"与"耐""创"与"疮""痰"与"淡"等都是古今通假，本书辑录时，原则上是以原底本为正，未作统一的规定。

在校勘时，对某些避讳字，现在改正过来。例如，"世""治"因避唐太宗李世民、唐高宗李治的讳，而被改为"俗""疗"。苏敬的"敬"字，因避宋代赵匡胤的祖父赵敬的讳，被改为"恭"字。玄参的"玄"字，因避清代康熙皇帝玄烨的讳，被改为"元"字等。

在核校时，如有义可两存者，即在校记中说明。例如"铜镜鼻"条，有"生桂阳"3字。各种版本《大观》《政和》皆作墨字《名医别录》文，各种辑本《本草经》亦不取此3字为《神农本草经》文。据此，则"生桂阳"3字应为《名医别录》文。但是陶弘景注此文时，却说"《本经》云，生桂阳"。按陶氏所注，"生桂阳"3字应为《神农本草经》文。二说不同，即在校勘记中，并存其说。

（六）药物正名及畏恶的说明

本书所辑的药物正名，一般以《新修》《千金翼》《大观》等书所用的药名为正名。

药物条文，悉依底本文字为正。但有些《名医别录》文，由于在陶弘景《本草经集注》中是分析插入《神农本草经》条文有关内容之下，如性味及有毒无毒，即插入《神农本草经》性味之下，主治症即插入《神农本草经》主治症之下，因此性味的"味"字，主治的"主"字，以及"久服"2字等，一般都是借用朱字《神农本草经》，本书辑录时，亦将此类借用的"味""主""久服"等朱字一并辑入《名医别录》文中。

查吐鲁番出土的《本草经集注》文有"主治××"或"治××"，但敦煌卷子本《新修本草》残卷仅作"主××"或"疗××"。此因避唐高宗李治的"治"字讳，把"主治"的"治"字删掉，剩下一个"主"字，或把"治"改成"疗"。因此，自唐以后本草皆沿袭《新修本草》旧例，药物条文中只有"主××"或"疗××"。本书在辑校时，仿吐鲁番出土《本草经集注》体例，在药物条文中用"主治××"或"治××"。

每条正文末，附以七情畏恶资料，用小字书写，以区别于正文。关于七情资料，《纲目》注出典为徐之才文，其实《纲目》所引七情资料，早在陶弘景《本草经集注》中已有著录。《证类》"前胡"条，陶弘景注云："《本经》上品有茈胡而无此，晚来医乃用之，亦有畏恶，明畏恶非尽出《本经》。"按，前胡是《名医别录》药，其畏恶为"半夏为之使，恶皂荚，畏藜芦"。陶弘景认为《名医别录》药有畏恶资料。据此，本书将敦煌出土《本草经集注·序录》所列畏恶资料分别附在各药条文末。但这些资料，《纲目》均注出典为徐之才，本书在校记中均加以说明（按，陶弘景比徐之才早几十年）。

（七）本书辑复后的药味数量及编排

《大观》《政和》收载《名医别录》药物730种，后因《新修》中新增的药，如珂、鲛鱼皮、龙脑、芸薹等，皆引用《名医别录》资料，据此可知《名医别录》原书应有此类药，所以本书即把此4味药收入书中。又《千金翼》有北荇华、领灰，《御览》有卢精，这3味药可能是《名医别录》资料，故本书亦收载之。又《嘉祐本草》和《本草衍义》在"女菀"中注云《新修》删去白菀，则白菀亦当属《名医别录》药，所以本书亦收录之。又如五石脂在《本草经集注》作1条计算的，但陶弘景注云："五石脂……《名医别录》各条。"据此可知五石脂在《名医别录》原书中是分作5条的。对于增收药物，皆加方括号为标记，作为本书附录药物。

本书编排时将收载的730种药，按上、中、下三品，分为3卷。卷1为上品，载药193种；卷2为中品，载药243种；卷3为下品，载药294种。每1卷的药物又按玉石、草木、兽、禽、虫、鱼、果、菜、米谷等次序排列，这种排列是依据敦煌出土《本草经集注·序录》中七情畏恶药物目次编排的。

（八）辑校底本与核校本

在每味药物后所附参考文献注中，开头所列的书是药物条文的底本，余下的书为核校本。除首注外，余下的注文是校勘说明。在这些校勘说明中，除校订《名医别录》条文外，对那些转引的《名医别录》资料，出现谬误时，亦作了校正说明。参考文献注和校勘注中所用的书名，都是简称，为方便读者查阅，说明如下。

1. 吐鲁番出土的《本草经集注》残卷　梁·陶弘景撰，1952年罗福颐影抄并收入《西陲古方技书残卷汇编》。

2. 《本草经》断片　1947年万斯年译收入《唐代文献丛考》中，1957年商务印书馆版。

3. 《本草经集注》　梁·陶弘景撰，敦煌石室出土的《本草经集注·序录》，1955年上海群联出版社据《吉石盦丛书》影印本。

4. 武田本《新修》　日本武田长兵卫商店制药部内的大阪本草图书刊行会，据唐写卷子本《新修本草》卷4、卷5、卷12、卷15、卷17、卷19，在昭和十一年（1936）用珂瓈版复印本。

5. 敦煌卷子本《新修本草》残卷　敦煌出土的《新修本草》残卷，1952年罗福颐影抄并收入《西陲古方技书残卷汇编》。

6. 《新修》　日本天平三年（731）田边史抄唐·苏敬《新修本草》，1955年上海群联出版社据《篹喜庐丛书》影印本。

7. 《千金方》　唐·孙思邈撰《备急千金要方》，1955年人民卫生出版社据江户医学本影印。

8. 《千金翼》　唐·孙思邈撰《千金翼方》，1955年人民卫生出版社据江户医学本影印。

9. 《和名》　日本·深江辅仁撰《本草和名》，大正十五年（1926）日本古典全集刊行会据日本宽政八年（1796）刊本影印。

10. 《和名类聚钞》　日本·源顺撰《和名类聚钞》，清光绪三十二年（1906）

龙璧勤刊印杨守敬所得抄本。

11.《医心方》 日本·丹波康赖撰，1955年人民卫生出版社影印原影卷子刊本。

12.《大观》 宋·唐慎微撰《经史证类大观本草》，清光绪三十年（1904）武昌柯逢时影宋并重校刊本。

13. 玄《大观》 宋·唐慎微撰《经史证类大观本草》，日本安永四年（1775）望草玄据元大德宗文书院刊本翻刻。

14.《大全》 《重刊经史证类大全本草》，明万历三十八年（1610）彭端吾据籍山书院重刊王大献本翻刻。

15.《证类》 《重修政和经史证类备用本草》，1957年人民卫生出版社影印元翻刻扬州季范董氏藏金泰和张存惠晦明轩本。

16.《政和》 《重修政和经史证类备用本草》，1921—1929年商务印书馆影印金泰和甲子下己酉晦明刊本，《四部丛刊初编·子部》刊本。

17. 成化本《政和》 明代成化四年（1468）山东巡抚原杰等据晦明轩本《重修政和经史证类备用本草》翻刻。

18.《图经衍义》 宋·寇宗奭撰《图经衍义本草》，1924年上海涵芬楼影印正统道藏本。

19.《品汇》 明·刘文泰等撰《本草品汇精要》，1936年商务印书馆据故宫抄本铅印。是书由《证类本草》主要内容汇集而成，对历代文献出典以文字注之，但对《名医别录》资料注作"名医所录"，对历代医方的内容注作"别录云"，这是极易被人误解的。

20.《经疏》 明·缪希雍撰《神农本草经疏》，明天启五年（1625）绿君亭刊本。该书名为《神农本草经》，实际上是一部综合性的本草著作。该书对《神农本草经》和《名医别录》的资料，皆无区别。

21.《疏证》 清·邹澍撰《本经疏证》，1959年上海科学技术出版社出版。该书虽名《本经》，实乃一部综合性的本草著作。书中《神农本草经》文，用黑体字表示。

22.《续疏》 清·邹澍撰《本经续疏》，1959年上海科学技术出版社出版。是书附在《本经疏证》之内，也是一部综合性的本草著作，书中《神农本草经》文，用黑体字表示。

23.《纲目》 明·李时珍撰《本草纲目》，1957年人民卫生出版社据清光绪十一年（1885）合肥张绍棠味古斋重校刊本影印。

24. 《乘雅》 明·卢之颐撰《本草乘雅半偈》，南京图书馆藏本。

25. 《草木典》 清康熙时敕修《古今图书集成·博物汇编·草木典》，中华书局影印本。

26. 《禽虫典》 清康熙时敕修《古今图书集成·博物汇编·禽虫典》，中华书局影印本。

27. 《食货典》 清康熙时敕修《古今图书集成·经济汇编·食货典》，中华书局影印本。

28. 森本 日本嘉永七年（1854）森立之辑《神农本草经》，1955年上海群联出版社据日本森氏温知药室本影印。

29. 狩本 日本文政七年（1824）汤岛狩谷望之志辑《神农本草经》，南京图书馆藏手抄本。是书取《证类本草》中的白字《神农本草经》文，按《新修》药物目录次序编排的，并以元刊本《大观本草》校注之。

30. 孙本 清嘉庆四年（1799）孙星衍、孙冯翼合辑《神农本草经》，1955年商务印书馆版铅印本。

31. 黄本 清·黄奭辑《神农本草经》，清光绪十九年（1893）仪征刘富增刻的《汉学堂丛书》本。是书全抄孙本，仅在书末补录几条《本草经》佚文而已。

32. 顾本 清道光二十四年（1844）顾观光辑《神农本草经》，1955年人民卫生出版社据武陵山人遗书本影印。

33. 《通志略》 宋·郑樵撰《通志略·昆虫草木略》，中华书局聚珍仿宋版印本。

34. 《群芳谱》 清·刘灏等编撰的《佩文斋广群芳谱》，清康熙四十七年（1708）刻本，该书是在明·王象晋《群芳谱》的基础上增修而成。书中把杂录的资料冠以"别录"作白字标题，其含义绝不同于《名医别录》。

35. 《御览》 宋·李昉等修纂《太平御览》，上海涵芬楼影印本。

36. 《图考长编》 清·吴其濬撰《植物名实图考长编》，1959年商务印书馆本。

37. 《尔雅》 《尔雅注疏》，商务印书馆《四部丛刊》本。是书郭璞注时所引的本草资料，皆与现存古本草中所载内容不同。

38. 《尔雅疏》 宋·邢昺注《尔雅注疏》，中华书局聚珍仿宋版印《四部备要》本。

39.《广雅疏证》 清·王念孙注《广雅疏证》,中华书局聚珍仿宋版印《四部备要》本。

40.《急就篇》 汉·史游撰,唐·颜师古注,宋·王应麟补注,光绪五年(1879)福山王氏刻本(天壤阁丛书本)。

41.《齐民要术》 后魏·贾思勰著,商务印书馆版《丛书集成初编》本。

42.《梦溪笔谈》 宋·沈括著,胡道静校注《梦溪笔谈校证》,1957年上海古典文学出版社出版。是书卷26《药议》引有本草资料。

43.《梦溪补笔谈》 宋·沈括著,胡道静校注《梦溪补笔谈》,1957年上海古典文学出版社出版。是书附刊在《梦溪笔谈校证》一书中。

44.《艺文类聚》 唐·欧阳询等奉敕修《艺文类聚》,1959年中华书局据宋绍兴本影印。是书卷81至卷97引有本草资料。

45.《北堂书钞》 唐·虞世南撰,光绪十四年(1888)南海孔广陶三十有三万卷堂刊本。

46.《初学记》 唐·徐坚等撰,古香斋袖珍本。是书卷27至卷30有本草资料。

47.《一切经音义》 唐·释慧琳撰,日本元文三年(1738)雒东狮谷白莲社刻本。

48.《事类赋》 宋·吴淑撰。清嘉庆十八年(1813)聚秀堂翻刻剑光阁本。

49.《事类备要》 宋·谢维新撰《古今合璧事类备要》,明嘉靖三十五年(1556)夏氏据宋本复刻本。是书分前集、后集、续集、别集、外集五部分,其中别集有本草资料。

50.《事文类聚》 宋·祝穆撰《新编古今事文类聚》。明翻刻元刊本。

51.《翰墨全书》 宋·末刘省轩撰《新编事文类聚翰墨全书》,元刊本。是书分前集、后集两部分,前集和后集各按甲、乙、丙……分为10集,合共为20集,每一集又分若干卷,其中后戊集卷1至卷4有本草资料。

52.《锦绣万花谷》 明嘉靖十四年(1535)徽藩刊本。是书分前集、后集、续集三部分,其前集卷30至卷39有本草资料。《四库全书简明目录》云:"不著撰人名氏,其原本成于淳熙中(1174—1189)。"

53.《海录碎事》 宋·叶廷珪撰,明万历二十六年(1598)刊本。是书卷14至卷22有本草资料。

54.《记纂渊海》 宋·潘自牧撰,明万历七年(1579)胡维新刻本。是书卷90至卷99有本草资料。

55. 《渊鉴类函》 清·张英等奉敕纂，民国六年（1917）同文图书馆复印本。

56. 《毛诗疏》 唐·孔颖达疏注《毛诗注疏》，中华书局聚珍仿宋版印《四部备要》本。

57. 《文选注》 梁·昭明太子撰，唐·李善注，中华书局聚珍仿宋版印《四部备要》本。

58. 《编珠》 隋·杜瞻纂修，清康熙三十七年（1698）高士奇刻巾箱本。据《伪书通考》944 页云是伪书。

59. 《白孔六帖》 唐·白居易原撰，宋·孔传续撰，明刊本。

60. 《博物志》 晋·张华撰，清·黄丕烈据汲古阁影宋本翻刻，收入《士礼居黄氏丛书》。

61. 《续博物志》 宋·李石撰，清康熙七年（1668）新安汪士汉刊本。

62. 《香谱》 宋·洪刍撰，民国二十年（1931）上海博古斋影印《百川学海》丛书本。

63. 《刘氏菊谱》 宋·刘蒙撰，民国二十年（1931）上海博古斋影印《百川学海》丛书本。

64. 《史氏菊谱》 宋·史老圃撰，民国二十年（1931）上海博古斋影印《百川学海》丛书本。

65. 《笋谱》 宋·释赞宁撰，民国二十年（1931）上海博古斋影印《百川学海》丛书本。

66. 《蟹谱》 宋·傅肱撰，民国二十年（1931）上海博古斋影印《百川学海》丛书本。

67. 《橘录》 宋·韩彦直撰，民国二十年（1931）上海博古斋影印《百川学海》丛书本。

68. 《茶经》 唐·陆羽撰，民国二十年（1931）上海博古斋影印《百川学海》丛书本。

69. 《本草衍义》 宋·寇宗奭撰，1957 年商务印书馆版。

70. 《外台秘要》 唐·王焘著，1955 年人民卫生出版社影印本。

71. 《史讳举例》 陈垣著，1958 年科学出版社出版。

72. 《小儿卫生总微论方》 宋·佚名撰，1958 年上海卫生出版社出版。

（此为1964 年3 月尚志钧先生为《名医别录》辑校本撰写的辑校说明。）

三、《雷公炮炙论》辑校本

前　言

《雷公炮炙论》，是我国现存最早的中药炮制文献。该书收载了很多有关中药的炮制方法和实验记录。原书已佚，幸运的是其内容被北宋唐慎微作《证类本草》时收入书中。

关于《雷公炮炙论》的作者和成书年代，向来争论很大，多数人认为它成书于刘宋时期。盖此书非成于一时一人之手，最初创于雷公，后人多有增删修饰。正如苏颂《本草图经》"滑石"条云："按雷敩《炮炙方》……然雷敩虽名隋人，观其书，乃有言唐以后药名者，或是后人增损之欤？"

笔者在20世纪60年代初整理过《雷公炮炙论》一书，当时是以引有《雷公炮炙论》资料的《大观本草》《政和本草》为底本，并以其他相关书籍，如明·李时珍《本草纲目》、明·李中梓《雷公炮制药性解》、明·缪希雍《炮炙大法》、清·张叡《修事指南》（即《制药指南》）为旁校本，进行整复的。在整复过程中笔者发现，《本草纲目》中有关《雷公炮炙论》资料是从《证类本草》转引而来的，而《修事指南》又是从《本草纲目》转引而来的。它们在转引雷公炮制资料时，在文字上多加以化裁，在内容上亦有增减，所增减的内容，大都符合实际制药的要求。为了适应制药的需要，本书在作校注时将这些增减的内容均收录在注文中，以供读者参考。所以本书校记内容与一般书籍的校记内容不同，它并不单纯校勘各书所引雷公炮制资料互有出入的文字，亦将各书对雷公炮制资料所引申化裁的内容加以记载。这样做，可以帮助读者不仅对《雷公炮炙论》一书有进一步理解，还能更好地将此书应用到实践中去。

按《雷公炮炙论序》云该书"……列药……三百件……"，今检《政和本草》援引"雷公云"的药物不足此数，兹从敦煌出土《五藏论》"雷公妙典，咸述炮炙之宜"中摘录所载药物，以补足300种。

全书收药300种，分上、中、下3卷。卷上为玉石类，卷中为草木类，卷下为兽禽虫鱼果菜米类。每类又分上、中、下三品。各类药物，凡见录于《唐本草》的，皆按《唐本草》目次编排，凡是后出于《唐本草》的药物，即附于各类药之后。为了检索方便，笔者将300个药名，按序编排号码，第1号为丹砂，第300号为阴胶。

在中医书籍中，对中药炮制资料的记载，很早就有了。马王堆出土的《五十二病方》中就有很多关于药物炮制方面的记载。南北朝时期，陶弘景《本草经集注》对药物炮制和制药法则，都有系统的介绍。但这些书都把制药的资料作为附属的内容。而《雷公炮炙论》则是以制药为内容的专书，它是我国制药专著中最早的一部书。

是书对药物炮制及方法记载详细，对操作过程和实验数据亦有较详细的记录。所以，本书是我国最早的系统介绍中药炮制方法和实验记录的专著，它既有历史和文献价值，又有实用价值。

由于本人学术水平所限，所辑的资料可能有遗漏或错误，敬希读者指正。

（此为 1983 年 4 月 1 日尚志钧先生为《雷公炮炙论》撰写的前言。）

辑校说明

（一）《雷公炮炙论》原书久佚。笔者曾予以辑录，后整理成书，于 1983 年由皖南医学院油印，供学术界交流。

（二）《雷公炮炙论》书名的确定。因原书久佚，故历代书志和本草中所涉及的本书名称并不相同。但它们的书名总由"炮炙""炮制""雷公""雷敩"这些词所组成。现简介如下。

称《炮炙论》者，有《崇文总目辑释》卷 3、《通志·艺文略》医方上、《国史经籍志》卷 4 下。

称《雷公炮炙论》者，有宋·唐慎微《大观》卷 1 序例、《政和》卷 1 序例、宋·洪迈《容斋随笔》卷 3、明·李时珍《纲目》卷 1 序例上"历代诸家本草"、《两淮盐策书引证书目》。

称《雷公炮炙》者，有《文献通考·经籍考》、《郡斋读书后志》卷 2、《世善堂书目》卷下、《医藏书目·普醍函》、《汲古阁毛氏藏书目录》。

称《雷敩炮炙论》者，有苏颂《本草图经》"山茱萸"条。

称雷敩《炮炙方》者，有《宋史·艺文志·医书》、苏颂《本草图经》"滑石"条。

称《药性炮炙》者，有《东医宝鉴·历代医方》。

称《雷公炮制》者，有《古今医统大全·采摭诸书》。

称《雷公炮制药性解》者，有明·李中梓。

从以上8个书名来看，以第2个书名记载的文献最多。本书辑录的资料，又以出自《大观》《政和》为最多，同时又参考《容斋随笔》和《纲目》等书，而这些书中均称之为《雷公炮炙论》，所以本书亦取《雷公炮炙论》为书名。

（三）本书内容。据《雷公炮炙论序》云："直录炮熬煮炙，列药制方，分为上、中、下三卷，有三百件名。"本书所收300种药名，主要是从《大观》《政和》所引"雷公云"及"雷公炮炙论序"、《容斋随笔·雷公炮炙论》、敦煌出土《五藏论》等书中辑录的。按《唐本草》药物目次编排，并在每个药条末括号内注明原书出处。

（四）本书资料来源。本书资料，是从《大观》《政和》所载"雷公炮炙论序"及"雷公云"的文字辑录的，并参考敦煌出土《五藏论》、宋·洪迈《容斋随笔》、明·李时珍《纲目》、明·李中梓《药性解》、明·缪希雍《炮炙大法》、清·张叡《指南》诸书校注而成。在上述各书中，《大观》《政和》所引"雷公云"的文字，多数为药物炮制内容。但《大观》《政和》所引"雷公炮炙论序"、《容斋随笔》所载"雷公炮炙论"、敦煌出土《五藏论》等文字，多数为药物主治功用内容，很少涉及药物炮制。此与"雷公炮炙论"是名不符实的。本书在辑录时，只按底本资料辑录。因此，本书中有些药物，仅有主治功用内容，并无炮制内容。

（五）校勘。书中同一种药的文字，见录于诸书时，即以最早本为底本，以后出本为校本。凡校本中有歧义处或有新增的内容，均出注附于当药条文之后。

（六）繁体字的处理。最早的底本文字，多是繁体字，今改用简化字。有些字，古今含义不完全相同。例如"剉"，在《大观》《政和》作"剉"，但在校点本《本草纲目》俱作"锉"。凡坚硬固体药，当用金属锉来锉。至于软弱苗叶的药，则不好用金属锉来锉。而古代用刀将软弱苗叶剉碎，亦称为"剉"。所以本书对"剉"字仍袭用原书字不改。又如"暵"，在校点本《本草纲目》中全改用"晒"。"暵"虽有"晒"字含义，但也是炮制法中的一种。缪希雍《炮炙大法》在书首所列17法，其中第15法即是"暵"。所以本书辑校时，对某些药物条文中的"暵"字未改，以保留其炮制方法的含义。类似此例很多，详见本书。

（七）标点。最早的底本文字，多无断句，本书辑校时，多加标点。由于古本草文义难懂，笔者学术水平所限，标点可能有误，敬请读者指正。

（八）辑校所用图书版本介绍及简称。

1. 《经史证类大观本草》 宋·唐慎微撰，清光绪三十年（1904）武昌柯逢时影宋并重刊。（简称《大观》）

2. 《重修政和经史证类备用本草》 宋·唐慎微撰，1957 年人民卫生出版社影印金刻孤本（在目前已知本中是最好的版本）。（简称《政和》）

3. 《本草纲目》 明·李时珍撰，1957 年人民卫生出版社影印清光绪十一年（1885）合肥张绍棠味古斋重校刊本。（简称《纲目》）

4. 《雷公炮制药性解》 明·李中梓撰，清·王晋三重订，1956 年上海卫生出版社铅印。（简称《药性解》）

5. 《炮炙大法》 明·缪希雍撰，人民卫生出版社影印本。

6. 《制药指南》 清·张叡编著，1927 年上海中华新教育社石印。（此书又名《修事指南》，简称《指南》）

7. 《五藏论》 敦煌出土残卷本。

8. 《医方类聚·五藏门·五藏论》 朝鲜·金礼蒙等纂，1981 年人民卫生出版社铅印本，第 1 分册，83 页～84 页。

9. 《神农本草经》 1955 年商务印书馆版。（简称《本经》）

10. 《名医别录》 尚志钧辑校，1986 年人民卫生出版社版。（简称《别录》）

11. 《唐·新修本草》辑复本 尚志钧辑，1981 年安徽科学技术出版社版。（简称《唐本》）

四、《本草经集注》辑校本

辑校《本草经集注》情况介绍

该书资料辑于 1958—1960 年。当时笔者在北京中医学院，参加由卫生部举办的中药研究班的进修学习。笔者利用寒暑假、星期日到各图书馆及名家藏书室（如赵燏黄家、范行准藏书室）查阅资料。普通书可从北京中医学院图书馆借读，唯善本书必须到各大图书馆善本阅览室借读，读善本书不能用钢笔记录，只能用铅笔摘抄，遇到难题即请教范行准。范老在军事医学科学院工作，会见比较困难，多在星期天预约到赵燏黄家相会。范老是浙江汤溪人，说话方言重，有些话难听懂，不及写信问得明白。所以有很多问题，均借助通信解决。

1960 年 10 月，笔者将《本草经集注》整理成书。从 2000 多条《本草经集注》资料中，去其重复，归并为 730 种，考其异同 4500 余处，出校注 4564 条，次年写成《本草经集注》解说。清稿抄成后，连同《吴普本草》及人民卫生出版社退回的《补辑新修本草》，由芜湖医专油印出版。

1985 年皖南医学院又重印一次。重印时，将该书序言和解说又修订重写一遍。1994 年人民卫生出版社出版时，为了降低成本，压缩篇幅，将该书序言和解说删掉。解说是该书完成后写的总结，系统介绍该书相关问题。再出版时故将该书序言及解说以及在杂志上发表的有关《本草经集注》的论文，汇编成册，附于书后。

辑校 《本草经集注》 序

辑校《神农本草经》的工作，在明清两代有很多人在做，如卢复、顾观光、孙星衍、森立之等均辑有《神农本草经》的单行本。但是陶弘景所著的《本草经集注》，很少有人来做补辑工作。据冈西为人《宋以前医籍考》讲，日本·森立之等曾补辑陶弘景《本草经集注》7 卷，但未见刊行。

笔者十余年来，潜心于古本草考证，将有关《本草经集注》的资料，摘录为编，补辑成 7 卷。

关于陶弘景《本草经集注》的资料，一部分散存于历代本草中，另一部分是从敦煌石室及吐鲁番出土的残简中得到的。

吐鲁番出土的《本草经集注》，仅为一残简断片，横长 28.5 厘米，纵高 27 厘米。上面载药仅有鸐屎、天鼠屎、鼹鼰鼠 3 味及豚卵部分的注文，原件藏于普鲁士学士院中，1933 年日本·黑田源次为此作文刊于支那学第 7 卷第 4 号。1947 年万斯年译成中文，将其收入《唐代文献丛考》一书中（见该书 113 页，商务印书馆版）。1952 年罗福颐将该残卷影抄并收入《西陲古方技书残卷汇编》中。1955 年日本·渡边幸三又为此残卷重作文考证之。

至于敦煌出土的《本草经集注》，是 7 卷中的第 1 卷序录。1915 年罗振玉以该书影照本影印收入《吉石盦丛书》中，并作跋文附于书末。1955 年范行准又以罗氏影印本重加影印，亦作跋文附于书尾。

敦煌出土的《本草经集注·序录》原卷出处不明。据黑田源次的《中央亚细亚出土医书四种》一文云："两博士（指小川与中尾万三）参阅不列颠博物院所藏斯坦因发现之敦煌出土华阳陶隐居撰《神农本草经·序录》，载有'开元六年九月十一日尉迟卢麟于都写本草一卷辰时写了'之跋尾。"则原卷藏于英国伦敦博物院。又按日本·森鹿三氏（《〈新修本草〉与小岛宝秦》，东方学报京都第 11 册 391 页）云，斯坦因在敦煌发现之陶隐居《本草经集注·序录》，归于伦敦博物院所藏，桔瑞超氏夙贡其影照本，而小川博士在《中国本草学之起源与〈神农本草经〉》中介绍之，罗振玉亦借其影照本而影印之。据此可推测原卷似在英国伦敦博物馆中。但另一说原卷存于日本。范行准作《本草经集注·跋》云："按此残卷原本当时实藏日人桔瑞氏家。"冈西为人《宋以前医籍考》1254 页载小川琢三博士云："明治四十一年，日本派本愿寺所派遣于新疆之桔瑞超师于敦煌石室，发现唐以前之《本草集注》古钞卷子本而将采之。余得大谷伯之许可，摄影其全篇。"1958 年王重民《敦煌古籍叙录》亦云："原卷为桔瑞氏从敦煌窃往日本。"1955 年日本·渡边幸三《中央亚细亚出土本草集注残卷文献研究》一文中说："敦煌出土的《本草经集注·序录》，现藏于日本龙谷大学图书馆中。"

敦煌出土的《本草经集注·序录》和吐鲁番出土的《本草经集注》残卷，就是笔者补辑陶弘景《本草经集注》的重要依据。

敦煌出土的《本草经集注·序录》和吐鲁番出土的残卷，均是极其珍贵的原始资料，文句能保持原始面目，不像唐以后的本草，因避讳对某些字进行更改，如"世"改成"俗"，"治"字改成"疗"。从这些资料中可以了解到，陶弘景将药物分成玉石、草木、虫兽、果类、菜类、米食、有名无实 7 类。玉石和草木类合计有药物 356 种，虫兽同果、菜、米食类合计共有药物 195 种，有名无实类药物有 179 种。在药物排列次序上，可从七情畏恶药例次序探讨。

本书的分类，亦是分为玉石、草木、虫兽、果、菜、米食、有名无实 7 类。

在分卷上是分为 7 卷，第 1 卷是序录，第 2 卷为玉石三品，第 3 卷为草木上品，第 4 卷为草木中品，第 5 卷为草木下品，第 6 卷为虫兽三品，第 7 卷为果菜米谷及有名无实。

全书药物排列次序，是以《医心方》所载《新修本草》的目录，和敦煌出土的《本草经集注·序录》中七情畏恶药例的目次，二者相结合而编排的。其中次序以七情药例为主，对某些个别药物的位置，则据《新修本草》的序和《新修本草》中的注文，以及《证类本草》中的"唐本注"等资料来决定的。例如，由跋排在鸢尾之下，是根据《唐本序》来定的。青蘘是按《新修本草》注文，从米类迁入草木上品。又如，凫葵同白菀是按《证类本草》中的"唐本注"和《开宝本草》注，迁入有名无实类中去。类似情况很多。

关于辑文的问题，有最早的资料，尽量以最早的资料为底本。例如卷 1 序录，以敦煌出土的《本草经集注·序录》为底本，并以《证类本草》校勘之，把突出的不同点，以双行小字或加括号附注之。其余各卷辑录均仿此。像卷 6 虫兽类中的鼺屎、天鼠屎、鼺鼠、豚卵等资料，即以吐鲁番出土的《本草经集注》残卷为底本。卷 2 的玉石类，卷 3 至卷 5 的草木类，卷 6 的虫兽类和卷 7 的果、菜、米谷、有名无实等类，均以《新修本草》为底本，并以《证类本草》校勘。至于卷 3、卷 4、卷 5 等草木类之中的草类和卷 6 虫兽类之中的虫鱼类等，则以《证类本草》为底本。

各类药物总数问题、全书药物总数问题、某些药合并及分条问题、《神农本草经》文同《名医别录》文区分问题、诸病通用药的药性问题，以及其他各种问题等，笔者拟作专题讨论，不在此处叙述。

总之，本草学是中医学遗产的一部分；同时也是中国文化遗产的重要组成部分。对于中医学遗产，在辩证唯物主义和历史唯物主义总的方向指导下，进行各方面的系统的、有目的的研究。有的可以侧重于理性的探讨，利用现代科学方法和成就，来探索中医药的理论；有的可以侧重于资料的搜集、文献的整理、古医书的校勘和注释、古医药书今译、工具书的编纂等。这些工作都需要我们去做。辑校《本草经集注》的工作，仅仅是极小的一部分。

由于个人学识水平的限制，所做工作是很粗糙的，也只能说是初步的辑复，进一步的深入研究，有待于大家的共同努力。

（此为 1960 年 10 月 20 日尚志钧先生为《本草经集注》辑校本撰写的序。）

辑校说明

（一）本书基本情况

《本草经集注》为陶弘景所撰。陶氏，梁代医学家，字通明，号隐居，又号华阳居士、华阳真人，人称真白先生，丹阳秣陵人，生于刘宋元嘉二十九年（452），卒于梁大同二年（536）。陶氏一生著作很多，其中关于道家的较多，其医学著作有《补阙肘后百一方》《效验方》《太清草本集要》《陶隐居本草》《本草经集注》《养性延命录》等。

本书始撰于齐永明十年（492），成书于齐永元二年（500）以前。原书至北宋末年亡佚，但其内容保存在有关医籍中。据日本·冈西为人《宋以前医籍考》介绍该书有日本·森立之辑本，惜未见刊行。

全书共 7 卷，由序录及药物两部分组成。序录载《神农本草经》序文 13 条，并加以解释，以及关于创制合药分剂料治法、诸病通用药、解药毒、服药食忌例、药不宜入汤酒、七情畏恶等内容。

药物部分取《神农本草经》药 365 种，并据魏晋名医记录文献增入 365 种，共计 730 种。创药物天然来源分类法，分为玉石、草木、虫兽、果、菜、米食等类；同时，每类药除有名无实外，又分为上、中、下三品。这种药物按自然属性分类的方法，一直为后世本草学所沿用。

每味药物下，陶氏增加了产地和主治，并加小注，注文多来自其实践所得，真实可靠。全书药物条文，属于《神农本草经》原文朱书，本书用正体；属于《名医别录》文字墨书，本书用宋体。陶氏注文原为双行小字排列，本书改用单行小字。书中资料来源翔实可靠，清晰了然，保存了古代的原始珍贵资料，对于后世本草学的发展有深远的影响。

（二）版本选目

1. 底本　本书以现存最早引用《本草经集注》原文之各书的底本，包括以下书籍：吐鲁番出土《本草经集注》残卷（仅存豚卵、鼺鼠、天鼠屎、鼹鼹鼠及部分注文）；1900 年敦煌出土《本草经集注·序录》（无具体药物条文）；敦煌出土《新修本草》残卷（仅存草部下品之上，即包括"甘遂"至"白蔹"等 30 味药）；武田本《新修本草》（仅存卷 4、卷 5、卷 12、卷 15、卷 17、卷 19）；罗氏藏《新修本草》（缺玉石类上品、草类、虫鱼类）；傅氏影刻《新修本草》（缺草类、虫鱼类）；孙思邈《千金翼方》（缺"彼子"和《新修本草》注文，并缺《神农本草经》文和《名医别录》文标记）；柯逢时影刻唐慎微《经史证类大观本草》；人民卫生出版社影印《重修政和经史证类备用本草》。

2. 主校本　日本·望草玄翻刻《大观本草》、商务印书馆影印《政和本草》，明成化年间翻刻《政和本草》，明万历年间翻刻《政和本草》，明万历年间刻《大全本草》等。

3. 旁校本　日本·丹波康赖《医心方》，日本·深江辅仁《本草和名》，宋·寇宗奭《图经衍义》（1924 年上海涵芬楼影印《正统道藏》本），明·刘文泰《本草品汇精要》（1936 年商务印书馆版），明·李时珍《本草纲目》（1977—1981 年人民卫生出版社校点本），明·缪希雍《本草经疏》（1891 年周学海刊本），清·

邹澍《本经疏证》（1959 年上海科学技术出版社版），清·邹澍《本经续疏》（1959 年上海科学技术出版社版），清·叶天士《本草经解》（1957 年上海科学技术出版社版），清·孙星衍等辑《神农本草经》（1799 年问经堂刻本，1891 年周学海刊本及 1955 年商务印书馆版），清·黄奭辑《神农本草经》（1893 年《汉学堂丛书》本），清·顾观光辑《神农本草经》（1955 年人民卫生出版社影印本），日本·森立之辑《神农本草经》（1957 年上海卫生出版社影印本），日本·狩谷望之志辑《神农本草经》（涩江籀斋订，抄本），清·吴其濬《植物名实图考长编》（1959 年商务印书馆版），以及卢复、王闿运、姜国伊、莫文泉辑复的《神农本草经》。

4. 其他参考书　清康熙年间敕修《古今图书集成·博物汇编》内的《草木典》《禽虫典》《食货典》（1934 年中华书局影印本），唐·欧阳询《艺文类聚》（1959 年中华书局影印本），唐·徐坚《初学记》（孔氏古香斋刻本），唐·虞世南《北堂书钞》（1888 年孔广陶校注本），宋·李昉等《太平御览》（上海涵芬楼影印本）。

（三）辑校方法

《本草经集注》原书亡佚很久，其内容分散在各种古本草、各种类书及古典文、史、哲的注文中，而这些书又因历代传抄和翻刻，对《本草经集注》资料的记载存在很大差异。因此，辑复《本草经集注》重点工作是辑佚、校勘、考证、标点以及训诂和注释。兹将本书辑校方法分述如下。

1. 卷数和药物数目　《本草经集注》原书 7 卷，据后世各书所记载药物总数为 730 种。《新修本草》所收药物 850 种，是在《本草经集注》的基础上新增了 114 种，又将原列为一条的“海蛤、文蛤”“葱、薤”“粉锡、锡铜镜鼻”“大豆黄卷、赤小豆”“鼠李、郁核”“鼺鼠、六畜毛蹄甲”等药各分为 2 条，即又增加了 6 条，所以《新修本草》所收药物为 850 种。现将《新修本草》的药物重行归并，减去新增的 114 种，使《本草经集注》恢复其原貌为 730 种。

2. 药物分类　主要是按药物自然属性分类。依据敦煌出土《本草经集注·序录》中“诸药制使”（七情畏恶药物），将药物分为玉石、草木、虫兽、果、菜、米食、有名无实 7 类。

《本草经集注》中所载药物排列顺序，是以本书序录中七情畏恶药物排列为序，又参照《新修本草》药物目录，以及陶隐居药物的注文等，详加研究厘定的。

3. 药物三品分类　本书收载药物，除按照陶弘景首创的药物自然属性分类外，同时也保留了《神农本草经》药物三品分类的方法。

《神农本草经》药物三品分类，因历代医家认识不同，其三品类别亦略有差异。例如水银，自《新修本草》以后，都被列在中品。但《本草经集注·序录》七情畏恶药，将水银列在上品。按《神农本草经》上品药定义有"久服不老延年，轻身神仙"。而"水银"条经文云："水银……镕化还复为丹，久服神仙不死。"此与《神农本草经》上品含义吻合。由于水银在古代能炼丹，故列为上品。后来人们发现水银有毒，不能列为上品，就将其移入中品。又如黄芪，自《新修本草》以后，都列在上品。但黄芪在《本草经集注·序录》七情畏恶药物中被列为中品。《神农本草经》中品定义有"遏病，补虚羸"。而"黄芪"条经文云："黄芪主痈疽久败疮，排脓止痛，大风癞疾，五痔鼠瘘，补虚小儿百病。"此与《神农本草经》中品含义吻合，故列为中品。后来人们发现黄芪无毒，有补益作用，就把黄芪从中品移入上品。本书辑录时，即以《本草经集注》七情畏恶药物三品分类为准，将水银列在上品，黄芪列在中品。类似情况很多，此处从略。

4. 《神农本草经》文、《名医别录》文鉴别　《本草经集注》原是由陶弘景合《神农本草经》文、《名医别录》文注释而成。陶氏对《神农本草经》文用朱字书写，对《名医别录》文用墨字书写。唐代苏敬作《新修本草》时，沿用陶氏旧例。今陶氏书不全，苏氏书仅存半数，所存半数又缺乏《神农本草经》《名医别录》标记。为此，分辨《神农本草经》文和《名医别录》文，只得借助于《证类本草》。而《证类本草》因版本不同，其白字《神农本草经》文、墨字《名医别录》文标记亦有差异。例如，成化本《政和本草》、商务本《政和本草》对菖蒲、龙胆、白英、麝香、鹿茸、姑活等条全作墨书，无白字《神农本草经》文标记。人卫本《政和本草》"曾青"条亦无白字《神农本草经》文标记。因此，还要借助于其他各种本草，如《本草纲目》、各种辑本《神农本草经》旁证之。

在鉴别时，如遇校本《神农本草经》文和《名医别录》文标记不同于底本时，但又不能确定底本是否有误，仍以底本为正。例如卷 6 虫兽下品"鼺鼠"条的《名医别录》文和《神农本草经》文，原以吐鲁番出土《本草经集注》残卷为底本，该残卷"鼺鼠"中，有"生高谷山平谷"6 字作朱书《神农本草经》文，但校本《大观本草》、玄《大观本草》、《大全本草》、《证类本草》、《政和本草》、成化本《政和本草》、《本草品汇精要》、《本草纲目》等皆注作《名医别录》文，孙本、黄本、顾本、森本、狩本均不取此 6 字为《神农本草经》文，按校本应订为墨字《名医别录》文，但又不能确定底本有误，所以本书仍从底本为正，订正此 6

字为朱书《神农本草经》文。

在鉴别时，如能确认底本中《神农本草经》文和《名医别录》文标记有误，即依校本订正。例如卷 5 草木下品"白薇"条，原以敦煌出土《新修本草》残卷为底本，底本"白薇"条有"无毒"2 字作两种标记，"无"字作朱书《神农本草经》文标记，"毒"字作墨书《名医别录》文标记。通检《大观本草》、玄《大观本草》、《大全本草》、《证类本草》、《政和本草》、成化本《政和本草》皆作《名医别录》文，孙本、黄本、顾本、森本、狩本亦不取此 2 字为《神农本草经》文，据此 2 字应为《名医别录》文，本书即订正"无毒"2 字作墨书《名医别录》文。

5. 校勘　在确定《神农本草经》文、《名医别录》文后，对于文中字句歧异、增衍、脱漏、颠倒者均作了校勘。如遇底本与校本有不同时，但又不能确定底本是否有误，仍以底本为正。例如卷 5 草木下品"乌头"条全文，原以敦煌出土《新修本草》残卷为底本，底本"乌头"条中有"力视"2 字，此 2 字在《千金翼方》、《大观本草》、玄《大观本草》、《政和本草》、成化本《政和本草》、《大全本草》、《证类本草》、《本草品汇精要》、《本草纲目》、《植物名实图考长编》、《本经疏证》等校本中均作"久视"，从完整句意来看，校本作"目中痛不可久视"，而底本作"目中痛不可力视"并无错误，所以本书仍以底本为正。如能确定底本有误，即据校本订正。例如卷 6 虫兽中品"羖羊角"条，原以武田本《新修本草》为底本，底本"羖羊角"条中有"咳味""补寒"等词，各核校本如《千金翼方》、《大观本草》、玄《大观本草》、《大全本草》、《证类本草》、《政和本草》、成化本《政和本草》、《本草品汇精要》、《本草纲目》、等均作"咳嗽""补中"，本书即从校本订正为"咳嗽""补中"。在出注时，即注据某书改。

在校勘时，如能确定底本有脱漏，即据校本补。例如卷 3 草木上品"蔓荆实"条，原以武田本《新修本草》为底本，底本"蔓荆实"条中有"去长"2 字，其他各本如《千金翼方》、《大观本草》、玄《大观本草》、《大全本草》、《证类本草》、《政和本草》、成化本《政和本草》、《本草品汇精要》《神农本草经疏》、《本草纲目》、《植物名实图考长编》等均作"去长虫"。本书即根据校本补"虫"字。

在校勘时，如底本与校本有字句歧异者，即作理校，根据药物作用来判断底本正误。例如卷 3 草木上品"茯苓"条，原以武田本《新修本草》为底本，底本"茯苓"条中，有"好唾"2 字。在玄《大观本草》作"好垂"，在《千金翼方》

《大观本草》《本草品汇精要》作"好唾"，在《政和本草》、成化本《政和本草》、《大全本草》、《证类本草》、《本草纲目》、《植物名实图考长编》、《本经疏证》等作"好睡"。"唾"与"睡"字字形相近，系传抄舛误。从药物功用推论，因茯苓利水，故能止好唾，当以"好唾"为正。

在校勘时，如有义可两存者，即在校记中说明之。例如卷2玉石下品"锡铜镜鼻条"，有"生桂阳"3字。各种版本《大观本草》《政和本草》《大全本草》皆作黑字《名医别录》文，《本草纲目》《本草品汇精要》《本草图经》注为《名医别录》文，各种辑本《神农本草经》均不取此3字为《神农本草经》文。据此，"生桂阳"3字应为《名医别录》文。但陶弘景注文却说"本经云，生桂阳"。陶氏所注，"生桂阳"3字应为《神农本草经》文。二说不同，即在校勘记中，并存其说。

6. 考证 在辑校中，往往遇到一些经过校勘后，仍不能解决的问题，此时就必须进行考证，以求得问题的解决。例如"发髲"条，原以傅氏刻本《新修本草》为底本。该底本"发髲"条文末为"疗小儿惊热下"。其句末的"下"字很难理解。再查各种版本《证类本草》作"疗小儿惊热"，无"下"字。查各种版本的《本草纲目》作"疗小儿惊热百病"，把"下"字改成"百病"2字。查《小儿卫生总微论方》引本草作"疗小儿惊热下痢"。则"下"字后似是脱漏"痢"字。查《备急千金要方》《外台秘要》治痢方均载有乱发灰治下痢。据此可知《小儿卫生总微论方》所引当属正确。盖因唐代抄本《新修本草》已脱落"痢"字，到了宋代本草，以"下"字不可解而删之。李时珍援引此文，又用陶弘景注文"百病"2字置换"下"字。从此《本草经集注》原文"疗小儿惊热下痢"，自宋以后已失去真实面貌，同时发髲灰治痢之药效，亦为后世本草所失载。通过诸书的考证，即可弄清这个问题。

7. 避讳字改正 唐·苏敬修《新修本草》是以《本草经集注》为蓝本。因避讳唐太宗李世民、唐高宗李治的"世""治"等字讳，《新修本草》药物条文中，遇到"世"改用"俗"，遇到"治"改用"疗"，或改用"造"，或删除不用。例如鸊屎、鼹鼠等药效，《新修本草》《证类本草》分别作"鸊屎，主蛊毒""鼹鼠，主痈疽"。但吐鲁番出土《本草经集注》残卷作"鸊屎，主治蛊毒""鼹鼠，主治痈疽"。由此可见，《本草经集注》对药效原作"主治×××"。到《新修本草》因避唐高宗李治讳，把"主治"的"治"字删掉。在有些药物条文中，把"治"改为"疗"。宋代本草沿用《新修本草》旧例，不用"主治×××"，而作"主×

××"，或作"疗×××"。本书辑校时，仿《本草经集注》体例，凡药物条文中病名如消渴、中风等，在开头病名上，冠以"主治"2字，如主治消渴、中风。凡药物条文功效名，如益气、利水等，在开头功效名上，冠以"主"字，如主益气，利水。

此外，还有其他字避讳例。如陶弘景的"弘"字，因避唐高宗的太子"弘"讳，被省掉成"陶景"。《本草和名》引陶弘景注，俱作"陶景"注。《新修本草》编者苏敬的"敬"字，因避宋代赵匡胤祖父赵敬的讳，被改名为"苏恭"。"玄参"的"玄"，因避清代康熙皇帝玄烨的讳，被改为"元"。本书在辑校时，凡因避讳所改的字，均改正之，恢复其原来所用的字。

8. 古今字的处理　在校勘时，如遇某些字的古今写法不同，即改用现行的写法。例如"闭""脑""桑""枣""因""热""蛇""血""肉""蜡""叶"等字，在敦煌本《本草经集注》、敦煌出土《新修本草》、武田本《新修本草》、傅本《新修本草》、罗本《新修本草》皆作"閇""腦""桒""棗""囙""㷁""虵""衁""宍""臈""枼"。本书不按《本草经集注》《新修本草》写法，而是采用一般通行字的写法。对某些义同形异的通行字，如"能"与"耐""华"与"花""创"与"疮""痰"与"淡""咳"与"嗽""邪"与"耶"等，本书辑校时，以原底本为正，未做统一规定。

9. 训诂　以训字、训词、释句为主。凡辑文中遇有难懂的古字、古词，均予以训释。例如，书中"雄黄"条，陶弘景注云："始以齐初梁州互市微有所得。"文中"互市"，即南北朝对峙时，互派使臣主持商品交易的地方。又如"青琅玕"条，陶弘景注云："唯以治手足逆胪耳。""逆胪"，即手足爪甲际皮剥起的症状。类似情况很多，须加注释，详见本书注。

10. 标点　古本草多无标点，少数古本草有断句。如张绍棠刻本《本草纲目》《千金翼方》所录《新修本草》药物条文有断句。但是此类书的断句有时亦有误。例如卷6"鹿茸"条有"散石淋，痈肿，骨中热疽，养骨，安胎下气，杀鬼精物，不可近阴，令痿，久服耐老。四月、五月解角时取"。这一段文字是讲鹿茸的主治功用及采收时月的，文义连贯，首尾相从。但《千金翼方》及各种版本《大观本草》《政和本草》，均从此文中"养骨"2字处断开，析为两阙，把"养"字以上列为言"鹿茸"，把"骨"字以下列为言"鹿骨"，殊误。要知文末有"四月、五月解角时取"，明言为"鹿茸"采收时月，并非言"鹿骨"采收时月。

又如卷1陶隐居序中有"张茂先裴逸民皇甫士安"，《证类本草》误"裴"为

"辈"，《本草纲目》沿袭《证类本草》之误，将3个人名误断为2人"张茂先辈，逸民皇甫士安"。由此可见，断句、标点，也有一定的难度。为了方便读者阅读，本书试加标点，若有不当之处，希望读者指正。

五、《雷公药对》辑复本

前　言

清·姚振宗《汉书·艺文志拾补·方技略》载"《雷公药对》二卷"。《隋书·经籍志》卷3所载《桐君药录》书名下，著录"梁有《药对》二卷"，但未题雷公著。其实雷公《药对》在《隋书·经籍志》以前，已有文献记载，即在陶弘景《本草经集注·序》中就已提到过。兹以敦煌出土陶弘景《集注》（1955年上海群联出版社出版）来研究。《集注》2页云："药性所主，当以识识相因，不尔何由得闻。至乎桐、雷，乃著在篇简。"在此文中，所讲桐、雷，即指桐君、雷公而言。《集注》3页云："又有《桐君采药录》，说其华叶形色。《药对》四卷，论其佐使相须。"在陶序中，既提到《药对》书名，又讲到《药对》的内容。并说《药对》是讨论药物佐使相须（药物佐使相须，《神农本草经》序文简称之为"七情"）。

《集注》中，有一节内容是记载药物七情的。陶氏所记，是以《神农本草经》为基础，参考《药对》写的。所以陶氏在记载七情药物说："《神农本经》相使止各一种，兼以《药对》参之，乃有两三。"（见《集注》81页）。

关于陶弘景作《本草经集注》时，参考《药对》，还有其他的例子。《集注》91页有5条文字是引用《药对》的。如"立冬之日，菊、卷柏……"《集注》92页对这5条《药对》文字说明道："右此五条出《药对》中，义旨渊深，非世所究，虽莫可遵用，而是主统之本，故亦载之也。"

从陶弘景作《本草经集注》参考《药对》的事实，说明《药对》在陶弘景以前就有了。但陶弘景所引用的《药对》，没有讲明是雷公所著。

到了唐代，《旧唐书·经籍志·医术》，载"《雷公药对》二卷"。而《新唐书·艺文志·医术》直题"徐之才《雷公药对》二卷"。宋·掌禹锡《嘉祐本草·补注所引书传》云："《药对》，北齐尚书令、西阳王徐之才撰。"按唐代书志所载《雷公药对》和宋代书志所载《药对》都题徐之才著。则唐宋时期的《雷公药对》与《药对》是异名同书，所以宋代书对此2种书名是通用的。如《崇文总目辑释》

和《通志·艺文略》著录为"《药对》二卷，徐之才撰"。王应麟《玉海》卷3著录为"《雷公药对》二卷"。

明·李时珍《本草纲目·历代诸家本草》亦题为《雷公药对》，并注云："盖黄帝时雷公所著，之才增饰之尔。"可是《本草纲目》全书中有关《神农本草经》或《名医别录》药"气味"专目内，凡属药物七情畏恶资料均冠以"之才曰"。

按《本草纲目》是以《证类本草》为蓝本编写的，《证类本草》往上推溯，源于陶弘景《本草经集注》。如把《本草纲目》《证类本草》《本草经集注》三书中有关药物七情畏恶资料互勘一下，几乎完全相同。

兹以1957年人民卫生出版社影印《本草纲目》、1957年人民卫生出版社影印《证类本草》、1955年上海群联出版社出版的《本草经集注》为例，比较如下。如曾青，《本草纲目》668页引之才曰："畏菟丝子。"《证类》91页亦注云："畏菟丝子。"《集注》81页亦注"畏菟丝子。"

石胆，《本草纲目》670页引之才曰："水英为之使，畏牡桂、菌桂、芫花、辛夷、白薇。"《证类》89页、《集注》81页所注与《本草纲目》全同。

青琅玕，《本草纲目》617页引之才曰："杀锡毒，得水银良，畏鸡骨。"《证类》132页、《集注》82页所注与《本草纲目》亦全同。

方解石，《本草纲目》643页引之才曰："恶巴豆。"《证类》135页、《集注》83页所注与《本草纲目》亦全同。

通检全书皆是如此，为节省篇幅，此处从略。

《本草纲目》既把所引七情畏恶资料出处，标为"之才曰"，那就意味着《本草纲目》中所引的《药对》是徐之才所著。但《本草经集注》中的七情畏恶资料全同《本草纲目》，那么《本草经集注》所参考的《药对》是否出于徐之才《药对》呢？

按《本草经集注》是陶弘景所著，那要看陶弘景和徐之才2人谁年龄更大。从《南北史》来看，陶弘景比徐之才大。

按《北史》卷90列传78、《北齐书》卷8记载徐之才在武平二年（571）任尚书令，封西阳郡王。卒年80。死后其弟继承爵位，至580年北齐亡。据此推测徐之才约死于572—578年之间。

又按《南史》卷76列传66陶弘景卒于梁大同二年（536），时年85岁，故陶弘景比徐之才早去世40年左右，由此可推测，陶弘景约比徐之才大40岁。

陶弘景在44岁著成《本草经集注》。那时徐之才正处在儿童时代。那么陶弘景作《本草经集注》时，不可能见到徐之才的《药对》。所以《本草经集注》引用的《药对》，当非徐之才撰的《药对》。

现在《本草纲目》中，所标注"之才曰"的《药对》资料，实际上在陶弘景所见的《药对》中已有记载了。据此可以判断陶弘景所见的《药对》，很大可能是最早《雷公药对》的简称。稍晚于陶弘景的徐之才所撰的《药对》，很可能是在这最早的《雷公药对》基础上增修而成的。《嘉祐本草·补注所引书传》中的《药对》即是徐之才增修的《药对》。可是《嘉祐本草》并未注明徐之才增修《药对》的事。但《本草纲目·历代诸家本草》在《雷公药对》书名下注云："《雷公药对》，盖黄帝时雷公所著，之才增饰之耳。"

因此，徐之才《药对》，已包含了《雷公药对》的内容。《本草纲目》各卷药物气味项下所注"之才曰"资料，均同陶弘景《本草经集注·序录》所引的《药对》内容，则《本草纲目》所引徐之才文，实为《雷公药对》的文字。而掌禹锡所引《药对》资料，并不见于陶弘景《本草经集注》中，则掌禹锡所引《药对》资料，疑是徐之才增饰的内容。

本书是将《本草经集注》《千金翼方》《证类本草》《本草纲目》等书中，凡标注"药对"或"之才曰"的资料辑录为篇，汇集成册，分上、下 2 卷，上卷为总论，下卷为各论。对某些资料来源均注明出处。其中有同异处，亦进行勘比，做出小注。对某些疑点或有争论处，亦附以考证。

由于笔者学识水平所限，所辑错误难免，敬希读者指正为盼。

（此为 1987 年 12 月尚志钧先生在安徽芜湖弋矶山医院为《雷公药对》辑复本，撰写的前言。）

辑复说明

（一）《雷公药对》原书久佚，无任何底本可据。各底本所引《药对》文字都是不完整的，本书辑录时，将同一个药物所辑不同的内容归并在一起，对其中内容按药名、性味、主治、七情畏恶等次序排列。对相同内容资料选现存最早者为主，以晚者补之，并注明出处。

（二）本书共为 2 卷。卷 1 为序录，卷 2 为众药名品。序录包括徐之才药对叙、诸病通用药、有相制使诸药、药对岁物药品，末附十剂。众药名品，共辑得资料千余条，归并其重复，尚得413条，分为玉石部、草部、木部、虫兽部、果菜米部5部。每位药物前均编以阿拉伯数字序码。

（三）凡所辑的原文中涉及某些药名，因其内容无从辑得，暂不作专条列出。

例如，校点本《本草纲目》卷9"石钟乳"条引之才曰"畏襄草"。同书卷11"消石"条引之才曰："萤火为之使，恶苦菜。"同书卷10"阳起石"条引之才曰："恶石葵。"涉及襄草、萤火、苦菜、石葵等药名，但其《药对》内容无从辑得，暂不作专条列出。类似此例者很多，拟作附录列于书末。

（四）本书的校勘原则，以所据资料年代最早者为据，校之以晚者，并以各自不同版本对校，参以他校，适当采用理校，同时分别出校记。

例如商务印书馆影印的《政和本草》卷2页55"瘀血"条，掌禹锡引《药对》云："芍药主逐贼风。"文中"风"字，人民卫生出版社影印的《政和本草》作"血"。从中医理论来讲，芍药以治血为主，当用"血"字义长。本文从人民卫生出版社影印的《政和本草》为正。

（五）凡校勘处，均于其字、词或句末右上角加脚注序码，注文附在当药条文之下。

（六）本书从敦煌出土《本草经集注·序录》、《千金方》、《医心方》、《太平御览》、《证类本草》辑录最多，以柯《大观本草》、日本望草玄刻《大观本草》、人民卫生出版社影印《政和本草》、商务印书馆影印《政和本草》等进行校勘。本书以敦煌出土《本草经集注·序录》、商务印书馆版《太平御览》、人民卫生出版社影印《政和本草》为底本，以其他版本为校本，另外，以1957年人民卫生出版社影印《本草纲目》和1957—1981年人民卫生出版社校点本《本草纲目》、1936年商务印书馆版《本草品汇精要》为旁校本。

（七）辑校援引书目，采用简称。正文中凡注明《集注》者，为1955年上海群联出版社出版的《本草经集注·序录》的简称；注明《证类》者，为1957年人民卫生出版社影印《政和本草》的简称。

（八）各校本中有明显误字或脱漏之处，一般不出校记。

（九）所辑原文，按底本转录，未予改动，并加标点。

（十）对于某些资料，各书所引文字互有出入者，在辑文后均附加考证。例如徐之才的《药对》序录之文，《千金方》和《证类本草》均提示出于徐之才，而《本草纲目》注出于陈藏器。又"十剂"资料，按《证类本草》提示出于陈藏器，而《本草纲目》注明出于徐之才。类似此等资料，均作出考证附于资料之下。

六、《药性论》辑释本

前　言

《药性论》是何时何人所撰，其说有三。

第一，宋代《嘉祐本草》的作者掌禹锡在《嘉祐本草·补注所引书传》云："《药性论》，不著撰人名氏……一本题曰陶隐居撰。然所记药性、功状，与本草有相戾者，疑非隐居所为。"掌禹锡对《药性论》的作者也弄不清楚。先说作者不详，后说陶氏撰，接着又否定陶氏撰。

第二，明·李时珍在《本草纲目·历代诸家本草》标题下云："《药性论》即《药性本草》，乃唐甄权所著也。权扶沟人，仕隋为秘省正字。唐太宗时，年百二十岁，帝幸其第，访以药性，因上此书。"按李时珍所说，《药性论》是唐初甄权所著，到唐太宗时（627—649），甄权已120岁，并献上《药性论》。这时唐代还没有编修《唐本草》，故《药性论》成书时间应早于《唐本草》。

第三，今人范行准在《两汉三国南北朝隋唐医方简录》一文中说："《药性论》五代后周孟贯著。"

以上3家，掌禹锡无法确定《药性论》成书时间及其作者，李时珍定为隋末唐初甄权著，范行准定为后周孟贯所著。按，后周是五代末一个小国，兴于951年，亡于960年，处于公元10世纪末。甄权活动于隋末唐初，处于公元7世纪初。则孟贯与甄权两人相差3个世纪。

现在要问，《药性论》究竟是公元7世纪初甄权所著，还是10世纪末孟贯所著？

李时珍说《药性论》是甄权所撰，主要是根据《旧唐书·经籍志》《新唐书·艺文志》和宋·郑樵《通志·艺文略》载有《本草药性》3卷，甄权撰。而宋代《崇文总目辑释》和《宋史·艺文志》载有《药性论》4卷，不著撰人名氏。李时珍认为《本草药性》（《药性本草》）和《药性论》是同一书，为唐初甄权所著。

今人范行准认为《药性论》是后周孟贯所著，主要根据五代时陶谷《清异录》和日本·源顺《倭名类聚钞》所引而定的。

笔者倾向于范行准的看法，并补充理由如下。

第一，日本·丹波元胤《中国医籍考》170页说："按《隋志》所载甄氏本草与立言《本草药性》疑是同书。若《药性论》亦岂一书欤？唯卷帙不同。至李时珍说，恐难信据。"丹波元胤认为，李时珍的说法，不一定可信。

第二，《药性论》中含有唐代中期的药物。《证类本草》（1957 年人民卫生出版社版）231 页"补骨脂"条有掌禹锡等谨按《药性论》云："婆固脂一名破故纸……"掌氏既援引《药性论》作注文，说明《药性论》一书必载补骨脂。按朝鲜·金礼蒙等撰《医方类聚》（1981 年人民卫生出版社版）卷 95 页 339 载唐岭南节度使郑絪序云："舶上破故纸，蕃人呼为补骨脂……舟人李蒲诃来，授予此方，服之七日，力强气壮……故录以传。元和十二年二月十日。"元和十二年即 817 年，则补骨脂即在约 817 年前输入中国。而《药性论》书中既载有 817 年前输入中国的补骨脂，则《药性论》成书当是 817 年以后的事情。这个时间距离甄权生活年代约有 200 多年了。据此可以怀疑《药性论》不是甄权所著。

《证类本草》274 页"骨碎补"条引陈藏器云"骨碎补……本名猴姜，开元皇帝以其主伤折，补骨碎，故作此名耳。"开元年号始于 713 年。那也就是说，骨碎补的名称在 713 年前后才有的。而《药性论》书中有此药物，说明《药性论》成书不会早于 713 年，换句话说，《药性论》不可能是隋末唐初甄权所著。

第三，《药性论》收录的药物，有很多药如青黛、芦荟、赤箭、枳壳、红豆蔻、肉豆蔻、骨碎补、补骨脂、缩沙蜜、马兜铃、丁香、没药、膃肭脐等，不见于《唐本草》新增药中，却见于宋代《开宝本草》新增药物中。这也提示《药性论》不是成于《唐本草》以前，而是成于《唐本草》之后。如果《药性论》成于《唐本草》之前，则上述药物至少有一部分会被《唐本草》所采用。而上述药物《唐本草》均未采用，而宋代《开宝本草》采用了，这说明《药性论》应成于《唐本草》与《开宝本草》之间。这也就意味着《药性论》不是甄权所著。

在《开宝本草》新增药物中，有些新增药物文字，似是由《药性论》《日华子本草》两书文字糅合而成。

如缩沙蜜，是《开宝本草》新增药。《开宝本草》对缩沙蜜药效记为"味辛，主虚劳冷泻，宿食不消，赤白泄痢，腹中虚痛"，而《药性论》云："缩沙蜜，味辛。能主冷气腹痛，止休息气痢劳损，消化水谷，温暖脾胃，治冷滑下痢不禁。"比较两书文字大义全同。由此可以看出，《开宝本草》缩沙蜜条文似是参考《药性论》编写的。

又如《证类本草》272 页"马兜铃"条："马兜铃，主肺热咳嗽，痰结喘促，血痔瘘疮。"检《药性论》记载马兜铃主治为："主肺气上息……咳逆。"《日华子本草》记载其主治为："治痔瘘疮……"比较三书的文字，《开宝本草》马兜铃条文字前半段文同《药性论》，后半段文同《日华子本草》。这明显提示《开宝本草》新增药马兜铃文字是参考《药性论》的。但《唐本草》新增药物却无此种情况。不仅如此，连《唐本草》注文中也未援引过《药性论》书名，甚至连后来《海药本草》也未援引过《药性论》书名。但是，《海药本草》对前代陈藏器《本草拾遗》却多次引用过。而对《药性论》从未引用过，由此可反证《药性论》不是甄权所著。

第四，《药性论》中常提到唐代的习气，唐人以肥胖为美，但是年老人肥胖过度极易中风，所以唐代中风病较多。唐代名医张文仲有治中风方专集。《外台秘要》（1955 年人民卫生出版社版）398 页云："臣（张文仲）准敕诸等名医集诸医方为一卷，风有一百二十种。在《药性论》一书中，有很多药物也提到治风的功效。例如，败酱、狗脊云治毒风；萆薢云治冷风；空青、玄参、秦艽云治头风；石龙芮云逐诸风；白鲜云治一切热毒风、恶风、风疹；藁本云"一百六十种恶风"。麻花云"治一百二十种恶风"。类似此例极多。《药性论》书中极重视风病，此是受唐代习气的影响，由此可知，《药性论》似是唐代后期的作品，而不是唐初甄权所著。

第五，宋·掌禹锡作《嘉祐本草》时，把《药性论》和《日华子本草》相提并论。例如，《嘉祐本草》新增的玄明粉、马牙硝 2 味药，就是取材于《药性论》和《日华子本草》两书，所以掌禹锡在玄明粉、马牙硝两药条文末，注明"见药性并日华子"字样。又掌禹锡在很多药物中，如马兜铃、赤箭、骨碎补、砂仁、肉豆蔻、枳壳、莪术、没药等条注文中，既援引《药性论》，又援引《日华子本草》。比较两书的文字，有很多语气是很相似的。如《证类本草》233 页"白前"条，《日华子本草》云："白前治贲豚肾气，肺气烦闷及上气。"《药性论》云："白前主一切气。"又如《证类本草》307 页"丁香"条，掌氏引《药性论》云："丁香主冷气……"又引《日华子本草》云："丁香疗肾气，贲豚气，治冷气。"又如《证类本草》301 页"干漆"条，《药性论》云："主女人经脉不通。"《证类本草》298 页"榆皮"条，《日华子本草》云："榆白皮，通经脉。"比较两书所用的词语"冷气""经脉"是相同的且文字语气亦很相近。这就提示，《药性论》似与《日华子本草》是同一时代的作品。《日华子本草》是五代时期的作品，则《药性论》亦很可能是五代时期的作品。所以范行准提出《药性论》为五代时后周孟贯所著是可信的。

《药性论》原书已佚，它的内容散存于《证类本草》及《本草纲目》中。掌禹锡作《嘉祐本草》时，在"药物畏恶有相制使条例"中，引用47条；在各卷药物中，以《药性论》资料作注释文的有370条。另有玄明粉、马牙硝2条被《嘉祐本草》收作正品药。总计《嘉祐本草》引用《药性论》资料共419条。除去其中重复的，有403条。

笔者在1966年前以《大观本草》《政和本草》为底本，以《本草纲目》为核校本，辑录《药性论》资料403条。按玉石、草、木、兽禽、虫鱼、果、菜、米等分类，析为4卷。

《大观本草》《政和本草》《本草纲目》所引《药性论》资料，大致相同。唯《本草纲目》引《药性论》文，多经过裁切或化裁。

《证类本草》所引《药性论》文，都冠有"掌禹锡谨按《药性论》"黑底白字的标记。掌禹锡所引的文字，都作注释用。所引用文字长短不一。如《证类本草》"黄精"条仅引一个"君"字，桃仁、溲疏条引一个"使"字，兔骨、黑雌鸡条引"味甘"2字，赤箭、马乳、鹿髓条引"无毒"2字，弓弩弦条引"微寒"2字。

《本草纲目》引用《药性论》文，或注"药性"，或注"甄权"，或注"权曰"。《本草纲目》引文，多是摘录部分文字，或摘录后再行化裁。例如，《证类本草》424页"蝟皮"条："烧末，吹，主鼻衄。"《本草纲目》化裁为："猬皮，烧灰，吹鼻，止衄血。"按"蝟"，古代列在虫类，所以"蝟"字从"虫"旁。《证类本草》仍把"蝟皮"排在虫鱼类。到明代李时珍，从实际出发，把"蝟皮"移到兽类，所以"蝟"字改写为"猬"，从"犭（犬）"字旁。

但《本草纲目》引《药性论》文字，误注出处亦有。例如，《证类本草》322页"芜荑"条引《药性论》云："主积冷气，心腹癥痛，除肌肤节中风，淫淫如虫行。"《本草纲目》1418页"芜荑"条主治项下引此文，误注出处为"蜀本"。

《药性论》所讨论的内容，有药物正名，性味，君、臣、佐、使，禁忌，主治功效，炮制，配制及附方等，其中尤以君、臣、佐、使，禁忌等资料收罗较多。全书标明为君药的有76种，如黄精、干地黄、菟丝子、车前子、五味子等。全书标明臣药的有72种，如黄连、牛膝、丹参、防风等。全书注明为使药的有108种，如白及、白蔹、乌头等。

有些药注明为单用，或注明某某为使，或注明得某某良。注明单用的药有50种，如紫草、大蓟、牛蒡等。注明某某为使的药有18种，如人参、马蔺为之使；半夏、海藻、饴糖、柴胡为之使；阿胶、薯蓣为之使。注明得某某良，如巴豆得火良，豆豉得醢良。

有些药注明畏恶或禁忌。如蜀椒畏雄黄，牛黄畏干漆，矾石畏麻黄等。类似此例的药物有20种。又如黄连恶白僵蚕，柏子仁恶菊花，白蔹恶乌头。类似此例的药物有27种。

在禁忌方面，如麝香禁食大蒜；乌头、天雄忌豉汁；桂心忌生葱；茯苓忌米醋。注有禁忌的药物共20种，其中忌羊血的药最多，如硇砂、阳起石、礜石、钟乳石、孔公孽、云母、半夏等药物忌羊血。又北方人食羊肉多，由此可以推测，此书作者可能是北方人。

有些药注明相反、相杀。如大戟反芫花、海藻；桂心杀草木毒；巴豆杀斑蝥、蛇虺毒；豆豉杀六畜毒。

有些药注明归经。如龙胆归心；蓼实归鼻；蓝实治络中结气；蒲黄、续断通经脉；牛蒡通十二经脉。

本书对药物毒性有进一步的认识。例如，朴硝，《神农本草经》《名医别录》并作"无毒"，本书作"有小毒"。芒硝，《名医别录》作"味辛、苦，无毒"，本书作"味咸，有小毒"。石胆，《神农本草经》云"有毒"，本书说"有大毒"。丹砂，《神农本草经》云"无毒"，本书作"有大毒"。苏颂说："丹砂，《神农本草经》以丹砂为无毒，故多炼治服食，鲜有不为药患者。"李时珍亦说丹砂有大毒，并列举大量有关丹砂中毒的例子。

本书在主治功用上论述较详。多数药物所言主治功效，与其他本草所述大致相同。例如，"瓜蒂"条，《药性论》云："和小豆、丁香吹鼻治黄。"《食疗本草》亦有此内容，而且讲得很详细。《食疗本草》云："瓜蒂主阴黄，黄疸，及暴急黄。取瓜蒂、丁香各七枚，小豆七粒，为末，吹黑豆许于鼻中，少时黄水出，瘥。"

有些药物功效，是《药性论》最先记载的。如藕节止血。《药性论》云："藕节捣汁，主吐血不止，口鼻并皆治之。"又如羌活的功用，《药性论》述之较早，古代羌活、独活不分，陶弘景始分之。陶云："羌活形细而多节……独活色微白形虚大。"《唐本草》注云："疗风宜用独活，兼水宜用羌活。"陶、苏二人皆未论及羌活功用。但《药性论》云："羌活治贼风，失音不语，多痒，血癞，手足不遂，口面㖞邪，遍身痹痹。"

对易发汗的药，《药性论》提醒医家用时宜慎重。例如，薄荷，《药性论》云："新病瘥人勿食，令人虚汗不止。"

本书对药物炮制亦有记载。例如，连翘，去心；鹿茸，炙末；桑螵蛸，火炮令热；硇砂，道门中有伏炼法；干姜、莨菪，焦炒见烟；麻黄根节，并故竹扇杵末；

东壁土、蚬壳，研细末；常山，研末；麻子、大豆，熬香为末；莨菪子，用石灰清煮一伏时；狗头骨，烧灰为末；狸头骨，炒末。

本书对药物配制的记载也较为详细。

配制粉散剂。例如"麻黄"条："牡蛎粉、粟粉并麻黄根末等分，生绢袋盛。盗汗出即扑。"又如"鹿茸"条云："鹿茸入散用。""珍珠"条云："七宝散用磨翳障。"

配制丸剂。麝香，入十香丸；白蜡，和松脂、杏仁、枣肉、茯苓为丸；蟾蜍，取眉脂以朱砂、麝香为丸；紫苏子和高良姜、橘皮等分蜜丸；"胡麻"条云"白蜜一升，子一升，合之名静神丸"；狗头骨，和干姜、莨菪焦炒见烟为丸。

配制软膏。皂荚，酒浸熬成膏，涂帛，贴一切肿毒。

配制煎剂。败蒲席，取以蒲黄、赤芍药、当归、大黄、朴硝煎服；陆英，煎取汤，入少酒，可浴之。

本书很多药都有附方。如石灰、莨菪子、大麻子、蓼实、苏子等都有附方。所附的方子多数被《本草纲目》所采用。例如，《本草纲目》卷14"苏子"条附方云："一切冷气，紫苏子、高良姜、橘皮等分，蜜丸梧子大，每服十丸，空心酒下。"标注出处为"药性论"。《本草纲目》卷16"蓼实"条附方云："小儿头疮，蓼子为末，蜜和鸡子白同涂之，虫出不作痕。"注出处为"药性论"。类似此例很多。

本书是论述我国本草药性最早的专著，但对药物性味论述并不多。本书在释文中适当予以补注之。但在主治功用上，和同时代本草相比，其内容多有创新。宋·寇宗奭《本草衍义》对本书曾多次称赞。例如，寇宗奭在"葶苈"条说："《药性论》所说尽矣。"在"当归"条云："《药性论》云补女子诸不足，此说尽当归之用也。"所以辑复整理本书，不仅为研究本草史及药性发展史提供参考资料，同时在临床应用上也具有实用价值。

由于本人学术水平所限，错误和缺点难免。敬希读者指正。

（此为1982年12月尚志钧先生在安徽芜湖皖南医学院弋矶山医院为《药性论》辑释本撰写的前言。）

辑释说明

（一）本书作者有二说，一是唐初甄权，二是后周孟诜。本辑本从李时珍说，定本书著者为唐初甄权。

（二）本书的佚文主要散存于《证类本草》中。因未见前人有辑本，故今从《大观本草》《政和本草》辑得佚文419条，归并整理重复药名，共得药物403条。此数是《药性论》的部分药物数，并非原书药物总数。

（三）本书按《唐本草》药物分类。分为玉石、草、木、兽禽、虫鱼、果、菜、米谷8类，厘为4卷。

（四）每药条末，注明文献出处，以供读者查阅。

（五）《大观本草》《政和本草》所载《药性论》的资料基本相同，仅个别字不同。辑录时，对不同的字，取义长者为底本，并出注说明。

（六）《本草纲目》所引《药性论》资料，多经化裁、修饰或删节。本书用1957年人民卫生出版社影印本《本草纲目》校之，凡与《证类本草》引文不同处，均出注说明。

（七）《证类本草》中掌禹锡所引《药性论》资料，多作注释用。掌禹锡所引的内容，以前代本草所无为主。凡前代本草已见录者，掌禹锡皆不引。因此，掌禹锡所引《药性论》资料，都是摘取部分内容，其引文都很简略，有些药物条文仅引1个字。例如，"桃仁"条，只引一个"使"字。所以本书辑录的《药性论》文，仅能代表原书的部分内容。

（八）本书各条药名前标有阿拉伯数字序码，以便检索。

（九）本书对每味药物的基源、性味及一些病名等，予以简释，以供读者参考。

（十）《证类本草》所引《药性论》多无断句标点，而且是繁体竖排。本书辑录时，改用简体横排，并加断句和标点。

由于古本草文字难懂，加本人学识水平所限，若有遗漏和断句、标点不恰当处，敬希读者指正。

（此为1982年12月尚志钧先生在安徽芜湖皖南医学院弋矶山医院为《药性论》辑释本撰写的辑释说明。）

七、《唐·新修本草》辑复本

辑复《新修本草》序

《新修本草》，一名《唐本草》，是唐代政府制定的本草，有中国最早的药典之称。但20世纪30年代的《中华药典》序文中说"缅维首制，实始纽伦"。其实《纽伦堡药典》是在1542年颁布的，《新修本草》比它要早883年。因此，《新修本草》实为世界最早药典。

《新修本草》的编纂，是在657—659年一次完成的。但是明·李时珍《本草纲目》卷1关于"《唐本草》"的记载说："唐高宗命司空英国公李勣等修陶隐居所注《神农本草经》，增为七卷。世谓之《英公唐本草》，颇有增益。显庆中，右监门长史苏恭重加订注，表请修定。帝复命太尉赵国公长孙无忌等二十二人与恭详定……世谓之《唐新本草》。"按照这种说法，《新修本草》好像曾被编修了2次：第一次是李勣等所修，名为《英公唐本草》，第二次是长孙无忌等所修，名为《唐新本草》。但《新唐书·艺文志》注云："显庆四年，英国公李勣、太尉长孙无忌……右监门府长史苏敬等撰。"并列官衔姓名22人。由此说明《新修本草》是李勣、长孙无忌和苏敬等22人一次修成的，并非像李时珍所说2次修成。所谓"《英公唐本草》"即《新修本草》。

《新修本草》原由本草、药图、图经三部分组成。本草是文字部分，药图是药物图谱，图经是药图说明文。其中本草是20卷，目录1卷；药图是25卷，目录1卷；图经是7卷，全书合共54卷。

《新修本草》对本草部分的编修，是在陶弘景《本草经集注》一书基础上发展而成的。其在卷数上，由陶弘景书之7卷扩充为20卷，在药物数量上，由陶弘景书之730种增加到850种，其中有不少的药，如龙脑、安息香、茴香、诃子、阿魏、郁金、胡椒等，都是在当时中外经济文化交流影响下输入中国，且经试用有效，而首次被正式收入本草的。在药物分类上，陶弘景书原分为7类，《新修本草》改分为玉石、草、木、兽禽、虫鱼、果、菜、米、有名无用9类。在内容安排上，《新修本草》把陶弘景《本草经集注》卷1"序录"析为"序例上"1卷、"序例下"1卷，把其余6卷析为18卷。这18卷中，药物正文用大字书写，注文用小字书写。正文凡属《神农本草经》文用朱字，《名医别录》文和唐代修订时新增药用黑字。《名医别录》文不加任何标记；修订时新增药物的正文末尾则标注"新附"字样。凡属陶弘景注文不加任何记号；凡属修订时新增的注文，在注文的开头，一律冠以"谨案"2字。这些标记，对本草文献来源起着重要保存作用。

《新修本草》药图部分的编纂工作，很重视对药物实际形态的考察。当时政府曾下令征询全国各地药物形象，并将之绘成彩色图。所谓"普颁天下，营求药物，羽毛鳞介，无远不臻；根茎花实，有名咸萃……丹青绮焕，备庶物之形容"，就反映了编绘药图的经过。从卷数上看，药图及图经部分的篇幅，远远超过本草文字部分。

《新修本草》是由政府主持集体编修的，取材丰富，结构严谨，一问世，很快就被传播出去。1899 年在敦煌石窟中发现的《新修本草》手抄卷子本，背面有乾封二年（667）字样，该年代距离该书颁布的时间仅 8 年，这说明该书颁行后，很快就传播到我国交通不便的西北地区了。不仅中国辽远的地区有此书的踪迹，国外亦有之。如日本所发现的《新修本草》卷子本第 15 卷末记有"天平三年岁次辛未七月十七日书生田边史"，天平三年即 731 年，可见此书渡海传入日本的时间最迟不超过颁行后 70 年。

《新修本草》的药图部分的散失比本草要早，约在宋代嘉祐时已无药图版本了，但其内容分散地通过《蜀本草》、苏颂《本草图经》而被保存在宋·唐慎微《证类本草》中。其本草部分，约在 11 世纪后期基本上亡佚了。唐慎微作《证类本草》时，已没有见过它；但其流传到日本的版本，到北宋时还在。所以《日本国见在书目录》记有"《唐本草》"的书名。但日本也有战乱，《日本国见在书目录》所录之书，后亦大多失传。

清光绪十五年（1889）傅云龙在日本得到《新修本草》卷子本残卷，将之模刻后收入他编集的《籑喜庐丛书》中；并将日本小岛宝素从《政和本草》中辑出的本书第 3 卷，一并刻入。1955 年上海群联出版社曾根据《籑喜庐丛书·新修本草》将这些残卷影印。

日本流传的《新修本草》卷子本，加上敦煌出土的《新修本草》卷子本，仅为《新修本草》本草部分的半数。对于所缺半数，国内外很多学者都曾有志于整复它。笔者亦努力辑复之。

（此为 1958 年 8 月尚志钧先生在芜湖为《唐·新修本草》辑复本撰写的序。）

辑复说明

《新修本草》又称《唐本草》，原书 54 卷，本草文字 20 卷，另有目录 1 卷；药图部分 26 卷（包括图目 1 卷），图经部分 7 卷。现辑复的是其中本草文字 20 卷。兹将该书辑校说明如下。

（一）版本选目

1. 底本　吐鲁番出土《本草经集注》残卷，1900 年敦煌出土《本草经集注·序录》，敦煌出土《新修本草》残卷，武田本《新修本草》，傅氏影刻《新修本草》，上海古籍出版社影印《新修本草》，孙思邈《千金翼方》，人民卫生出版社影印《重修政和经史证类备用本草》。

2. 主校本　柯逢时影刻《大观本草》，日本望草玄翻刻《大观本草》，商务印书馆影印《政和本草》，明成化年间翻刻《政和本草》，明万历年间翻刻《政和本草》，明万历年间刻《经史证类大全本草》等。

3. 旁校本　日本·丹波康赖《医心方》，日本·深江辅仁《本草和名》，宋·寇宗奭《图经衍义》（1924 年上海涵芬楼影印《正统道藏》本），明·刘文泰《本草品汇精要》（1936 年商务印书馆版），明·李时珍《本草纲目》（1957 年人民卫生出版社影印本），明·缪希雍《本草经疏》（1891 年周学海刊本），清·邹澍《本经疏证》（1959 年上海科学技术出版社版），清·邹澍《本经续疏》（1959 年上海科学技术出版社版），清·叶天士《本草经解》（1957 年上海科学技术出版社版），清·孙星衍等辑《神农本草经》（1799 年问经堂刻本及 1891 年周学海刊本及 1955 年商务印书馆版），清·黄奭辑《神农本草经》（1893 年《汉学堂丛书》本），清·顾观光辑《神农本草经》（1955 年人民卫生出版社影印本），日本·森立之辑《神农本草经》（1957 年上海卫生出版社影印本），日本·狩谷望之志辑《神农本草经》（涩江籀斋订，抄本），清·吴其濬《植物名实图考长编》（1959 年商务印书馆版）。

4. 其他参校书　唐·欧阳询《艺文类聚》（1959 年中华书局影印本），唐·徐坚《初学记》（孔氏古香斋刻本），唐·虞世南《北堂书钞》（1888 年孔广陶校注本），宋·李昉等《太平御览》（上海涵芬楼影印本），清康熙年间敕修《古今图书集成·博物汇编》内的《草木典》《禽虫典》《食货典》（1934 年中华书局影印本）。

（二）整复《新修本草》资料处理

处理资料时以辑录、校勘、标点为主。《新修本草》本草文字 20 卷中，有半数亡佚，它的内容散存在各种古本草、类书及古典文史哲的注文中。而这些书又因历代传抄和翻刻，对《新修本草》资料的记载，存在很大差异，有些书所引《新修本草》资料时非原文抄录，或取其意，或加化裁（如《本草纲目》）。有些书所录

《新修本草》资料，是间接转引属第二、三手资料。各书文字取舍方面互有参差出入。这次辑录时为确保《新修本草》资料的正确性，必须详加校勘。因此，整复《新修本草》重点工作是在辑佚、校勘、标点。至于本书其他问题，则被列在次要地位。

1.《新修本草》卷数和药物数目　《新修本草》全书20卷，载药850种，其中新增药114种。按《本草经集注》载药730种，从850种减去114种，是736种，这比《本草经集注》原书多出6种。为何多出6种？因为《新修本草》在编纂时，对《本草经集注》中某些药进行了分条。按陶弘景所注，海蛤、文蛤原并为一条，葱、薤并为一条，粉锡、锡铜镜鼻并为一条，大豆黄卷、赤小豆并为一条，鼠李、郁核并为一条，鼺鼠、六畜毛蹄甲并为一条。这些合并的药被苏敬编入《新修本草》时，皆单独分立为各条。由于《新修本草》对《本草经集注》中药物进行分条，《本草经集注》药物由730种变成736种，又《千金翼方》所录《新修本草》药物多"北荇华""领灰"2条，查《医心方》《本草和名》所载《新修本草》目录，以及日本传抄卷子本《新修本草》有名无用类中，俱无此2条，本书收此2条为附录，不作正目计数。

2.《新修本草》药物的分类　主要是按药物自然来源分类。敦煌出土的《本草经集注·序录》有诸药制使（七情畏恶药物），将药物分成玉石、草木、虫兽、果、菜、米食、有名无实7类。陶氏把草木划为一类，虫兽并为一类。苏敬曾批评说："岂使草木同品，虫兽共条，披览既难，图绘非易。"因此，《新修本草》将药物分为玉石、草、木、兽禽、虫鱼、果、菜、米食、有名无实9大类，除有名无实类外，其他各类，又分为上、中、下三品。

3.《新修本草》药物三品分类　本书收载药物，除按药物自然来源分类外，也保留了《神农本草经》药物三品分类。

《神农本草经》药物三品分类，因历代人们认识不同，而略有差异。比如水银，《本草经集注·序录》七情畏恶药，将"水银"列在上品。按《神农本草经》上品药定义有"久服不老延年，轻身神仙。""水银"条经文云："水银……镕化还复为丹，久服神仙不死。"此与《神农本草经》上品含义吻合。水银在古代能炼丹，故被列为上品。后来人们发现水银有毒，不能被列为上品，就将之移入中品。又如黄芪，自《新修本草》以后，被列在上品。在《本草经集注·序录》七情畏恶药物中被列为中品。查黄芪《神农本草经》文内容，并无久服神仙等语。所以古人并不把黄芪当作上品来看待。后来人们发现黄芪无毒，有补益作用，就把黄芪从中品移入上品。本书辑录，以《医心方》所载《新修本草》目次分类为准，将水银列在上品，黄芪列在中品。类似此例很多，此处从略。

4. 原文辑录　把各种古书所载《新修本草》药物条文，全部录出，加以比较互勘。以最先出现本为底本，以后出本为核校本。一般先以敦煌出土《新修本草》残卷、武田本《新修本草》、傅氏影刻《新修本草》、罗氏收藏抄本《新修本草》为底本；《新修本草》所缺，即以《千金翼方》为底本；《千金翼方》所缺，即以人民卫生出版社影印《重修政和经史证类备用本草》为底本；然后再以其他后出本为核校本。

5. 校勘　不仅校误字，还要校书中有关错引、脱漏、增衍、颠倒及《神农本草经》《名医别录》文的混淆等。

例如"发髲"条，原以傅氏刻本《新修本草》为底本。该底本"发髲"条文末为"疗小儿惊热下"。其句末的"下"字很难理解。再查各种版本《证类本草》作"疗小儿惊热"，无"下"字。查各种版本《本草纲目》作"疗小儿惊热百病"，把"下"字改成"百病"2字，查《小儿卫生总微论方》作"疗小儿惊热下痢"。则"下"字后似是脱漏"痢"字。查《备急千金要方》《外台秘要》治痢方均载有乱发灰治下痢。据此可知《小儿卫生总微论方》所引当属正确。盖因唐代抄本《新修本草》已脱落"痢"字，到了宋代本草，以"下"字不可解而删之。李时珍援引此文，又用陶弘景注文"百病"2字置换"下"字。故《新修本草》原文"疗小儿惊热下痢"，自宋以后失去真实面貌，同时发髲灰治痢之药效，亦为后世本草所失载。通过诸书的校勘，可以恢复原书条文的真实面貌。

又如各种版本《证类本草》引"陶隐居序"有"张茂先辈逸民皇甫士安"。各种版本《本草纲目》引作"张茂先辈，逸民皇甫士安"。从《本草纲目》断句来看，这句话是讲2个人的名字。查敦煌出土《本草经集注·序录》作"张茂先裴逸民皇甫士安"，则此句应是3个人的名字，即张茂先、裴逸民、皇甫士安。《本草纲目》因将"裴"误作"辈"，遂误断为2个人的名字。本次校勘，对书中有关时间、地点、人名、人事错引之处，均加以考证，择善而从之。对底本中古体字、异体字和笔画残缺处予以更正。对错字、漏字均予补正。

6.《神农本草经》文、《名医别录》文区分　《新修本草》是在陶弘景《本草经集注》基础上编修的。在《本草经集注》中，陶弘景对《神农本草经》文用朱书写，对《名医别录》文用墨书写。唐代苏敬修本草时，是沿用陶弘景旧例。今苏敬书仅存半数，所存半数又缺乏《神农本草经》《名医别录》标记。要分辨

《神农本草经》文和《名医别录》文，必须借助于《证类本草》。又《证类本草》版本不同，其白字《神农本草经》文、黑字《名医别录》文标记亦有差异。例如，成化本《政和本草》、商务印书馆影印《政和本草》对菖蒲、龙胆、白英、麝香、鹿茸、姑活等条全作黑书，无白字《神农本草经》文标记。人民卫生出版社版《政和本草》"曾青"条亦无白字《神农本草经》文标记。因此，还要借助于其他各种本草如《本草纲目》、各种辑本《神农本草经》旁证之。

7. 避讳字的处理　唐代苏敬修《新修本草》是以《本草经集注》为蓝本。由于要避讳唐太宗李世民、唐高宗李治的"世""治"等字，所以《新修本草》药物条文中，遇到"世"改作"俗"，或改作"造"，或删除不用。例如燕屎、鼹鼠等药效，《新修本草》《证类本草》分别作"燕屎，主蛊毒""鼹鼠，主痈疽"。但吐鲁番出土《本草经集注》断片作"燕屎，主治蛊毒""鼹鼠，主治痈肿"。由此可见，《本草经集注》对药效原作"主治某某"。《新修本草》因避唐高宗李治的讳，把"主治"的"治"字删掉。宋代本草沿用《新修本草》旧例，不用"主治某某"，仅作"主某某"。本书在辑录时，凡因避唐代帝王名讳所改的字，亦仍其旧。

8. 通假字一般不予改动，但唐代写本中所用的俗字改用通行字　《新修本草》中夹杂很多通假字，如"痰""疮""花""啖""若""年"等，在卷子本《新修本草》皆作"淡""创""华""噉""如""季"，本书辑校时，仍依底本为正，不予改动。对唐代写本中所用的俗字如桑、枣、闭、叶、因、热、血、脑、医、亦等字，在卷子本《新修本草》作"桒""棗""閇""葉""囙""熱""血""腦""醫""亦"等字。本书辑校时，均改用通行字。

9. 古本草多无句断　为了方便读者阅读，辑校中试加标点，若有不当之处，希望读者指正。

《新修本草》 辑复参考书介绍

1. 1900 年敦煌出土陶弘景《本草经集注》第 1 卷序录　1955 年上海群联出版社据《吉石盦丛书》影印。

2. 吐鲁番出土的陶弘景《本草经集注》残缺的断片　1952 年罗福颐影抄并收入《西陲古方技书残卷汇编》。

3. 《本草经集注》残片　1947 年万斯年译，收入《唐代文献丛考》中，1957年商务印书馆版。

4. 武田本《新修本草》　日本国药商武田长兵卫商店制药部内的大阪本草图书

刊行会，据唐写卷子本《新修本草》卷4、卷5、卷12、卷15、卷17、卷19，在日本昭和十一年（1936）用珂珞版复制印本。

5. 敦煌出土卷子本《新修本草》卷10残卷　1952年罗福颐影抄并收入《西陲古方技书残卷汇编》。

6. 傅刻本《新修本草》　日本天平三年（731）田边史抄唐·苏敬《新修本草》，1955年上海群联出版社据《籑喜庐丛书》本影印。

7. 罗氏藏本《新修本草》　日本天平三年（731）田边史抄唐·苏敬《新修本草》，罗振玉于1901年在日本购得影抄本，1981年上海古籍出版社据以影印。

8. 《唐·新修本草》　尚志钧辑复，1981年安徽科学技术出版社出版。

9. 《本草和名》　日本·深江辅仁撰，日本宽政八年（1796）刊印本。日本大正十五年（1925）日本古典全集刊行会据以重刊。

10. 《经史证类大观本草》　宋·唐慎微撰，清光绪三十年（1904）武昌柯逢时影宋并重校刊。此书中"果人"之"人"皆作"仁"。按《说文解字注》卷8人部段玉裁注云："果人之字，自宋元以前本草、方书、诗歌记载，无不作'人'字，自明成化重刊本草，乃尽改为'仁'字，于理不通，学者所当知也。"据此可知，柯氏所谓影宋可疑。

11. 《经史证类大观本草》　日本安永四年（1775）望草玄据元大德宗文书院刊本翻刻。

12. 《重刊经史证类大全本草》　明万历二十八年（1600）籍山书院重刊王大献本。

13. 《重修政和经史证类备用本草》　1957年人民卫生出版社据扬州季范董氏藏金泰和张存惠晦明轩本影印的4页合1页本。1960年文物出版社出版的北京图书馆编《中国版刻图录》第1册51页及99页，对此书做了介绍，认为该书底本是真正元刻本，书中药图精工细刻，是《证类本草》各种版本中最好的一种。

14. 《重修政和经史证类备用本草》　1921—1929年商务印书馆影印金泰和甲子下己酉晦明刊本、《四部丛刊初编·子部》4页合1页本。

15. 明成化翻刻《政和本草》　明成化四年（1468）山东巡抚原杰等据晦明轩《重修政和经史证类备用本草》翻刻。

16. 明万历翻刻《政和本草》　明万历十五年（1587）经厂刻的《重修政和经史证类备用本草》。

17. 《本草衍义》　宋·寇宗奭撰，1957年商务印书馆铅印本。

18.《图经衍义本草》 宋·寇宗奭撰，1924年上海涵芬楼影印《正统道藏》本。该书题有宋通道直郎辨验药材寇宗奭编撰，宋太医助教辨验药材许洪校正。该书对《神农本草经》《名医别录》文无标记，而且删去有名无用类药物。

19.《本草品汇精要》 明·刘文泰等撰，1936年商务印书馆据故宫抄本铅印。该书摘录《证类本草》主要内容而成。其对历代文献出典，用文字注之。但其对《名医别录》资料注作"名医所录"，对历代医方的内容注作"别录云"，这是极易误解的。

20.《本草纲目》 明·李时珍撰，1957年人民卫生出版社据清光绪十一年（1885）合肥张绍棠味古斋重校刊本影印。

21．校点本《本草纲目》 刘衡如据1603年夏良心、张鼎思序刊的江西初刻本校点，1977—1981年人民卫生出版社出版。

22.《本草乘雅半偈》 明·卢之颐撰，南京图书馆藏本。

23.《神农本草经疏》 明·缪希雍撰，明天启五年（1625）绿君亭刊本。该书名为《神农本草经疏》，实际是一部综合性本草，书中对《神农本草经》和《名医别录》的资料，皆无区分。

24.《本经疏证》 清·邹澍撰，1959年上海科学技术出版社出版。该书名为《本经疏证》实际是一部综合性本草。书中《神农本草经》文，用黑体字排印。

25.《本经续疏》 清·邹澍撰，1959年上海科学技术出版社出版。是书附在《本经疏证》之后，也是一部综合性本草，书中《神农本草经》文，用黑体字排印。

26.《草木典》 清康熙时敕修《古今图书集成·博物汇编·草木典》，中华书局影印本。

27.《禽虫典》 清康熙时敕修《古今图书集成·博物汇编·禽虫典》，中华书局影印本。

28.《食货典》 清康熙时敕修《古今图书集成·经济汇编·食货典》，中华书局影印本。

29.《神农本草经》 明·卢复辑，日本宽政十一年（1799）新镌。

30.《神农本草经》 日本嘉永七年（1854）森立之辑，1955年上海群联出版社据日本森氏温知药室本影印。

31.《神农本草经》 日本文政七年（1824）汤岛狩谷望之志辑，南京图书馆藏有手抄本。是书取《证类本草》中白字《神农本草经》文，按《新修本草》药物目录次序编排，并以元刊本《大观本草》校注之。

32.《神农本草经》 清嘉庆四年（1799）孙星衍和孙冯翼合辑，1955年商务印书馆版铅印本。

33.《神农本草经》 清·孙星衍和孙冯翼合辑，清嘉庆四年（1799）阳湖孙氏刻《问经堂丛书》本。

34.《神农本草经》 孙星衍和孙冯翼合辑，清光绪十七年（1891）池阳周学海刊《周氏医学丛书·初集》。

35.《神农本草经百种录》 清·徐大椿撰，1956年人民卫生出版社版影印本。

36.《神农本草经》 清·黄奭辑，清光绪十九年（1893）仪征刘富增刻的《汉学堂丛书》本。是书全抄孙本，仅在书末补录几条《神农本草经》佚文而已。

37.《神农本草经》 清道光二十四年（1844）顾观光辑，1955年人民卫生出版社据武陵山人遗书本影印。

38.《植物名实图考长编》 清·吴其濬撰，1959年商务印书馆版。

39.《补注黄帝内经素问》 清光绪二十二年（1896）图书集成书局印。

40.《注解伤寒论》 汉·张仲景著，宋·成无己注，1955年商务印书馆铅印本。

41.《金匮要略方论》 汉·张仲景著，1956年人民卫生出版社据明·赵开美刻《仲景全书》本影印。

42.《肘后备急方》 晋·葛洪撰，1956年人民卫生出版社据明万历二年（1574）李栻刻刘自化校刊本影印。

43.《补辑肘后方》 尚志钧辑校，1983年安徽科学技术出版社出版。

44.《巢氏诸病源候总论》 隋·巢元方等撰，明新安汪氏一斋校刊本。

45.《备急千金要方》 唐·孙思邈撰，1955年人民卫生出版社据江户医学本影印。

46.《千金翼方》 唐·孙思邈撰，1955年人民卫生出版社据江户医学本影印。

47.《外台秘要》 唐·王焘著，1955年人民卫生出版社据歙西槐塘经余居藏本影印。

48.《小儿卫生总微论方》 1958年上海卫生出版社出版。

49.《医心方》 日本圆融帝永观二年（984）丹波康赖撰，1955年人民卫生出版社据日本浅仓屋藏版影印。

50.《和名类聚钞》 日本·源顺撰，清光绪三十二年（1906）龙璧勤据杨守敬抄本刊印。

51.《博物志》 晋·张华撰，清·黄丕烈据汲古阁影宋本翻刻，并将之收入《士礼居黄氏丛书》。据张心澂《伪书通考》云此书是后人缀集。

52.《续博物志》 宋·李石撰，清康熙戊申（1668）新安汪士汉刊本。是书误刻晋·李石撰，但书中提到陶隐居、唐武宗四年、天宝中、孟诜云、大宋·曾公亮、王安石、方舟先生等。按方舟别名李石，可能误宋·李石为晋·李石。

53.《齐民要术》 后魏·贾思勰撰，商务印书馆版，《丛书集成初编》本。

54.《梦溪笔谈校证》 宋·沈括著，胡道静校注，1957年上海古典文学出版社出版。是书卷26"药议"引有本草资料。

55.《梦溪补笔谈》 宋·沈括著，胡道静校注，1957年上海古典文学出版社出版，是书附刊在《梦溪笔谈校证》一书中。

56.《通志略·昆虫草木略》 宋·郑樵撰，中华书局聚珍仿宋版印。

57.《茶经》 唐·陆羽撰，民国二十年（1931）上海博古斋影印《百川学海》丛书本。

58.《香谱》 宋·洪刍撰，民国二十年（1931）上海博古斋影印《百川学海》丛书本。

59.《刘氏菊谱》 宋·刘蒙撰，民国二十年（1931）上海博古斋影印《百川学海》丛书本。

60.《史氏菊谱》 宋·史老圃撰，民国二十年（1931）上海博古斋影印《百川学海》丛书本。

61.《笋谱》 宋·释赞宁撰，民国二十年（1931）上海博古斋影印《百川学海》丛书本。

62.《蟹谱》 宋·傅肱撰，民国二十年（1931）上海博古斋影印《百川学海》丛书本。

63.《橘录》 宋·韩彦直撰，民国二十年（1931）上海博古斋影印《百川学海》丛书本。

64.《佩文斋广群芳谱》 清·刘灏等撰，清康熙四十七年（1708）刻本，该书是在明·王象晋《群芳谱》的基础上增修而成。书中把杂录资料冠以"别录"作白字标题，其含义不同于《名医别录》。

65.《毛诗注疏》 唐·孔颖达疏注，中华书局聚珍仿宋本印《四部备要》本。

66.《山海经笺疏》 清·郝懿行注，《四部备要》本，上海中华书局据《郝氏遗书》本校刊。

67.《急就篇》 汉·史游撰，唐·颜师古注，宋·王应麟补注，清光绪五年（1879）福山王氏刻本（天壤阁丛书本）。

68.《说文解字注》 东汉·许慎撰，清·段玉裁注，1981年上海古籍出版社据经韵楼藏版影印。

69.《说文解字系传》 北宋·徐锴撰《说文解字系传通释》，商务印书馆版《四部丛刊》本。

70.《尔雅》 商务印书馆出版《四部丛刊》本。书中有郭璞注，所引本草资料，与现存古本草中内容不同。

71.《尔雅注疏》 宋·邢昺注，中华书局聚珍仿宋版印，《四部备要》本。

72.《广雅疏证》 清·王念孙注，中华书局聚珍仿宋版印，《四部备要》本。

73.《一切经音义》 唐·释慧琳撰，日本元文三年（1738）雒东狮谷白莲社刻本。

74.《文选》 梁·昭明太子撰·唐代李善注，中华书局聚珍仿宋版印，《四部备要》本。

75.《颜氏家训》 北齐·颜之推撰，王利器集解，1980年上海古籍出版社出版。

76.《酉阳杂俎》 唐·段成式撰，方南生点校，1981年中华书局出版。

77.《编珠》 隋·大业四年（608）杜瞻纂修，清康熙三十七年（1698）高士奇刻巾箱本。是书，据张心澂《伪书通考》944页云是伪书。

78.《白孔六帖》 唐·白居易撰，宋·孔传续撰，明刊本。是书收载本草资料不多。

79.《艺文类聚》 唐·欧阳询等奉敕修，1959年中华书局据宋绍兴本影印。是书卷81至卷89引有本草资料。

80.《北堂书钞》 隋末唐初·虞世南撰，光绪十四年（1888）南海孔广陶三十有三万卷堂刊本。

81.《初学记》 唐·徐坚等撰，古香斋袖珍本。是书卷27至卷30有本草资料。

82.《太平御览》 宋初·李昉等修纂，上海涵芬楼影印宋本。

83.《事类赋》 宋·吴淑撰，清嘉庆十八年（1813）聚秀堂翻刻剑光阁本。

84.《古今合璧事类备要》 宋·谢维新撰，明嘉靖三十五年（1556）夏氏据宋本复刻本。是书分前集、后集、续集、别集、外集五部分，其中别集有本草资料。

85.《新编古今事文类聚》 宋·祝穆撰，明翻刻元刊本。是书序言中题宋淳祐六年（1246）腊月望日晚进祝穆伯和父谨识。

86.《新编事文类聚翰墨全书》 宋末·刘省轩撰，元刊本。是书分前集、后集两大部，前集和后集，各按甲、乙、丙……分为10集，合共是20集，每集又分若干卷，其中后戊卷1至卷4有本草资料。

87.《锦绣万花谷》 宋·淳熙中（1174—1189）不著撰人名氏，明嘉靖十四年（1535）徽藩刊本。是书分前集、后集、续集三部分，其前集卷30至卷39有本草资料。

88.《海录碎事》 宋绍兴十九年（1149）叶廷珪撰，明万历二十六年（1598）刊本，是书卷14至卷22有本草资料。

89.《记纂渊海》 宋·潘自牧撰，明万历七年（1579）胡维新刻本。是书卷90至卷99有本草资料。

90.《渊鉴类函》 清康熙四十九年（1710）张英等奉敕纂，民国六年（1917）同文图书馆复印本。

91.《史讳举例》 陈垣撰，1958年科学出版社出版。

辑复 《新修本草》 再版序

《新修本草》，一名《唐本草》，是唐代政府制定的本草，有中国最早的药典之称。但20世纪30年代的《中华药典》序文中却说"缅维首制，实始纽伦"。其实《纽伦堡药典》是在1542年颁布的，《新修本草》比它要早883年。因此，《新修本草》实为世界最早药典。

《新修本草》的编纂，是在657—659年一次完成的。但是明·李时珍《本草纲目》卷1关于"《唐本草》"的记载说："唐高宗命司空英国公李勣等修陶隐居所注《神农本草经》，增为七卷。世谓之《英公唐本草》，颇有增益。显庆中，右监门长史苏恭重加订注，表请修定。帝复命太尉赵国公长孙无忌等二十二人与恭详定……世谓之《唐新本草》。"按照这种说法，《新修本草》好像曾被编修了2次：第一次是李勣等所修，名为《英公唐本草》，第二次是长孙无忌等所修，名为《唐新本草》。但《新唐书·艺文志》注云"显庆四年，英国公李勣、太尉长孙无忌……右监门府长史苏敬等撰"，并列官衔姓名22人。由此说明《新修本草》是李勣、长孙无忌和苏敬等22人一次修成的，并非像李时珍所说2次修成。所谓"《英公唐本草》"即《新修本草》。

《新修本草》原由本草、药图、图经三部分组成。本草是文字部分，药图是药物图谱，图经是药图说明文。其中本草是20卷，目录1卷；药图是25卷，目录1卷；图经是7卷，全书合共54卷。

《新修本草》对本草部分的编修，是在陶弘景《本草经集注》一书基础上发展而成的。其在卷数上，由陶弘景书之7卷扩充为20卷，在药物数量上，由陶弘景书之730种增加到850种，其中有不少的药，如龙脑、安息香、茴香、诃子、阿魏、郁金、胡椒等，都是在当时中外经济文化交流影响下输入中国，且经试用有效，而首次被正式收入本草的。在药物分类上，陶弘景书原分为7类，《新修本草》改分为玉石、草、木、兽禽、虫鱼、果、菜、米、有名无用9类。在内容安排上，《新修本草》把陶弘景《本草经集注》卷1"序录"析为"序例上"1卷、"序例下"1卷，把其余6卷析为18卷。这18卷中，药物正文用大字书写，注文用小字书写。正文凡属《神农本草经》文用朱字，《名医别录》文和唐代修订时新增药用黑字。《名医别录》文不加任何标记；修订时新增药物的正文末尾则标注"新附"字样。凡属陶弘景注文不加任何记号；凡属修订时新增的注文，在注文的开头，一律冠以"谨案"2字。这些标记，对本草文献来源起着重要保存作用。

《新修本草》药图部分的编纂工作，很重视对药物实际形态的考察。当时政府曾下令征求全国各地药物形象，并将之绘成彩色图。所谓"普颁天下，营求药物，羽毛鳞介，无远不臻；根茎花实，有名咸萃……丹青绮焕，备庶物之形容"，就反映了编绘药图的经过。从卷数上看，药图及图经部分的篇幅，远远超过本草文字部分。

《新修本草》是由政府主持集体编修的，取材丰富，结构严谨，一问世，很快就被传播出去。1899年在敦煌石窟中发现的《新修本草》手抄卷子本，背面有乾封二年（667）字样。该年代距离该书颁发的时间仅8年，这说明该书颁行后，很快就传播到我国交通不便的西北地区了。不仅中国辽远的地区有此书的踪迹，国外亦有之。如日本所发现的《新修本草》卷子本第15卷末所记有"天平三年岁次辛未七月十七日书生田边史"，天平三年即731年，可见此书渡海传入日本的时间最迟不超过颁发后70年。

《新修本草》的药图部分的散失比本草要早，约在宋代嘉祐时已无药图版本了，但其内容分散地通过《蜀本草》、苏颂《本草图经》而被保存在宋·唐慎微

《证类本草》中。其本草部分，约在 11 世纪后期基本上亡佚了。唐慎微作《证类本草》时，已没有见过它；但其流传到日本的版本，到北宋时还在。所以《日本国见在书目录》记有"《唐本草》"的书名。但日本也有战乱，《日本国见在书目录》所录之书，后亦大多失传。

清光绪十五年（1889）博云龙在日本得到《新修本草》卷子本残卷，将之模刻后收入他编集的《篹喜庐丛书》中；并将日本小岛宝素从《政和本草》中辑出的本书第 3 卷，一并刻入。1955 年上海群联出版社曾根据《篹喜庐丛书·新修本草》将这些残卷影印。

日本流传的《新修本草》卷子本，加上敦煌出土的《新修本草》卷子本，仅为《新修本草》本草部分的半数。对于所缺半数，国内外很多学者都曾有志于整复它。笔者亦曾努力辑复过。

所辑初稿，始于 1948 年，终于 1958 年。1958 年 10 月笔者赴北京中医学院中药研究班进修，稿子带到北京，并请老师看有无不妥之处。老师阅后说无问题，到 1959 年春，笔者接到芜湖医专校长方有成来信，其说已与安徽人民出版社联系出版，嘱将书稿寄去。笔者遂将书稿寄往合肥。与此同时，该社也收到安徽中医进修学校所编的《神农本草经通俗讲义》。经研究，该社决定用中医进修学校编本，将拙稿退回北京。笔者接到退稿，即到北线阁中医研究院医史室，请陈邦贤教授审阅。

不久陈邦贤教授寄来书稿并附给严棱舟的信，向人民卫生出版社推荐出版。笔者把书稿和推荐信送到天坛西里人民卫生出版社，当时严棱舟为了多征求几家意见，又将书稿送请中国军事医学科学院研究员范行准审阅。到 1960 年，严棱舟将书稿退回，并嘱笔者按范行准所提意见进行修改。范行准讲要按唐写卷子本修订，笔者即遵照其意见修订。

回修稿再寄人民卫生出版社，到 1961 年因我国经济困难，书稿又被退回芜湖医专，笔者把退回书稿信给学校领导看，学校领导认为不是质量问题，而是因暂时经济困难无法出版，于是学校在 1962 年给予油印出版，并请范行准写序冠于书首。序云："我们知道从事重辑《新修本草》，中外不止一家，而俱未能问世。今尚先生竟能着其先鞭，使 1300 年前世界上第一部国家药典的原貌，灿然复见于世，是值得我们庆幸的一件事。"

后来笔者曾多次写信给人民卫生出版社，提起此稿出版问题，但未见回信。人民卫生出版社不回信，笔者只好将此稿改投安徽科学技术出版社，该出版社很慎重，也去信问人民卫生出版社，人民卫生出版社仍无回音。于是该出版社决定出版。

当时笔者将原稿卷1至卷20各卷首所题"司空上柱国英国公臣李勣等奉敕修"等中的官衔删掉，将各卷分目也删掉，卷1、卷2中加上若干小标题；在原书名《新修本草》之前冠以"唐"字；在各卷《神农本草经》文中，将其生境（生山谷、生平泽）由原稿所注《名医别录》文，改成《神农本草经》文标记（按《新修本草》中《神农本草经》文原无产地和生境）。诸如此类的增删，皆非原书体例。

书出版后，遭到范行准、郑金生、齐云等诸家批评。这就使笔者想起1960年范行准嘱按唐写卷子本修订是对的。1962年芜湖医专油印稿就是这样做的。当时已经范行准复核认可。对1981年笔者所删节的内容，本书除将繁体字改简化字，竖排改横排不动外，基本上依1962年油印稿改正。该书对第1版中存在的失误，做了订正。如422"梓白皮"条："……梓亦有三种，当用作桦索不腐者，方药不复用……"其中"桦索"，《证类本草》作"拌索"，《本草纲目》作"朴素"，皆误。《新修本草》底本是正确的。本书第1版误从《证类本草》，此次第2版已进行订正。

由于本人学术水平所限，错误和缺点难免，敬希读者批评指正。

（此为2004年6月尚志钧先生在安徽芜湖皖南医学院弋矶山区院为《新修本草》辑复本撰写的再版序。）

关于《新修本草》的几个问题

（一）《新修本草》的产生

《新修本草》（一名《唐本草》）①，是唐代政府于公元659年修定的本草，是中国最早的药典，也是世界上最早的国家药典。在《中华药典》序文中说："缅维首制，实始纽伦。"其实《纽伦堡药典》比《新修本草》要晚。

---

① 《新修本草》在《旧唐书·经籍志》和《新唐书·艺文志》都记载为《新修本草》，到宋·郑樵《通志·艺文略》和元·脱脱等《宋史·艺文志》中称为《唐本草》。

在《新修本草》产生以前，我国医家治病奉为指南的本草，是梁·陶弘景①的《本草经集注》。《本草经集注》是陶弘景以那时流传的《神农本草经》和《名医别录》二书为基础，参以道家学说及陶弘景个人的经验知识编写而成的。《本草经集注》流传了 160 多年，固然它有不朽的贡献，但终因陶弘景个人阅历和当时环境条件所限，书中不免有舛错和遗漏，即所谓"谬梁、米之黄白，混荆子之牡、蔓""防葵、狼毒，妄曰同根；钩吻、黄精，引为连类"。另一方面，南北朝对峙 100 多年后，到隋唐才实现国家统一，特别是在唐初时，经济逐渐恢复，国力日趋强盛，海陆交通发达，各方药物的交流日渐增多；更由于中外文化交流日趋繁盛，海外药物输入也不少。此外，自《本草经集注》面世 100 多年以来，广大劳动人民的治病经验的新发展也需要加以总结。上述种种情况，正是《新修本草》产生的历史背景。

唐显庆二年（657），由苏敬（唐朝议郎行右监门府长史骑都尉）首先向唐政府提出编修本草的建议。苏敬的建议，很快就被唐政府所采纳，并指定由太尉长孙无忌领衔组织 20 余人进行编纂，经过 2 年时间，编成了《新修本草》。正如王溥《唐会要》卷 82 所说："显庆二年，右监门府长史苏敬上言：陶弘景所撰《本草》，事多舛谬，请加删补。诏令检校中书令许敬宗、太常寺丞吕才、太史令李淳风、礼部郎中孔志约、尚药奉御许孝崇并诸名医二十二人，增损旧本；征天下郡县所出药物，并书图之。仍令司空李勣总监定之，并图合成五十四卷。至四年（659）正月十七日撰成。"

《新修本草》的编纂，是在 657—659 年一次完成的。但是明·李时珍《本草纲目》卷 1 关于《新修本草》的记载说："唐高宗命司空英国公李勣等修陶隐居所注《神农本草经》，增为七卷。世谓之《英公唐本草》，颇有增益。显庆中，右监门长史苏恭重加订注，表请修定。帝复命太尉赵国公长孙无忌等二十二人与恭详定……世谓之《唐新本草》。"按照这种说法，《新修本草》好像曾编修了 2 次：第一次是李勣等所修，名为《英公唐本草》，第二次是长孙无忌等所修，名为《唐新本草》。但按《新唐书·艺文志》注云"显庆四年，英国公李勣、太尉长孙无忌……右监门府长史苏敬等撰"，并举官衔姓名 22 人。由此说明《新修本草》是李勣、长孙无忌和苏敬等 22 人一次修成的，并非像李时珍所说 2 次修成。所谓《英公唐本草》实际是不存在的。通检《旧唐书·经籍志》《新唐书·艺文志》《通志·艺文略》《宋史·艺文志》，皆无《英公唐本草》的书名。那么李时珍为何

———————————

① 陶弘景又名陶隐居。

要说《新修本草》经过 2 次编修而成呢？这可能是误解了《证类本草》卷 1 关于《新修本草》的注文所致①。

关于《新修本草》的另一个问题，就是《新修本草》原是苏敬等所撰，为何各卷目录中署名为李勣②所修？此因在帝王统治时代，官小位卑者不能直接进呈，遇事必由大臣转奏。所以《新修本草》虽由苏敬等所撰，但奏请皇帝颁行时，仍由大臣李勣进呈，因而书中署李勣之名。其实《新修本草》在开始时是由长孙无忌领衔编修的，后因权移新臣，长孙无忌被贬③，所以书中无长孙无忌之名。

（二）《新修本草》的本来面貌

《新修本草》原由本草、药图、图经三部分组成。本草是文字部分，药图是药物图谱，图经是药图说明文。本草共 20 卷，目录 1 卷；药图共 25 卷，目录 1 卷；图经共 7 卷，全书合共 54 卷。孔志约《唐本草序》、李含光《本草音义》、《新唐书·艺文志》皆作 54 卷。唯独《蜀本草》引李勣进《本草表》作 53 卷（此因《本草表》中没有药图目录 1 卷，故为 53 卷）。

《新修本草》对本草部分的编修，是在陶弘景《本草经集注》一书基础上发展而成的。其在卷数上，由陶弘景书之 7 卷扩充为 20 卷，在药物数量上，由陶弘景书之 730 种增加到 850 种，其中有不少的药，如龙脑、安息香、茴香、诃子、阿魏、郁金、胡椒等，都是在当时中外经济文化交流影响下输入中国，且经试用有效，而首次被正式收入本草的。在药物分类上，陶弘景书原分为 7 类，《新修本草》改分为玉石、草、木、兽禽、虫鱼、果、菜、米、有名无用 9 类。在内容安排上，《新修本草》把陶弘景《本草经集注》卷 1 "序录" 析为 "序例上" 1 卷、"序例下" 1 卷，把其余 6 卷析为 18 卷。这 18 卷中，药物正文用大字书写，注文

---

① 《证类本草》卷 1 注文云："唐司空英国公李勣等奉敕修。初，陶隐居因《神农本经》三卷，增修为七卷。显庆中，右监门府长史苏恭表请修定，因命太尉赵国公长孙无忌、尚药奉御许孝崇与恭等二十二人重广定为二十卷，今谓之《唐本草》。"李时珍节录此文时，可能因版本有误，脱漏 "初" "因" 2 字，即误解《新修本草》有 2 次编修了。

② 李勣原名徐世勣，又名徐懋公。因助唐高祖开国有功，赐姓李；又因避唐太宗李世民的讳，删去 "世" 字，改名为李勣。

③ 长孙无忌少与太宗友好，助太宗平天下，后辅高宗为政。高宗议立武曌为后时，长孙无忌大臣力劝不可，惟许敬宗取宠高宗，阴附武后。高宗废王皇后立曌为皇后。武曌握重权后，即与许敬宗等谋害诸老臣。显庆四年（659），许敬宗诬长孙无忌谋反，削其官，流放黔州。后又派大理正袁公瑜重审无忌案，逼令自缢而死。

用小字书写。正文凡属《神农本草经》文用朱字，《名医别录》文和唐代修订时新增药用黑字。《名医别录》文不加任何标记；修订时新增药物的正文末尾则标注"新附"字样。凡属陶弘景注文不加任何记号；凡属修订时新增的注文，在注文的开头，一律冠以"谨案"2字。这些标记，对本草文献来源起着重要保存作用。

《新修本草》药图部分的编纂工作，很重视对药物实际形态的考察。当时政府曾下令征求全国各地药物形象，并将之绘成彩色图。所谓"普颁天下，营求药物，羽毛鳞介，无远不臻；根茎花实，有名咸萃……丹青绮焕，备庶物之形容"，就反映了编绘药图的经过。从卷数上看，药图及图经部分的篇幅，远远超过本草文字部分。

（三）《新修本草》的散失和残本的发现

《新修本草》是由唐代政府主持下集体编修的，取材丰富，结构严谨，一问世，很快就被传播出去。1899年在敦煌石窟中发现的《新修本草》手抄卷子本，背面有乾封二年（667）字样，该年代距离该书颁发的时间仅8年，这说明该书颁行后，很快就传播到我国交通不便的西北地区了。不仅中国辽远的地区有此书的踪迹，国外亦有之。如日本所发现的《新修本草》卷子本第15卷末所记有"天平三年岁次辛未七月十七日书生田边史"，天平三年即731年，可见此书渡海传入日本的时间最迟不超过颁发后70年。

《新修本草》不仅流传广，而且流传时间亦很久。在这漫长的年月里，它起过不小的影响，除了当时的医家及日本医家作为处方用药的指南外，在蜀孟昶时（约10世纪中），皇帝曾令韩保昇将《新修本草》的本草、药图、图经3部分，进行修订，称为《重广英公本草》，又称为《蜀本草》。

《新修本草》的药图部分的散失比本草要早，约在宋代嘉祐时已无药图版本了，但其内容分散地通过《蜀本草》、苏颂《本草图经》而被保存在宋·唐慎微《证类本草》中。其本草部分，约在11世纪后期基本上亡佚了。唐慎微作《证类本草》时，已没有见过它；但其流传到日本的版本，到北宋时还在。所以《日本国见在书目录》尚录有"《唐本草》"的书名。但日本也有战乱，《日本国见在书目录》所录之书，尔后亦大都失传。

清光绪十五年（1889）兵部郎中傅云龙在日本得到《新修本草》卷子本残卷，将之模刻后收入他编集的《籑喜庐丛书》中；并将日本小岛宝素从《政和本草》中辑出的本书第3卷，一并刻入。1955年上海群联出版社曾根据《籑喜庐丛书·新修本草》将这些残卷影印。

除日本残存的10卷外，1900年在我国敦煌石窟还发现卷子本《新修本草》卷

10 残卷和卷 18 片断。可惜这些珍贵的资料，均被帝国主义分子盗走，现分别存放在英国大英博物馆和法国巴黎图书馆。1952 年罗福颐根据敦煌出土《新修本草》残卷照相本摹写并收入《西陲古方技书残卷汇编》中。

（四）辑复《新修本草》的意义

日本流传的《新修本草》卷子本，加上敦煌出土的《新修本草》卷子本，所得仅为《新修本草》本草部分的半数。对所缺半数，国内外很多学者都曾有志于整复它，如清末李梦莹，近人范行准，日本的小岛宝素、中尾万三、冈西为人等都做过辑复工作，但均未成功。

我们为什么要来辑复《新修本草》呢？这可从以下几方面来谈这个问题。

第一，为了体现我国古代科学文化的光辉成就。《新修本草》不仅是中国最早的药典，同时也是世界上最早的药典。我们辑复它，不仅可以体现中华民族在人类文明史上的杰出贡献，也可以激励人们在新的长征中，为我国科学事业的发展作出贡献，在人类文明史上创造新的光辉成就。

第二，便于全面系统地研究本草的发展史，有利于中医药学遗产的发掘和整理。目前没有一本较完整的本草书可供我们参考去研究唐代本草发展的概况和了解我国古代本草文献的来龙去脉，只有做好《新修本草》的辑复工作，才能为研究提供方便。正如鲁迅为了研究中国文学史、小说史，感到史料不足，才花了很多时间做亡佚书的辑复工作。他先后辑成《会稽郡故书杂集》《嵇康集》《古小说钩沉》《唐宋传奇集》等书，以为研究中国文学史、小说史作准备。从这种意义上来讲，我们辑复《新修本草》，就是为了让人们认识到这部本草的承先启后作用，以及说明唐代以前和唐代以后各种本草资料的溯源，为中医药学的研究工作增砖添瓦。

此外，《新修本草》的学术研究价值，还不仅限于中医药学，它还记载了很多其他科技史料，如化学史料、兽医史料等，对我们研究自然科学史也有很重要的参考价值。

（五）《新修本草》对于本草研究工作的具体作用

从对《新修本草》的辑复工作中可以看出，它对于本草研究工作的具体作用，大致可以概括为以下几个方面。

第一，可以找回一些后世本草脱漏佚失的资料，有助于发掘中医药学遗产。例如，蒲公英治乳痈，蚤休解蛇毒，乌贼骨疗目翳等，早在《新修本草》就有记载。又如《新修本草》卷 10 "钩吻"条后有秦钩吻一药，后世诸本草均漏列此条；卷

18 有"荏子"条,《本草纲目》则漏列了。

第二,有助于鉴别后世本草中某些资料的真伪。例如,《本草纲目》卷 2 所载《神农本草经·目录》,李时珍认为该目录即是最早的《神农本草经》的目录。清·顾观光亦信以为真,并根据该目录辑成《神农本草经》的单行本,并在其序中称赞道:"幸而《纲目》卷二具载《本经》目录,得以寻其原委。"同时又在序中批评孙星衍说:"近孙渊如尝辑是书,刊入问经堂中,惜其不考《本经》目录,故三品种数显与名例相违。"如把该目录同《新修本草》目录核对,前后次序相差很远,如把该目录同《证类本草》目录相比较,则其药物排列次序非常相近,说明该目录是宋以后的人伪造的。(对此笔者曾另有专文考证,此处从略。)

第三,有助于校正后世本草的舛错。例如,《新修本草》所载药物总数,很多书籍上都说是 844 种。这个数字是从陶弘景《本草经集注》原称 730 种,加《新修本草》新增药 114 种,简单计算出来的。其实不然,要知唐代新修时,曾将陶弘景书中某些药进行合并或分条,使 730 种变成了 736 种,再加上新增 114 种,实为 850 种。

又如不少近代中药教材中,有的药名后所标文献来源是错误的,经以《新修本草》校之就清楚了。比如胡黄连,原出于《开宝本草》,有的误标《新修本草》;椒目,原出于陶弘景注文,有的误标《新修本草》;刘寄奴,原出于《新修本草》,而误标为《名医别录》;常山,原属《神农本草经》药,而误标《名医别录》。类似情况很多,此处从略。

又如《本草纲目》经历代抄写、刻版、校订、复刊,发生的错误很多,经以《新修本草》校之,则正误立辨。例如,李时珍《本草纲目》卷 1 "名医别录"条和"陶隐居、《名医别录》合药分剂法则"条所节录的注文,实为《本草经集注》的内容,并非《名医别录》的内容;卷 1 "神农本经名例"下注云"张茂先辈,逸民皇甫士安",应为"张茂先、裴逸民、皇甫士安"(张茂先即晋代著《博物志》的张华,"辈"乃"裴"之误);卷 8 "铜矿石"条集解下引恭曰"铜矿石,状如姜石,而有铜星,熔之取铜也",查《新修本草》无此文,盖原出于《开宝本草》注,被误注为"恭曰";卷 10 "禹余粮"条集解注云"状如牛黄,重重甲错,其佳处乃紫色靡靡如面,嚼之无复碪",按,此文原出于《本草图经》注,却误入陶弘景注中;卷 14 "豆蔻"条主治云"下气,止霍乱,一切冷气,消酒毒",并标注出自《名医别录》文,查《新修本草》无此文,按《证类本草》卷 23 "豆蔻"条,此文出典有三:"下气止霍乱"出于《开宝本草》,"一切冷气"出于《药性论》，"消酒毒"出于《日华子本草》；卷14"莎草"条的"夫须"，原出于《尔雅》，被误注为《名医别录》；卷26"白芥"条主治云"发汗，主胸膈痰冷，上气，面目黄赤，又醋研，傅射工毒"，此文原出于《开宝本草》，被误注为《名医别录》文；卷46"蜗蠃"条集解注云"生江夏溪水中，小于田螺，上有棱"，原出于《陈藏器本草》，被误注为《名医别录》文。类似情况很多，详见本书校记。

（六）辑复的依据和处理原则

中华人民共和国成立后，笔者即致力于《新修本草》的辑复工作。由于学识不够，经验不足，走了不少弯路。开始辑注时的资料，悉取于《本草纲目》，而以《籑喜庐丛书·新修本草》校之，后发现《本草纲目》所标注的《新修本草》资料有误、有漏。笔者经过考察后发现这主要是由于《本草纲目》所录的《新修本草》的资料，并非直接取自《新修本草》原书，而是间接引自他书，且在转引时大都不是抄录原文，而是经过窃切化裁的，和原文有很大出入[①]。此外，《本草纲目》还把《新修本草》的某些资料混入其他本草资料中[②]，或把其他本草资料混入《新修本草》[③]。

由于《本草纲目》存在以上问题，所以据此所辑相关的《新修本草》的资料大都不能用。于是笔者改用商务印书馆版《重修政和经史证类备用本草》辑复之，按照《医心方》所载的目录编排之，并以《备急千金要方》《千金翼方》《籑喜庐丛书·新修本草》及其他诸书校对之。辑复本初稿完成后，其中卷3、卷4、卷5、卷10、卷12、卷13、卷14、卷15、卷17、卷18、卷19、卷20诸卷，曾以《籑喜庐丛书·新修本草》、武田氏影印《新修本草》、罗福颐《西陲古方技书残卷汇编》影抄敦煌卷子本《新修本草》残卷等校勘之。校勘的目的，是核查所辑的资料是否正确，假如这12卷资料与原本校勘的结果大致相同，那就可以证明其余部分

---

① 例如，《新修本草》卷3有"太一禹余粮"和"禹余粮"2条，皆有苏敬注文，而《本草纲目》把两药的苏敬注文合为1条，放在"太一禹余粮"条下。

② 例如，《本草纲目》卷44"鲫鱼"条，原是《新修本草》新增药，被误注为《名医别录》药。又该条主治下有"合莼作羹，主胃弱不下食"，原是《新修本草》文，被误注为孟诜文。

③ 例如，《本草纲目》卷8银屑，卷13辟虺雷，卷14赤车使者，卷18赤地利等，查《医心方》《本草和名》《千金翼方》所载《新修本草》药物目录，皆无此类药名，《新修本草》残卷中亦无此类药。按，此类药均属《唐本余》的资料，而《本草纲目》以《唐本余》文误为《新修本草》文。其余如把《名医别录》文、陶注、《本草图经》注等误为《新修本草》注的例子很多，此处从略。

（如卷1、卷2、卷6、卷7、卷8、卷9、卷11、卷16）即使无原本可校，亦已接近《新修本草》原有内容了。稿成后，笔者曾于1958年请我国古医籍收藏研究专家范行准先生过目，承蒙范行准先生热情指教，提出很多宝贵意见，特别对校勘一项，作了原则性指导。范行准先生指出，卷3、卷4、卷5、卷10、卷12、卷13、卷14、卷15、卷17、卷18、卷19、卷20诸卷，应以现存的《新修本草》残卷为底本，用所辑的资料来校注，这样就不犯主客倒置的问题了。笔者又根据范老的意见返工后，此稿质量又有所提高。

此稿于1962年曾由芜湖医专油印分寄全国各医药院校，以后陆续收到各地读者来信，笔者把他们的意见归纳起来，有下列几点。①建议加标点符号，以便于阅读。②建议横排。③建议采用简化字。④建议排印时用不同字体来代表《神农本草经》文、《名医别录》文。此外，对辑复中的校勘资料的选择等也提出了有用的建议。根据"古为今用"的原则，这些意见都是很正确的，所以这次修订出版时，尽量采纳了这些意见。

由于本人学术水平所限，书中不当和遗漏之处一定很多，希望读者们加以指正，以便今后再作改正和补充。

八、《食疗本草》辑校本

《〈食疗本草〉辑校》序

《食疗本草》为唐·孟诜所著。《新唐书·艺文志》丙部子录医术类载孟诜《食疗本草》3卷。据范行准研究，《食疗本草》原为孟诜《补养方》3卷，后经张鼎增改，而易此名。《嘉祐本草·补注所引书传》云："《食疗本草》，唐同州刺史孟诜撰，张鼎又补其不足者八十九种，并归为二百二十七条，凡三卷。"

张鼎，史书无传，但《医心方》载有晤玄子张云，其内容与《证类本草》所引《食疗》的文字，几乎相同。疑晤玄子张，即张鼎的别名。

例如，《医心方》卷30"白粱米"条云："孟诜云'患胃虚并呕吐食水者，用米汁二合，生姜汁一合，和服之'。晤玄子张云'除胸膈中客热，移易五脏气，续筋骨'。"

《证类本草》卷25"白粱米"条云："白粱米患胃虚并呕吐食及水者，用米汁二合，生姜汁一合服之。性微寒，除胸膈中客热，移五脏气，续筋骨。"

比较《医心方》和《证类本草》所引"白粱米"条的文字，几乎全同。所不同者，在白粱米条文的后半段"除胸膈中客热，移五脏气，续筋骨"13字，《医心方》注为"晤玄子张"，按此13字原为张鼎所增。据此可知，晤玄子张即张鼎。

《医心方》所引《食疗本草》资料中，标注"晤玄子张云"者如荞麦、柰等共有13条。在此13条条文中，所讲的晤玄子张，实即张鼎。《宋史·艺文志》载有晤玄子《安神养性方》1卷，疑即张鼎的书。

在《证类本草》中，有些药物援引《食疗本草》的资料，内容相同，由于援引人的不同，标注名称各异。

例如，《证类本草》卷19"燕屎"条，掌禹锡引孟诜云："石燕在乳穴石洞中者，冬月采之，堪食。"同书卷5"石燕"条，唐慎微引此文全同，但注引出处为"食疗云"。又如《证类本草》卷13"桑根白皮"条，掌禹锡引孟诜云："菌子，寒，发五脏风，壅经脉，动痔病，令人昏昏多睡，背膊四肢无力。"同书卷10"蓸菌"条，唐慎微引文全同，但标出处为"食疗"。类似例子很多。所以"食疗"资料在《证类本草》中虽属同一个内容，掌禹锡援引时，注出处为"孟诜云"。而唐慎微所引，注出处为"食疗云"。

张鼎别名为晤玄子张，张鼎在孟诜《补养方》中增加资料后，即将书名改为《食疗本草》。《证类本草》援引此类资料时，或注"孟诜云"，或注"食疗云"，对张鼎所增补的部分，并不注明"张鼎云"。但《医心方》援引此类资料时，对孟诜《补养方》内容注"孟诜云"，对张鼎增添的内容，注"晤玄子张云"。（例子见前"白粱米"条）

《证类本草》援引《食疗本草》资料，标注"孟诜云"有163条，标注"食疗云"有183条。其中有些同一种药，如艾叶、鸡肠等，既有掌禹锡引，注"孟诜云"，又有唐慎微所引，注"食疗云"。剔除其重复后归并，共有260条。

《医心方》援引《食疗本草》资料，标注"孟诜云"162条，标注"孟诜食经云"16条，标注"晤玄子张云"13条，合共191条。

《证类本草》和《医心方》两书所引《食疗本草》资料，尽管标注出处各异，但所引内容全同。

《证类本草》和《医心方》两书所引《食疗本草》资料，都是节略文，持以敦煌出土的《食疗本草》残卷核之，皆不及残卷中条文完整。

敦煌出土《食疗本草》残卷，于1907年被英国人斯坦因所劫，今藏英国伦敦博物馆，编有斯氏号码76号。残卷本《食疗本草》每行20余字，朱、墨分书。始

"石榴"条后半部分，终"芋"条前半部分，其间存录有石榴、木瓜等 26 种药物。残卷背面有陈鲁俦等牒状，牒文有"长兴五年正月一日行首陈鲁俦牒"。

按，"长兴"是五代十国时后唐明宗李嗣源年号。李嗣源死于长兴四年（933），由李从厚继位，次年正月改为应顺元年（934），所以长兴无五年。因为李嗣源建都洛阳，离敦煌远，信息闭塞，"长兴四年"虽终止，而敦煌仍袭旧历，故书"长兴五年"。

残卷本《食疗本草》中的药名及分隔点是朱书，附方前的"又""又方"亦朱书，每味药有药性、主治、功用、禁忌、附方。有些药物条文并有药物形态记载。部分药物条文以"案经"二字分割为 2 段。"案经"的"案"字前标有朱点。"案经"后的文字为张鼎增补之文。

残卷本《食疗本草》中药物的药性，用小字注在药名之下，计有寒、冷、温、平四性，无五味的记载。

但《证类本草》所引《食疗本草》药物的药性比较复杂些，如寒有微寒、寒、大寒 3 种，温有微温、温、热 3 种。

本书附方很多。残卷本《食疗本草》所存 26 种药，每种药均有附方，少则一方，多则数方。

诸书所引《食疗本草》的药物，按其自然来源分类则石类 4 种，草类 36 种，木类 25 种，兽禽类 29 种，虫鱼类 45 种，果类 33 种，菜类 52 种，米谷类 26 种。总计 250 种，比掌禹锡所云 227 种，多 23 种。

《食疗本草》佚文中，常见到引录的书名，有《食禁》《本草》《淮南术方》《洞神经》《灵宝五符经》《神通目法》《北帝摄鬼录》《龙鱼河图》等书。其中道家书较多，盖与张鼎受道家影响有关。张鼎所称的"晤玄子"，像道家名号。

本书是唐代比较齐全的一部营养学和食疗的专著。书中所收罗的药物，其中有很多药，被宋代《开宝本草》《嘉祐本草》录为正品药物。

由于本书是唐代食疗类的专著，所以本书对于研究饮食疗法发展史，有重要的参考价值。例如，在本草文献史上，本书是最早的记载鲈鱼、鳜鱼、石首鱼、菠菜等的。

辑校说明

（一）本书书名，以掌禹锡《嘉祐本草·补注所引书传》所引"食疗本草"为正名，题孟诜撰，张鼎增补。

《新唐书·艺文志》《宋史·艺文志》作"孟诜食疗本草"。

《通志·艺文略》《日本国见在书目录》《东医宝鉴》作"食疗本草",孟诜撰。

《本草拾遗》引作"张鼎""张鼎食疗"。

《本草和名》《和名抄引用汉籍》《医心方》皆引作"孟诜""孟诜食经"。

《医心方》又引作"晤玄子张"及"晤玄子张食经"。

《本草纲目·历代诸家本草》引作"食疗本草"。但在各卷药物条文内所引《食疗》,标注文献名称各异,计有"孟诜""孟诜食疗""孟诜食疗本草""张鼎""张鼎食疗""张鼎食疗本草"。

近人范行准《两汉三国南北朝隋唐医方简录》题作"食疗本草"3卷。并注云:"又有孟诜《补养方》三卷,张鼎增改而易此名,倭抄作《食经》或《食疗经》。题孟诜、张鼎撰。"

(二)本书收录药物290条。与《嘉祐本草·补注所引书传》"食疗本草"记载227条数字不符。这种数字不符,与各书对药物进行合并或分条有关。如残卷本《食疗本草》"甜瓜"条并有瓜蒂,《证类本草》将甜瓜、瓜蒂分为2条。又如《证类本草》木瓜条并有樝子,藕条并有莲子,通草条并有燕覆子,但残卷本《食疗本草》将樝子、莲子、燕覆子拨出分别独立成条。这种分条、并条,使药物总数发生变化。

(三)本书药物分类。由于本书久佚,无目录可据。残卷本《食疗本草》仅存果部药物26种。据此推测,全书应有米谷、蔬菜、果实、鸟兽、虫鱼等类。参考孙思邈《备急千金要方·食治》分类,本书暂分为3卷。米谷蔬菜部1卷,草木果实部1卷,兽禽虫鱼部1卷。各部药物按《唐本草》药物目次排列。

(四)本书以收罗佚文为主,不敢妄加连缀,以供读者重新研究参考。妄加连缀,未必符合原书旨义,甚至造成以讹传讹。本书所提供素材,未必齐全。待他日获得更多出土资料,重新连缀,庶几更接近原书。

(五)诸书所存佚文互有差异。因各书所存佚文,相互勘比,同一药物,诸书所引资料,无一条全同。各书引文或节录,或删改,或损益,或化裁。加上传抄的脱漏、讹误,使每个药物佚文存在很大的分歧与差异。越是后出的佚文,其差异越大。盖早出者可信程度大,晚出者可信程度小。如以《本草纲目》引文作为取舍依据,那就不及《证类本草》引文可信,《证类本草》引文不及《医心方》可信,《医心方》引文不及残卷本《食疗本草》可信。

（六）同一药物在各书所存佚文，条文很少完全相同。其间文字都有不同程度的差异，本书即予以并存。

（七）摘录佚文排列，按所引书年代次序排。每条佚文，按现存文献出现年代次序排列，早出者列在前，晚出者列于后，一般按敦煌出土残卷本《食疗本草》《本草拾遗》《本草和名》《医心方》《证类本草》《本草纲目》等次序排列。

（八）各书援引《食疗本草》资料，所标注《食疗本草》异名各不相同，或注"诜曰"，或注"孟诜"，或注"孟诜食经"，或注"鼎曰"，或注"张鼎"，或注"张鼎食疗"，或注"张鼎食疗本草"，或注"食疗方"，或注"晤玄子张"，或注"晤玄子张食经"等。

本书摘录《食疗本草》佚文时，先将某书所标注的《食疗本草》或其异名，冠于佚文之首，并将某书名加方括号，列在《食疗本草》异名之后。

例如，《医心方》263 页引有"孟诜食经消渴方，麻子一升捣……五日即愈"。文中"孟诜食经"为原书《医心方》引文标注书名。本书摘录如下。

孟诜食经［《医心方》引］：麻子，治消渴。麻子一升，捣……五日即愈。

《证类本草》掌禹锡引《食疗本草》多注"孟诜云"。本书在所辑佚文开头冠以"孟诜（掌氏引）"。

《证类本草》唐慎微引《食疗本草》多注"食疗云"。本书在所辑佚文开头冠以"食疗（唐氏引）"。

《本草纲目》卷 39 蜂蜜附方"大风癞疮。取白蜜一斤……不能一一具之。食疗方"。本书摘录如下。

食疗（《纲目》引）：大风癞疮。取白蜜一斤……不能一一具之。

又如《本草纲目》卷 27 马齿苋附方有"腹中白虫，马齿苋……少顷，白虫尽出。孟诜食疗"。本书摘录如下。

孟诜食疗（《纲目》引）：腹中白虫，马齿苋……少顷，肉虫尽出。

（九）每药所录各条佚文，均注明文献出处。

（十）每药后附有辑校文注释。注释内容，包括药物品种、基源，各药物条文之间明显的差异，药物条文中古词、古名物、古地名、病名等简释。各个注释编有阿拉伯数字序码，列于各药物条文之后。

（十一）辑文所据的参考书版本及简称。

1. 残卷本《食疗》 1907 年敦煌出土残卷本《食疗本草》影印本，其原件为英国人斯坦因所掠。存英国伦敦博物馆。馆藏编号为斯氏 76 号。

2.《本草和名》 公元 918 年日本·深江辅仁编。日本宽政八年（1796）日本丹波元简校刊本。日本大正十五年（1926）日本东京古典全集刊行会，铅印日本丹波元简刻本。

3.《医心方》 公元 982 年，日本天元五年丹波康赖撰，1955 年人民卫生出版社影印本。

4.《证类本草》 宋·唐慎微撰《重修政和经史证类备用本草》，1957 年人民卫生出版社影印本。

5.《大观本草》 宋·唐慎微撰，艾晟增订《经史证类大观本草》，清光绪三十年（1904）柯逢时影刻宋本。

6.《本草衍义》 宋·寇宗奭撰，1957 年上海商务印书馆铅印本。

7.《本草纲目》 明·李时珍撰，1957 年人民卫生出版社据清光绪十一年合肥张绍棠刊本影印。

九、《本草拾遗》辑释本

《〈本草拾遗〉辑释》序

陈藏器是唐代开元年间（713—741）四明（今浙江宁波）人，曾做过京兆府三原（今陕西西安）县尉（唐县令下掌治安官）。他看到唐代颁布的《新修本草》多有遗漏，因而撰成《本草拾遗》。

《本草拾遗》约在唐代开元后期成书，因为《本草拾遗》"骨碎补"条注云："本名猴姜，开元皇帝以其主伤折，补骨碎，故作此名耳。"宋·钱易《南部新书·辛集》云："开元二十七年（739），明州人陈藏器撰《本草拾遗》，云'人肉治羸疾'，自是闾阎相效割股，于今尚之。"是以本书撰成年代当在 739 年，正好是《唐本草》颁行 80 年后。

本书撰成后，流传较广，五代时日本·源顺《和名类聚钞》和日本·丹波康赖《医心方》都曾引用过本书。宋代的《太平御览》《开宝本草》《嘉祐本草》《本草图经》《证类本草》等都相继引用过本书，唐、宋图书目录均有记载。说明本书在唐、宋时期国内外都有流传。原书已佚，笔者曾辑有本书手稿，与诸稿捆在一起，置之楼角。乘诊余之暇，笔者将捆放多年的旧稿捡出，在无人打扰的陋室中，夜以继日，重新整理成册。

《本草拾遗》由序例、拾遗、解纷三部分组成。宋·掌禹锡在《嘉祐本草·补注所引书传》云："《本草拾遗》，陈藏器撰，以《神农本经》虽有陶、苏补集之说，然遗逸尚多，故别为序例一卷，拾遗六卷，解纷三卷，总曰《本草拾遗》，共十卷。"

其卷1序例，相当于总论部分，序文虽佚，但部分内容仍散见于《证类本草》中。《证类本草》所引陈藏器《本草拾遗》的条文，其内容和《雷公炮炙论序》词异义同。例如，《本草拾遗序》云："久渴心烦，服竹沥；延胡索止心痛，酒服……"而《雷公炮炙论序》云："久渴心烦，宜投竹沥；心痛欲死，速觅延胡……"

另外序例中尚有"十剂"的内容。谓诸药有宣、通、补、泄、轻、重、涩、滑、燥、湿10种。又云"重可去怯，即磁石、铁粉之属是也""湿可去枯，即紫石英、白石英之属是也"。《本草纲目》注此类资料出典，既标为"徐之才曰"，又注为"陈藏器曰"。

其卷2至卷7为拾遗部分。拾遗收载药物有712种，这些药都不见录于《唐本草》。其中绝大部分皆被后世本草引用为正品药。计《海药本草》引用2种，《开宝本草》引用64种，《嘉祐本草》引用59种，《证类本草》引用488种。其他如《和名类聚钞》《医心方》《太平御览》等都有引用。所以本书收罗资料极为广博，内容亦很丰富。正如李时珍《本草纲目》卷1"历代诸家本草"所说那样："其所著述，博极群书，精核物类，订绳谬误，搜罗幽隐，自本草以来，一人而已。"

其卷8至卷10为解纷部分。解纷所论的药物265种，多数已见录于《唐本草》中。其内容以审辨药物为主。例如，《证类本草》卷9"姜黄"条云："陈藏器解纷云'蒁，味苦，色青；姜黄，味辛，温，色黄；郁金，味苦，寒，色赤，主马热病，三物不同，所用全别'。"

解纷另一些内容是纠正《唐本草》的错误。例如，《唐本草》新增的药"接骨木，味甘、苦，平，无毒"。陈藏器云："接骨木有小毒，《本经》云无毒，误也。"（《本经》云，是指《唐本草》云，因接骨木是《唐本草》新增的）

由于解纷以审辨药物为主，所以《本草纲目》"黄精"条注云："历代本草惟陈藏器辨物最精审，尤当信之。"

本书对药物的分类，基本上和《唐本草》药物分类相同，分为玉石、草、木、兽禽、虫鱼、果菜米谷等各部。

例如"兰草"条云："泽兰……已别出中品之下。"查《唐本草》目录，泽兰就是列在"草部中品之下"的。又"千金藤"条云："其中有草，今并入木部，草部亦重载之。"又如"独自草"条云："解之法，在拾遗石部盐药条中。""鳜鱼"条云："橄榄木、鱼茗木，已出木部。""乳穴中水"条云："穴中有鱼，出鱼部中。"从这些药物条文中，可以窥测到本书有石部、草部、木部、鱼部等类别名称。这些类别名称和《唐本草》目次相吻合，这就提示本书目次是沿用《唐本草》目次的。

本书的价值有下列四点。

第一，在《唐本草》基础上，继续总结唐代药物学的成就。如《开宝本草》新增的药物如京三棱、青黛、天麻等，早在本书中已有收录。正如李时珍说："海马、胡豆之类，皆隐于昔而用于今；仰天皮、灯花、败扇之类，皆万家所用者，若非此书收载，何从稽考。"

第二，本书有一定学术价值，本书刊行不久，即被国内外学者所重视。如李珣《海药本草》、日本·源顺《和名类聚钞》、日本·丹波康赖《医心方》、马志等《开宝本草》、掌禹锡《嘉祐本草》、李昉等《太平御览》等皆有引用。

第三，从本书的内容，可以看出陈藏器治学态度的严谨。陈藏器著述本书时，参考的文献有史书、地志、杂记、小学、医方等共116种，其中有些书都是和陈藏器同时代的作品，如张鼎《食疗本草》《崔知悌方》等。

陈氏著述不单纯参考文献，也有不少来自陈氏本人的实际观察。例如，《神农本草经》有"柳华，一名柳絮"。陈氏观察到，柳絮不是柳树花，而是柳树的种子，所以陈藏器说："柳絮，《本经》以絮为花，花即初发时黄蕊，子为飞絮，以絮为花，其误甚矣。"类似此例很多。

第四，本书记载很多可贵的自然科学史料。例如"石漆"条云："堪燃，烛膏半缸如漆，不可食……"这是对石油的记载。又如"蟹膏"条云："蚯蚓破之，去泥，以盐涂之化成水。"这是盐的渗透压作用的记载。类似例子很多，此处从略。

由于历史条件的限制，书中也存在一些封建迷信的糟粕。例如"姑获"条，陈藏器云："姑获能收人魂魄，今人一云乳母鸟，言产妇死，变化作之，能取人之子以为己子。"对于这类内容的批判、分析自属本草研究之要务，但本辑复本的主旨是先复归其旧，一般未加删削。

书中有些记载亦系传闻，缺乏实践的基础。早在宋代《开宝本草》即对本书"金屑"条批评道："按陈藏器《拾遗》云：'岭南人云生金是毒蛇屎，此有毒……'此乃藏器传闻之言，全非。按，据皇朝（指北宋）收复岭表，询其事于彼人，殊无蛇屎之事，入药当必用熟金，恐后人览藏器之言惑之，故此明辨。"诸如此类，想今之学者定能批判继承，正确对待。

辑释本基本上恢复了这一唐代药学专著的原貌，弥补了本草馆藏典籍的空白；而且在辑复过程中，通过对诸书相关辑复内容的考订，校正了诸书在辑录传抄中的衍误。相信这个辑复本对研究药物发展史和研究本草文献的渊源嬗递，都会有较好的参考价值。

（1973 年 10 月 23 日初稿，2001 年 10 月 23 日编定。）

辑释说明

（一） 陈藏器 《本草拾遗》，原书早佚，辑释本主要从下列各书辑之

1.《医心方》 日本·丹波康赖撰，1955 年人民卫生出版社影印。

2.《千金方》 唐·孙思邈撰，1955 年人民卫生出版社影印。

3.《本草和名》 日本·深江辅仁撰，1926 年日本古典全集刊行会影印。

4.《和名类聚钞》 日本·源顺撰，日本元和三年（1617）镌版。

5.《经史证类备急大观本草》 唐慎微撰，清光绪三十年武昌柯逢时影宋并重刊，简称《大观》。

6.《重修政和经史证类备用本草》 唐慎微撰，1957 年人民卫生出版社影印，又名《政和本草》。该书是《证类本草》中最佳的本子，可以作为《证类本草》代表本。

7.《本草纲目》 明·李时珍撰，1957 年人民卫生出版社影印，简称《纲目》。

（二） 《大观本草》 及 《政和本草》 与 《本草拾遗》 的关系

《大观本草》及《政和本草》中所存陈藏器文有下列 6 种情况。

（1）《开宝本草》新增药物正文大字中，包含的陈藏器《本草拾遗》文字，及《开宝本草》援引《本草拾遗》文作注文。

（2）《嘉祐本草》新增药物中，注明"新补见陈藏器"。

（3）《证类本草》收载"陈藏器余"药物。

（4）掌禹锡引陈藏器作的注文。

（5）唐慎微引陈藏器作的注文。

（6）苏颂《本草图经》引陈藏器文。

兹将这6种情况简述如下。

第一，关于《开宝本草》采用陈藏器文所组成新增药物的内容，由于《开宝本草》未标注任何记号，加以陈藏器文全被糅合，所以在实际上无法区别陈藏器文和非陈藏器文。

如何知道《开宝本草》新增药物中，是否采用过陈藏器的文字呢？这可以从《证类本草》《医心方》所引《本草拾遗》文了解之。

例如，《证类本草》卷4页110"生银"条，是《开宝本草》新增的。《医心方》卷25页578引《本草拾遗》云："生银治小儿诸热，以水磨服。功胜紫雪。"此文与《开宝本草》新增药"生银"条正文大字相同。由此可知，《开宝本草》新增药是采用过陈藏器文的。

又如《证类本草》卷23页478"胡桃"条是《开宝本草》新增的药，《医心方》卷4页105云："今案《本草拾遗》胡桃烧令烟尽，和胡粉为泥，拔白发，以内孔中，其毛皆黑。"同书卷30页695"胡桃"条引《本草拾遗》云："胡桃，味甘，平，无毒。食之令人肥健，润肤黑发，去野鸡病。"把这两段文字合并起来，与《开宝本草》新增"胡桃"条文字基本相同。由此可见，《开宝本草》新增药"胡桃"条，主要是根据《本草拾遗》中胡桃文字编成的。

又如《证类本草》卷5页135"淋石"条，是《开宝本草》新增的药，其药物条文与《医心方》卷12页266引《本草拾遗》文全同。由此可知《开宝本草》新增"淋石"条，是采用《本草拾遗》文字编写而成的。

《开宝本草》除新增药物条文杂有《本草拾遗》资料外，《开宝本草》还援引《本草拾遗》资料作某些药物注释文。其标记为"今按陈藏器云"。这种标记，就是该书辑录陈藏器文依据之一。

第二，关于《嘉祐本草》新增药物正文大字，凡引用《本草拾遗》时，都注明"新补见陈藏器"，或注"新补见孟诜、陈藏器、日华子"。前者注明的引文是纯《本草拾遗》文字，后者注明的引文，已把《本草拾遗》文同诸家本草糅合在一起，目前无法区分各家之文，所以本书虽将这2类文字辑入，但必须指出，其中的后者并不是纯粹《本草拾遗》的佚文。

第三，关于《证类本草》收载"陈藏器余"的条文，都是很完整的条文。不像掌氏、唐氏所引《本草拾遗》文，经过节略，都不完整。例如，在《证类本草》卷13页328"墨"条下，掌氏引藏器文，仅云"墨温"2字。通检"陈藏器余"

的条文，没有一条文字简短到像"墨温"2个字。这就说明掌氏引《本草拾遗》文删节了很多。只有《证类本草》自引的"陈藏器余"条文没有节略。本书辑录"陈藏器余"文字，都是完整的条文，这些完整的条文对研究《陈藏器本草》最有价值。

第四，关于掌禹锡作小注所引《本草拾遗》，其引文前冠有"臣禹锡等谨按陈藏器"黑底白字标记。掌氏引文，凡与《嘉祐本草》正文大字功用相同文，多省略之。例如，《证类本草》卷24页481"胡麻油"条中有"生秃发"。掌禹锡引陈藏器文时，有关"生秃发"功用即省略掉。但《医心方》卷30页688援引陈藏器《本草拾遗》文时，却有"叶：沐头，长发"。所以本书辑录掌氏引《本草拾遗》时，还用《医心方》核校补缀之。

另外，掌氏引《本草拾遗》文，往往夹有掌氏本人的按语。例如，《证类本草》卷13页331"郁金香"条，掌氏引陈藏器云："郁金香……为百草之英，合而酿酒，以降神也。以此言之，则草也，不当附于木部。"文末"以此言之，则草也，不当附于木部"13字，是掌氏的按语，不是藏器之言。因为郁金香是《开宝本草》新增药，《开宝本草》将它列入木部。掌氏引藏器文，见文中有"百草之英"，认为郁金香是"百草之英"，故加此13字按语。本书辑录时，即删除此13字。

第五，关于唐慎微援引陈藏器文，其引文都排列在墨盖子标记之下。

唐氏援引陈藏器文时，凡与旧本药物正文大字相同的文字，唐氏也是省略不录的。例如，《证类本草》卷5页135"淋石"条，是《开宝本草》新增的药，其条文有"淋石，主石淋，水磨服之，当碎石随溺出也"16个字。唐氏引《本草拾遗》文时，即把此16个字省略不录了。但《医心方》卷12页266治石淋方，援引的《本草拾遗》文却有此16字。这说明唐氏引《本草拾遗》文时，凡与旧文相同的文字即省略了。所以本书辑唐氏所引《本草拾遗》文，仍用《医心方》核校补缀之。

由于掌氏、唐氏引《本草拾遗》文有省略，因而以掌氏、唐氏引文辑录《本草拾遗》资料，不及"陈藏器余"文完整。

在《证类本草》中，有些药物条文，既有掌氏引文，又有唐氏引文。一般唐氏都缀拾掌氏不录之文。换句话说，掌氏、唐氏援引陈藏器文，很少有相同的文字。所以唐氏引文并不与掌氏引文重复，仅有个别药物条文，因分类不同，偶有重复。例如，《本草拾遗》的"枫皮"条，掌氏在"枫香脂"条下援引此文（《证类本草》卷 12 页 305)，而唐氏在"枫柳皮"条下亦引此文（《证类本草》卷 14 页 356）。

又唐氏引文间或夹有唐代人读《本草拾遗》时所加的批注文。例如，《证类本草》卷 5 页 136"不灰木"条，唐氏引陈藏器文有"中和二年，于李宗处见传"10 个字。这个"中和二年"，即 882 年，陈藏器书成书于开元二十七年，即 739 年。二者相隔 143 年，则此 10 个字当非陈藏器文，可能是 882 年时的人读《本草拾遗》书所加的注文。

第六，关于苏颂《本草图经》援引《本草拾遗》文，大都经过化裁，并非原貌。

例如，《证类本草》卷 18 页 393"鼺鼠"条，有 2 个援引藏器文。

一是《开宝本草》引陈藏器云："陶云有水马，生海中，主产。按水马，妇人临产带之，不尔临时烧末饮服，亦可手持之。出南海，形如马，长五六寸，虾类也。"

二是苏颂《本草图经》云："又有一种水马，生南海中，头如马形，长五六寸，虾类也。陈藏器云：妇人将产带之，不尔临时烧末饮服，亦可手持之。"

比较这 2 个引文，内容全同，《开宝本草》全文转录，而苏颂引文是经过化裁的。如无《开宝本草》引文在前，很难看出苏颂化裁了陈藏器文。根据这个例子，我们也可以从苏颂《本草图经》中找出一些陈藏器本草的佚文。如本书"泽兰"条，就是从《本草图经》中辑录的。

又如《证类本草》卷 22 页 443"蚺蛇胆"条，苏颂《本草图经》曰："陈藏器说，蛇中此蛇独胎产，形短，鼻反，锦文。其毒最猛，著手断手，著足断足，不尔合身糜溃矣。蝮蛇至七八月毒盛，常自啮木，以泄其毒，其木即死。又吐口中沫于草木上，著人身成疮，名曰蛇漠，卒难疗治。所主与众蛇同方。"此文字与"蝮蛇胆"条《嘉祐本草》所引"陈藏器云"文，各不相同，盖苏颂所引陈藏器文，是经过一番化裁的。

（三）《医心方》与《本草拾遗》的关系

关于《医心方》中所存的陈藏器佚文，为数不及《证类本草》多，而且很零碎，因为《医心方》是方书体例，其援引陈藏器佚文是根据《医心方》中所列病证治疗需要而录的。

例如，《医心方》卷 25 页 567 治小儿腹胀方，引《本草拾遗》云："小儿痞，三白草捣汁服之，令人吐。"同页治小儿瘕癖方引《本草拾遗》云："苦瓠取未硬者，煮令热解开，熨小儿闪癖。"同书 572 页治小儿夜啼方引《本草拾遗》云："灶中土及四交道中土合末，以饮小儿，辟夜啼。"

又如《医心方》卷 1 页 34，仅引《本草拾遗》药名砺石、温石、鼠场土等 25 种。

《医心方》所引《本草拾遗》文，有的亦不见于《证类本草》中。

例如，《医心方》卷 24 页 531 引《本草拾遗》云："夫溺处土，令人有子，壬子日妇人取少许，水和服之，是日就房，即有娠也。"

同书卷 25 页 583 治小儿恶疮久不瘥方，引《本草拾遗》云："厕中泥傅之。"以上 2 条《本草拾遗》文，皆不见录于《证类本草》。

此外，还有同样的条文，《证类本草》《医心方》皆援引，而隶属的药名不同。例如，《医心方》卷 30 页 690 "粳米"条引《本草拾遗》云："凡米，热食则热，冷食则冷，假以火气，体自温平。"《证类本草》卷 25 页 489 粳米无此文，但卷 26 页 497 "陈廪米"条，唐氏援引有此文。

（四）关于辑文的采集和处理

一部分辑文采自《证类本草》"陈藏器余"条文。这些条文一般都很完整。

一部分辑文采自《证类本草》掌氏或唐氏援引的《本草拾遗》文。对掌氏、唐氏在同一药物下援引的，即进行合并。对掌氏或唐氏分别在不同药物下援引的，即各自立为条目。由于掌氏或唐氏在援引时有所节略，因而此类辑录文大多数是不够完整的。

一部分辑文取自《医心方》《太平御览》《和名类聚钞》《南部新书》。

凡《医心方》引文和《证类本草》引文相同的，即进行归并，对其中差异之处加以说明，注于当药之下。

全书所辑之文，以《本草纲目》核校之，并将其差异注于当药之下。

每条辑文末，标注文献出典，并加括号。括号内文献出典，原先标注《大观本草》卷次、页次，但该书不及人民卫生出版社影印 4 页合 1 页的《重修政和经史证类备用本草》流传广。为了便于检寻，改用《证类本草》页次、行次。

对所有采集的条文，进行分门别类，参照《嘉祐本草》所记载《本草拾遗》"别为序例一卷，拾遗六卷，解纷三卷，总曰《本草拾遗》，共十卷"的体例进行归复。

拾遗 6 卷，载药物 712 种，每种药编一个阿拉伯数字序码。卷 2 为玉石部，载药 143 种；卷 3 为草部，载药 178 种；卷 4 为木部，载药 140 种；卷 5 为兽禽部，载药 63 种；卷 6 为虫鱼部，载药 97 种；卷 7 为果菜米部，载药 91 种。

解纷 3 卷，涉及药物 265 种，每种药各编一个阿拉伯数字序号。卷 8 解纷（一），涉及药物 133 种；卷 9 解纷（二），涉及药物 69 种；卷 10 解纷（三），涉及药物 63 种。

辑释 《本草拾遗》 后记

《本草拾遗》为唐·陈藏器所撰，据掌禹锡《嘉祐本草·补注所引书传》谓陈藏器是唐开元中京兆府三原县尉①。《秘书省续编到四库阙书目》谓陈藏器是四明人。李时珍《本草纲目》所云同此。《古今图书集成医部全录》（卷 507 医术名流列传）云："按《医学入门》，陈藏器，唐三元尹，撰《神农本草经》，曰《本草拾遗》。"

（一）《本草拾遗》 的撰述年代

本书的撰写，当是在开元年间（713—741）。因为《本草拾遗》"骨碎补"条注云："本名猴姜，开元皇帝以其主伤折，补骨碎，故作此名耳。"按宋·钱易《南部新书·辛集》（《丛书集成初编》本，商务印书馆版 79 页）云："开元二十七年（739），明州人陈藏器撰《本草拾遗》，云'人肉治羸疾'，自是闾阎相效割股，于今尚之。"则《本草拾遗》当成书于 739 年。正好是《唐本草》颁行 80 年后。

（二）《本草拾遗》 卷数

《新唐书·艺文志》、《崇文总目辑释》、《通志·艺文略》、《玉海》、《宋史·艺文志》、《和名抄引用汉籍》、掌禹锡《嘉祐本草·补注所引书传》皆作 10 卷。唯《秘书省续编到四库阙书目》云："陈藏器，四明人，《本草拾遗》二十卷。"疑 20 卷为 10 卷之误。

（三）《本草拾遗》 的组成

掌禹锡《嘉祐本草·补注所引书传》云："《本草拾遗》，陈藏器撰。以《神农本经》虽有陶、苏补集之说，然遗逸尚多，故别为序例一卷，拾遗六卷，解纷三卷，总曰《本草拾遗》，共十卷。"可见《本草拾遗》是由序例、拾遗和解纷三部分组成。

《本草拾遗》是拾补《唐本草》遗漏的药物，掌禹锡在补注本草中和宋僧赞宁

---

① 京兆府三原县尉：京兆府即今陕西西安，三原即今陕西三原县。县尉，官制名，是唐代县令下的基层官。掌管治安之职，从八品下。唐代科第出身的士人，初仕皆须由此而进。

《竹谱》皆说陈藏器作《本草拾遗》，是因为《神农本草经》虽有陶弘景、苏敬诸人增注，但是仍有遗漏，故为拾补。所以《本草拾遗》收载的药物，都是不见录于《唐本草》书中的。

（四）《本草拾遗》收载药数

从《证类本草》所标注的"陈藏器云"统计，共有 628 种，这些品种都是不见录于《唐本草》的。其中有很多的药，曾为后世本草如《海药本草》《开宝本草》《嘉祐本草》《证类本草》等书所引用。计《海药本草》引用 2 种，《开宝本草》引用 64 种，《嘉祐本草》引用 59 种，《证类本草》引用 488 种，《医心方》引用 25 种，剔除其重复，尚有 628 种。可见《本草拾遗》载药不会少于 628 种。

（五）《本草拾遗》解纷的内容

解纷是审辨药物品种以及辨别前代本草舛误的。因此，其中所录的药物，大都已见于《唐本草》。在讨论品种问题方面，如苏颂《本草图经》曰："陈藏器解纷云'蒁，味苦，色青；姜黄，味辛，温，色黄；郁金，味苦，寒，色赤，主马热病。三物不同，所用全别'。"（见《证类本草》228 页下 6～7 行）

又如"桂"条，陈藏器本草云："菌桂、牡桂、桂心，以上三色，并同是一物……板薄者即牡桂也……筒卷者即菌桂也……古方有筒桂，字似菌字，后人误而书之，习而成俗。"（见《证类本草》289 页上 20 行）

在辨别前代本草错误方面，如"姜黄性热不冷，《本经》（指《唐本草》）云寒，误也""接骨木有小毒，《本经》（指《唐本草》）云无毒，误也""橘柚，《本经》（指《唐本草》）合入果部，宜加实字，入木部非也"。

由于本书"拾遗"所论的药物，都是《唐本草》遗漏的药物，而"解纷"又都是论述《唐本草》已见录的药物，而有些药物，在"拾遗"和"解纷"中皆分别记载之。例如，地松是《唐本草》不载的药物，应收录在"拾遗"中。但天名精的别名亦称地松，则是《唐本草》已见录的药物，陈氏为注释天名精，又在"解纷"中重出地松。所以《嘉祐本草》批评陈藏器云："据陈藏器'解纷'合陶、苏二说，亦以天名精为地松，则今此条不当重出。虽陈藏器'拾遗'，别立地松条，此乃藏器自成一书，务多条目尔。'解纷''拾遗'亦自差互。"

（六）《本草拾遗》的药物分类

本书对药的分类，基本上与《唐本草》的分类相同，有玉石、草、木、兽禽、虫鱼、果菜米等各部，每部又分为上、中、下三品。

（七）《本草拾遗》的特点

约有以下几个方面。

参考资料广博。从《证类本草》中统计，在冠有"陈藏器曰"的条文中，引用的书名如史书、地志、杂记、小学、医方等共116种，书名从略。其中有些书都与陈氏几乎是同时代人的作品。如张鼎《食疗本草》《崔知悌方》等。

内容丰富。正如李时珍所说那样："其所著述，博极群书，精核物类，订绳谬误，搜罗幽隐，自本草以来，一人而已。肤浅之士。不察其该详，惟诮其僻怪，宋人亦多删削，岂知天地品物无穷，古今隐显亦异，用舍有时，名称或变……海马、胡豆之类，皆隐于昔而用于今；仰天皮、灯花、败扇之类，皆万家所用者。若非此书收载，何以稽考。"

重视实际，不迷信古人。例如，《神农本草经》有"柳华，一名柳絮"。按"华"同"花"。陈藏器从实地观察，发现柳絮不是柳树花，而是柳树的种子。所以陈藏器本草说："柳絮，《本经》以絮为花，花即初发时黄蕊，子为飞絮。以絮为花，其误甚矣。"

（八）《本草拾遗》对医药的贡献

有如下几个方面。①发现了维生素 B_1 缺乏病。例如，稻米条云"黍米及糯饲小猫犬，令脚屈不能行"。（见《证类本草》495页）②指出了无机碱的腐蚀作用。如草蒿条云："草蒿，烧为灰，纸八九重淋取汁，和石灰，去息肉。"（见《证类本草》250页）③对药物毒性的认识。如莨菪子条云："勿令子破，破即令人发狂。"（见《证类本草》249页）④认识生物碱可由伤口吸收中毒。如乌头条云："乌头，有生血（出血处）及新伤肉破，即不可涂，立杀人。"（见《证类本草》243页）⑤记载热敷物理疗法。如六月河中热砂条云："取干砂日暴，令极热，伏坐其中，冷则更易之，取热彻通汗，然后随病进药及食忌风冷劳役。"（见《证类本草》99页）⑥记载制药的飞法。如针砂条云："针砂飞为粉，功用如铁粉。"（见《证类本草》114页）

此外，《本草拾遗》还记载了不少可贵的理化史料。例如，①升华法。烟药条云："取铁片阔五寸烧赤，以药置铁上，用瓷碗，以猪脂涂碗底，药飞上，待冷即开。"（见《证类本草》99页）此乃升华法，猪脂涂碗底作冷却剂。②比重的认识。藕实条云："石莲入水必沉，燋煎盐卤能浮之。"（见《证类本草》460页）乳穴中水条云："其水浓者，秤重他水，煎上有盐花，此真乳液也。"（见《证类本草》139页）③过滤。草蒿条云："草蒿，烧为灰，纸八九重淋取汁。"（见《证类本草》250页）④石油的记载。石漆条云："堪燃烛膏半缸如漆，不可食……《博物志》酒泉南山石出水，其如肥肉汁，取著器中如凝脂，正黑，与膏无异。"（见《证类本草》97页）⑤盐的渗透压作用。蟹膏条云："蚯蚓破之去泥，以盐涂之化成水。"（见《证类本草》140页）。⑥从植物灰中取盐。食盐条，陈藏器云："按盐……惟西南诸夷稍少，人皆烧竹及木盐当之。"（见《证类本草》106页）⑦碱的发现：自然灰条，陈藏器云："自然灰……能软琉璃玉石如泥，至易雕刻，及浣衣令白。"（见《证类本草》119页）⑧硫化银的发现。黄银条，陈藏器云："今人作乌银，以硫黄薰之，再宿，泻之出，即其银黑矣。"（见《证类本草》97页）⑨鞣酸铁的发现。针砂条，陈藏器云："针砂性平，无毒，堪染白为皂（黑），及和没食子（含鞣酸）染须至黑。"（见《证类本草》114页）⑩酒的防腐作用。酒条，陈藏器云："甜糟，杀腥，去草菜毒，藏物不败。"（见《证类本草》487页）

不过，由于历史条件的限制，书中也存在一些封建迷信的糟粕，例如"姑获"条云："姑获能收人魂魄，今人一云乳母鸟，言产妇死，变化作之，能取人之子以为己子。"（见《证类本草》408页）类似此例很多，此处从略。

十、《四声本草》辑复本

前　言

《嘉祐本草·补注所引书传》云："《四声本草》，唐兰陵处士萧炳撰。"

兰陵即今山东枣庄。所谓"处士"，是指一些有学问而不愿做官的知识分子。萧炳可能是隐居不仕，故有"处士"称号。

萧炳是唐代药学家，他从小学声韵的角度，把四声应用到药物分类上来，开创后世笔画、拼音、部首等药物排列的先河。《嘉祐本草》云："（萧炳）取本草药名每上一字，以四声相从，以便讨阅，凡五卷。前进士王攽撰序"。《本草纲目》卷1"历代诸家本草"《四声本草》条云："取本草药名上一字，以平、上、去、入四声相从，以便讨阅。"近代萧步丹《岭南采药录》即直接仿照萧炳的方法，进行药物分类。

（一）成书年代

萧炳作《四声本草》成于唐代，书中有避"世"字讳，例如"钓樟"条，萧炳云："俗人取茎叶，置门上，辟天行时疾。"又如"樗皮"条，萧炳云："俗人呼为虎眼树"。此文中"俗人"，唐以前书俱作"世人"，因避李世民讳，"世"改为

"俗"。从避讳字来看，成书时间当在唐太宗称帝之后。

（二）本书内容

《四声本草》原书久佚。其佚文曾被《嘉祐本草》所引用，散存于《大观本草》《政和本草》中，明代李时珍又从《大观本草》《政和本草》转录在《本草纲目》中。

《嘉祐本草》所引《四声本草》资料，仅限于前代本草资料所无的才引用。凡前代本草已有的内容，即不录。从《嘉祐本草》所引《四声本草》比例来看，《嘉祐本草》引的内容很少，这也说明《四声本草》新的内容不多，所以《本草纲目》曾批评说："无所发明。"

《大观本草》《政和本草》转载《嘉祐本草》引用《四声本草》资料有80余条，各条内容多寡不一。《嘉祐本草》引用本书资料，绝大部分作为注释旧药用。其中有8种药，参考其他几种本草，糅合成为《嘉祐本草》"新补药"的内容。从《嘉祐本草》所引该书片断的资料，大致可以窥测该书有以下一些内容。

在药物分类上，该书创四声分类法。即该书所载药物，按平、上、去、入四声分类。《证类本草》"旋覆花"条，在"旋"字下，注有小字"平声"2字，这是现存本草中，保留了"四声"痕迹的证据。

书中有些药，补记别名和释名。

伏龙肝条，萧炳云："釜月中墨一名釜脐下墨。"丹参条，萧炳云："治风软脚，可逐奔马，故名奔马草。"生姜条，萧炳云："生姜一名母姜。"秦艽条，萧炳云："本经名秦瓜。"

有些药补记同名异物。

石燕条，萧炳云："别有乳洞中食乳有命者，亦名石燕，似蝙蝠，口方，生气物也。"

书中补记一些外来药。

青木香条，萧炳云："昆仑船上来，形如枯骨者良。"诃梨勒条，萧炳云："波斯舶上来者，六路黑色肉厚者良。"

有些药补记辨误。

旋花条，萧炳云："旋覆用花，蔄旋用根，今云旋覆根即蔄旋误矣。"阿魏条，萧炳云："今人曰煎蒜白为假者。真者极臭。"

有些药补记药物形态。

松条，萧炳云："又有五叶者，一丛五叶，如钗，名五粒松，子如巴豆。"梓白皮条，萧炳云："树似桐而叶小，花紫。"

有些药补记药物品质优劣。

石钟乳条，萧炳云：“如蝉翅者上，爪甲者次，鹅管者下，明白薄者可服。”空青条，萧炳云：“腹中空如杨梅者胜。”硇砂条，萧炳云：“光净者良，今生北庭为上。”牡丹条，出合州者佳，白者补，赤者利，出和州，宣州并良。黄连条，出宣州绝佳，歙州、处州者次。

有些药补记炮制、制剂。

龟甲条：“炙之末，酒服。”鳢肠条：“作膏点鼻中。”青葙子为丸。蔓菁子条，别入丸药用。梅实条，萧炳云：“今人多用烟薰为乌梅。”飞廉条：“为散，以浆水下之，治小儿疳痢。”桑叶条：“炙，煮饮，止霍乱。”糯米条：“骆驼脂，作煎饼服之。”丹参条：“酒浸服之。”

有些药补记保管方法。

人参条：“人参见风日则易蛀，惟用盛过麻油瓦罐，泡净焙干，入华阴细辛，与参相间收之，密封，可留经年。”

有些药补记性味和畏恶。

黄精性寒。诃梨勒味苦酸。白石脂畏黄连、甘草、飞廉。

有些药补记君、臣、佐、使。

雄黄记有“君”。硫黄，石膏、阳起石、铅丹、代赭、大盐记有“臣”。硇砂记有“使”。禹余粮记有“牡丹为使”。蜀漆记有“桔梗为使”。

有些补记药物主治功用。

阿魏条：“下细虫极效”。柴胡条：“主痰满胸胁中痞。”车前条：“养肝。”葳蕤条：“补中益气。”驴乳条：“主热黄，小儿热，惊邪，赤痢。”萝卜条：“制面毒，凡人饮食过度，生嚼咽之便消。”生地黄条：“黑须发良药。”龟甲条：“主风脚弱。”诃梨勒条：“止肠澼，久泄赤白痢。”

有些药补记药物配伍。

常山条：“得甘草，吐疟。”樗皮条：“得地榆，同疗疳痢。”韭子条：“合龙骨服，甚补中。”

有些药补记药物宜忌。

昆布条：“有小螺子损人，不可多食。”小麦条：“麦酱和鲤鱼食之，令人口疮。”硇砂条：“生不宜多服。”

对某些药物中的同类药，多连类述之。

穬麦条，萧炳云：“大麦之类，西川人种食之。”青葙子条，萧炳云：“又有一种花黄，名陶珠术，苗相似。"

所记药物产地遍及全国。

硇砂生北庭（今新疆乌鲁木齐东北地区）。黄芪出原州（今宁夏固原）、华原（今陕西耀州区）。防己出华州（今陕西华州区）。牡丹出合州（今重庆合川）、和州（今安徽和县）、宣州（今安徽宣城）。葳蕤出均州（今湖北均县）。黄连出宣州（今安徽宣城）、东阳（今浙江东阳）、歙州（今安徽歙县）、处州（今浙江丽水）。文蛤出密州（今山东诸城）。

（三）本书流传情况

本书主要流行于宋代，宋代书志都有记载。《崇文总目》卷3载《四声本草》4卷，题萧炳撰。《通志·艺文略·本草》《宋史·艺文志》卷6子部医书类，所记相同。《嘉祐本草》《本草衍义》等书，都引用过《四声本草》资料。宋以后，未见书志收录此书。《本草纲目·历代诸家本草》所载《四声本草》，乃是转录《嘉祐本草·补注所引书传》的书名。

（四）本书特点

本书特点，主要在药物分类方法上有所发展。中国药物分类，在唐以前，主要是三品分类和药物自然属性分类，前者始于《神农本草经》，后者始于郑玄注《周礼》，将药物分为草木、虫、石、谷。到南北朝，陶弘景作《本草经集注》时，将药物按自然属性分为玉石、草木、虫兽、果、菜、米食、有名无用7类。唐代苏敬作《新修本草》时，沿用陶氏分类法，将药物分为玉石、草、木、兽禽、虫鱼、果、菜、米、有名无用9类。但本书作者萧炳，创四声分类法，是中药分类史上一大发展，也是本书的主要特点。

（此为1986年3月尚志钧先生在安徽芜湖皖南医学院弋矶山医院为《四声本草》辑复本撰写的前言，后于2004年12月改定。）

十一、《食医心镜》辑复本

前　言

《食医心镜》是唐·昝殷撰，此书至宋代因避宋太祖赵匡胤祖父名敬的讳，改书名末字"镜"为"鉴"。又昝殷的"殷",因避宋太祖父名讳,改为"商",宋代郑樵《通志·艺文略》题此书为《食医心鉴》唐昝商撰。其后书志,皆沿用《食医心鉴》为此书名。

昝殷是唐代四川成都人,为成都医学博士。唐大中年间(847—859)相国白敏中询访名医,昝殷得到举荐。(见《产宝》周颋序)

该书成于唐大中十三年(859),原书在明代尚存,明正统年间(1436—1449)朝鲜·金礼蒙等《医方类聚》引用过此书,以后亡佚。

今存辑本为日本人从《类聚》集成。清光绪三十四年(1908)罗振玉游历日本东京,购得此书,1924年北京东方学会铅印出版。书后附有罗振玉跋。

罗振玉在跋文中提到,此辑本卷端有青山求精堂书藏书画之记及森氏二印。卷后有丹波元坚及森约之手识二则。

丹波元坚手识为"辛丑(1841)六月朔校读于掖庭医局,是书伪字殊多,不敢臆改,一依其旧云,元坚识"。

森约之手识为"嘉永甲寅(1854)仲秋晦夜灯下校正一过,约之识"。

按森约之手识所云,森氏于1854年校正过一次,从现存辑本内容来看,基本上与《类聚》所存佚文相同。这就说明,森约之校正,是据《类聚》校的,对其他文献未作参考。因此,该辑本遗漏佚方很多,书中也存在不少讹误。1924年东方学会铅印本为繁体字,无断句,无标点,对青年人阅读与应用造成一定的困难。

由于现存辑本存在上述缺点,笔者又从《大观》《政和》《纲目》重新补辑,得佚方176条,连同《类聚》所存方,共得366方,按病证分32类。有些病证类别的开头附有简短的叙论,全书有叙论的共13首。每类收录主治功用相近的方子,每个方子标以阿拉伯数字序码,从1号标到342号,其中有些序码下,附有功用相同的方子,称为"又方"。连"又方"计算,共有366方。

至于该书原来有多少方子,由于书志失载,目前已无法得知。

本书以食物药品为主,组成药方,制成便于服用的剂型,或煮粥,或制成菜羹、鱼脍、浸酒。所以本书是一部方书,不是本草书,但习惯上人们都将此书归入本草类。

由于本书是方书,且以饮食疗法为主,所以本书对饮食疗法的发展,有一定的贡献。

本次辑复,全书均加标点,对每一个方子均注明文献出处,并用诸书勘比,凡有歧异处,均出校注说明。

由于本人水平所限，错误和缺点难免，敬请读者指正。

（此为1992年3月尚志钧先生在安徽芜湖皖南医学院弋矶山医院为《食医心镜》辑复本撰写的前言）

重辑说明

（一）书名。本书原名《食医心镜》，宋代书目因避宋讳，改名为《食医心鉴》，1924年北京东方学会铅印本沿用此名，今为恢复原貌，仍用原名。

（二）卷次。本书卷次，各书志记载不一。《崇文总目辑释》卷3医书类、《通志·艺文略》均记为3卷，《宋史·艺文志》记为2卷，《证类本草所出经史方书》《古今医统大全》《纲目·引据古今医家书目》《类聚》仅记书名"食医心鉴"，未记卷次。

（三）分类。本书散佚很久，因无任何目录可据，原书如何分类，不详。今依《外台秘要》，按病证分为32类。其中有些病证类别的开头，附有简短的叙论，全书叙论共有13首。

每类罗列一些主治功用相似的方子，每方标有阿拉伯数字序码，从1号标到342号。其中有些方子下，兼附一些主治功用完全相同的方子，这些方子，不另标号，仅注明"又方"2字。全书所附的"又方"有24个，连同标号的342方，共有366方，比现存北京东方学会本《食医心鉴》多出176方。

（四）方子组成。每个方子由三部分组成。一是方名，二是方子成分，三是制法及使用说明。在方名中，包含有主治证的病名；在方子成分中，含有药名及用量；在制法及使用说明中，介绍一些操作和使用方法。

（五）本书所辑的方，以《类聚》为主；《类聚》所缺，以《证类本草》补之；《证类本草》所缺，以《纲目》补之。《纲目》引方基本与《证类本草》同，凡《类聚》有的方子，《证类本草》未见引，则《纲目》亦无。又《纲目》引文多有删改。例如，《纲目》卷47"鹜肪"条附方引《食医心镜》2个方子，即用一个方名"治十种水病垂死"。按《证类本草》卷19"鹜肪"条附方是用2个方名。第1个方名同《本草纲目》，第2个方名为"主水气胀满浮肿小便涩少"。因此，《本草纲目》引文，不能作为底本用。

（六）校勘。本书辑文，以《类聚》《证类本草》为底本，以《纲目》及其方书作校本。凡底本与校本有不同处，以底本为主，将校本歧异处出注说明，例如，底本用的药名有"土苏""蘩苢"，但校本作"酥""薄荷"，本书即出注说明。

（七）本书所注简称书名介绍。

1. 《类聚》 即《医方类聚》，朝鲜·金礼蒙等集纂，1981 年人民卫生出版社出版。

2. 《大观》 即《经史证类大观本草》，宋·唐慎微撰，1904 年柯逢时影宋并重刊。

3. 《政和》 即《重修政和经史证类备用本草》，宋·唐慎微撰，1957 年人民卫生出版社影印。

4. 《纲目》 即《本草纲目》，明·李时珍撰，1977—1981 年人民卫生出版社出版。

5. 《千金翼》 即《千金翼方》，唐·孙思邈撰，1955 年人民卫生出版社影印。

6. 《食医心鉴》 即《食医心镜》，唐·昝殷撰，1924 年北京东方学会铅印。

7. 《本草拾遗》 唐·陈藏器撰，尚志钧辑校，1983 年院南医学院油印。

8. 《易简方》 宋·王硕著，1989 年清·孙诒让据元代杨氏纯德堂重刻。

9. 《卫生易简方》 明·胡濙著，1562 年江西刻本。

10. 《圣惠方》 即《太平圣惠方》，宋·王怀隐等撰，1958 年人民卫生出版社出版。

11. 《寿亲养老书》 即《寿亲养老新书》，宋·陈直原著，1919 年邹铉续增，上海朝记书庄。

12. 《得效方》 即《世医得效方》，元·危亦林撰，1957 年上海卫生出版社出版。

重辑后记

《食医心镜》是唐·昝殷于大中十三年（859）所撰。宋代《证类本草》、明代《类聚》都曾引用过该书内容。1841 年日本·丹波元坚从朝鲜·金礼蒙等编纂的《类聚》中辑出 195 方，集成此书。1854 年日本森约之校正过一次，但他以《类聚》校正，对其他文献未作参考，因此有很多佚方仍没有被收录，书中的讹误很多，1924 年北京东方学会印成单行本，既无断句，又无标点，而且是繁体竖排，读者阅读极不方便。1993 年成都巴蜀书社出版的《养生妙方》，也将《食医心镜》收入书中，并将北京东方学会印行的《食医心镜》从方书形式改写成本草书形式编排，使该书成为本草书，其实《食医心镜》是一本方书，并不是本草书。这种做法不符合文献研究要求，同时使《食医心镜》失去了本来的面貌。本书原为方书，其中每个方子有很多药物组成，对这些药物如何炮制及烹调等都有一定的处理方法，使它能符合口感，便于消化吸收，达到治疗的目的，改为本草书后，方剂中的药物被抽出，按每个药物叙述，就无法体现其对药物的处理方法，因此在实际应用中失去上述作用。又北京东方学会本仅得 190 余方，笔者从《大观》《政和》《纲目》等书增补 176 方，合旧方共有 366 方。本次辑复，使《食医心镜》更趋于完善，卑能恢复原书面貌。另外将书中的讹误进行校勘、考证，使它达到更加精确的程度，在处理上进行标点、注释，改为简体横排形式，以利于广大读者阅读。《食医心镜》既是一部营养学著作，又是一部治疗学著作，对于慢性病、年老体弱及病后调养都有重要的参考价值。

十二、《食性本草》辑考本

前　言

本书作者是南唐（937—957）陈士良（亦作陈仕良）所撰。《嘉祐本草·补注所引书传》云：“《食性本草》伪唐陪戎副尉、剑州（今福建南平县）医学助教陈士良撰。”陈士良又名陈巽。《证类本草》卷 28 页 513 “假苏” 条谓陈巽处江左人。同书卷 26 页 497 “罂子粟” 条载有《南唐食医方》。同书卷 5 页 125 “硇砂” 条引有《陈巽方》。范行准《两汉三国南北朝隋唐医方简录》载南唐陈翼《食性本草》10 卷、《南唐食医方》、《经验方》。《通志·艺文略》《宋史·艺文志》著录 “陈士良《食性本草》十卷”。

《古今图书集成·医部全录》卷 510 “医术名流列传四” 引《钱唐县志》云：“唐乾宁（894—897）时，有陈士良者，以医名于时，诏修《圣惠方》官药局奉御。” 不知此《圣惠方》是否即宋初《太平圣惠方》。从时间推算不对，唐乾宁元年（894），陈士良已有医名，此时陈士良当 20～30 岁，而《太平圣惠方》经修始于太平兴国七年（982），离乾宁元年（894）已 88 年，再加上陈士良幼年学医及初行医时间二三十年，982 年时，陈氏已有 100 多岁了。疑《钱塘县志》所云 “诏修《圣惠方》”，当是另一种方书。

成书时间。《嘉祐本草·补注所引书传》谓本书为伪唐剑州（今福建南平县）

医学助教陈士良撰。按，伪唐即南唐，南唐始于 937 年，终于 957 年，共历 20 年，其鼎盛时期在 937 至 957 年间，建都金陵（南京），在五代十国时，是文化最兴盛的地区，陈士良著述本书时间，当在 937 至 957 年间。

《嘉祐本草·补注所引书传》云："以古有食医之官，因食养以治百病，故取《神农本经》，洎陶隐居、苏恭（即苏敬，因避宋讳，改为苏恭）、孟诜、陈藏器诸药，关于饮食者类之，附以己说。又载食医诸方及五时调养脏腑之术，集贤殿学士徐锴为之序。"

原书已佚，它的内容散存于《证类本草》中，《嘉祐本草》新补药物有 13 种药参考本书厘定的，另有 36 种药引本书资料作注。《宋以前医籍考》1402 页谓《嘉祐本草》所引，有陈士良 34 条，这个数字可能有误。

《嘉祐本草》所引陈士良资料，计草类 1 种，兽类 3 种，食类 2 种，虫鱼类 7 种，果类 13 种，菜类 22 种，米类 15 种。其中果、菜、米类药物最多。

本书是汇集《神农本草经》《名医别录》《本草经集注》《新修本草》《食疗本草》《本草拾遗》等书中有关食用药物，并增加陈士良本人见解，又附食医诸方及脏腑调养等术，是一部本草、医方合编的食疗专书。

本书对于药物性味、主治、功用、禁忌以及药物性状、鉴别、制剂等都有论述。

在药性方面，凡前代本草未言明药性的，本书予以补记。

例如，庵罗果、赤小豆微寒；燕覆子、鼹鼠、秦龟、鳗鲡鱼寒；鹜肪、仲思枣大寒。大麦叶微暖；鮠鱼、橙子暖。瑇瑁肉、石首鱼、紫贝、樱桃、菘菜等性平。林檎味涩。

在主治功用上，以收集可食的药物为主。

例如，木通不能食，但木通种子能食。本书即将木通子收入书中。木通子名桴棪子，又名燕覆子，主胃口热闭，反胃，不下食，除三焦客热，宜煎汤并葱食之。

本书对食物宜忌论述较详。兹分 4 点简述如下。

（1）有些药食之宜人。例如，恭菜条云："食之宜妇人。"

（2）有些药不能多食。麻蕡条云："妇人多食发带疾。"榅桲条云："发热毒，秘大小肠，聚胸中痰壅，不宜多食。"

（3）有些药不能久食。赤小豆条云："久食瘦人。"酒条云："诸石不可长久以酒下，遂引石药气入四肢，滞血化为痈疽。"大麦条云："蘗久食消肾。"

（4）有些药不能与他药同食。橙子条云："不与猵肉同食，发头旋恶心。"糯米条云："不可合酒共食，醉难醒。"

本书对药物性状亦有记载。

例如，璿瑁条云："璿瑁身似龟首，嘴如鹦鹉。"栗条云："栗有数种，其性一类，三类一毬，其中者栗楔也。"荆芥条云："本草呼为假苏，假苏又别。按假苏叶锐圆，多野生，以香气似苏，故呼为苏。"

本书对药物鉴别的论述。

例如，林檎条云："此有三种，大长者为柰，圆者林檎，夏熟。小者味涩为梣，秋熟。"蓬蘽条云："诸家本草皆说是覆盆子根。今观采取之家，按草木类所说，自有蓬蘽，似蚕莓子，红色。其叶似野蔷薇，有刺，食之酸甘。恐诸家不识，误说是覆盆也。"

本书对药物制剂的介绍。

燕覆子条云："宜煎汤并食之。"仲思枣条云："取肉煮研为蜜丸药佳。"鼋龟条云："凡扑损，取肉生研厚涂。"藕实条云："莲子心，生取为末。"庵萝果条云："可以作汤。"陈廪米条云："宜作汤食。"

本书流传不广，新、旧两唐志未录本书。《嘉祐本草·补注所引书传》有本书。《通志·艺文略》《宋史·艺文志》载有陈士良《食性本草》10卷。

由于本书是从前代本草中摘录有关食物药品汇编而成。陈士良本人创见很少，因此本书影响力不大。所以《本草纲目》批评道："《食性本草》，书凡十卷，总集旧说，无甚新义。"笔者认为李时珍的批评是正确的。

（此为 1976 年 8 月尚志钧先生为《食性本草》辑考本撰写的前言。）

辑考说明

（一）《食性本草》原书久佚，今从《大观本草》《政和本草》辑得佚文 61 条，仿《备急千金要方·食治》分为果实、菜蔬、谷米、鸟兽 4 类。每类药物按《新修本草》目次排列。

（二）每条佚文，以《大观本草》《政和本草》所载佚文为底本，用《本草纲目》校勘之。并将校勘不同点出注，列于当药之下。

（三）每条佚文末，加括号，括号内注明《大观》《政和》《纲目》页次，以便读者查寻。（《大观》即 1904 年柯逢时影刻《大观本草》；《政和》即 1957 年人

民卫生出版社影印金泰和晦明轩本《政和本草》；《纲目》即 1957 年人民卫生出版社影印张绍棠刻本《本草纲目》）

（四）《大观》《政和》所存《食性本草》佚文，都是转录《嘉祐本草》的引文。《嘉祐本草》所引《食性本草》佚文有 2 种情况。

（1）《嘉祐本草》对旧药引用《食性本草》佚文作注释用。《大观》《政和》对这些佚文，都冠以"士良曰"。

（2）《嘉祐本草》"新补药"，由于是参考本书及其他书糅合而成，则《大观》《政和》在此类"新补药"条末，均注明"新补见×××××××"。这种小字注，即表示该条"新补药"是掌禹锡糅合几家本草而成。经糅合后，各家原文无法区分。凡《嘉祐本草》"新补药"条末注文中，含有陈士良者，本书即将该条"新补药"收入书中。由于该"新补药"是糅合几家本草文字而成，又无法甄别出各家原文，所以本书即全文转录。

（五）《纲目》引用《食性本草》资料，多从《大观》《政和》转录。《纲目》在转录时，多加化裁，或增删，或修改，或重行组合，很少原封不动转录。因此，《纲目》所引佚文，与《大观》《政和》所引的佚文中不同点出注之，以供读者研究和参考。

（六）《嘉祐本草》"新补药"有雍菜、菠薐、苦荬、鹿角菜、荠苨、白油麻，其条末注云："新补见孟诜、陈藏器、陈士良、日华子。"即此类药物文献出处，应注出五家。但《纲目》对各条所注出处，互不一致，兹举例如下。

雍菜条，《纲目》1207 页注出处为"藏器曰"一家之文，与《嘉祐本草》注出处为五家之语不同。

菠薐条，《纲目》1207 页注出处为"孟诜"一家之言，与《嘉祐本草》注出处为五家之文不符。

苦荬条，《纲目》1216 页注出处为"藏器、嘉祐、大明、士良"四家，而且所引文字多加化裁，与《嘉祐本草》所引之文和所注出处不尽相同。

鹿角菜条，《纲目》1240 页注出处为"孟诜""士良"两家文字，与《嘉祐本草》注出处为五家之文不符。

白油麻条，《纲目》1102 页注出处为"孟诜"一家之文，与《嘉祐本草》注出处为五家之文不符。

（七）《嘉祐本草》"新补药"，如胡荽、邪蒿、同蒿、罗勒、石胡荽、曲、荞麦等，其条末注云："新补见孟诜、陈藏器、萧炳、陈士良、日华子。"即此类药物条文，由掌禹锡糅合五家本草文字而成。《纲目》引用此类药物文字，所注出处，与《嘉祐本草》注出处为五家之文，不尽相同。兹举例如下。

胡荽条，《纲目》1199 页注出处为"藏器"一家之文，与《嘉祐本草》注出处为五家之文不符。

邪蒿条，《纲目》1148 页注出处为"孟诜""藏器"两家之文，与《嘉祐本草》注出处为五家之文不符。

同蒿条，《纲目》1198 页注出处为"禹锡曰"。

罗勒条，《纲目》1204 页注出处为"嘉祐"。

石胡荽，《纲目》1080 页注出处为"萧炳""藏器"两家之文，与《嘉祐本草》注出处为五家之文不符。

曲条，《纲目》1155 页注出处为"藏器""孟诜""吴瑞""日华"四家之文。其中"吴瑞"为元代人，当属误注。又曲条中所附"神曲"，《纲目》注出处为"药性论"，亦属可疑。因《嘉祐本草》对曲条及神曲条注的出处，是孟诜、陈藏器、萧炳、陈士良、日华子，并无"药性论"。

荞麦条，《纲目》1113 页所注出处为"孟诜""萧炳"两家文字。掌禹锡言本条参考五家本草文字糅合而成。除"孟诜""萧炳"外，还有"陈藏器""日华子""陈士良"三家之文。由此可见，《纲目》所注出处，与掌禹锡糅合五家之文不尽相符。

《纲目》1175 页"葱"条"葱茎白"主治引陈士良"杀一切鱼、肉毒"6 字。查此 6 字，在《大观》卷 28 页 3、《政和》510 页"葱实"条是出"日华子"文，非陈士良文，《纲目》误日华子为陈士良，本书不予收录。

十三、《蜀本草》辑复本

辑复 《蜀本草》 序

本书原名《重广英公本草》，简称《蜀本草》，原书已佚，其文散存于《证类本草》中。

《蜀本草》由韩保昇等与诸医工共同修补的。韩保昇生卒年不详，掌禹锡《嘉祐本草·补注所引书传》说他是伪蜀翰林学士。伪蜀即五代时后蜀（934—965）。徐春甫《古今医统大全·历世圣贤名医姓氏》云："韩保昇，蜀人（应改为后蜀人），精医，不拘局方，详察药品，释本草甚功，所以深知药性，施药辄神效。"

本书成书时间，按《嘉祐本草·嘉祐补注总叙》云："伪蜀孟昶亦尝命其学士韩保昇等，以《唐本》《图经》参比为书，稍或增广，世谓之《蜀本草》。"按孟昶在位时间为935—965年，则《蜀本草》成书应在孟昶立国初期即935—945年之间。

本书流行于北宋。宋代书志及本草皆有著录，郑樵《通志·艺文略》、陈振孙《直斋书录解题》、王应麟《玉海》、掌禹锡《嘉祐本草·补注所引书传》等，皆有著录。《嘉祐本草》《证类本草》皆援引本书资料。本书在南宋已亡佚，但其部分内容尚存于《证类本草》中。兹将本书内容讨论如下。

本书名《重广英公本草》，是对《唐本草》进行重修。掌禹锡《嘉祐本草·补注所引书传》云："伪蜀翰林学士韩保昇等，与诸医工取《唐本草》并《图经》相参校，更加删定，稍增注释，孟昶自为序，凡二十卷，今谓之《蜀本草》。"

根据掌禹锡所说，《蜀本草》是由韩保昇等并《唐本草》及《图经》互相参考校订的，共20卷。

但李时珍《本草纲目·历代诸家本草》的《蜀本草》标题下云："韩保昇等与诸医士，取《唐本草》参校增补注释，别为《图经》。"照李时珍所说，韩保昇另外还编有《图经》，但掌禹锡《嘉祐本草·补注所引书传》中仅言《蜀本草》20卷，并未提到另有《蜀本草图经》的书名和卷数。由此可知，李时珍说韩保昇"别为《图经》"是可疑的。那么《蜀本草》中的《图经》既非韩保昇等撰写，当是转引《唐本草》中的《图经》之文。此可从《蜀本草》注文语气窥测而知之。

例如，"白瓜子"条，《蜀本草》注云："苏云是甘瓜子，《图经》云别有胡瓜黄赤无味，今据此两说，俱不可凭矣。"在此注文中所言"《图经》云"显然是转引他书的语气，不是韩保昇等人撰写。

又如"蚱蝉"条，《蜀本草》注云："《图经》云此鸣蝉也，六月、七月收蒸干之。陶云是哑蝉不能鸣者，雌蝉也。二说既相矛盾。"在此注文中的"《图经》云"，也是转引他书的语气。类似情况很多。

因此，可以说《蜀本草》中"《图经》云"是从《唐本草》中《图经》之文转引而来的，并非如李时珍所说的那样"韩保昇等别撰《图经》"。另外从掌禹锡所引《蜀本草》图经的药物，几乎全部是《唐本草》见录的药物。凡《蜀本草》新增的药物如铛墨、续随子、威灵仙、金樱子、丁香、蝎、马齿苋等，掌氏仅引作"蜀本"或"蜀本注"，但无一条引过《蜀本草图经》。又唐慎微引《蜀本草》新增药"曲",仅注明"蜀本"2字。这也能证明《蜀本草》之外,并没有别立《图经》一书的存在。

本书既用《唐本草》及《图经》相互参校删定而成。所以本书的卷数、体制等,皆依《唐本草》旧例编排的。《唐本草》是20卷,卷1、卷2为序例,卷3至20为各论。而本书也是20卷,其卷1、卷2为序例,卷3至卷20为各论。

《唐本草》虽然部分亡佚,但其序例通过《开宝本草》《嘉祐本草》被保存在《证类本草》中。从《证类本草》所引《唐本草》序例,还可以见到掌禹锡在序例中援据《蜀本草注》资料很多。例如,掌禹锡在序例中引《蜀本草·序》云:"唐英公进本草表云,勒成本草二十卷,目录一卷,药图二十五卷,图经七卷,凡五十三卷。又英公序云……二说不同,今并注之。"

又如在"梁·陶隐居序"中,掌氏引《蜀本注》云:"韩保昇又云'神农本草上、中、下并序录合四卷'。"又云:"普,广陵人也,华佗弟子,撰本草一卷。"又云:"李当之,华佗弟子,修神农旧经,而世少行用。"类似此等注,在序例中引得很多。

在药物畏恶七情条例中,很多药物都有掌禹锡援引《蜀本草》的药性。如茯苓、茯神、蜂子、乌贼鱼骨、蛇蜕、豉、白及、麻黄、天名精、狗脊、黄连、菊花、生银、硝石等。

掌禹锡既在序例中引用《蜀本草注》,说明这些《蜀本草注》的资料,当出于《蜀本草》序例。这也可证明《蜀本草》中原是有序例的,其序例体制和《唐本草》序例相同。本书卷3到卷20为药物各论,其分类和《唐本草》相同,分为玉石、草、木、禽兽、虫鱼、果、菜、米、有名无用等类。

本书是增修《唐本草》的,对很多药物都有新增的内容,这些新增加的内容,后来被宋·掌禹锡收入《嘉祐本草》中,极少的内容被唐慎微引入《证类本草》中。计掌氏援引《蜀本草》药物资料共有276种药,唐慎微仅引用1种药"曲"。

掌禹锡和唐慎微引用《蜀本草》资料时,多冠以"蜀本""蜀本注""蜀本图经"等标题。冠以"蜀本"的,有66种药;冠以"蜀本注"的有35种药;冠以"蜀本图经"的药物有159种;另外有15种药既引有"蜀本",又引"图经"。

从所引资料冠的标题来看,《蜀本草》是包括正文、注文、图经等内容。

由于本书已佚,其药物正文、注文全貌难以见到。掌氏所引,多是摘录本书片断文字。但在"钩吻"条中,掌氏所引本书中秦钩吻,还是有比较完整的正文和注文,兹摘录如下。

秦钩吻，主喉痹，咽中塞，声变，咳逆气，温中。一名除辛。生寒石山。二月、八月采。（以上是正文）谨按：钩吻，一名野葛者……若钩是也。（以上是注文）

这条完整的正文和注文形制和《唐本草》全同。对药物功效用"主"字，不用"治"字，这是沿袭《唐本草》避讳的旧例。在注文开头，冠以"谨按"字样，这也是仿效《唐本草》体制的。

本书药物的正文是论述药物性味、功用及畏恶七情的。例如，"蠡实寒""石灰有毒，堕胎""石韦，络石、杏人为之使，得昌蒲良"。本书注文是注释正文的。例如，"磁石"条注云："吸铁虚连十数针，乃至一二斤刀器回转不落。"图经是描述药物形状、形态、采收时月、炮制等。例如，"葛上亭长"条，《蜀本图经》云："五月、六月葛叶上采取之。形似芫青而苍黑色。凡用斑苗、芫青、亭长之类，当以糯米同炒，看米色黄黑即出，去头足及翅脚，以乱发裹悬屋栋上一宿，然后入药用。"

本书收载药物，除转录《唐本草》药物外，也有些新增的药物。如铛墨、续随子、威灵仙、金樱子、丁香、蝎、马齿苋、曲等。这些新增的药物，后为《开宝本草》《嘉祐本草》收录为正品药物。

本书对于药物性味有所发展。比如井中苔及萍，前代本草未记载何味，本书称其味苦；又如郁李仁，《本经》记为味酸，本书称其有少涩味；又如驴乳，《唐本草》原无性味记载，本书说其味甘，性冷利。类似情况很多。

本书对于药物畏恶七情，不论在序例中或在各卷正文中，皆有较详论述。比如在序例药物七情表中有"消石，大黄为使""黄连，畏牛膝"等。

本书对药物炮制亦有论述，其文多载于《蜀本草》图经文中。比如"桑螵蛸"条，《蜀本图经》云："此物……以热浆水浸之一伏时，焙干，于柳木灰中炮令黄色用之。"又如"海蛤"条，《蜀本图经》云："当以半天河煮五十刻，然后以枸杞子汁和篁竹筒盛，蒸一伏时。"

本书对药物品质好坏，提出一些鉴别方法。例如"桑上寄生，方家惟须桑上者，然非自采，即难以别，可断茎视之，以色深黄者为验""水蛭……勿误采石蛭、泥蛭，石、泥二蛭，头尖腹粗，色赤，不入药。误食之，则令人眼中生烟渐致枯损"。

本书虽用《唐本草》合《图经》参校而订，但遇《唐本草》中错误，本书亦加以明辨。例如，"石脑"条云："今据下品握雪礜石主疗与此不同，苏妄引握雪礜石注之。""侧子"条云："苏云只是乌头，不共附子同生，小者为侧子，大者为附子，殊无证据……"

关于本书价值，简述如下。

第一，本书保存前代本草资料。例如《蜀本草》序例中，记有统计《本经》药物畏恶七情药数以注释《本经》序文云："凡三百六十五种，有单行者七十一种，相须者十二种，相使者九十种，相畏者七十八种，相恶者六十种，相反者十八种，相杀者三十六种，凡此七情，合和视之。"由于《蜀本草》序例的注，我们了解到，《本经》药物原有畏恶七情内容的，可是现存各家辑本，皆无此内容。

又如《唐本草·图经》久已亡佚，掌禹锡作《嘉祐本草》时，仅见到《唐本草》，但未见到《唐本草·图经》，而本书转录了《唐本草·图经》，掌禹锡又将其内容收入《嘉祐本草》中。这样《唐本草·图经》通过《蜀本草》被保存下来部分内容。

第二，总结五代时药物学的成就。本书虽是重修《唐本草》，但也增添了不少新的内容。一是新增很多新的旧药（见上述）。二是对老药发现一些新的主治功效。这些新增的内容，分别被《开宝本草》《嘉祐本草》《证类本草》收入书中。

第三，从《蜀本草》可以看出五代时后蜀文化的发达。《蜀本草》是国家修订的本草著作，国家修订本草都是在升平昌盛时期进行的。五代时期是动乱时期，当时分裂为 10 个小国。北方各个小国战争频繁，社会环境遭受破坏，因此经济文化中心转移到南方。后蜀和南唐地处南方，它们是当时文化最发达的地区。所以南唐有陈士良撰《食性本草》，而后蜀有韩保昇等增补《蜀本草》。

由于本人学术水平所限，错误和缺点难免，请读者批评指正。

（此为 1979 年 6 月尚志钧先生在安徽芜湖皖南医学院弋矶山医院为《蜀本草》辑复本撰写的序。）

辑复说明

（一）《蜀本草》是五代后蜀孟昶在位时（935—965），由政府组织韩保昇等人编修的，为国家药典之一。该书是首次校补《唐本草》，而《唐本草》当初由大臣英公李勣进呈皇帝阅览，故《唐本草》又称《英公本草》。本书是重修英公本草，遂命名为《蜀重广英公本草》，简称为《蜀本草》。

《嘉祐本草·补注所引书传》云："伪蜀翰林学士韩保昇等，与诸医工取《唐本草》并《图经》相参校，更加删定，稍增注释，孟昶自为序，凡二十卷，今谓之《蜀本草》。"

（二）《蜀本草》原书久佚，其文散存于历代主流本草中。本书辑复，以现存最早的善本主流本草为底本，以后出的本草为校本。

在药物条文上，首先以敦煌出土卷子本及日本传抄卷子本《唐本草》为底本，卷子本《唐本草》所缺，以现存善本《大观本草》及金泰和晦明轩《政和本草》为底本。此外还用现存载有古本草资料善本古籍予以校勘。如《千金要方》《千金翼方》《本草和名》《医心方》等及历代类书（《艺文类聚》《初学记》《北堂书钞》《太平御览》等）及各种刊本《证类本草》《本草纲目》等。

（三）《蜀本草》卷数。据掌禹锡《嘉祐本草·补注所引书传》记载："凡二十卷。"查《医心方》《本草和名》《千金翼方》所载《唐本草》药物目录也是 20 卷。由此可见，《蜀本草》沿袭《唐本草》卷次，其卷 1、卷 2 为序例，卷 3 到卷 20 为药物各论。

（四）《蜀本草》药数。《蜀本草》是韩保昇等校补《唐本草》，其药物应是《唐本草》药数加上《蜀本草》新增药数。据《本草和名》《医心方》《千金翼方》所载《唐本草》药数为 853 种。而《蜀本草》新增药数，由于原书久佚，又无目录可据，其新增药数不详。但从唐以后各种主流本草注文中，仍可查出《蜀本草》部分新增药。如《大观本草》《政和本草》所载《唐本草》以后的药物注文中，凡夹有"蜀本"字样，则此类药即属于《蜀本草》新增药。据此，经查《蜀本草》新增药 46 种，其实际数应大于此数。连《唐本草》药数计算，《蜀本草》收载药数应在 900 种以上。

《蜀本草》所增的新药，其中绝大部切于实用。如三棱、莪术、曲、天麻、胡黄连等，至今仍是常用药。

《蜀本草》新增药，后来全部被《开宝本草》《嘉祐本草》录为新增的正品药物。

（五）药物分类与编排。《蜀本草》是校补《唐本草》的，其药物分类、编排与《唐本草》相同。所以本书辑复，对药物分类、编排，即沿袭《唐本草》的体例。按玉石、草、木、兽禽、虫鱼、果、菜、米、有名无用来分。自卷 3 到卷 5 为玉石类，卷 6 到卷 11 为草类，卷 12 到卷 14 为木类，卷 15 为兽禽类，卷 16 为虫鱼类，卷 17 为果类，卷 18 为菜类，卷 19 为米类，卷 20 为有名无用类。

对《蜀本草》新药，以类相从，分别列入各类之后，如生银、石蟹、银膏列入玉石类，天麻、使君子、补骨脂列入草类，丁香、天竺黄、海桐皮列入木类，腽肭脐、野驼脂、五灵脂列入兽禽类，瑇瑁、乌蛇、蝎列入虫鱼类，海松子列入果类，马齿苋列入菜类，曲列入米类。

各类药三品问题，则参校《证类本草》对《开宝本草》《嘉祐本草》药物三品位置，进行三品排列。

例如，无名异，《开宝本草》列在玉石上品，本书亦将无名异列入玉石上品。生银、太阴玄精、石蟹，《开宝本草》列入玉石中品，本书亦将此类药列在玉石中品。淋石、自然铜、铊墨，《开宝本草》列在玉石下品，本书亦将此类药列入玉石下品。其余类推。具体编排详见本书各卷药物目录。

（六）关于药物目录。传统本草书，全书卷首有总目，各类开头列分目。本书为了节约幅面，保留书首总目，省去各卷分目。

（七）本书所辑资料，以最佳善本为底本，以同类书为校本。凡底本有疑义处，如讹误、舛错、衍生、脱漏、颠倒、重叠、误抄、误刻等，均博引旁征，详加考证后定夺。为了节省篇幅，对烦琐考证文字，皆省略之。

（八）全书中有关《神农本草经》确定。《唐本草》除敦煌出土卷10，对《神农本草经》文作朱字标记外，日本传抄的卷子本《唐本草》中有关《神农本草经》文，俱无标记，需要借助于《证类本草》白字《神农本草经》文来确定。《证类本草》因版本不同，其《神农本草经》文白字标记亦有差异。例如，人民卫生出版社版《政和本草》"曾青"条缺白字标记。成化本《政和本草》、商务印书馆影印《政和本草》对菖蒲、龙胆、白英、麝香、姑活等条，皆无白字标记。因此，还要用各种版本《大观本草》、明清诸家辑的《本草经》旁证之。

其中有关《神农本草经》文生境（指生山谷、川泽、田野），《证类本草》无标记。按敦煌出土《唐本草》卷10，所存甘遂、葶苈、芫花等《神农本草经》药，皆朱墨分书。其中《神农本草经》文皆朱书。唯独生境（生山谷、生川泽）俱作墨书。盖《唐本草》编修时，将全书《神农本草经》文生境按《名医别录》文处理了。《蜀本草》是在《唐本草》基础上修订的，故《蜀本草》中《神农本草经》文生境，亦当沿袭《唐本草》作《名医别录》文处理。本书辑复时，对《神农本草经》文生境皆用宋体字排之。

（九）本书所辑《唐本草》文，其中涉及唐代避讳字，仍依卷子本《唐本草》为准。如唐代避唐太宗李世民讳，"世"改"俗"；避唐高宗李治讳，"治"改"疗"或改"主"。例如，药物条文中治某某病，《唐本草》全作"主某某病"或作"疗某某病"。唐以后本草，沿袭不改，本书亦不改。宋代亦有避讳字。如宋代避赵匡胤祖父赵敬讳，将"苏敬"改为"苏恭"。本书辑复时，仍用苏敬，不改为苏恭。

（十）本书药物正文的标示。

《神农本草经》文，《大观本草》《政和本草》皆作黑底白字标记，本书改排黑体字。

《名医别录》文，《大观本草》《政和本草》均作黑大字，本书改排宋体字。

《唐本草》新增药条文，其文末，《唐本草》标注"新附"2字，本书改排"唐附"2字。

《蜀本草》新增药物条文，本书在文末加注"蜀本"或"唐本余"字样。"蜀本""唐本余"都是《证类本草》作者唐慎微对《蜀本草》不同的称呼。

（十一）各药正文后所附注文，一律用小字编排。其中有4种内容，相互以空格间隔，首列为七情畏恶药例，紧附在正文大字末尾；次为陶弘景注文，在注文开头冠以"陶隐居云"4字；再次为苏敬注文，在注文开头冠以"唐本注云"4字；最后为《蜀本草》注文，在注文开头冠以"蜀本云"，或"蜀本注云"，或"蜀本图经云"，或"唐本余云"。

（十二）本书采用简化字。各底本中繁体字、异体字、俗字、误字、衍文、脱文、错简等，在辑复中，均予以改正。

（十三）古本草多无断句，为了方便读者阅读，辑复中试加标点。

（十四）本书在辑复时，对《蜀本草》资料出处考订和处理，另有专文说明。

（十五）本书辑复时，对每条辑文，原增加版本出处，并附有校勘注文，出版时为了节省篇幅，已予以删除。

十四、《海药本草》辑校本

辑校 《海药本草》 序

本书是总结唐末五代时南方药物及外来药物的，所以本书是五代有名的地方性本草著作。

本书作者名李珣，字德润，前蜀土生波斯人，其祖先是波斯人，家世售香药为业，李珣出生于四川梓州（今四川三台），曾被推荐做过宾贡，后来游历到岭南，对南方物产及外来药很熟悉。

李珣生卒年不详，李时珍《本草纲目·历代诸家本草》说："珣盖肃、代时人。"清·王宏翰《古今医史》从时珍之说。但《海药本草》"象牙"条引有段成式《酉阳杂俎》，段氏自序谓"武宗癸亥三年（843）……大中七年（853）追次所记"。按肃宗、代宗在位时间为756—779年，李珣如果是肃、代时人，怎么会引近百年后的著作。根据黄休复《茅亭客话》记载李玹先世为波斯人。随僖宗（874—888年）入蜀，兄珣有诗名，其妹李舜弦做过蜀后主王衍（919—924）的昭仪。据此推知李珣当为五代时前蜀（907—925）时人。

李珣虽祖籍波斯，但对中国文化极为熟悉，对于中国文献亦很了解。在本书现存131种药物条文中，援引古书就有58种，而且多数是六朝时期的书。其中以《山经》《地志》占多数，偶亦涉及小说家之言。有些引文并不见录于现存文献。如张仲景的无食子、员安宇的荔枝诗。所以李珣虽然是土波斯人，但所著的《海药本草》，在形制上，是纯中国化的本草书。援引前代文献，多冠以"按""谨按"。例如"银屑"条文，开头即用"谨按《南越志》云……"对于药物功效，多冠以"主""疗"，不用"治"字。例如"石流黄"条云"主风冷"，这都是仿《唐本草》体制做的。

本书成书年代不详，可能是李珣在前蜀（907—925）时编撰的。李珣原是10世纪左右生长在我国的波斯人，以填词著名，为五代时"花间派"代表人物，在文学上占有很重要的地位。他游历过岭南，对岭南地方药物和由海道输入的外来药都很熟悉，加以李珣本人擅长文学，家世业香药，所以能写出《海药本草》这一本草名著。

本书成于五代，流行于宋代，到南宋末已亡佚，《通志·艺文略》和《秘书省续编到四库阙书目》均有著录。宋·傅肱《蟹谱》、洪刍《香谱》、唐慎微《证类本草》、刘昉《幼幼新书》等书都引用过本书。

本书名为《海药本草》，所论药物，多数是从海外来的，或原从海外移植南方的。所谓"海药"的"海"字，系指外来输入的物品。唐代《酉阳杂俎》载李德裕的话："花木以海名者，悉从海外来。"此与古代称外来药品，冠以"胡"字，和近代外来物品冠以"洋"字，其义相同。从本书收录药物所注的产地看，大都是外国地名，例如金屑出大食国；安息香、诃梨勒出波斯；桐木出安南；龙脑香出律国。在131种药物中注明外国产地的有96种。所以李珣命本书名为《海药本草》是名副其实的。

本书新增药较多，在131种药物中，有40种见录于《唐本草》，54种见录于陈藏器《本草拾遗》，有15种见录于其他本草如《药性论》《食疗本草》等。本书新增药有 16 种，此 16 种药物后被《嘉祐本草》收录为正品药。这里值得注意的是，本书与《陈藏器本草》关系很密切，在现存 131 种药物中，竟有 54 种见录于《陈藏器本草》，这就提示本书似以《陈藏器本草》为主要参考资料。从内容上看，本书药物条文中直书陈藏器之名者不少，如瓶香、奴会子、缩沙蜜、甘松香等条，都直提"陈藏器曰"或"陈氏云"。千金藤、钗股子、藒车香等条均引陈氏之语。所以本书似可补充《陈藏器本草》的遗漏，或改正陈氏书的谬误。

本书 6 卷（见《通志·艺文略》《秘书省续编到四库阙书目》），原书已佚，笔者在 1966 年前辑有手稿本，今整理成册。本书原载药数量不详，据《证类本草》所引，仅存 130 种，北宋·傅肱《蟹谱》引 1 种，合共 131 种，此 131 种，当非本书原有药数。从本书 6 卷来看，载药当在 131 种以上。这 131 种药物，按《唐本草》药物目次来排，计玉石 13 种（其中紫钏、胡桐泪，《证类本草》列在木部），草部 38 种，木部 48 种（其中楸木皮、没离梨二药条文全同），兽禽部 3 种，虫鱼部 17 种，果部 11 种，米部 1 种。

李珣家世原以售卖香药为职业的，对香药最熟悉，所以本书收罗香药亦最多，如甘松香、茅香、蜜香、乳香、安息香、必栗香、迷迭香、降真香等。其中多数香药是阿拉伯商人贩卖的商品。这些香药并不单纯供作药用，也有作薰燎、美容、调味用，或作"果子药"食品用。

此外书中记载炼丹资料较多。例如"藤黄"条云："画家及丹灶家并时烧之。""波斯白矾"条云："多入丹灶家用。""石流黄"条云："并宜烧炼服。""银屑"条云："今时烧炼家，每一斤生铅，只炼一二铢。"李珣对炼丹重视，可能受其弟李玹的影响。黄休复《茅亭客话》卷 4 "李四郎"条云："李玹好摄养，以金丹延驻为务，暮年以炉鼎之费，家无余财，唯道书药囊而已。"

由于李珣擅长文学，所以本书药物条文的叙述，非常简练而雅致，对每种药叙述亦很全面，如药物来源、性味、形态、产地、主治皆有介绍。有些药物还有附方。例如"荜茇"条云："得诃子、人参、桂心、干姜治脏腑虚冷，肠鸣泄痢，神效。"又如"琥珀"条云："此方琥珀一两，鳖甲一两，京三棱一两，延胡索半两，没药半两，大黄六铢，熬捣为散，空心酒服三钱匕。"

最后再论本书与《南海药谱》是否同一种书。

《南海药谱》最早见录于北宋·王尧臣《崇文总目》。宋·掌禹锡《嘉祐本草·补注所引书传》云："《南海药谱》不著撰人名氏，杂记南方药所产郡县及疗疾之验，颇无伦次，似唐末人所作，凡二卷。"

但王尧臣和掌禹锡均未提到《海药本草》。《秘书省续编到四库阙书目》首载李珣《海药本草》6卷，郑樵《通志·艺文略》记载《海药本草》6卷，又记《南海药谱》7卷。

宋代《证类本草》中，掌禹锡只引过《南海药谱》，未引过《海药本草》；而唐慎微只引过《海药本草》，未引过《南海药谱》。

但《证类本草》卷13槟榔、龙脑香等药，既有掌禹锡引的《南海药谱》，又有唐慎微引的《海药本草》。据此可知，《南海药谱》和《海药本草》是两种书，不是一种书。但李时珍《本草纲目·历代诸家本草》，把二书视为同书异名，在标题上，题《海药本草》，在注文中却引用掌禹锡所说的《南海药谱》内容，并说《南海药谱》即《海药本草》。《纲目》卷15"燕脂"条云："李珣《南海药谱》载之。"在李时珍看来，《南海药谱》即是《海药本草》的异名，作者都是李珣。李时珍在引用两书原文时，多加删节改易。后人引用《本草纲目》时，皆承袭李时珍之误。

本稿原是1966年以前辑校的。当时是以1904年柯逢时影刻《大观本草》、1957年人民卫生出版社（简称人卫）影印《政和本草》为底本，以1957年人民卫生出版社影印《本草纲目》为核校本。每条辑文均注明出处，对校记均用脚注列于当药之下。

由于本人水平所限，错误在所难免，敬希读者指正为盼。

（此为1995年8月尚志钧先生在安徽芜湖皖南医学院弋矶山医院为《海药本草》辑校本撰写的序。）

辑校说明

（一）《海药本草》是唐末五代李珣所著，是中国最早的一部介绍外来药的本草专著。原书久佚。它的内容散存于各种古本草和古代科技书中。笔者在20世纪50年代辑有手稿本。今以旧稿本校勘注释之。

（二）旧稿本原以1957年人卫影印《重修政和经史证类备用本草》（简称《政和》）为底本，以1904年柯逢时影刻《经史证类大观本草》（简称《大观》）及1932年商务印书馆影印《政和本草》为校本，以1957年人卫影印《本草纲目》（简称《纲目》）为旁校本，并参考宋·傅肱《蟹谱》和洪刍《香谱》及其他诸书辑校而成。

（三）在校勘时凡与底本有不同之处，如舛错、脱漏、衍生、重叠、错简、颠倒、误抄、误刻、讹字、疑义等，均作出校注，按阿拉伯数字序码编排，附于所列当药条文之后。例如，"车渠条"原以《政和》为底本，底本车渠引有宋代丁度著的《集韵》，按《海药本草》早于《集韵》百余年，而唐代书志载有吕静撰的《韵集》，则车渠条所引的《集韵》，当是《韵集》的颠倒。

（四）关于本书的注释，是按中医古籍校勘整理与编辑工作要求进行的。由于《海药本草》原书久佚，辑文大部分是从《证类本草》采集的。而《证类本草》所存《海药本草》资料，都是唐慎微节录用以补充前代本草内容的，所节录的文字大都很简略。例如"补骨脂"条，唐氏仅节录"恶甘草"3个字。"黄龙眼"条，仅节录"功力胜解毒子也"。如果单纯依靠这些节录文来阅读，不看前代本草内容，很难全面了解这些药物的情况。为此，笔者在注释这些药物时，在药名下，适当地补注一些前代本草的主要内容，以帮助读者更好地全面了解这些药物。

（五）本书药物条文，有关难字、生僻字、避讳字、古药名、古书名、古地名、古病名等在首见处，作出注释，以后再次出现时，概不出注。

（六）本书校勘脚码、训诂脚码与注释脚码混合编在一起，按在条文中出现的先后顺序排列。

（七）本书原是繁体竖排。今为使广大读者阅读方便，改用简体横排。

（八）关于本书一般情况的介绍，详见本书末《海药本草》后记。

《海药本草》后记

关于《海药本草》的后记，拟分以下几点来介绍。即本书作者的讨论、五代时李珣的简介、李珣作《海药本草》的背景、《海药本草》亡佚的情况、《海药本草》的辑复、《海药本草》的内容、《海药本草》的特点、辑复《海药本草》的意义、关于《海药本草》几个问题的讨论。现在分别介绍如下。

（一）《海药本草》作者的讨论

南宋史学家郑樵《通志略》卷45艺文7："《海药本草》六卷，李珣撰。"但郑樵并未言明李珣是什么时候的人。《本草纲目》卷1上序例上"历代诸家本草"标题下，有《海药本草》的书名，并注云："时珍曰此即《海药本草》也，凡六卷，唐人李珣所著，珣盖肃、代时人。"按唐代有2个李珣，一是唐睿宗李旦的孙子名李珣，一是唐末五代时的李珣。前一个李珣，《旧唐书》睿宗三子传，说他在玄宗天宝三年（744）已死。死后 12 年肃宗即位，死后 18 年，代宗即位，所以前一个李珣，不能说是肃宗、代宗时人。而且《旧唐书》说他早卒，并无事迹可传，则《海药本草》当然不会是前一个李珣所著。所以《海药本草》应是五代时李珣所著。

（二）五代时李珣的简介

吴任臣《十国春秋》卷 44 李珣传："李珣，字德润，梓州（四川三台）人，昭仪（女官名称）李舜弦之兄也。珣以小辞为后主（前蜀王衍）所赏，尝制浣溪纱词，有"早为不逢巫峡夜，那堪虚度锦江春"词家互相传诵，所著有《琼瑶集》若干卷。"黄休复《茅亭客话》卷 2 "李四郎"条："李四郎名玹，字廷仪，其先波斯国（伊朗）人，随僖宗入蜀，授率府率。兄珣有诗名，预宾贡焉。玹举止温雅，颇有节行，以鬻香药为业。"何光远《鉴诫录》卷 4 "斥乱常"条："宾贡李珣，字德润，本蜀中土生波斯也。"

从上述资料来看，李珣字德润，是土生波斯人，即波斯裔华人，其祖先从丝绸之路来华经商，定居长安，唐末战乱，随僖宗入蜀。史书谓僖宗奔蜀在庚子，即僖宗广明元年（880），则李珣先人入蜀，当在 880 年。

李珣本人出生在四川梓州（今四川三台），人称"蜀秀才"。其弟做过前蜀王衍率府率（太子出行时护从一类的官），其妹李舜弦做过前蜀后主王衍的昭仪，并擅长写作，有蜀宫应制诗等篇章（《十国春秋》卷 38 昭仪李氏传）。李珣本人做过宾贡，宾贡是由地方推荐有才华的人充当统治者的宾礼和护送官。李珣亦擅长诗词，何光远《鉴诫录》说李珣所吟的词，往往动人，遭到翰林校书尹鹗以诗嘲笑："异域从来不乱常，李波斯强学文章，假饶折得东堂桂，胡臭熏来也不香。"

李珣的词是很出名的，著有《琼瑶集》不传。后蜀·赵崇祚《花间集》收录李珣词 37 首，宋代无名氏《尊前集》收载李珣词 18 首。南宋·王灼《碧鸡漫志》卷 5 云："伪蜀李珣《琼瑶集》亦有之。"清·沈雄《古今词话》卷 7 词评上，记有唐末五代时李珣《琼瑶集》条云："李珣国亡不仕。"

（三）李珣作《海药本草》的背景

李珣原在前蜀王衍殿下做宾贡官，925 年王衍为后唐所灭，李珣就没有再做官了。他乘船东下，经巫峡，过洞庭，到南方去游历，这从李珣《南乡子》17 首词中，记载了很多南方动物、植物及风景可证实之。李珣的《南乡子》的词中记有孔雀、象、真珠、豆蔻、荔枝、椰子、越王台、海潮等。从越王台、海潮等记载，说明李珣到过当时逐渐发达的通商口岸广州等地。

由于李珣家庭是卖香药的，又到南方游历过，他对岭南地方药物和由海道输入的外来药都很熟悉。《海药本草》所论的药物，多数是从海外来的，或从海外移植到南方的药物。所以李珣用"海药本草"来命名，是名副其实的。

（四）《海药本草》亡佚的情况

《海药本草》原书已佚，它的内容为后世本草所援引，其中以《证类本草》援引最多，其他如宋代·傅肱《蟹谱》、洪刍《香谱》、刘昉《幼幼新书》亦有引用本书内容。明·李时珍《本草纲目》引用的亦很多。但是李时珍并非直接从原书援引，而多是从《证类本草》及其他书籍间接转引。唐慎微作《证类本草》时，所引《海药本草》资料，都是作为补充前代本草之不足而摘录的，并非全文抄录。像藤黄、车渠等，前代本草未见录的，即全文抄录。如果与前代本草内容部分不相同，即节录部分不同的内容，与前代本草完全相同的内容即不抄录。所以《证类本草》援引《海药本草》的资料，除少数条文是完整文字外，其余大部分药物条文都是节录性的文字。

由于《证类本草》援引《海药本草》资料，大部分是节录性的文字。则《证类本草》所录《海药本草》资料，不论是在药物条文方面，或在药物品种方面，都是残缺不全的。例如，在药物品种方面，有很多外来药，像《唐本草》收录的底野迦、《广雅》记的"玳瑁形似龟，出南海巨延州"。《魏书》波斯国传第90，记有郁金、千年枣。《北史》康国传第85记有硇砂等，都是外来药。疑《海药本草》应有记载。唯所记内容，没有越出前代本草内容，所以唐慎微未加摘录。又如《证类本草》卷7"海根"条，唐慎微引《海药本草》云："海根，胡人采得蒸而用之，余并同。"引文中"余并同"，是说"海根"条文还有其余的部分和前代本草内容相同。唐慎微并不录，用"余并同"3字概括之。

（五）《海药本草》的辑校

笔者在60年代曾以1957年人卫影印《政和》为底本，用1904年武昌柯逢时影刻《大观》为校本，并以1957年人卫影印《纲目》为旁校本，参考傅肱《蟹谱》及洪刍《香谱》等书，辑录《海药本草》药物131条。这个数字，当然不是原书应有的药物总数。原书所载的药物总数，应多于此数。

在药物条文方面，具有完整的条文，只有16种药，即车渠、金线矾、波斯白矾、瓶香、钗子股、宜南草、藤黄、返魂香、海红豆、落雁木、莎木、栅木皮、无名木皮、奴会子、郎君子、海蚕沙。因为这16种药是《海药本草》新增的药，为前代本草所无，所以这 16 种药条文是完整的。其余的药物条文均是节录性条文，残缺不全。有的条文仅录一点功用。如黄龙眼"功力胜解毒子也"，青鱼枕"南人以为酒器梳篦也"。有的仅录畏恶，如补骨脂条只录"恶甘草"3 字。有的仅录制法，如小甲香只录"若螺子状，取其蒂修成也"。

由于《证类本草》所引《海药本草》资料，无论在药物品种方面，或在每个药物内容方面，都以前代本草所没有的才节录，所以《海药本草》残存的内容，也是《海药本草》最精华的部分。尽管在药物总数和药物条文不能符合《海药本草》原书要求，但也能反映《海药本草》原书真实的情况。

《证类本草》援引《海药本草》药物是 123 种，其中玉石类 11 种，草类 38 种，木类 46 种，兽禽类 3 种，虫鱼类 15 种，果类 9 种，米类 1 种。北宋·傅肱《蟹谱》援引石蟹 1 种。洪刍《香谱》亦曾援引过，但洪刍所引与《证类本草》所引完全相同。至于石蟹，本书并入玉石类，则玉石类有 12 种。在木类中有楸木皮和没离梨所引《海药本草》条文完全相同。在虫鱼类将甲香条分出小甲香和甲煎 2 条。加以其他药物的分条，所以本书收录药物是 131 种。

在这 131 种药物中，有 10 种药见录于《神农本草经》，有 13 种药见录于《名医别录》，有 40 多种药见录于《唐本草》，有 50 多种药见录于陈藏器《本草拾遗》，有 16 种药为《海药本草》新增的。该 16 种药，后被《嘉祐本草》收录为正品药。

（六）《海药本草》内容

《海药本草》原书虽佚，但从诸书所辑的《海药本草》131 种药物条文分析，亦可看出李珣对药物的叙述。在书写体例方面有一定的格式；叙述范围亦是非常广泛。举凡药名含义、出处、产地、形态、品质优劣、真伪鉴别、采收、炮制、性味、主治、附方、用法、禁忌、畏恶等各个方面都有论述。虽然不是每个药物都按这些条目叙述，但大体上，在不同的药物中，对这些条目都有所涉及。现在按这些条目分别介绍如下。

1. 编写体例　从《海药本草》残存车渠、金线矾等 16 种完整的药物条文来看。李珣书写药物条文时，似有一定的格式。每个药物的开头是药物的名称，其次是引用前代文献说明产地和形态特性，再次是性味、主治功用及其他。兹举一例说明如下。

海蚕沙（药名）谨按《南州记》（引用前代文献）云：生南海山石间（产地）。其蚕形，大如拇指。沙甚白，如玉粉状。每有节（形态和特性）。味咸，大温，无毒（性味）。主虚劳冷气，诸风不遂。久服令人光泽，补虚羸，轻身延年不老（主治功用）。难得真者，多只被人以水搜葛粉、石灰，以梳齿隐成，此即非也，纵服无益，反损人，慎服之（其他）。余下15种药物条文书写体例，基本与海蚕沙相同。在用词上仍袭《唐本草》旧例。如援引前代文献，多冠以"谨按"2字。对于药物功效，多冠以"主"或"疗"，不用"治"字，这都是仿《唐本草》避讳的旧例。

2. 药名释义 有些药名，李珣作了解释。兹举例如下。落雁木条："雁晦至代州雁门（今山西代县雁门关），皆放落而生，以此为名。"含水藤中水条："多在路旁，行人乏水处便吃此藤，故以为名。"乾陀木条："生西国，彼人用染僧褐，故名。"鼠藤："藤蔓而生。鼠爱食此，故曰鼠藤。"海桐皮："生南海山谷中。似桐皮，黄白色，故以名之。"返魂香："其香名有六……一名返魂，一名惊精，一名迴生，一名震坛，一名人马精，一名节死香。烧之一豆许，凡有疫死者，闻香再活，故曰返魂香。"仙茅："叶似茅，故名曰仙茅。"越王余筭："昔晋安（福建闽侯）越王，因渡南海，将黑角白骨筭筹，所余弃水中，故生此，遂名。"

3. 药物文献出处 李珣作《海药本草》所取的材料，除李珣目睹外，大都根据文献摘录，并注明引文出处，或注出文献作者的名字。例如，根据陈藏器《本草拾遗》摘录的，或注"陈藏器"（如瓶香条），或注"陈氏"（如零陵香、缩沙蜜），或注"拾遗"（如奴会子）。又如引用陶弘景《名医别录》的资料，或注"陶弘景"（如龙脑、槟榔），或注"《名医别录》"（如龙脑、鲛鱼皮、珂）。类似此注法，有58条。

4. 药物产地 《海药本草》所记药物产地，有3种情况：一是外国产地，二是南方产地，三是其他地方产地。少数药物未记产地。如蒜草、楸木皮、研药、甲香、必栗香、黄龙眼、石决明、元慈勒、无漏子、没离梨等均未记产地。其余的药物皆注明产地。所记地名以南方和海外为最多，其次是西方，再次是东方，北方的地名较少。注明海外产地的药物，往往附有"舶上来者"等语。注明产于南方的药物，其中有很多是从海外移植到当地，日久，亦视为当地所产。

5. 药物形态 《海药本草》收录药物，多数皆有形态记载。例如车渠条："是玉石之类，形似蚌蛤，有文理。"金线矾条："打破内有金线文。"波斯白矾条："其色白而莹净，内有刺针纹。"草犀根条："独茎，对叶而生，如灯台草，根若细辛。"人肝藤条："引蔓而生。"钗子股条："每茎三十根，状似细辛。"宜南草条："有荚，长二尺许，内有薄片似纸，大小如蝉翼。"冲洞根条："苗蔓如土瓜，根相似。"丁香条："二月、三月花开，紫白色。至七月方始成实，大者如巴豆，为之母丁香；小者实为之丁香。"安息香条："树中脂也，状如桃胶。"鲛鱼皮条："皮上有真珠斑。"

6. 药物品质优劣　《海药本草》对于药物品质优劣亦有记载。兹举数例如下。蒟酱："实状若桑椹，紫褐色者为上，黑者是老不堪。"钗子股："忠万州者佳。"乳头香："紫赤如樱桃者为上。"又云："红透明者为上。"金线矾："打破内有金线文者为上。"石流黄："颗块莹净，无夹石者良，光腻甚好。"

7. 药物真伪鉴别　《海药本草》对于药物真伪鉴别记载的很多。兹录如下。琥珀："凡验真假，于手心热磨，吸得芥为真。"蚺蛇胆："欲认辨真假，但割胆看，内细如粟米，水中浮走者是真也，沉而散者非也。"蛤蚧："凡用炙令黄熟后捣，口含少许，奔走，令人不喘者是真也。"郎君子："欲验真假，先于口内含，令热，然后放醋中，雄雌相趁，逡巡便合，即下其卵如粟粒状，真也。"沉香："当以水试乃知子细。没者为沉香，浮者为檀，似鸡骨为鸡骨香，似马蹄者为马蹄香，似牛头者为牛头香，枝条细实者为青桂，鹿粗重者为笺香。"

8. 药物采收时月　《海药本草》对药物采收时月亦有记载。兹举例如下。安息香："以秋月采之。"豆蔻："三月采其叶，细破阴干之。"荔枝："荔枝熟，人未采，则百虫不敢近。人才采之，鸟乌蝙蝠之类，无不残伤。故采荔枝者，日中而众采之。"橄榄："木高大难采，以盐擦木身，则其实自落。"藤黄："就树采者轻妙。"

9. 药物炮制　《海药本草》对于药物炮制亦有记载。兹举例如下。仙茅："用时竹刀切，糯米泔浸。"石决明："凡用先以面裹熟煨，然后磨去其外黑处，并粗皮了，烂捣之，细罗，于乳钵中再研如面。"真珠："为药须久研如粉面，方堪服饵。"贝子："烧过入药中用"。阿勒勃："凡用先炙令黄用。"腽肭脐："凡入诸药，先于银器中酒煎后，方合和诸药。不然以好酒浸炙入药用，亦得。"小甲香："取其蒂而修成也。"牡蛎："用之炙令微黄，熟后，研令极细，入丸散中用。"秦龟："凡甲炙令黄，然后入药中。"蛤蚧："凡用，炙令黄熟。"

10. 制剂及用法　《海药本草》有各种制剂和用法的记载。兹举例如下。①炼制为丸。柯树皮："采皮，以水煮，去津，复炼候凝结丸为度。"返魂香："采其根于釜中，以水煮，候成汁，方去滓，重火炼之如漆，候凝，则香成也。"②入丸散用。牡蛎、没药等皆云入丸散中用。③用作丸衣。金屑、银屑："入薄于丸、散。"④入膏用。紫钡："宜入膏用"。龙脑："入膏、煎良。"⑤煮汁饮。石莼："宜煮汁

126

饮。"⑥煎服。研药、桐木："剉，煎服。"鼠藤："剉，浓煎服。"通草、千金藤："宜煎服。"奴会子："《刘五娘方》用为煎。"⑦酒煎。槟榔："二枚，一生一熟，捣末，酒煎服。"⑧酒服。骐驎竭："宜酒服。"千金藤："浸酒治风。"⑨磨服。冲洞根："取其根磨服。"通草："磨亦得。"⑩含。零陵香："凡是齿痛，煎含良。"通草："急即含之。"⑪洗浴。瓶香："水煮，善洗水肿浮气。与土姜、芥子等煎浴汤，治风疟。"茅香："主小儿遍身疮疱，以桃叶同煮浴之。"无名木皮："主囊下湿痒，宜煎取其汁，小浴，极妙也。"⑫刮点。珂："主消医膜及筋弩肉，并刮点之。"⑬烧灰用。鼷鳀鱼："主月蚀疮、阴疮，瘘疮，并烧灰用。"栟榈木皮："生肌止血，并宜烧灰使用。"⑭烧香辟疫。艾蒳香："烧之辟温疫。"瓶香："主天行时气，宜烧之。"⑮佩带。宜南草："小男女以绯绢袋盛一片，佩之臂上，辟恶，止惊。"降真香："小儿带之，能辟邪恶之气。"⑯染发。荜澄茄："古方用作染发。"毗梨勒："乌须发。"⑰香衣。甘松香、藕车香："裹（包在衣服内）衣甚好。"⑱入面药。楸木皮、白附子："宜入面药。"

11. 药物应用时注意事项　《海药本草》对很多药应用时，多题记注意事项。举例如下。荔枝："今泸渝人食之，多则发热疮。"海松子："多食发热毒。"海蚕沙："难得真者，多只被人以水搜葛粉、石灰，以梳齿隐成，此即非也；纵服无益，反损人，慎服之。"人参："用时去其芦头，不去者吐人，慎之。"零陵香："不宜多服，令人气喘。"胡椒："不宜多服，损肺。"栟榈木："其实黄白色，有大毒，不堪服食也。"椰子："多食动气也。"蛤蚧："力在尾，尾不全者无效。"

12. 药物畏恶制使　《海药本草》对药物畏恶制使记载，其例很多。波斯白矾："火炼之良，恶牡蛎。"荜茇："得诃子、人参、桂心、干姜治脏腑虚冷，肠鸣洩痢。"零陵香："得升麻、细辛善。"甘松香："得白芷、附子良。"无名子："得木香、山茱萸良也。"芜荑："得诃子、豆蔻良。"缩沙蜜："得诃子、鳖甲、豆蔻、芜荑等良。"象牙："宣生屑入药，得琥珀、竹膏、真珠、犀角、牛黄等良。"莳萝："不可与阿魏同合，夺其味尔。"补骨脂："恶甘草。"

13. 其他　《海药本草》有些药物内容，出于传说，并非真有其事。例如，青蚨："生南海诸山，雄雌常处不相捨……青金色相似；人采得，以法末之，用涂钱以货易，昼用夜归，亦是人间难得之物也。"这是小说家的神话，并非真有其事。薢草："一名自然谷，中国人未曾见也。"按薢草早在唐代开元年间陈藏器《本草拾遗》已经著录。《海药本草》是转引，既然陈藏器早有著录，为何说："中国人未曾见也。"

（七）《海药本草》的特点

本书是总结唐末五代时南方药物及外来药的专著。所以本书也是唐末五代时有名的地方本草。兹将本书特点，分述如下。

1. 本书收录外来的药物　在上述 131 种药物中，李珣所记药物产地共有 40 多个地方。例如荔枝、蚺蛇胆等出岭南。真珠、牡蛎等出南海。豆蔻出交趾。延胡生奚国。缩沙蜜生西戎诸国。象牙生西国。龙脑出律国。没药出波斯国。金屑出大食国。降真香出大秦国，肉豆蔻出昆仑国。偏桃人出卑占国。艾蒳香出剽国。人参、白附子出新罗国。但有些药名也记有内地的地名。如落雁木出代州雁门（今山西代县雁门关）。藤黄出鄂（今湖北武昌）岳（今湖南岳阳）等州诸山崖。从每个地方所记药物数量来看，产于南海的有 32 种，产于岭南的有 10 种，产于广南的有 10 种，产于波斯国有 15 种，产于大秦国有 5 种，产于西海的有 5 种。至于岭南及南海所产的药物，除当地出产外，亦有进口的。故有些药记有"舶上来者"等语。同时有些进口药，移植南方后，亦视为当地所产。从上述药物产地分布来看，大都在岭南、南海和海外。而药物来源的数量，又以岭南、南海、海外为最多。所以本书称之为《海药本草》是名副其实的。

2. 本书收录的香药　香药有广义和狭义 2 个概念。狭义的概念，指有香味的药物而言；广义的概念，指外来药而言。例如，《宋会要辑稿》职官 44 所举的香药，包括牛筋、宝石、宾铁、木材等。这些东西根本无香味。还有古代阿拉伯商人所贩卖的香药，其中有很多是无香味的。如波斯白矾、石硫黄、珊瑚、琥珀、真珠、象牙、犀角等皆无香味，也列入香药范围内。这个香药的概念即成为外来药的异名。此处所讲的香药，是指有香味的药物而言。《海药本草》收录香药有丁香、乳头香、茅香、迷迭香、瓶香、薅车香、甘松香、艾蒳香、降真香、必栗香、安息香、沉香、薰陆香、返魂香、木香、兜纳香、甲香等数十种。这些香药除供药用外，亦作烧用。通过焚烧产生香气，借以辟除恶气，如艾蒳香烧之辟瘟疫，迷迭香烧之辟蚊蚋。有些香药藏在衣服内，使衣服有香味，如薅车香、甘松香记有裹衣（包在衣服内）亦使衣香。有些香药装在小布袋内，带在臂上，以辟邪恶气，如宜南草以绢袋盛之，小男女佩之臂上，能辟邪止惊。又如兜纳香，带之夜行，能壮胆安神。《海药本草》收录香药多的原因，一方面与李珣家世业香药有关，另一方面与当时社会风气使用香药有关。据五代末年陶谷《清异录》记载，隋唐五代烧香风气很盛行。该书卷下"薰燎"条，讲到唐代长安大药商宋清，常以香药三勹煎，赠送权贵们，谓烧之能招致富贵清妙。并说三勹煎多由龙脑、麝末、精沉等药制成。宋、陈敬《香谱》卷1"香品举要"云："唐明皇君臣多有用沉、檀、脑、麝为亭阁。"由此可见，当时权贵们把香药当作最豪华的享乐。

3. 本书记载五石散和炼丹　服食五石散的风气是从魏晋开始的，到了隋唐五代，此风气仍在流行。唐代柳宗元亦提倡服食石钟乳。柳与崔连州书云："食之使人荣华温柔，其气宣流，生胃（气）通肠，寿考康宁。"五石散是有毒的，当时由于服五石散而中毒者，不乏其人。所以《海药本草》书中，讲到有关预防和解救五石散中毒方子很多。例如在"菴摩勒"条中说："凡服乳石之人，常宜服也。"在"含水藤中水"条云："丹石发动，亦宜服之。""石硫黄"条："如有发动，宜以猪肉、鸭羹、余甘子汤并解之。"《海药本草》除记载有关五石散外，对炼丹之事记载亦不少。例如"石硫黄"条云："并宜烧炼服，仙方谓之硇砂。""金线矾"条："打破内有金线文者为上，多入烧家用。""波斯白矾"条："多入丹灶家，功力逾于河西石门者。""银屑"条："今时烧炼家，每一斤生铅，只煎得一二铢。""藤黄"条："画家及丹灶家并时烧之。"《海药本草》收录这么多炼丹的事情，这可能与李珣受道家思想的影响有关。按黄休复《茅亭客话》卷4"李四郎"条云："李玹好摄养，以金丹延驻为务，暮年以炉鼎之费，家无余财，唯道书药囊而已。"又云："李玹赏得耳珠先生与青城南六郎书一纸，论淮南王炼秋石之法。"李玹是李珣的弟弟，所以李珣可能受李玹的影响，思想变成了道家的思想，从养生发展到长生不老神仙。如《海药本草》"菴摩勒"条："久服轻身，延年长生。""乳头香"条："仙方多用辟谷。""桄榔子"条："久服轻身，辟谷。"辟谷就是道家想通过不吃饮食，服食某些药物，达到长生不死的目的。

4. 本书所引前代的文献　在131种药物条文中，援引前代的书名或人名有58次。所引的书大都是六朝时书，也有唐代的书。从书的种类来看，有《山海经》《尔雅》、历史、地志、杂记、方书、本草等书。如返魂香引《汉书》和《武王内传》，珊瑚引《晋书·石崇列传》，降真香引《仙传》，波斯白矾等21种药引《广州记》，白附子及海蚕沙引《南州记》，通草等15种药引《徐表南州记》，苏方木引《徐表南海记》，胡桐泪引《岭表记》，犀角引《五溪记》，越王余筭引《异苑记》，椰子、蜜香、含水藤引《交州记》，君迁子引刘斯（欣期）《交州记》，干陀木引《西域记》，阿勒勃引《异域记》，玉屑引《楚记》，莎木引《蜀记》，大瓠藤水引《太原记》，银屑、骐驎竭引《南越志》，柯树皮、腽肭脐引《临海志》，槟榔等18种药引《广志》，金线矾引《广州志》，毗梨勒引《唐志》，昆布等4种药引《异志》，玉屑等5种药引《异物志》，桄榔子引《岭表录》及《录异》，金屑引《岭表录异》，蛤蚧引《岭外录》，绿盐引《古今录》，蜜香、象牙引《内典》，藕车香引《齐民要术》，无风独摇草引《陶朱术》（《隋志》有《陶朱变化术》），无名木皮引《房中术》，银屑引《唐贞观政要》，象牙引唐·段成式《酉阳杂俎》，薇引《尔雅》，栅木皮引《尔雅注》，金屑等 5 种引《山海经》，玉屑引《仙经》及《别宝经》，沉香等 5 种药引《正经》，荔枝引《员安宇蒸枝诗》，车渠引《韵集》，玉屑引《淮南子》及《淮南三十六水法》，石硫黄、乳香引《仙方》，奴会子引《刘五娘方》，槟榔引《脚气论》，龙脑、珂、鲛鱼皮引《名医别录》，奴会子引《本草拾遗》，沉香、仙茅引古佛经梵书，以上共引书名 52 种。其中有些书是同书异名，例如《岭表录异》有好几个别名。《四库全书总目》《岭表录异·提要》云："诸书所引或称《岭表录》，或称《岭表记》，或称《岭表录异》，或称《岭表录异论》，或称《岭南录》。核其文句，实皆此书。"另外《海药本草》亦援引人名：无食子条引张仲景，槟榔、龙脑引陶弘景，瓶香条引陈藏器，零陵香等 7 种药引陈氏，婆罗得引徐氏，犀角引刘孝标。

　　5. 本书对前代本草有所补正　前面讲过本书援引前代文献有 50 多种。但其中以参考本草次数为最多。如沉香、蚺蛇胆等引用《正经》（即《蜀本草》）。另有 50 多种药参考过陈藏器《本草拾遗》。例如瓶香、奴会子、缩沙蜜、甘松香等条，都直题陈藏器。千金藤、钗子股、藕车香等条亦题陈氏云。所以李珣作《海药本草》似以陈藏器《本草拾遗》为主要参考资料。但李珣对陈藏器所言药物主治功用亦有所发展，对陈藏器书中某些错误亦有改正。例如"石菭"条，陈藏器云："下水，利小便。"李珣补充说："主风秘不通，五膈气，并小便不利，脐下结气，宜煮汁饮之。胡人多用治耳疾。"又如"草犀根"条，陈藏器说："草犀根主解诸药毒……并煮汁服之。"李珣补正说："草犀根，主解一切毒气，并宜烧研服，临死者服之得活。"又如"迷迭香"条，陈藏器说："迷迭香味辛温无毒，主恶气，令人衣香，烧之去鬼。"李珣补充说："迷迭香性为平，不治疾，烧之祛鬼气。合羌活为丸散，夜烧之，辟蚊蚋。"李珣不仅对陈藏器《本草拾遗》有所补正，即对《名医别录》《唐本草》亦有补正。例如"白附子"条，《名医别录》云："主心痛血痹，面上白病，引药势。"《海药本草》云："主治疥癣风疮，头面痕，阴囊下湿，腿无力，诸风冷气，入面脂甚好。""蒟酱"条，《唐本草》云："下气温中破痰积。"《海药本草》云："主咳逆上气，心腹虫痛，胃弱虚泻，霍乱吐逆，解酒食味。"李珣不仅对前代本草有所补正，对当时药物中存在的一些错误，李珣在《海药本草》中，亦加以纠正。例如"藤黄"条，李珣纠正说："今所呼铜黄谬矣，盖以铜、藤语讹也。"“宜南草”条，李珣说："此草生南方，故作南北字。今人多以男女字，非也。"在"无食子"条，李珣说："番胡呼为没食子，今人呼为墨食子，转谬矣。"

6. 本书对药物性味有所发展　本书药性方面记载有温、大温、微温、温平、平、冷、寒、大寒。在药味方面记载有酸甘、咸涩、酸咸涩。兹将各药性味列举如下。沉香、零陵香等 15 种药性温，白附子、腽肭脐等 5 种药大温，仙茅、荜澄茄等 8 种药微温，通草、无食子等 9 种药平温，茅香、苏方木等 10 种药性平，瓶香、象牙等 4 种药性寒，犀角、蚺蛇胆等 4 种药性大寒，菴摩勒、藒车香等 4 种药微寒，大瓠藤水性冷。有关各药味的例子，如文林郎味酸，海桐皮、沉香等 7 种药味苦，荜茇、阿魏等 11 种药味辛，人参、仙茅等 12 种药味甘，玉屑、鲛鱼皮等 5 种药味咸，槟榔、毗梨勒味涩，波斯白矾、藤黄味酸涩，延胡、豆蔻、菴摩勒味苦甘，荜澄茄、龙脑、没药味辛苦，荔枝味甘酸，玄石味咸涩，金线矾味咸酸涩。

《海药本草》所言性味，其中有些药物也是补正前代本草药物的性味。例如昆布条，《名医别录》云"味咸寒"，《海药本草》云"性温"。阿魏条，《唐本草》云"味辛平"，《海药本草》云"味辛温"。兜纳香条，《本草拾遗》云"味甘温"。《海药本草》作"味辛平"。冲洞根条，《本草拾遗》云"味辛平"，《海药本草》作"味辛温"。藒车香条，《本草拾遗》作"味辛温"，《海药本草》作"微寒"。无风独摇草条，《本草拾遗》无性味，《海药本草》补正"性温平"。又如补骨脂条，《药性论》未记其有畏恶，《海药本草》提出"恶甘草"。

（八）辑复 《海药本草》 的意义

《海药本草》是我国第一部记载外来药的专著。也是唐末五代时南方出产药物的总结，同时也是最早的地方本草专著。但原书久佚。为了展现我国古代科学文化的光辉成就，以及了解唐末五代以前中外文化交流的情况，应当辑复它，借以说明中华民族在人类文明史上作出的杰出贡献。通过书中收载大量外来药和外国地名，了解我国古代通过"丝绸之路"与中亚、南亚以及西亚各国之间友好关系的发展，并能了解中外文化交流和中外贸易的情况，许多海外的药物移植我国，组成中药内容的一部分。并能知道许多外籍人（如李珣、李玹之流）定居中国，成为外裔的华人，同时亦可了解许多外国出产的香药，通过阿拉伯商人贩运到中国，成为中国人的爱好品。例如，宋·陈敬《香谱》卷 1 "香品举要"云："香最多品，类出交广崖州及海南诸国。然秦汉以前未闻，惟称蕙、兰、椒、桂而已。至汉武奢广，尚书郎奏事者，始含鸡舌香；迫晋武帝时，外国贡异香始此。隋代夜火山烧沉香、甲煎不计其数，海南诸品毕至矣。唐明皇君臣多有用沉、檀、脑、麝为亭阁。"

其次是为了便于全面系统地研究本草发展史，有利于中医药学遗产的发掘和整理，辑复它，必能为研究提供方便。正如鲁迅为了研究中国文学史、小说史，感到史料不足，才花了很多时间，做亡佚书的辑复工作。他先后辑成《会稽郡故书杂集》《嵇康集》《古小说钩沉》等书，以为研究中国文学史、小说史作准备。从这种意义上来讲，我们辑《海药本草》，有利于人们研究唐末五代时药物发展的情况和外来药的情况。

（九）关于《海药本草》几个问题讨论

1. 《海药本草》和《南海药谱》 《海药本草》和《南海药谱》是否即同一本书。范行准先生在1958年《广东中医》第8期论述很详。现在再讨论如下。

《本草纲目》序例第1卷"历代诸家本草"标题下，有《海药本草》。并在该书名下注云："禹锡曰《南海药谱》二卷，不著撰人名氏，杂记南方药物所产郡县及疗疾之功，颇无伦次……李珣所撰。珣盖萧、代时人，收采海药亦颇详明。"在这个注文中，李时珍认为《南海药谱》即是《海药本草》，两书是异名同书，其作者为李珣，并说李珣大概是唐朝肃宗、代宗时人。日本·丹波元胤《中国医籍考》172页怀疑说："按《南海药谱》与《海药本草》，其目各见于《崇文总目》，不知李时珍何据为一，其言殆难信焉。"根据日本丹波元胤的看法，《南海药谱》与《海药本草》应是两种书，不是异名同书，宋·郑樵《通志·艺文略》既载有《南海药谱》，又载有《海药本草》《证类本草》的槟榔、龙脑、象牙等3种药味注文，既有掌禹锡援引《南海药谱》的资料，又有唐慎微援引《海药本草》的资料。根据这些事实来看，《南海药谱》与《海药本草》似是两种书，不是同一种书。

在《证类本草》中，《南海药谱》与《海药本草》的资料，分别由掌禹锡和唐慎微各自单独援引的。

《证类本草》卷1序例《补注所引书传》的目录中，仅有《南海药谱》的书名。掌氏在该书名下注云："不著撰人名氏，杂记南方药所产郡县及疗疾之验，颇无伦次，似唐末人所作，凡二卷。"掌禹锡作《嘉祐本草》援引《南海药谱》资料作注文的有6条，即阳起石、桃花石、芦荟、槟榔、龙脑、象牙，但掌禹锡未援引过《海药本草》。

在《证类本草》中，唐慎微援引《南海本草》作注文，都置于墨盖子标记之下。计唐慎微援引《南海本草》资料，有123条，但唐慎微没有引用过《南海药谱》。

从掌禹锡、唐慎微各自单独援引的事实来看，《南海本草》和《南海药谱》应是两种书。由于《本草纲目》视《海药本草》与《南海药谱》为同一种书，并认为作者即是李珣，所以李时珍在引用这 2 种书资料时，标注文献出处，互不一致。

在《证类本草》援引的《海药本草》资料，而《本草纲目》援引时注出处为《南海药谱》。例如，《证类本草》卷 13 紫铆、骐驎竭条有《海药本草》资料"紫铆又可造胡燕脂"。而《纲目》卷 15 "燕脂"条注云："一种以紫铆染绵而成者，谓之胡燕脂，李珣《南海药谱》载之。"类似此例很多。又如《证类本草》卷 23 "文林郎"条引有《海药本草》资料，《本草纲目》引此文注出处为李珣《南海药谱》。以上是李时珍注《证类本草》中《海药本草》资料为《南海药谱》。此外《证类本草》卷 16 "象牙"条，掌禹锡引《南海药谱》云："象牙以清水和涂疮肿上并差。又口臭每夜和水研少许，绵裹贴齿根上，每夜含之，平明暖水漱口，如此三五度，差。"《本草纲目》卷 51 "象胆"条主治下引此文，标注出典为《海药》。这是李时珍注《证类本草》中《南海药谱》资料为《海药本草》。

至于李时珍说李珣是唐朝肃、代时人，也不可信。按《证类本草》卷 16 "象牙"条引有段成式《酉阳杂俎》。据唐·尉迟枢《南楚新闻》云："太常（少）卿段成式，相国文昌子也，与举子温庭筠亲善，咸通四年（863）六月卒。"肃宗、代宗在位时间为 756—779 年，比段成式早半个世纪，所以李时珍之说不可信。清初康熙三十六年（1697）王宏翰《古今医史》卷 4 唐李珣传，亦承袭李时珍之说，殊不可信。

2.《海药本草》引《集韵》的问题　《证类本草》卷 3 引《海药》云：车渠，《集韵》云生西国。"按《集韵》最初是宋·陈彭年等纂修《广韵》以后，宋祈等人认为多承用唐代韵书旧文，繁略失当，建议重修，宋仁宗命丁度等人重修，于宝元二年（1039）完成，名为《集韵》。按李珣《海药本草》成于五代（907—960），比丁度《集韵》要早近百年，则李珣不可能见到《集韵》，和《集韵》名字相似的书，叫作《韵集》。《新唐书·艺文志》和《旧唐书·经籍志》均载有《韵集》，题吕静撰。唐·欧阳询《艺文类聚》卷 84 "琉璃"条，亦引有《韵集》书名。疑《海药本草》所引的《集韵》应为《韵集》的颠倒。

［附］《南海药谱》

唐末　著者佚名　撰年不详

《本草纲目》序例第一卷"历代诸家本草"记载本草书名 42 种，其中第 14 种是《海药本草》。在该书名下，有 2 个注文，第 1 个注文是："【禹锡曰】《南海药谱》二卷，不著撰人名氏，杂记南方药物所产郡县及疗疾之功，颇无伦次。"第2个注文是："【时珍曰】此即《海药本草》也，凡六卷，唐人李珣所撰。珣盖肃、代时人，收采海药亦颇详明。"

把这2个注文合并起来看，其含义认为《南海药谱》即是《海药本草》，两书是同书异名，作者都是李珣，并说李珣是唐朝肃、代时人。这种说法对不对呢？

丹波元胤在《中国医籍考》172页说："按《南海药谱》与《海药本草》，其目各见于《崇文总目》，不知李时珍何据为一，其言殆难信焉。"根据日本丹波元胤的看法，《南海药谱》与《海药本草》应为2种书，不是同书异名。

郑樵《通志·艺文略·本草类》既载有《南海药谱》，又载有《海药本草》。《证类本草》的槟榔、龙脑、象牙等3种药物注文，既有掌禹锡援引《南海药谱》的资料，又有唐慎微援引《海药本草》的资料。根据这一事实来看，《南海药谱》与《海药本草》似是两本书，不是一本书，而李时珍说这两本书为一本书，可疑。

宋·掌禹锡《嘉祐本草·补注所引书传》中说："不著撰人名氏，杂记南方药所产郡县及疗疾之验，颇无伦次。似唐末人所作。凡二卷。"《崇文总目辑释》首次著录，云"《南海药谱》一卷"。此后《通志·艺文略》记作7卷，《宋史·艺文志》作1卷。

据掌禹锡《嘉祐本草》所记，该书的卷数与内容都与《海药本草》不合。《南海药谱》记载"南方药"，包括我国南部数省及现在为东南亚的一些国家。而《海药本草》的药物却包括来自西域、新罗的药物，这也是二书命名有异之所在。尽管南宋时郑樵等混引这两书的文字，但并不足以说明这二书实为一体，故本书分列之。

《证类本草》存《南海药谱》佚文6条，可见于《证类本草》中的阳起石、桃花石、芦荟、槟榔、龙脑、象牙（共6种药）之下。

这些药物多为南方所产，"阳起石"条注出中原地名，对药物基原性状有所记载（见桃花石条），此外，亦记载性味、功用、主治及附方。

十五、《日华子本草》辑释本

辑释 《日华子本草》 序

本书原名《日华子诸家本草》，通称《日华子本草》，有时简称为《日华子》

或名《日华》，有时亦称《大明本草》，或简称《大明》。作者姓氏不详，宋代《嘉祐本草》作者掌禹锡说："《日华子诸家本草》，国初开宝中四明人撰，不著姓氏，但云日华子大明。"李时珍说："按千家姓，大姓出东莱，日华子盖姓大，名明也，或云其姓田，未审然否？"按掌禹锡所说，本书作者姓氏不详，但知本书作者是四明人，即今日的宁波人。

本书虽成于五代，但不见录于古代书志，不过五代末和宋代方书，以及本草等书引用较多，如日本《和名类聚钞》《香要钞》等书，皆引用过《日华子本草》。尤以《嘉祐本草》引证最多，若按引的次数计算，有时同一药引《日华子》若干次，连同序例七情畏恶药物研引次数，共达 664 次。由此可见，本书在宋代是流行的，到明·李时珍《本草纲目》和朝鲜·许凌等《东医宝鉴》虽然引有《日华子本草》，但多是从《证类本草》中转引，未必见到本书，所以本书到明代是否存在，也是一个疑问。

全书收载药 618 种，每个药编有一个阿拉伯数字序码。

1 ~ 80 号为玉石部，81 ~ 275 号为草部，276 ~ 394 号为木部，395 ~ 439 号为兽部，440 ~ 451 号为禽部，452 ~ 486 号为鱼部，487 ~ 507 号为虫部，508 ~ 543 号为果部，544 ~ 588 号为菜部，589 ~ 618 号为米谷部。

各个药物包括性味、主治、炮制、七情、产地，形态，采收时月等内容。

本书有下列特点。

（1）本书所论药性，种类较多，计有凉、冷、温、暖、热、平 6 类。

（2）本书对药物提出一些新的性味。例如白垩，《神农本草经》作味苦，《名医别录》作味辛，本书作味甘。又如白及，《神农本草经》作味苦，《名医别录》作味辛，本书作味甘敛（敛即刺咽喉的辛辣感）。槟榔，《名医别录》作味辛，本书作味涩。其他如天南星味辛烈，苧根味甘滑。这些敛、涩、滑等味，都是本书新增的性味。

（3）本书论药物功用，都从实效出发，并注意到药效与炮制的关系。例如，木通下乳，至今依然在沿用。又如雷丸炮用，厚朴入药去粗皮，姜汁炙用，樗皮入药蜜炙用，龟甲入药酥炙用，蜻蜓入药去翼足炒用。

（4）本书对药物炮制，亦有记载。同一味药，因炮制方法不同，其功用各异。

论述药物炮制方法有炒用、微炒、搗炒、炙、微炙、姜炙，蜜炙、炮、烧、煅、淬、飞、浸、蒸、煮等法。

（5）本书对药物七情畏恶论述较详，例如芎䓖畏黄连，水蛭畏石灰，大戟恶薯蓣，黄芪恶白鲜皮，生地黄煎忌铁器，茯苓忌醋及酸物。酒杀一切蔬菜毒，醋杀一切鱼肉毒，柚子解酒毒。天门冬，贝母为使；大戟，小豆为使。牵牛子得青木香、干姜良，白头翁得酒良。类似情况极多。

（6）本书对药物形态记载较详。如"空青"条："空青，大者如鸡子，小者如相思子，其青厚如荔枝，壳内有浆酸甜。"这样药物形态的描述，在《神农本草经》《唐本草》药物正文中都无记载。本书还有对产地、形态的描述，如"地榆"条云："地榆，是平原川泽皆有，独茎，花紫。"

（7）本书对药物的采收时月，多从实际出发。例如茵芋、射干，《名医别录》作三月三日采，本书作六月、七月采。又如泽漆，《名医别录》作三月三日、七月七日采，本书作四五月采。

（8）有些药物还有归经的记载。如"五色石英"条云："其补益随脏色而治，青者治肝，赤者治心，黄者治脾，白者治肺，黑者治肾。"

辑释后记

《日华子本草》原名《日华子诸家本草》，《本草纲目》简称它为《日华》或《大明》。宋代《嘉祐本草》作者掌禹锡说："《日华子诸家本草》，国初开宝中四明人撰，不著姓氏，但云日华子大明。"李时珍说："按千家姓，大姓出东莱，日华子盖姓大，名明也，或云其姓田，未审然否？"

《日华子本草》原书已佚，部分内容保存在各种本草中。宋·唐慎微《证类本草》转载本书内容很多。笔者曾辑有手稿本。1983年皖南医学院科研科曾油印发行。兹将本书若干问题分述如下。

第一，本书著述年代的讨论。

本书著成年代，有4种说法。

（1）认为本书成于北齐年间（550—580）。《古今医统大全》云："日华子，北齐雁门人，深察药性，极辨其微，本草经方，多由注疏，至今赖之云。"

（2）认为本书成于唐代开元年间（713—741）。《鄞县志》云："日华子姓大，名明，自号日华，唐开元时人，精于医，深察药性，极辨其微，集诸家本草近世所用药，分其门类，详其性质，别其功用，凡二十卷。"

（3）范行准认为本书成于五代十国吴越（895—978）。

（4）认为本书成于北宋开宝（968—975）中。（见1957年人民卫生出版社影印《政和本草》40页）

按《大观本草》《政和本草》卷 11 "何首乌"条，掌禹锡引日华子云："其药本草无名，因何首乌见藤夜交，便即采食有功，因以采人为名。"又据《本草图经》云："唐元和七年（812）僧文象遇茅山老人遂传其事（指何首乌事），李翔因著方录云。"何首乌事既始于唐元和七年，则《日华子本草》成书当在 812 年以后，则前一、前二两说均早于 812 年，当然不能成立。第三说成于吴越，吴越始于895 年，终于 978 年，共历 84 年，在这 84 年中，本书成于何年，应加以研究。据日本·源顺《和名类聚钞》卷 10 "荇蕖"条引日华子云："水蕖，味辛，冷，无毒。"《和名类聚钞》约成于醍醐天皇时期，相当于中国后唐同光年间（923—924），则本书著成时间应早于《和名类聚钞》，约在吴越天宝年间（908—923），似第三说可信。亦有人相信第四说，如《本草纲目》、丹波元胤《中国医籍考》、冈西为人《宋以前医籍考》等。

本书虽不见录于古代书志，但五代末及宋代方书和本草引用较多，如日本《和名类聚钞》《香要钞》等书，皆引用过《日华子本草》，尤以《嘉祐本草》作者掌禹锡引证最多。

至于掌禹锡引用日华子资料，是本书现存较早的资料，也是辑校本书唯一的依据。掌禹锡援引日华子资料，有三种情况。

（1）《嘉祐本草》引用日华子作注释文。所引日华子文，均冠有"臣禹锡等谨按日华子云"。其内容都是片断的。

（2）《嘉祐本草》引日华子作新增药，其条末注有小字"新补见日华子"，具有这样注的药物有菩萨石、绿矾、柳絮矾、铅、铅霜、古文钱、蓬砂、桑花、槐叶、蚌等条。

（3）《嘉祐本草》引日华子和其他本草糅合成新增药，其条末注有小字"新补见某某并日华子"。这种形式引文虽包含有日华子之文，但因系糅合诸家内容而成，目前无法甄别出原文来。

明·刘文泰等纂《本草品汇精要》，商务印书馆于 1956 年排印。该书引用日华子文，误注的很多。

《本草纲目》所引日华子文，多加化裁或误注。例如"淋石"条，《本草纲目》引日华子有"主治石淋，水磨服之，当得碎石随溺出"15 字。《大观本草》《政和本草》引日华子作"暖"，无此 15 字。《医心方》卷 12 页 266 引《本草拾遗》云："有以病为药者，淋石主石淋，水磨服之，当碎石随溺出也。"由此可见《本草纲目》所引日华子 15 字，注出"大明"，实为"藏器"之误。这是利用《医心方》

137

来旁证《纲目》误注陈藏器《本草拾遗》为日华子语。

第二，《日华子本草》收载药数。

《日华子本草》收载的药物数量，据日本·冈西为人《宋以前医籍考》（1958年人民卫生出版社版1372页）云："按《嘉祐本草》所引《日华子》有533条。又按日本《香要钞》等书，亦多引《日华子》，或是以《证类》（即《证类本草》）中所引者欤。"

《大观本草》《政和本草》所载"臣禹锡谨按日华子云"的药物有553种，其中有些药，同一条引日华子有若干次，例如兔头骨引日华子3次，鹿茸引日华子4次。若按引次计算，有639次，若再加序例的"畏恶相反"药物所引25次，共有664次。其中有些条，按药用部位分，又可析出若干条。例如从"松脂"条析出松叶、松节、松根白皮3条。从"槐实"条析出槐花、槐叶、槐皮3条。按药用部位分，其种数有600余条。

按《证类本草》所引，《日华子本草》收载药物，不会少于604条。

第三，《日华子本草》药物目次和分卷。

《日华子本草》据掌禹锡《补注所引书传》云："凡二十卷。"收载药物总数不详，关于药物条目排列，掌禹锡曾说："各以寒温、性味、华、实、虫兽为类。"但是日华子绝大部分药物性味，掌氏没有摘录，因此难以根据药物寒温性味归类。又玉石类药品，不好按华、实、虫兽分。本书只能按《唐本草》目次分。由于日华子是五代时期的作品，五代时《蜀本草》是按《唐本草》目次分的，所以本书亦按《唐本草》目次编排，仍分为20卷。卷1序列，卷2～卷4玉石部，卷5～卷10草部，卷11～卷13木部，卷14～卷17兽禽虫鱼部，卷18果部，卷19菜部，卷20米谷部。

第四，本书特点。

（1）本书对药性有所发展。掌禹锡所录日华子药物性味，多以前代本草所不同者为主。在600多种药物中，就有200余种药物的药性是与前代药物不同。

（2）本书对药物炮制记述颇详，并注意到炮制与药效关系。在炮制方法上有炒、微炒、捣炒、淬、飞、烫、蒸、煮诸法。并记载同一味药，因炮制方法不同，其功用各异。例如卷柏，生用破血，炙用止血。青蒿子明目开胃，炒用；治劳，小便浸用。王瓜，润心肺，治黄病生用；肺痿、吐血、肠风泻血、赤白痢炒用。

（3）本书对药物"有相制使（畏恶相反）"的论述很详。现存日华子药物600余种，其中有70多种药物具有"畏恶相反"的内容。例如天门冬，贝母为使；车前子，常山为使；大戟，小豆为使。硝石，畏杏仁、竹叶；芎䓖，畏黄连；天南星，畏附子、干姜、生姜。牡丹，忌蒜；菖蒲，忌饴糖、羊肉；茯苓，忌醋及酸物。酒杀一切蔬菜毒，醋杀一切鱼肉毒。白头翁得酒良，牵牛子得青木香、干姜良。在《嘉祐本草》的畏恶相反药例中，引用日华子畏恶例25条。例如乌韭、牵牛子、商陆、天南星、骐骥竭、水蛭、莲花、杨梅等畏恶相反的药例，都是据日华子新增的。

（4）本书对药物形态的记载，都是实地的观察。例如"空青"条云："大者如鸡子，小者如相思子，其青厚如荔枝，壳内有浆酸味。"又如"菟丝子"条云："苗茎似黄麻线无根，株多附田中草被缠死。或生一丛，如席阔，开花结子不分明，如碎黍米粒。""石矾"条云："紫色，梗大者如筋，见风渐硬，色如漆，人多饰作珊瑚装。"按菟丝生长在田野，石矾（柳珊瑚骨骼）生在海水岩礁间。这些记载，只有实地观察，才能描述得真实。这也提示日华子是长时间生活在田野和海滨的。

（5）本书对药物采收时月，多从实际出发。例如茵芋、射干，《名医别录》作三月三日采，日华子作六月、七月采。又如泽漆，《名医别录》作三月三日、七月七日采，日华子作四五月采。前胡，《名医别录》作二月、八月采，日华子作七八月采。

（6）本书所记药物产地，遍及全国。大黄出廓州（今甘肃化隆回族自治县西）马蹄峡中。菖蒲出宣州（今安徽宣城）。石胆出蒲州（今山西永济）。牡丹出巴（今四川巴中）、蜀（今四川崇庆）、渝（今重庆）、合（今重庆合川）、海盐（今浙江海盐）。鹿角菜出海州（今江苏连云港）、登（今山东蓬莱）、莱（今山东掖县）、沂（今山东临沂）、密（今山东诸城）。前胡出越（今浙江绍兴）、衢（今浙江衢州）、婺（今浙江金华）、睦（今浙江梅城）。芍药出海盐、杭（今浙江杭州）、越（今浙江绍兴）。山慈菇出零陵（今湖南零陵）。鼠曲草，江西人呼为鼠耳草。

（7）本书对过去一些旧药，增加了新用途。例如地榆，过去只言治各种痢疾，很少讲到止血。而日华子除讲治痢外，大讲其止血新用途。说地榆能止吐血、鼻洪、月经不止、血崩、产前后诸血疾。这些止血新功效，至今仍然在沿用。

第五，本书的价值。

（1）本书的学术价值。本书是总结唐末及五代时的药学的成就，内容丰富，学术价值大，深受宋代本草学家的重视。

（2）本书和陈藏器《本草拾遗》是有同等价值的本草著作。日本·源顺《和名类聚钞》及掌禹锡《嘉祐本草》，对两书是相提并论的。《和名类聚钞》葳蕤、续断、荔藋等条均同时引用两书的资料。《嘉祐本草》水银粉、铜青等23种新增药条末，均注"新补见日华子、陈藏器"。

（3）本书有实用价值。《日华子本草》是我国五代时期民间一部著名的本草专著，书中收录的药物，都具有实用价值。

第六，整理本书的意义。

中国医药学是我们国家和民族宝贵的文化遗产，而这个遗产也包含着古代本草文献。《日华子本草》就是我国古代文化遗产之一。整理它，不仅是展示中华民族在人类文明史上的杰出贡献，也可以激励人们在社会主义建设中，为我国科学事业的发展作出贡献，在人类文明史上创造新的光辉成就。其次，便于全面系统地研究本草的发展史，有利于中国医药学遗产的发掘和整理。

十六、《开宝本草》辑复本

辑复 《开宝本草》 序

《开宝本草》是以宋太祖赵匡胤第3个年号"开宝"命名的。据《嘉祐本草·补注所引书传》记载，《开宝本草》共修2次，第1次在开宝六年（973）修成，定名《开宝新详定本草》；次年（974）又重修，名《开宝重定本草》。通常所讲《开宝本草》侧重指后者。

《开宝新详定本草》，是北宋初，国家组织尚药奉御刘翰，道士马志，翰林医官翟煦、张素、王从蕴、吴复圭、王光祐、陈昭遇、安自良等9人，以《唐本草》为蓝本，参考陈藏器《本草拾遗》、李含光《本草音义》、韩保昇《蜀本草》及其他诸书，修订而成的。书中还增加了一些新药，刊正了一些别名，且其中还有马志所作的注释。清本完成后，经扈蒙、卢多逊审阅，由皇帝作序，在国子监出版，凡20卷，名为《开宝新详定本草》，宋代书志题为卢多逊定。

《开宝新详定本草》是最早用雕版印刷的（按以往本草是手工抄录）本草著作。李昉等校阅此书时，发现雕刻时未对《神农本草经》《名医别录》文进行区别，全刻成了黑字；且书中注解也有错误，于是重修重刻。把《神农本草经》文刻成黑底白字，把《名医别录》文刻成黑字。书成并目录共21卷，定名为《开宝重定本草》，宋代书志题为李昉等撰。

《开宝本草》原书已佚，但其内容散存于《证类本草》中，笔者对该书的研究如下。

《开宝重定本草》为 20 卷，另有目录 1 卷，共 21 卷。全书分序例与药物两大部分。序例相当于总论，药物相当于各论。

序例是由《唐本草·序例》发展而成的。《开宝本草·序例》分为 2 卷，卷 1 有"开宝重定序""唐本序""梁·陶隐居序"的上半截，卷 2 有"诸病通用药""解百药及金石药等毒例""服药食忌例""凡药不宜入汤酒例""药物畏恶七情例"等内容。

药物部分，是分别详论各种药物的内容。在药物分类方面，本书沿袭《唐本草》的分类，共分为玉石、草、木、兽禽、虫鱼、果、菜、米谷、有名无用 9 类。除有名无用类外，每一类又分上、中、下三品。

本书收录药数。《开宝本草·开宝重定序》云："新旧药合九百八十三种。"《开宝本草》是以《唐本草》为蓝本编修的，《唐本草》载药 850 种，《开宝本草》新增药 133 种，合共 983 种，但是有的书（如 1964 年上海科学技术出版社出版，北京中医学院编《中国医学史讲义》64 页）记载《开宝本草》增加药物 139 种。其实这个数字是根据某些文献表面数据推算出来的，因为陶弘景《本草经集注》载药 730 种，《唐本草》增药 114 种，则《唐本草》载药总数应为 844 种，而《开宝本草·开宝重定序》说载药 983 种，剔除《唐本草》844 种，即得《开宝本草》新增药物 139 种。其实《唐本草》在编纂时，对陶弘景《本草经集注》中某些药物已进行过合并或分条，其总数不是 844 种，而是 850 种。所以应是从《开宝本草》载药总数 983 种剔除 850 种，《开宝本草》增加的药物是 133 种，而不是139 种。

《开宝本草》的目录，是沿用《唐本草》目录。但对某些药物的位置，做了一些改动。例如，把彼子从虫鱼部移到有名无用类中；食盐从米部移到玉石部；半天河、地浆从草部移到玉石部；橘柚自木部迁到果部；笔头灰、败鼓皮从草部移到兽禽部；生姜从菜部"韭"条移到草部，并入在"干姜"条下；伏翼自虫鱼部移到兽禽部等。

《开宝本草》编写体例，基本上和《唐本草》相同。《唐本草》原是书抄本，书中《神农本草经》文是用朱字书写，《名医别录》文是用墨字书写。《开宝本草》改用雕版印刷，把《神农本草经》文印成黑底白字，《名医别录》文刻成黑字。并且在印刷时，对每个药的正文刻成单行大字，对每个药注文刻成双行小字。

正文大字有 4 种情况，分别作有标记。

大字属《神农本草经》文，刻成黑底白字。

大字属《名医别录》文，有 2 种情况。一种是《神农本草经》药物中有《名医别录》资料，即于黑字间加白字；另一种情况，纯属《名医别录》药物条文，即刻成黑字，并在文末附以双行小字七情畏恶资料及陶隐居注文。

大字属《唐本草》新增药，在文末加"唐附"2 字。

大字属《开宝本草》新增药，在文末加"今附"2 字。

注文刻成双行小字，也分 4 种情况。

注文出于陶弘景《本草经集注》的，在注文开头，冠以"陶隐居云"字样。

注文出于《唐本草》的，在注文开头，冠以"唐本注"字样。

注文出于《开宝本草》的，在注文开头冠以"今按"或"今注"。"今按"是根据文献资料所作的注文，"今注"是根据当时医药知识所作的注。《开宝本草》注文并不多，全书 983 种药，仅有 200 余种药为《开宝本草》所注释，其中绝大部分都是引用前代文献所作的注文，例如，引用陈藏器《本草拾遗》作注文的，就有 129 次，引用"别本注"的有 60 次。

《开宝本草》新增药物，大部分都是前代文献已记载的药物。例如，益智子见录于《齐民要术》，真珠见录于《肘后方》，蛤蚧见录于《雷公炮炙论》，丁香见录于孙思邈《千金方》，莪术见录于《药性论》，郁金香见录于陈藏器《本草拾遗》，仙草见录于《海药本草》，芦荟见录于《南海药谱》，何首乌见录于唐·李翱《何首乌传》，威灵仙见录于唐·周君巢《威灵仙传》，红蓝花见录于《蜀本草》，金樱子见录于《蜀本草》，璚瑂见录于陈士良《食性本草》等。从这些例子可以看出，《开宝本草》新增的药物，并不等于这些药在宋代时才被人们所认识和应用。它们在宋以前就被劳动人民所认识和应用，并已有文献记载了它们而且这些文献在《开宝本草》以前就存在了。过去有些人认为宋以前有些书，载有《开宝本草》新增的药物，往往就认为那些书应成于《开宝本草》之后，例如，有人就据此把《雷公炮炙论》说成是赵宋时候的作品，这是不正确的。

《开宝本草》在本草史上有承先启后的作用，它继承了唐以前的本草，同时也为宋代本草开创新的编写体例。对本草文献保存也有一定的作用，《神农本草经》《名医别录》《唐本草》等资料，都分别做标记，使后世本草有所依据。

《开宝本草》有些注文来自传闻，内容有误。如河豚，《开宝本草》云；"河豚，味甘，温，无毒。"寇宗奭《本草衍义》批评道："此鱼实有大毒，味虽珍，然修治不如法，食之杀人。"

《开宝本草》仅流行于宋代。宋代书志如《崇文总目辑释》《通志·艺文略》《玉海》《宋史·艺文志》都有记载。宋以后书志未见收录。

此外，《开宝本草》引"梁·陶隐居序"有脱漏。如 1957 年人民卫生出版社出版的《政和本草》35 页有："臣禹锡等谨按《唐本》又云'但古秤皆复，今南秤是也。晋秤始后汉末已来，分一斤为二斤，一两为二两耳。金银丝绵，并与药用，无轻重矣。古方唯有仲景而已，涉今秤若用古秤，作汤则水为殊少，故知非复秤，悉用今者耳'。"此文共 84 字，在《唐本草》应属"梁·陶隐居序"中正文大字。1955 年上海群联出版社影印《本草经集注》33 页末到 34 页 5 行即有此 84 字。从《开宝本草》以后各种本草，所引"梁·陶隐居序"均脱漏此文。

笔者曾于 1988 年辑复此书，1990 年山东中医学院图书馆陈其迈馆员，曾加以复制，并被该馆收藏。曾由安徽科学技术出版社予以出版，全书 30 万字。

十七、《嘉祐本草》辑复本

前　言

（一）名义。《嘉祐本草》是北宋嘉祐年间（1056—1063）编修的本草著作，故名《嘉祐本草》，原名《嘉祐补注神农本草》，亦称《嘉祐补注本草》，简称《嘉祐本草》。

（二）作者。《嘉祐本草》是北宋官修本草，是在嘉祐二年（1057）由政府组织掌禹锡、林亿、苏颂、张洞、陈检、高保衡、秦宗古、朱有章等人编修的，实际是掌禹锡主编。

（三）成书时间。《嘉祐本草》从嘉祐二年（1057）8 月开始，至嘉祐五年（1060）8 月完成，前后共历 3 年。

（四）编写经过。《嘉祐本草》是以《开宝重定本草》（简称《开宝本草》）为蓝本而编纂。其排版体制悉同《开宝本草》，选择药品亦比较慎重。其序云："诸家医书，药谱所载物品功用，并从采掇；惟名近迂僻，类乎怪诞，则所不取……其间或有参说药验，较然可据者，亦兼收载，务从该洽。"

（五）卷数。《嘉祐本草》据宋代书志所载为 20 卷，《通志·艺文略》《直斋书录解题》《郡斋读书后志》《玉海》《文献通考》《宋史·艺文志》等皆作 20 卷。

（六）组成。《嘉祐本草》全书分为序例和药物两大部分，序例性质似总论，药物部分相当于各论。

序例又分为两部分，第一部分有"嘉祐补注总叙""开宝重定序""唐本序""梁·陶隐居序"上半截。其中《嘉祐补注总叙》云："开宝、英公、陶氏三序，皆有义例，所不可去，仍载于卷首云。"第二部分有"诸病通用药""解百药及金石药等毒例""服药食忌例""凡药不宜入汤酒者""三品药物畏恶相反例"。在这些标题下，除援引前代本草内容外，《嘉祐本草》亦有所发展。例如，"诸病通用药"下旧有病名83种，而《嘉祐本草》增加到92种，而且在每种病名下又增加了很多功用相近的药物。如治"肠澼下痢"，《嘉祐本草》增加金樱子、地榆等30种。又如"三品药物畏恶相反例"，除对旧有药物增加畏恶资料外，还添加33种有畏恶相反的药物，使药名由旧有199种发展到232种。

药物部分则是逐条论述的。

（七）药数。"嘉祐补注总叙"中言《嘉祐本草》载药1082种，计取《神农本草经》360种、《名医别录》182种、《唐本草》114种、《开宝本草》133种，有名无用194种，新增99种。在新增99种药物中，有82种是从历代文献中摘录补入的，称为"新补"。另有17种是当时民间习用的中药，诸书亦无记载，就经过太医院各位医生讨论定下来的，称为"新定"。在新补的药物中，以采录陈藏器《本草拾遗》和《日华子本草》资料为最多。

总之《嘉祐本草》虽收录药物1082种，但绝大部分都是承袭前代文献记载而来，真正属于当时新增的药物，只有17种。

（八）分类。《嘉祐本草》对药物分类方式和《开宝本草》相同。全书序例为2卷，药物为18卷。药物分为玉石部、草部、木部、兽禽部、虫鱼部、果部、菜部、米部、有名无用9类。计玉石部3卷，草部6卷，木部3卷，禽兽部、虫鱼部、果部、菜部、米部、有名无用各1卷。除有名无用类外，每一类又分上、中、下三品。

（九）目录。《嘉祐本草》沿用了《开宝本草》目录。唯对新增的药物，在难于分辨其上、中、下三品时，就其性质相近者归类之。例如，新增的绿矾，列在矾石之后，山姜花列于豆蔻之后，扶栘木皮列在水杨之后等。

还有些药物已见录于旧注，但本草未作正品药名计算，《嘉祐本草》对这些药并不另立一条，而是作为附录品计之，称为"续注"。例如，地衣附录垣衣条下，燕覆子附录于通草条下，马藻附录于海藻条下等。

（十）体例。《嘉祐本草》的版式体例和《开宝本草》相似，即全书正文刻成单行大字，注文刻成双行小字。正文出于《神农本草经》者刻成黑底白字，出于《名医别录》者刻成黑字。

黑字正文，有 2 种情况。

一种情况属《神农本草经》药名，有新增《名医别录》内容者，即以黑字间于白字。另一种情况是纯粹《名医别录》药，即刻成黑字，但在文尾即附以陶隐居注文双行小字。

正文出于《唐本草》者，在条末注"唐本先附"字样。

正文出于《开宝本草》所增者，在文末加"今附" 2 字。

正文出于《嘉祐本草》所增者有 3 种情况。一是从文献援引的药物，例如萱草，早在嵇康《养生论》、陈藏器《本草拾遗》已有记载，《嘉祐本草》把它作正品药物收入书中，在文尾标"新补" 2 字。二是取当时民间习用的药物，例如海金沙，是当时民间习用有效的药物，但文献未见著录，《嘉祐本草》把它当作正品药物收入书中，并在文尾标以"新定" 2 字。三是对于有些民间习用药，它和过去本草书中所记药名有联系，就不再另立一条，将其直接附在某药之中，并标以"续注"字样。例如，瞿麦叶附在瞿麦条中，紫菜附在昆布条中。

关于本书小字注文，有下列几种情况。注文出于陶弘景所注，冠以"陶隐居云"字样；注文出于苏敬所注，冠以"唐本注" 3 字；注文出于《开宝本草》所注，标以"今注" 2 字，若《开宝本草》根据文献所做的注，标以"今按""今详""又按"等字样；注文出于《嘉祐本草》所注，则冠以"臣禹锡等谨按"字样。

《嘉祐本草》的注文比《开宝本草》多，引用的文献亦比《开宝本草》多。据统计，《嘉祐本草》所引文献有 50 多种，其中援引前代本草书籍有 17 种，经史、方书杂记有 30 多种（书名从略）。

（十一）价值。《嘉祐本草》成书年代介于《开宝本草》和《证类本草》之间，它在本草史上有承先启后的作用，并对前代文献分别做了标记，对保存文献有很重要的意义。

（十二）流传。《嘉祐本草》问世不久，就被《证类本草》所代替。因此《嘉祐本草》流传时间不久就散佚了。只有宋代书志如《通志·艺文略》《直斋书录解题》《郡斋读书后志》《玉海》《文献通考》《宋史·艺文志》等有记载。宋以后书志很少收录了。

《嘉祐本草》原书已佚，它的内容散存于《大观本草》《政和本草》《本草纲目》及各种专书、类书中。笔者数十年来，从大量医药古籍中搜集整理资料，据清代乾嘉学派考据学的方法，按经、史、子、集、专书、类书相互参证，将本书予以整复，为今后研究本草史和宋代本草文献提供了重要的参考资料。

由于本人学术水平所限，错误和缺点难免，敬希读者指正。

（此为1990年1月尚志钧先生在安徽芜湖皖南医学院弋矶山医院为《嘉祐本草》辑复本撰写的前言。）

辑复说明

（一）书名。《嘉祐本草》是在《开宝本草》基础上，采拾补注药物主治、功用、性味而成。该书成于嘉祐年间（1057～1059），宋仁宗赐名《嘉祐补注神农本草》，简称《嘉祐本草》。

（二）《嘉祐本草》由宋·掌禹锡等人主编。旨在补前代本草之漏略，并保持《开宝本草》旧貌。其体例、卷次，悉同《开宝本草》。《嘉祐本草》载药1082种，比《开宝本草》多99种，其中新定17种，新补82种。

（三）本书共20卷，卷1、卷2为序例，卷3到卷20为药物各论。

（四）药物目录。可从《证类本草》所载"嘉祐补注总叙"知《嘉祐本草》载药1082种。但由于原书久佚，具体药物目录早已不存。《本草衍义·序例上》云："今则编次成书，谨以二经（指《嘉祐本草》《本草图经》）类例，分门条析……其《神农本草》《名医别录》、唐本先附、今附（指《开宝本草》新增药）、新补、新定（指《嘉祐本草》新增药）之目，缘本经（指《嘉祐本草》）已著目录内，更不声说，依旧作二十卷。"可见，《本草衍义·药物目录》是据《嘉祐本草》目录编纂的。

《本草衍义》药物排列次序悉与《唐本草》相同。而《嘉祐本草》目次来自《开宝本草》，《开宝本草》目次来自《唐本草》，所以《嘉祐本草》《开宝本草》《唐本草》三书目次应相同。由于前二书已佚，《唐本草》目次尚存，故笔者根据《唐本草》目次、《本草衍义》目次、《证类本草》目次三者相参证，厘定出《嘉祐本草》目录。

（五）本书辑复，以现存最早本为底本，以后出本为校本。本书药物条文，首先以卷子本《唐本草》为底本。《唐本草》所缺者则以《大观本草》《政和本草》

为底本。此外，还用现存载有古本草资料的古书予以校勘，如《备急千金要方》《千金翼方》《太平御览》《外台秘要》等。

本书所辑资料，以善本底本为主，核校本做参考。凡遇底本有疑义处，如舛错、脱漏、衍生、重叠、颠倒、误抄、误刻等，均博引旁征，详加考证后定夺之。

（六）本书中有关《神农本草经》文，以《证类本草》黑底白字为依据。如《唐本草》中所存《神农本草经》佚文，亦要参照《证类本草》黑底白字来厘定。因《唐本草》中《神农本草经》文《名医别录》文均无标记，故必须参《证类本草》来确定。

关于《神农本草经》文中"生境"的处理。"生境"指药物生山谷、川泽、田野。孙星衍、孙冯翼辑的《神农本草经》，根据《太平御览》引"经上云生山谷或川泽，下云生××郡"，遂定"生山谷，生川泽"为《神农本草经》文。在《唐本草》编修时，这些《神农本草经》文全为《名医别录》文。《开宝本草》《嘉祐本草》皆沿袭《唐本草》旧例。本书辑复亦将此类《神农本草经》文改为墨字《名医别录》文。

（七）本书药物正文来源的标记。本书药物来源有《神农本草经》文、《名医别录》文、《唐本草》新增文、《开宝本草》新增文、《嘉祐本草》新增文5种。

《神农本草经》文，在《大观本草》《政和本草》原作黑底白字标记，本书用黑体大号字表示之。

《名医别录》文，用宋体大号字表示之。其文末无文字说明，但其后多接"陶隐居云"。

《唐本草》文，其条末注有"唐本先附"。《开宝本草》文，其条末注有"今附"。《嘉祐本草》文，其条末注有"新补"或"新定"，"新补"为取自前代文献，"新定"为前代文献所无，当时已用，由太医议定的。

（八）本书每条辑文原注明了出处并附有校勘注文，现为了节省篇幅，均予以删除。

（九）本书中涉及的避讳字，悉依《证类本草》之旧。例如《唐本草》作者苏敬，在宋代本草书中，因避赵匡胤祖父赵敬讳，改为"苏恭"，本书仍沿袭旧例不改。

（十）本书采用通行简体横排。各底本中异体字、俗字、衍文、脱漏文，在辑复中均予以改正。

十八、《本草图经》辑校本

前　言

《本草图经》一名《图经本草》。《证类本草》中多用《本草图经》名，《本草纲目·历代诸家本草》用《图经本草》名称。

所谓"图经"，按苏颂《本草图经序》云："图以载其形色，经以释其同异。"据此可知，"图"指药图；"经"指药物同异说明文。

本书是苏颂主编的。苏颂在嘉祐二年（1057）八月被诏和掌禹锡、林亿、高保衡、陈检、秦宗古、朱有章、张洞等同校《嘉祐本草》，次年仿照《新修本草图经》做法，由当时北宋政府下令全国各郡县进献药物标本，举凡药物根、茎、苗、叶、花、实，形色大小，并虫、鱼、鸟、兽、玉石等堪入药者，逐件画图，并一一注明开花结实、收采时月及所用功效。至于进口药即询问市场船舶药商，亦依此供析，并取逐药味一二两，或一二枚封角送到京都。

当时全国各地进献药物标本很多，其解说都是世医所言，详略不一，差异亦大。有同一物产于不同地区，有同名而异物者，苏颂则参考历代文献，进行研究。举凡进呈药物，所记形类，与文献不符者，则并存之；若与文献有联系者，即根据文献加以注释，以条悉其本源。例如陆英即是蒴藋花，则据《尔雅》之训说明之。各种香类药物的分辨，即参考《岭表录异》以证实之。关于药物产地，先以《神农本草经》所记产地为主，然后再言当时的产地。例如菟丝子，《神农本草经》云出朝鲜，当时亦出冤句（今山东菏泽）。奚毒本生于少室（今河南登封），当时来自三蜀。至于采收时月，有不同者，亦两存其说。例如赤箭，《神农本草经》言采根，当时亦并取苗用。

对于那些冷僻的药物，或远方所产的药物，不能辨识属于何类，即以形类相似而归附之，如溲疏附于枸杞，琥珀附于茯苓。

对于那些常用药和疗效明显的药，并附载其方。

对于那些民间习用而文献并未记载的药物，其按类附于书末，名本经外类。

对于那些功用显著的民间习用的药物，即附在功用相同的药物条文之下。如通脱木列于木通之下，石蛇列于石蟹之下。

本书编纂时参考文献有 200 多种。参考的医经有《素问》《甲乙经》。医方有张仲景《治杂病方》、《伤寒论》、《华佗方》、葛洪《肘后方》、孙思邈《千金方》等。本草有《本草经》、《名医别录》、《吴普本草》、《李当之本草》、雷敩《雷公炮炙论》、《雷公药对》、《唐本草》、《本草拾遗》、《蜀本草》、《开宝本草》、李翱《何首乌传》、丁谓《天香传》、周君巢《威灵仙传》、唐毋景《茶饮序》、陆玑《草木疏》。此外还有《韩诗》《尚书》《周礼》《字林》《字书》《说文》《尔雅》《广雅》，以及史书、地志、杂记等 200 余种，比《嘉祐本草》所引书目多 3 倍。书分为 20 卷，目录 1 卷。

《本草图经》原书已佚，它的内容散存于《证类本草》及《本草纲目》中。笔者曾对本书进行辑录，即以《证类本草》为底本，以《本草纲目》为核校本，并将校勘结果作出校记，附于各药条文之后。

本书收集药物 814 种，其中 642 种附有药图，各药附图多寡不一，多则 10 幅药图，少则 1 幅药图，全书总计收录 933 幅药图。在 642 种附图药物中，有 607 种药物是图文皆有的。另有 35 种药物，虽有药图，但无说明文字。余下一些药，既无药图，又无说明文。这些药都是分别附列在性质相近的药物条文之后，并注明"文具某某药物条下"。

本书收录的药物是按《嘉祐本草》目次分类的。因为《本草图经》药物的分类，基本上是按《嘉祐补注神农本草经》药物目次分类的。《本草图经序》云："药有上、中、下品，皆用《本经》为次第，其性类相近，而人未的识，或出于远方，莫能形似者，但于前条附之。若溲疏附于枸杞、琥珀附于茯苓之类是也。"

序中所言"《本经》"二字，是指《嘉祐补注神农本草经》。（见笔者所撰《〈神农本草经〉名义辨》，1980 年《神农本草经校点》223 页）。所以《本草图经》药物分类及目次，基本上与《嘉祐本草》是相同的。不过卷次上稍有出入。《嘉祐本草》是 20 卷，但《嘉祐本草》卷 1、卷 2 为序例，从第 3 卷至 20 卷为药物排列卷次。《本草图经》没有序例，从第 1 卷到 20 卷全为药物排列卷次。

所以《嘉祐本草》的卷 3 玉石上、卷 4 玉石中、卷 5 玉石下，在《本草图经》分别为卷 1 玉石上、卷 2 玉石中、卷 3 玉石下，这可从陈承《别说》及寇宗奭《本草衍义》证实之。《证类本草》卷 5 页 136 "花乳石"条引《别说》云："《图经》玉石中品有花蕊石一种，主治与此同是一物。"寇宗奭《本草衍义》云："花乳石……《图经》第二卷中，易其名为花蕊石。"

按陈承《别说》所云，花蕊石在《本草图经》中是列在玉石中品，而寇宗奭又云，花蕊石在《本草图经》中列入第 2 卷，则《本草图经》第 2 卷是玉石中，以此类推，则第 1 卷当为玉石上，第 3 卷当为玉石下。则其他卷次可按《嘉祐本草》卷次推衍之《嘉祐本草》第 20 卷为有名无用类，《本草图经》不载有名无用类药，但载本经外类药物。所以《本草图经》末 2 卷为本经外草类和本经外木蔓类。另有目录 1 卷。

辑校本书的意义如下。

本书的编写吸取了唐代编修本草的经验，由政府诏令全国，征集了全国各地药物标本及药图，当时全国所呈送药物的地方，有 150 多个州及郡，这是一次全国性的药物大普查，在世界医药史上是一大壮举。

本书收罗药物 800 余种，其中 642 种药物下其绘有 933 幅药图，是我国第一部版刻的药物图谱，对后世本草绘图有很大的影响。

本书的药图与说明文并重。在说明文中讨论药物产地、形态、性状、鉴别、主治、功用、附方，并把药物鉴别与功用结合起来讨论。书中收录了大量单方、验方，并详述其炮制、配制和用法。因此，本书对临床实践也有实用价值。

本书编纂严谨，参考的文献较《嘉祐本草》所用者多 3 倍。其对单味药物所作的文献考证很详备，所以本书对研究单味药物的发展史，有很重要的参考价值。

本书和《嘉祐本草》是姊妹书，它们都继承和发展了前代的本草学。但本书绘制了 930 多幅药图，新增了 100 多种民间的草药，因此本书能集中地反映出北宋民间药物发展的实际情况。本书所取得的卓越成就，在当时就受到国内外本草学者的赞颂，并被誉称具有当时世界药学的最高水平。辑校它，不仅可以展现中华民族在人类文明史上作出的杰出贡献，也可以激励人们为我国科学事业的发展作出贡献，为人类文明去创造新的光辉成就。

由于本人学术水平所限，书中不当和遗漏之处一定很多，希望读者加以指正，以便今后再作改正和补充。

（此为 1983 年 9 月尚志钧先生在皖南医学院为《本草图经》辑校本撰写的前言。）

辑校说明

（一）本书是第一次公开出版，它以 1983 年皖南医学院印制并在国内中医药界作内部交流的《本草图经》油印本（以下简称《皖本》）为依据。1987 年，由上海科学技术出版社出版的李经纬等主编的《中国医学百科全书·医学史》第175页《本草图经》条，载有以下文字："1983 年该书有尚志钧辑本油印行世。"世有好心者欲广其传，曾将《皖本》改头换面翻印，除书中内容及全书药物排列次序照录未动外，其他皆作更改，致使面目难全，实为憾事。

（二）原《皖本》所用书名为《本草图经》。此名是据《证类本草》卷 1 所载《本草图经序》中的名称定的。《证类本草》卷 10 "狼杷草"条掌禹锡注文中，亦用《本草图经》为书名。后人或用《图经本草》为其书名。从辑佚角度出发，为还其历史本来面目，当用《本草图经》书名为正。仿宋·曹孝忠作《政和新修经史证类备用本草》时，署有作者官衔例，则本书原作者苏颂亦应题其官衔。苏颂的官衔，按苏颂《本草图经序》末所题署，应为"朝奉郎太常博士充集贤校理新差知颍州军州兼管内劝农及管句开治沟洫河道事骑都尉借紫臣苏颂奉敕撰"。

（三）原《皖本》是早在 1966 年以前，笔者利用业余时间到外地查阅资料整理而成的，1966 年以后笔者无机会进行修订。1983 年，皖南医学院即据旧稿匆匆付印。因此，《皖本》存在不少错误和缺点。正如湖南溆浦卫生职工中专王林生老师在《基层中药杂志》（1991 年 3 期）对《皖本》评论的那样，《皖本》有脱漏，须重加修订。

（四）原《皖本》所载药物，是据《政和本草》所引"图经曰"约 780 首收录的。王林生老师指出，《大观本草》卷 9 页 60 "海带"条下有"图经曰"，《本草图经序》中有"通脱次于木通"条等，在重印时，均予以补录。在此向王林生老师致谢。

（五）《本草图经》原书久佚，无任何目录可据。原《皖本》所列卷次，是笔者在当年通过"花蕊石"条考证所得。

（六）原《皖本》药物排列次序，除第 19 卷、20 卷按《证类本草》本经外草类以及木蔓类次序编排外，其第 1 卷至 18 卷药物，是按笔者通过考证所得《嘉祐本草》目次编排的。

（七）原《皖本》对每味药物内容的编排，先列正名，次列药图，再次列"图经曰"说明文字，末附校勘注。今仍其旧。

（八）原《皖本》每味药物条文末有 3 套索引，即《大观本草》《政和本草》《本草纲目》等书参考文献索引，今仍袭用之。

（九）原《皖本》药图，是据 1957 年人民卫生出版社影印《重修政和经史证类备用本草》线装本药图，采用描印。该药图大，所占的篇幅多。这次重印时，改用 1957 年人民卫生出版社影印 4 页合 1 页平装本药图临摹绘印。平装本药图仅为线装本药图的 1/4 大，所占篇幅少，可降低出版成本，减轻读者经济负担。

（十）原《皖本》在 1966 年以前辑校时，所用底本全是繁体字。当时对大多数繁体字均改为简化字，但未全部改完。在重印时，对《皖本》中遗留少数未改的繁体字均改为简化字。

另外，本书承蒙安徽科学技术出版社不计经济亏损，愿为中医事业之发展作贡献，实为出版界之楷模，笔者表示感谢。

后　记

《本草图经》亦名《图经本草》。苏颂对本书作序题《本草图经》，又对本书上的奏敕亦题《图经本草》。

（一）作者。本书主要由苏颂负责主编。苏颂字子容，泉州同安人，生于北宋真宗天禧四年（1020）。其上辈五世皆为官，家庭环境优越，从小受教育机会多，所以苏颂博学多才。

庆历二年（1042）举进士，皇祐五年（1053）累迁集贤校理，同掌禹锡等人同校各种医药书籍。从嘉祐三年（1058）10 月至嘉祐六年 9 月编纂《本草图经》。英宗时（1064—1067）迁度支判官，元祐中（1086—1093）拜右仆射，兼中书门下侍郎，哲宗朝（1086—1100）位至丞相，封魏国公，建中靖国元年（1101）5 月卒，享年 82 岁。著有《新仪象法要》《本草图经》等书。

（二）成书时间。苏颂原在嘉祐二年 8 月被诏和掌禹锡、林亿、高保衡、陈检、秦宗古、朱有章、张洞等同校《嘉祐本草》。后仿照《新修本草图经》的做法，诏天下郡县图上所产药物，由苏颂负责整理编纂，始于嘉祐三年 10 月，至嘉祐六年 5 月成书，并作《图经本草奏敕》上呈仁宗皇帝，同年九月苏颂作《本草图经序》。至嘉祐七年 12 月，进呈奉敕镂版施行。

（三）编纂经过。宋仁宗朝嘉祐年间由政府下令，全国各郡县进献药物标本，举凡药物根、茎、苗、叶、花、实，形色大小，并虫、鱼、鸟、兽、玉石等堪入药者，逐件画图，并一一注明开花结实，收采时月及所用功效。至于进口药即询问市场船舶药商，亦依此供析，并取逐药味一二两，或一二枚封角送到京都。

当时全国各地进献药物标本很多，其解说都是世医所言，详略不一，差异亦大。有同一物产于不同地区，有同名而异物者，苏颂则参考历代文献，进行研究。举凡进呈药物，所记形类，与文献不符者，则并存之；若与文献有联系者，即根据文献加以注释，以条悉其本源。例如陆英即是蒴藋，则据《尔雅》之训说明之。各种香药的分辨，即参考《岭表录异》以证实之。关于药物产地，先以《神农本草经》所记产地为主，然后再言当时的产地。例如菟丝子，《神农本草经》云出朝鲜，当时亦出冤句（今山东菏泽）。奚毒本生于少室（今河南登封），当时来自三蜀。至于采收时月，有不同者，亦两存其说。例如赤箭，《神农本草经》言采根，当时亦并取苗用。

对于那些冷僻的药物，或远方所产的药物，不能辨识属于何类，即以形类相似而归附之。如溲疏附于枸杞，琥珀附于茯苓。

对于那些常用药和疗效明显的药，并附载其方。

对于民间习用而文献并未记载的药物，并以类附于书末，名本经外类。

对于那些功用显著的民间习用的药物，即附在功用相同的药物条文之下。如通脱木列于木通之下，石蛇列于石蟹之下。

本书编纂时参考文献有 200 多种。参考的医经有《素问》《甲乙经》。医方有张仲景《治杂病方》、《伤寒论》、《华佗方》、葛洪《肘后方》、孙思邈《千金方》等。本草有《本草经》、《名医别录》、《吴普本草》、《李当之本草》、雷敩《雷公炮炙论》、《雷公药对》、《唐本草》、《本草拾遗》、《蜀本草》、《开宝本草》、李翱《何首乌传》、丁渭《天香传》、周君巢《威灵仙传》、唐毋景《茶饮序》、陆玑《草木疏》。此外还有《韩诗》《尚书》《周礼》《字林》《字书》《说文》《尔雅》《广雅》，以及史书、地志、杂记等，比《嘉祐本草》所引书目多 3 倍。书分为 20 卷，目录 1 卷。

（四）内容。《本草图经》原书已佚，它的内容散存于《证类本草》及《本草纲目》中。

现存《证类本草》中载本书资料有二，一是药图部分，二是说明文部分。

从《证类本草》统计，载有《本草图经》药图 933 幅。多数是一药一图，少数一药数图。如柴胡、前胡、独活、远志、知母等，每一个药有 5 幅药图。乌头、天门冬每一种药有 6 幅药图，黄精一药有 10 幅药图。从药数上看，附图的药物有600 多种。

本书的药图，是现存药图中最早且最完整的药图，每个药图皆注明产地，标记产地名称的药图有 139 幅，对研究本草图谱有极重要的参考价值。例如《证类本草》卷 7 "防风"条有 4 幅药图，每个图注明产地为：齐州防风（今山东济南），同州防风（今陕西大荔），河中府防风（今山西永济），解州防风（今山西解县）。

《本草图经》的说明文在《证类本草》所引均题作"图经曰"。从《证类本草》中统计，标有"图经曰"的药物为778种。

有些药物虽注有"图经曰"，但不一定附有图，有的附有图，但无"图经曰"的说明文。例如，"玄石"条，虽附有图，并无说明文，仅注明"文具朴消条"。标注"文具××条"的药物有163种。实有"说明文"的药物，为675种。

《本草图经》说明文的内容很广，并不仅仅介绍药图，对于药物名称、产地、采集时间、加工炮制、鉴别、主治功用、应用方法等，都有介绍。

例如，"无名异"条，《本草图经》曰："无名异出大食国……黑褐色，大者如弹丸，小者如墨石子。采无时……今云味咸寒，消肿毒痈疣……用时以醋磨涂敷所苦处……今人有得指面许块，则价值百金。人莫能辨，但水磨涓滴，点鸡冠热血当化成水，乃真也。"

"薏苡仁"条，《本草图经》曰："薏苡人，生真定平泽……春生苗，茎高三四尺，叶如黍，开红白花，作穗子，五月、六月结实，青白色，形如珠子而稍长，故呼意珠子，小儿多以线穿如贯珠为戏，八月采实，采根无时。"

"石斛"条，《本草图经》曰："石斛有二种，一种似大麦，累累相连，头生一叶，名麦斛；一种大如雀髀，名雀髀斛，惟生石上者胜。亦有生栎木上者，名木斛，不堪用。"

《本草图经》说明文中附方很多。例如，"菴藺子"条，《本草图经》曰："如胡洽疗惊邪，狸骨丸之类，皆大方中用之。孙思邈《千金翼》、韦宙《独行方》主跕折瘀血，单用菴藺一物煮汁服之，亦末服。"

说明文中亦有介绍临床经验的。例如，"黄芪"条，《本草图经》曰："唐许裔宗初仕陈，为新蔡王外兵参军，时柳太后感风不能言，脉沉而口噤。裔宗曰：'既不能下药，宜汤气熏之，药入腠理，周时可差。'乃造黄芪防风汤数斛，置于床下，气如烟雾，其夕便得语，药力熏蒸，其效如此。"

《本草图经》说明文亦记载很多民间用药经验。《证类本草》卷16"牛黄"条引《本草图经》曰："牛屎，烧灰傅灸疮不差者。口中涎，主反胃。老牛涎沫，主噎。口中齝草，绞汁，主哕……方书鲜用。"此文末讲到"方书鲜用"，就意味着这些治疗经验出于民间。

《本草图经》说明文亦记述药物的炮制。《证类本草》卷16"牛黄"条引《本草图经》曰："黄牛胆以丸药，今方腊日取其汁，和天南星末，却内皮中，置当风处，逾月，取以合凉风丸，殊有奇效。"

关于《本草图经》药物的分类，基本上是按《嘉祐补注神农本草经》药物目次分类的。《本草图经》序云："药有上、中、下品，皆用《本经》为次第，其性类相近，而人未的识，或出于远方，莫能形似者，但于前条附之。若溲疏附于枸杞，琥珀附于茯苓之类是也。"

序中所言"《本经》"二字，是指《嘉祐补注神农本草经》。在卷次上稍有出入，《嘉祐本草》也是 20 卷，但《嘉祐本草》卷 1、卷 2 为序例，从第 3 卷至 20 卷为药物排列卷次。《本草图经》没有序例，从第 1 卷到 20 卷全为药物排列卷次。

所以《嘉祐本草》卷 3 玉石上、卷 4 玉石中、卷 5 玉石下，在《本草图经》分别为卷 1 玉石上、卷 2 玉石中、卷 3 玉石下，这可从陈承《别说》及寇宗奭《本草衍义》证实之。《证类本草》卷 5 "花乳石"条引《别说》云："《图经》玉石中品有花蕊石一种，主治与此同是一物。"寇宗奭《本草衍义》云："花乳石……《图经》第二卷，易其名为花蕊石。"

按陈承《别说》所云，花蕊石在《本草图经》中是列在玉石中品，而寇宗奭又云，花蕊石在《本草图经》中列入第 2 卷，则《本草图经》第 2 卷是玉石中，以此类推，则第 1 卷当为玉石上，第 3 卷当为玉石下。其他卷次可按《嘉祐本草》卷次推衍之。《嘉祐本草》第 20 卷为有名无用类，《本草图经》不载有名无用类药，但载本经外类药物。所以《本草图经》末 2 卷为本经外草类和本经外木蔓类。另有目录 1 卷，合共为 21 卷。

（五）价值。①本书是宋代一部本草图谱名著，不仅在当时令人对药物易识，处方有所依据，即对后人来讲，也是有同样的实用价值。②本书图文并重。文中记载药物出产地区、季节、形态、主治、功用、附方等，补《嘉祐本草》之不足。③本书编纂严谨，参考文献比《嘉祐本草》要多 3 倍，尤以对单味药物文献考证极详，所以本书对研究单味药发展史，有很重要的参考价值。④本书除援引文献所载药物外，增入大量民间习用的药物，这些药物后来都被李时珍收入《本草纲目》中。计《本草纲目》采用本书的药物有 74 种，其中图经文字全被《纲目》收入书中，并冠以"颂曰"为识别。

十九、《补辑肘后方》本

《补辑肘后方》序

本书是根据现存本《肘后方》重行整理而成的。现存本《肘后方》内容不全

155

且错误亦多；唐、宋诸医书及类书所引《肘后方》的条文，有半数皆不见于现存本《肘后方》中。笔者从唐、宋诸医书及类书中，辑得《肘后方》的佚文 1265 条，会同今本《肘后方》综合整理，定名为《补辑肘后方》。

按《肘后方》又名《肘后备急方》，是晋代葛洪（284—364）所著，原名《肘后救卒方》（亦名《肘后卒救方》）。葛洪《肘后备急方》序云："省仲景、元化、刘戴秘要、金匮、绿秩、黄素方，近将千卷……选而集之……凡为百卷，名曰《玉函方》……今采其要约，以为《肘后救卒》三卷。"又葛洪《抱朴子·杂应》云："余所撰百卷，名曰《玉函方》……其《救卒》三卷，皆单行径易，约而易验……"南宋·陈振孙《直斋书录解题》云："《肘后救卒方》，卒皆易得之药，凡八十六首，陶并七首，加二十二首，共为一百一首。"

根据以上资料来看，《肘后方》是葛洪从他自著《玉函方》中摘录而成的，凡 86 首。经梁·陶弘景于公元 500 年归并增补后，变为 101 首。"首"的意义同"篇"，101 首即 101 篇。陶弘景整理时，对每篇又增益若干个方子，并分上、中、下 3 卷：上卷 35 首治内病，中卷 35 首治外发病，下卷 31 首治为物所苦病。书成，名之曰《华阳隐居补阙肘后百一方》，简称《肘后百一方》。陶氏所整理的本子，比葛洪原书更加完备而易检。所以《梁书》云："陶弘景广《肘后》为百一之制，世所行用，多获异效也。"

由于《肘后方》的实用价值很大，因此各个朝代都有翻刻。翻刻时，对卷次分合不同，因而历代书目对《肘后方》卷数记载互有出入。例如，《隋书·经籍志》记为 6 卷，又记梁·陶弘景《补阙肘后百一方》9 卷；《旧唐书·经籍志》《新唐书·艺文志》《通志·艺文略》均作 6 卷；金·杨用道传本作 8 卷；《宋史·艺文志》《日本国见在书目录》《世善堂藏书目》《汲古阁毛氏藏书目录》皆作 3 卷。

《肘后方》自唐宋以来即为医家、文人所引用。唐·王焘《外台秘要》、欧阳询《艺文类聚》、北宋·苏颂《本草图经》、明·李时珍《本草纲目》和朝鲜·金礼蒙《医方类聚》等都曾引用过。

《肘后方》不仅在中国流传广，并且流传到邻邦朝鲜。早在北宋时，朝鲜已有《肘后方》的雕版印刷本。按《高丽史》卷 8 云："文宗己亥十三年二月甲戌安西郡护府使都官员外郎异善贞等，进新雕《肘后方》七十三板。"文宗己亥十三年即北宋仁宗嘉祐四年（1059）。

宋室南迁后，北方为金人所占，此书在南方传本至稀，在北方尚有流行。如辽天祚帝乾统年间（1101—1110）有《肘后方》刊印。金皇统四年（1144）杨用道获得辽乾统年间刊本，加以整理；并加进唐慎微《证类本草》中的方子，列于同篇之末，冠以"附方"2 字，全书名曰《附广肘后方》。这是今日现存本《肘后方》各种版本的祖本。

杨氏整理 8 卷本，至元丙子（1276）秋，由乌候加以刊刻，并有稷亭段成已为之作序。序云："连帅乌候，夙多疹疾，宦学之余，留心于医药。前按察河北道，得此方于平乡郭氏。郭之妇翁，得诸汴之掖庭……候命工刻之……因以序见命，特书其始末。"

国内现存最早刊本，为明嘉靖三十年（1551）北城吕氏襄阳刻本。此本即《四库全书总目》所云："《肘后备急方》八卷，明嘉靖中襄阳知府吕容所刊。"但《吕亭知见传本书目》又记有："明嘉靖甲寅（1554）襄阳知府李容刊道藏本。"吕氏刊本已不全，仅残存 6 卷。其次是明万历二年（1574）巡按湖广监察御史剑江李栻刊本。李栻序云："游武当，因阅道藏，得《肘后备急方》八卷……因刻而布之。"而李栻所刊本，后又被刘自化校刊翻刻。《廉石居藏书记内篇》云："《肘后备急方》八卷，明万历间岳州守刘自化刊刻。葛洪书本三卷，名《救急方》八十六首。梁陶弘景增之，凡一百一首，以朱书甄别，又名《肘后百一方》，仍为三卷。金皇统时杨用道增为八卷。"

明清以来，《肘后方》刻本很多。按《中国图书联合目录》所载，有 21 种刊本。这些刊本都是从金·杨用道整理的 8 卷本翻刻而来的。

与《肘后百一方》同名异书者，有南宋·王璆著的《是斋百一选方》。但有些藏书家误此二书为一书，如《平津馆鉴藏书记》卷 3 云："王氏百一选方八卷，题宋王璆著，前有皇统四年杨用道序……余别有明李栻所刻，题作葛仙翁《肘后备急方》，其实同一书也。"又《郑堂读书记》及《开卷有益斋读书志》，都认为《肘后备急方》是王璆《百一选方》，殊误。

金·杨用道整理的《肘后方》，附加了宋代《证类本草》的方子。日本·香川德修于延享乙丑（1745）为沼晋刊《肘后方》作序云："此书固非稚川之旧，始而陶弘景以百一而狗尾续焉，后杨用道又以附方而蛇足添焉。"

杨氏整理 8 卷本，不仅有画蛇添足之弊，而且脱误亦很多。日本·宇野致远于延享三年（1746）为沼晋刊《肘后方》序云："默奈去世千有余年，漫灭传讹，鲁鱼豕亥，殆不可读焉。"

日本·森立之《经籍访古志》卷 8 云："今本所无者凡十四门，治手足诸病、治卒吐血唾血大小便血、治患消渴小便利数、治卒患诸淋不得小便、治梦交接泄精及溺白浊、治大便秘涩不通、治卒关格大小便并不通、治患寸白蛇虫诸九虫病、治患五痔及脱肛、治妇人漏下月水不通、治妊娠诸病、治产难横生逆生胎死胞不出、治产后诸色诸患、治小儿诸病诸方……小岛春沂有补辑本，考订极精。"

1955 年商务印书馆版《肘后方》，在其出版说明中亦指出："从本书体例的不一致，句法的难解，以及许多的缺漏、误刻，说明了还需要作进一步的整理。"

1963 年人民卫生出版社利用商务印书馆版原纸型重印，亦在出版说明中言道："书中个别的地方，间有缺漏、重复，但这些缺误各本均未作校正或注释，因无据可稽，暂予存疑待考。"

笔者根据现存本《肘后方》存在的上述各种缺点，对本书进行研究，从《外台秘要》《千金方》《太平御览》《证类本草》《医心方》《本草纲目》等诸书辑得肘后遗方 1265 条，均为现存本《肘后方》中所缺漏的，其数量几乎与现存本的 1392 方相等。在这次出版的《补辑肘后方》中，凡补辑的佚方均标明文献来源，可供读者查证。

现存本《肘后方》的篇次，按序目有 73 篇，而实数只有 69 篇。其中第 37 篇，有标题而无内容，第 44、45、46 篇，既无标题，又无内容，第 72 篇是通用方，第 73 篇是治牛马病。而笔者从辑得佚方病名中归类，又得肘后遗佚篇目 32 篇，连同旧目共有 101 篇，分上、中、下 3 卷：上卷 35 篇为内治病，中卷 35 篇为外发病，下卷 31 篇为外物所苦（伤）病。这样的整复，庶几能接近陶弘景增补时的情况。

1955 年商务印书馆版《肘后方》和 1963 年人民卫生出版社版《肘后方》，是以原书各种版本互校排印的。而原书各种版本，除字句间互有出入外，其内容基本上是相同的，因而误则皆误。现存本《肘后方》中某些方子，由于误刻、舛错、脱漏以及断句欠妥，造成句意难解。笔者在整复的同时，用其他诸书进行旁校，使原书中许多缺漏、误刻得以改正。例如，现存本《肘后方》页 79 行 7："若田舍贫家，此药可酿，拔葜及松节、松叶皆善。"此文因字误和断句不恰当，遂使人难以理解。现据《外台秘要》校正为"若田舍贫家无药，可酿拔葜及松节、松叶皆善"。又如现存本《肘后方》页 42 行 8，出现唐代年号"永徽四年"，校以《外台秘要》，知是注文误入正文，现予删除。类似此例情况甚多。

现存本《肘后方》为金·杨用道所整理，杨氏曾加录宋代《证类本草》的方子。这加录的方子均非原书固有，从医史的角度来讲，不能如实反映晋代方药。故笔者整复时，把杨用道增附的宋代方子全部删除，以免后人误附方为《肘后方》的原方。像朝鲜·金礼蒙等所纂《医方类聚》，该书就误杨用道增附的宋代方子为《肘后方》的原方，这是需要注意的。

按本书原名《肘后救卒方》。"肘后"，是随身携带以备临时应用的意思；"救卒"，是救治那些突然发生的急证。所以全书论治以急证为主，如中风、昏厥、溺水、吊死、外伤等；但也兼论一些传染病，如豌豆疮（天花）、猘犬咬伤（狂犬病）、沙虱（恙虫病）等；另外，还包括一些慢性病，如癥瘕、积聚等。

本书对每一病候，略记病因，详述病状和治法。其中对于某些疾病病因的认识及症状的描述，是我国医学上早期重要的记载。

例如第14篇论豌豆疮云："比岁有病时行发斑疮，头面及身，须臾周匝，状如火疮，皆戴白浆，随决随生。不即治，剧者数日必死；治得瘥后，疮瘢紫黯……"这种对天花的记载，不仅是中国医学史上最早的记录，同时也是世界医学史上详记天花最早记载。

又如书中第80篇记载猘犬咬人方云："末矾石，内疮中裹之，止疮不坏。"又云："杀所咬犬，取脑傅之，后不复发。"按狂犬脑中含有抗狂犬病物质，在19世纪已由法国科学家巴斯德所证明，而葛洪早在3世纪就有这样的记述，实在是难能可贵。

又如书中第94篇论述沙虱云："山水间多有沙虱，其虫甚细不可见。人入水浴及汲水澡浴，此虫在水中著人。及阴雨日行草中，即著人，便钻入皮里……初得之，皮上正赤如小豆黍米、粟粒，以手摩赤上，痛如刺，过三日之后，令人百节强，疼痛寒热，赤上发疮，此虫渐入至骨则杀人"。按此"沙虱"即指恙虫。恙虫病在19世纪才由日本学者作了比较科学的研究，而葛洪在3世纪就作出了这样的记述。此外，青蒿治疟，也是本书最早记载。

应该指出的是，历代中医古书中，有些现代科学尚不能解释的问题，或因受历史条件的限制夹杂了一些不当的内容，希望读者以辩证唯物主义的观点，正确对待，认真研究，取其精华，弃其糟粕，推动中医学的进一步发展。

对于这个补辑本，笔者尽其绵力，做了一点工作。总因水平所限，不当和疏漏之处仍多，敬希读者指正。

（此为1976年4月尚志钧先生在皖南医学院为《补辑肘后方》撰写的序。）

补辑说明

（一）本次共辑佚方1265个。这些方子悉依现存本的体制旧例，已复现陶弘景增补的《百一方》，即101篇。每一篇按证分类，立一些子目，各子目下，概括一些功用相同的方子。

（二）各篇末尾列注"文献及校勘"。可根据正文中各方子句末的注序号，在篇末查阅此方出处。注文中所用书名均为简称，其全称及所据版本如下。

1.《金匮》 汉·张仲景《金匮要略方论》，1956年人民卫生出版社影印本。

2.《伤寒论》 汉·张仲景原著，成无己《注解伤寒论》，1955年商务印书馆版。

3.《肘后》 晋·葛洪《肘后方》，1955年商务印书馆版。

4.《外台》 唐·王焘《外台秘要》，1955年人民卫生出版社影印本。

5.《艺文类聚》 唐·欧阳询撰，1965年中华书局版。

6.《御览》 宋·李昉等《太平御览》，1960年中华书局影印本。

7.《证类》 宋·唐慎微《重修政和经史证类备用本草》，1957年人民卫生出版社影印本。

8.《医心方》 日本·丹波康赖撰，1957年人民卫生出版社影印本。

9.《幼幼新书》 宋·刘昉撰，明万历十四年（1586）陈氏颂枳堂木刻本。

10.《纲目》 明·李时珍《本草纲目》，1977—1981年人民卫生出版社版。

（三）同一方子若有几本书见引时，即以其中最早问世之书所引文为底本，以后出者为参考本。一般以《外台》《医心方》引文为底本较多。《证类》引文较简略。《纲目》引文，大部分是李时珍用当时语言摘录的，有些已经被李时珍综合化裁。

同一方子既见于《肘后》又见于他书时，如以他书为准，则记为"此条引××文"；如仍以《肘后》文为据，则省略"此条引《肘后》文"一句。

（四）校勘本来是烦琐的事，各篇篇末"文献及校勘"中除对突出点注明外，凡大意相同，仅文句及组合各书互异者，一般皆不注出。

在现存《肘后方》中，某些方子由于舛错、脱漏、字误及断句欠妥，造成句意难解，本书皆予以校正。例如原书页79行7："若田舍贫家，此药可酿，拔葜及松节、松叶皆善。"此文因字误和断句不恰当，遂使人难以理解，本书据《外台》校正为"若田舍贫家无药，可酿拔葜及松节、松叶皆善"。又如原书页52行10有

"眼中流汗方"，查《纲目》卷35"杜仲"条作"目中流汁"，校以《医心方》卷14，则为"眠中流汗方"。又如原书页67行8有"取朽木削之"，校以《医心方》，则为"取好术削之"。又如原书页15行8"车下李根皮"，即郁李仁树的根皮，原是一物，而商务印书馆版误断为"车下、李根皮"2种药物了，本书据《证类》校正之。类似此例很多。

（五）由于历史条件所限，本书内容也是精华与糟粕并见。例如"治卒魇寐不寤方第五"等一些篇中，载有符咒之类的治法等，而此类资料，现存本《肘后方》（1955年商务印书馆铅印本、1963年人民卫生出版社铅印本）均未加删选，补辑时亦袭用之。好在瑕不掩瑜，想今之学者定能批判继承，正确对待。

校点本

二十、《神农本草经》校点本

前　言

本草学，是在《神农本草经》（简称《本草经》）的基础上发展起来的。《本草经》是我国最早的一部药物书，相传为古代神农所作。但是不仅《本草经》书名，先秦文献未见记载，就连"本草"2字，也未见于先秦文献中。经考证，"本草"2字，到西汉时才出现，此与西汉时方士盛行有关。

方士是鼓吹神仙的，其目的是想得到权贵重视，从而可以封官致富，因此从事方士活动的人很多。《汉书·郊祀志》记载方士活动，从战国已有，该书云："自齐威（公元前378—公元前343）、宣（公元前342—公元前324）时，驺子之徒论者，以阴阳主运，显于诸侯，而燕、齐海上之方士传其术，不可胜数。"

至汉武帝元鼎四年（公元前113），"以二千户封地士将军大为乐通侯……贵震天下，而海上燕齐之间莫不扼腕而自言有禁方"（《史记·封禅书》卷28）。

方士以其方术贵震天下，而从事本草者，又何尝不能仿效方士。在汉成帝、汉平帝时，就有本草待诏职称设置。如汉成帝建始二年（公元前31）丞相衡（匡衡）、御史大夫谭（张谭）奏言："罢候神、方士、使者、副佐、本草（以方药本草而待诏）待诏，七十余人皆归家。"共罢 5 科 70 余人，平均每科约 15 人，则从事本草者当有 15 人。

《汉书·平帝纪》元始五年（公元 5）："征天下通知逸经、古记、天文、历算、钟律、小学、史篇、方术、本草，以及五经、《论语》、《孝经》、《尔雅》教授者，在所为驾一封诏传，遣诣京师，至者数千人。"在此文中，诏传的项目有 13 种，其中本草也算是独立的一门，而应征的人有数千人。所谓数千，少则 2000，多则 9000。若以最低 2000 人计算，则 13 科分摊，平均每科有 154 人。而从事本草者亦当有 150 余人。

从公元前 31 年本草官被罢，平均有 15 人，到公元 5 年本草官被诏，平均有 150 人，前后相隔 36 年，而从事本草职称活动的人增加了近 10 倍。

其人数之所以增多，盖与当时统治者相信方士们能炼丹、炼黄金、采不死之药、寻求延年之方有关。自从汉武帝时，方士进入宫中，以官职任之，方士即变成职称，专门从事主持方药工作。其具体任务为炼丹、炼黄金，兼制备主治疾病的方药。后来因分工的需要，将制备治病的方药，从方士任务中分离出来，另立本草官负责，则本草即变成职称的名词，其地位与方士同，当被罢免或被诏时，均与方士同时进退。因此，方士和本草，在当时都是官职名称。而他们都担任方药工作。前者从事炼丹、炼黄金，寻求长生不死之药；后者从事方药制备工作，即《汉志·经方》序所云："本草石之寒温，量疾病之深浅，假药味之滋，因气感之宜，辨五苦六辛，致水火之齐，以通闭解结，反之于平。"

由于本草官和方士官同在朝中共事，又同主方药，则本草官所写本草书，一定会受到当时环境的影响，即受到过去方士所写的神仙著作内容的影响。

现行单行本《本草经》包含两大内容，一是治病内容，二是延年不老内容。在全书 365 种药物中，有 160 种提到"久服不饥，轻身延年不老，神仙"。《本草经》为什么会有大量药物记载久服不老神仙呢？这也与汉代方士有关。《汉书·艺文志·方技略》收载神仙著述 10 家 205 卷，并对"神仙"解释说，"神仙者，所以保性命之真，而游求于其外者也"。说明"神仙"在当时深受民众信任，其著述亦多，因而神仙著述的影响就会渗入《本草经》中。

例如，《本草经》记载"久服轻身益气，延年不老神仙"的药有云母"久服轻身延年神仙"；玉泉"久服不老神仙"；朴硝"炼饵服之，轻身神仙"；石胆"久服增寿神仙"；太一余粮"久服轻身神仙"；雄黄"久服轻身神仙"；水银"久服神仙不死"；蒲黄"久服延年神仙"；青芝、赤芝、黄芝、白芝、黑芝"久服轻身不老，延年神仙"；鸡头实"久服耐老神仙"等。类似此例者有 160 余条。

《本草经》不仅记载某些药物人久服神仙，有些动物吃了也能成仙。例如，菴蔄子记有"䮵驢食之神仙"。茵陈蒿记有"白兔食之神仙"。

这些"久服轻身益气，延年不老神仙"的药物当是方士们收入《仙经》中，本草待诏的一些官员，为了取信于帝王，自然也会把方士们的一些话收入书中。

方士们除寻求仙药外，还进行炼丹、炼黄金。在炼丹、炼黄金过程中，会出现很多化学反应。这些化学反应，与医疗可以说是不相关的。但是《本草经》中有很多药物均记载此等化学反应。兹举例如下。

朴硝"能化七十二石"；石胆"能化铁为金银"；空青"能化铁铅锡作金"；曾青"能化金铜"；白青"可消为铜剑"；石硫黄"能化金银铜铁奇物"；水银"杀金银铜锡毒，熔化还复为丹"；铅丹"炼化还成九光"；雄黄"得铜可作金"。

这些化学反应，都是方士们冶炼时的实践经验，被收入《仙经》中，作《本草经》者，又从《仙经》录入《本草经》中。

例如，《证类本草》107 页"水银"条，白字《本草经》文有"水银杀金、银、铜、锡毒，熔化还复为丹"。其下有陶弘景注云："还复为丹，事出《仙经》。"由此可见，《本草经》所记有关"久服延年不老神仙"，以及炼丹出现的化学反应等资料，当是作《本草经》的人，转录方士们所著《仙经》的内容。

又方士讲究炼丹服食，以期神仙不死。因此，《本草经》中记载很多"炼饵服食"的内容。例如，硝石条记有"炼之如膏，久服轻身"；矾石条记有"炼饵服之，轻身不老增年"；朴硝条记有"炼饵服之，轻身神仙"；雄黄条记有"炼食之，轻身神仙"；松脂条记有"炼之令白，久服轻身不老"。

上述大量事实，说明方士所撰的神仙著作对《本草经》的影响。结合前面的论述，可以确认汉代被诏的本草官，他们从药物合和工作中获得药性知识，从经方中获得药物治疗知识，从神仙著作中获得药物养生知识，他们把这三部分知识糅合为一体，以药物为纲，撰写本草专书。书成后，为了取信于世人，不得不托名神农、子仪等先秦人物，取得上级官员的信任，从而就能更好地获得"本草待诏"的机会。所以《本草经》疑是汉"本草待诏"者托名之作。

汉代本草官托名的《本草经》，当时有多种本子，后因战乱，大都丧失。"陶隐居序"云："汉献迁徙，晋怀奔迸，文籍焚靡，千不遗一，今之所存，有此四卷，是其《本经》。"

所存的 4 卷本《本草经》，经魏晋名医增修，又产生多种《本草经》，陶弘景称之为"诸经"。陶弘景将"诸经"中《本草经》文糅合为一体，收入《本草经集注》。

"陶隐居序"云："魏晋以来，吴普、李当之等，更复损益，或五百九十五，或四百四十一，或三百一十九，或三品混糅，冷热舛错，草石不分，虫兽无辨，且所主治，互有得失，医家不能备见，则识智有浅深。今辄苞综诸经，研括烦省以《神农本经》三品，合三百六十五为主，又进名医副品，亦三百六十五，合七百三十种……朱、墨杂书并子注今大书分为七卷。"

从陶序亦可知，《本草经集注》中的《本草经》文是陶弘景整理的文字。陶弘景整理的《本草经》文通过《新修本草》《开宝本草》《嘉祐本草》，散存《证类本草》白字中。诸经中《本草经》文通过后世类书，散存《太平御览》中。《证类本草》中的白字《本草经》文和《太平御览》中的《本草经》文，有很多地方是不相同的，详见本书校勘注。

今日所见单行本《本草经》，都是明清学者从《证类本草》中的白字《本草经》文辑的。而《证类本草》白字向上推溯，是源于《本草经集注》，《本草经集注》中的《本草经》文是陶弘景"苞综诸经"整理而成，所以各种单行本《本草经》文，实际上都是陶氏整理的文字。这也可从下列事实证明之。

（1）陶弘景在《本草经集注·序录》中言他所见的《本草经》有3种，载药数分别为595种、441种、319种，其分类混乱，药物主治功用各不相同，遂"苞综诸经"，收入《本草经集注》中。

（2）陶氏注文中引用的2个生姜资料不同。《新修本草》卷18"韭"条引陶氏注云："生姜……言可常啖，但勿过多耳。"但《证类本草》卷28"韭"条中，无陶氏此注，而并入卷8"生姜"条下，二者内容不完全相同。这提示了陶弘景是参阅了多种本草著作的。

（3）《证类本草》白字序文云："上药一百二十种……中药一百二十种……下药一百二十五种……三品合三百六十五种，法三百六十五度，一度应一日，以成一岁。"查《养生论》《抱朴子》《博物志》《艺文类聚》《太平御览》等书所引《本草经》有关资料，其仅言上、中、下三品，并无上品、中品各120种，下品125种的数字，更无"三百六十五种，法三百六十五度"之语。这些话亦不见于陶氏以前的书中，仅见于陶氏《本草经集注》中。而这些说法与道家思想有密切关系。据史书记载，陶弘景为道教中人，这些思想当然会渗入本草著作中。

（4）药物分类次序。东汉·郑康成注《周礼》谓"五药：草、木、虫、石、谷也"。古代药物分类法，以"草"为首。《汉书·艺文志》《太平御览》等书所论药物，皆以"草石"名之，而"草"为首，"石"次之，但《证类本草》白字各个药物排列顺序，是以玉石为首的，这显然与"草石"的含义是不相合的。从敦煌发现的《本草经集注》中七情畏恶药物排列次序，亦是以玉石为首。这种以玉石为首的药物分类方法，可能是陶弘景看到当时各种《本草经》药物分类的混乱，即"草石不分，虫兽无辨"才提出来的。

（5）从其他文献所引《本草经》资料，亦可知古代有很多种《本草经》的内容没有被陶弘景收入书中。如晋代郭璞注《山海经》云："门冬，一名满冬。"《抱朴子·内篇》卷11云："术，一名山精，故《神农药经》曰'必欲长生，常服山精'。"《博物志》引曰："药有大毒，不可入口、鼻、耳、目，入者即杀人……二曰鸱，三曰阴命，四曰内童，五曰鸩。"《艺文类聚》卷88引曰："桑根旁行出土上者名伏蛇，治心痛。"（《太平御览》卷955引文同）；卷81引"芍药"、卷95引"熊脂"。《太平御览》卷992引"地肤，一名地华，一名地脉；又纶布，一名昆布，味酸无毒；败浆，似桔梗，其臭如败酱"。又引郭璞注《尔雅》云："《本草经》曰'虒卢，一名诸兰'。"；同书卷918引曰："丹鸡，一名载丹。"；同书卷996引曰："萱草，一名忘忧，一名宜男，一名妓女。"以上诸书所引《本草经》资料，皆不见于《证类本草》白字。

（6）陶弘景总结的《本草经》条文内容，书写体例与以前的《本草经》不同。陶弘景总结的《本草经》，原有产地，但无药物性状、形态、生态，没有七情畏恶等内容，其书写体例为：正名→性味→主治功用→一名→产地生境。陶弘景以前的《本草经》，在内容上，有产地，有药物性状、形态、生态，七情畏恶等内容，其书写体例是：正名→一名→性味→产地→形态→主治功用。

现存的《证类本草》白字，向上推溯，是由陶弘景综合当时流行多种《本草经》的本子而成的。而明清时期国内外学者，又从《证类本草》白字辑成各种单行本《本草经》，这些单行本《本草经》文字，实际上是陶弘景整理的文字，并不是原始古本《本草经》的文字。

关于《本草经》的辑复工作，早在800年前，就有人做了。那就是南宋王炎辑的《本草正经》（即《本草经》），王氏辑本已佚，它的序文尚存于王氏《双溪文集》中。

以后明·卢复（1616），清·孙星衍、孙冯翼（1799）、顾观光（1844）、黄奭（1865）、王闿运（1885）、姜国伊（1892），以及日本·狩谷望之志（1824）、森立之（1854）等，分别辑有《本草经》单行本。

这些辑本所用的目录、选择药品的数字、药物三品的位置、某些药物合并或分条，很少是完全相同的。

各种辑本所录的药物条文，虽然皆从《证类本草》白字采集，但是他们对药物条文书写格式，有2种不同的写法。

国内各种辑本药物条文书写格式，悉依《证类本草》白字的体例。日本·森立之辑本中药物条文书写格式，完全仿照《太平御览》援引《本草经》药物条文的体例，但森氏书中药物条文内容，仍用《证类本草》白字的文字。

森立之认为《证类本草》白字书写格式，是唐代苏敬编修《新修本草》变更的。他在序中注云："苏敬新修，一变此体……开宝以后，全仿此体，古色不可见，今依《御览》补生山谷等字，陶氏以前的旧面，盖如此矣。"按照森氏的意见，认为《太平御览》书写体例，是陶弘景的原貌，而《证类本草》白字书写体例，是苏敬更改陶弘景之书而成的。其实不然，吐鲁番出土的《本草经集注》残片，有燕屎、天鼠屎2条仍保留朱字、墨字杂书，而朱字格式全同《证类本草》白字。由于森氏未见过吐鲁番出土的资料，仅凭着主观臆测，得出错误的看法。

至于药物产地，可能被苏敬修订本草时所删。因为吐鲁番出土的《本草经集注》残片药物产地，仍是朱书，而《证类本草》药物产地全作墨书。按《证类本草》原本于《嘉祐本草》，《嘉祐本草》本于《开宝本草》，《开宝本草》本于《新修本草》，1900年敦煌出土卷子本《新修本草》药物产地，已非朱书。则《本草经》药物产地，由朱书改为墨书，是始于《新修本草》。

类似这样的问题很多，如《本草经》药物的数字、目录、七情畏恶、三品位置以及药物合并与分条等，都存在一些问题。如顾观光辑的《本草经》，采用《本草纲目》卷2所载《本草经》目录，顾氏在序中讲那个目录是最古的目录，其实那个目录，是宋以后之人伪造的。

《本草经》不仅在文献上存在一些问题，其药物条文也存在不少分歧。试把现行各家辑本加以比较，虽说它们同是取材于《证类本草》白字，但是其间文字分歧是很多的。就《证类本草》白字本身而言，由于各种版本不同，其白字也不完全相同。

它们不同的原因，可能是因《本草经》文，在历代传抄时，不免有舛错或脱误之处。加以有些著作家，采用前人之书，多少都带一点主观看法，进行删改，这样一来，就给《本草经》文带来很多分歧。尤以《本草纲目》援引《本草经》文分歧最多。类似的问题很多，由于篇幅所限，此处从略。

本书收录药物，按文献来源，分为 2 类校注之。

一类是以《证类本草》白字为主的《本草经》文；另一类是以《太平御览》为主所引的《本草经》文。

关于《证类本草》白字《本草经》文辑录，所选择的药物条文，不一定全用《证类本草》白字，而是用《证类本草》白字作指示标记。因为在《证类本草》以前的古本草，如卷子本《新修本草》，也有《本草经》文。但是现存卷子本《新修本草》，除敦煌出土的卷 10 残卷中的《本草经》文有朱书标记外，日本流传的卷子本《新修本草》中的《本草经》文，全无标记。这就需要靠《证类本草》白字作指示标记，把《新修本草》中的《本草经》文确定出来。所以本书选择古代《本草经》文，就是用这种办法确定的。书中药物条文，尽量以早出的本子为底本，以后出的本子为核校本。

例如燕屎、天鼠屎，以吐鲁番出土的《本草经集注》残简为底本；玉石、木、果、菜、米等类药物，以卷子本《新修本草》为底本；草类、虫鱼类药物，以《证类本草》为底本。并用现存的各种本草（包括明清以来国内外诸家所辑的《本草经》）为旁校本。在校勘时，凡遇舛错、脱误、衍生、颠倒、误抄、误刻等，均出校记，并将校记编成序码，附在每个药物条文之后。校记中所引某某书，仅用书名的简称注之，书名的简称，笔者在下文做以说明。

本书收录药物 365 种，每条标以阿拉伯数字序码，并按上、中、下三品分类。其中 1～120 号为上品，121～240 号为中品，241～365 号为下品。各个药物三品位置的确定，以下列三点为依据：①《本草经集注》七情畏恶药物三品的位置；②《新修本草》药物三品的位置；③药物条文的内容，对照《本草经》序文上、中、下三品的定义。

对于药物排列次序，是以敦煌出土的《本草经集注》七情畏恶药物次序为主，参考《新修本草》目录编排的。个别的药物，又按陶弘景注文和苏敬注文确定。

以《太平御览》所引《本草经》文为主的校注，所录的《本草经》文，是宋以前的古书为主，用《证类本草》白字核校之，并将核校的结果写成"注文"，附在各药条文之后。这样做，可以为研究《本草经》的同志提供更多的方便，也为研究本草文献提供正确的史料。

本书对于《本草经》文献中的若干问题，如成书年代、药物数字、本草经目录、三品位置、药物合并与分条、七情畏恶等，进行了初步的探讨，这仅仅是一个尝试，作为抛砖引玉而已。希望读者不吝指正。

（此为 1978 年 5 月 10 日尚志钧先生为《神农本草经校点》撰写的前言。）

校点说明

（一）《本草经》是《神农本草经》的简称之一，它是经过很长时间很多医药学家陆续增补而成，非一人一时所作。

在著作时间上，难以确定何时开始，一般文献记载西汉已有《本草经》存在。但是《汉书·艺文志》（中国最早的图书目录），没有收载《本草经》。因此，普遍认为《本草经》成于东汉时期。

《隋书·经籍志》收载本草书有 55 种，其中记载《神农本草经》有 6 种，记载《本草经》有 9 种。其中有些《本草经》，既含有最早的《本草经》文，也含有名医增补的《别录》文。陶弘景曾将诸经中《本草经》文加以总结，收入《本草经集注》中，以朱字书写，定为《神农本草经》。所以《本草经集注》中的朱字"《本草经》文"，实际上是陶弘景"苞综诸经"总结的文字。

（二）如以《本草经集注》为分界点，在《本草经集注》以前多种《本草经》，称为陶弘景以前的《本草经》；收载在《本草经集注》中的《本草经》，称为陶弘景总结的《本草经》。陶弘景总结的《本草经》存于历代主流本草著作中。陶弘景以前的《本草经》存于宋以前类书和文、史、哲古书的注文中。本书辑校的《本草经》文，按其出处，分为两大部分：①历代主流本草所存陶弘景总结的《本草经》文；②历代类书及文、史、哲注文所引的《本草经》文。

（三）陶弘景总结的《本草经》文的内容、书写体例，与以前的《本草经》不同。陶弘景总结的《本草经》，原有产地，但无药物性状、形态、生态、采收时月、剂型、七情畏恶等内容，并且不含有名医增补的内容，其书写体例为：

正名→性味→主治功用→一名→生境（自《新修本草》以后删）。

陶弘景总结的《本草经》文存于历代主流本草著作中。由于主流本草著作版本不同，所存《本草经》文，互有出入。本书以善本为底本，并用同类本互校，对其间互异文，择其善者而从之，并出校注于当药条文之下。

（四）陶弘景以前的《本草经》，在内容上，有产地、生境、药物性状、形态、生态、采收时月、剂型、七情畏恶等内容，并且含有名医增补的内容。其书写体例为：

正名→一名→性味→产地→形态→主治功用。

陶弘景以前的《本草经》文，现存于宋以前类书及文、史、哲注文中。本书从诸类书及文、史、哲注文中，辑录陶弘景以前《本草经》文，以《证类本草》白字《本草经》文校勘之，并将校勘出的异文，出注于当药条文之后。

（五）本书辑校初成于 1978 年 5 月，1981 年由皖南医学院科研处铅印出版，面向国内学术界交流。重行整理修订时，将书中论文部分，移于书末，易名为"《神农本草经》文献源流考"。

后 记

本后记探讨如下 7 个问题：

①《神农本草经》书名不见于先秦文献；②《神农本草经》书名出于汉代本草官之手；③汉代托名《本草经》者不止一家；④陶弘景以前古《本草经》概况；⑤陶弘景整理《本草经》例证；⑥《神农本草经》辑本概况；⑦关于本书校注的处理。

现将上述几个问题，分述如下。

（一）《神农本草经》 书名不见于先秦文献

《本草经》相传为先秦神农所作，其书名应见于先秦文献。但是中国最早的图书目录《汉书·艺文志》，未收载《本草经》的书名。

《汉书·艺文志·方技略》收载医书有 4 类，即医经、经方、房中、神仙。医经 7 家 216 卷，经方 11 家 274 卷，房中 8 家 186 卷，神仙 10 家 205 卷，共计 36 家 868 卷。《汉书·艺文志》中唯独没有本草类。

按《汉书·艺文志》源于刘歆《七略》，刘歆《七略》源于刘向《别录》。《汉书·成帝纪》："河平三年（公元前 26）秋八月……光禄大夫刘向校中秘书。"由此可知，刘向校书是从公元前 26 年开始的。

刘向校的书，是陈农从全国各地搜集来的。《汉书·艺文志》序云："成帝时（公元前 32—公元前 7），以书颇散亡，使谒者陈农求遗书于天下，诏光禄大夫刘向校……"

由于当时陈农未征求到《本草经》，所以刘向《别录》中亦无《本草经》。《汉书·艺文志》与《七略》沿袭《别录》旧例，亦无《本草经》。

刘向校书，是从汉成帝河平三年（公元前 26）开始的，则陈农求遗书于天下，当在公元前 26 年之前已有了。陈农征求不到《本草经》，说明在公元前 26 年，本草经或无，或流行极少。

1973 年马王堆出土医书 14 种，其中亦无《本草经》。马王堆 3 号墓墓主，生前是西汉初年长沙国国相轪侯利苍之子，死于汉文帝十二年（公元前 168），年方 30 余岁。死者随葬很多帛书、竹木简，其内容涉及历史、天文、地理、哲学、军事、医学等 20 余类，约有 12 万字。其中医籍 14 种，约 3 万字（内有帛书 5 张，抄写 10 种医书。竹木简 200 枚，抄写医书 4 种）。

马王堆出土医书，同《汉书·艺文志·方技略》相比，十分相近，兹比较如下（见表 2 - 1）。

表 2 - 1　《汉书·艺文志》与马王堆医书所载医书类别比较

《汉书·艺文志》	马王堆医书
医经类	《足臂十一脉灸经》《阴阳十一脉灸经》《脉法》《阴阳脉死候》
经方类	《五十二病方》《胎产书》《杂疗方》《杂禁方》
房中类	《十问》《天下至道谈》《合阴阳方》
神仙类	《却谷食气》《导引图》《养生方》

以上马王堆出土 14 种医书，按书的种类分，与《汉书·艺文志·方技略》医经、经方、房中、神仙 4 类十分吻合，亦无《本草经》。

按马王堆墓墓主，30 余岁即死，应是早亡，墓主是轪侯利苍之子，当属贵族公子，他不是医家而收集许多医书，说明贵公子平日多病，想从当时最先进的医学文献中，求得医疗其疾的效方。因此，贵公子所收的医书几乎与后来陈农征求到的医书情况相似。二者均未收到《本草经》。由此可见，当时无《本草经》存在，或者有药书存在，由于质量低下，不被贵公子所重视，因而未能同一般医书作为随葬品入墓。盖墓穴空间有限，不可能将贵公子生前所有的东西均入墓，只能选择其平日最喜爱的珍品作为随葬品入墓。这种设想，可从下列事实推测。

先秦虽无《本草经》，但"药论"是有的。《史记·扁鹊仓公列传》："太仓公者……高后八年（公元前 180），更受师同郡元里公乘阳庆，庆……传黄帝、扁鹊之脉书、五色诊病……及药论。"说明在公元前 180 年已有"药论"书存在。

1977 年安徽阜阳出土西汉文帝十五年（公元前 165）汝阴侯夏侯灶的随葬品中，有汉代医简 133 枚，定名为《万物》，各简所记载的事物多是孤立的。所记内容，医药占 9/10，非医药占 1/10。在医药内容中，或以病为主（似方书），或以药为主（似药书）。以病为主的，一病用一药治之有 27 简，一病用两药治之有 25 简。以药为主的，记述一药治一病，或记述药物制备。在 133 枚医简中，可辨出药名的有 110 多种，有些药名残缺，实际上不止 110 种。

所记药名，或在病名之前，或在病名之后，仅与病或症状相联系，说它是方书不像方书，说它是药书不像药书，而且其中掺杂大量非医药的内容。又在医药内容中，言病不讲病因、病证；言药不讲性味、性状，好像是一位有经验的长者传授各方面知识的记录。内容庞杂，没有分类，没有系统，每简前后无联系，由于口授重复，有些医简内容完全相同。

将《万物》同《五十二病方》（以下简称《病方》）勘比一下，其内容远不及《病方》丰富，分类及条理性远不及《病方》完备。《病方》比较系统性，以病名为纲，在同一病名下，罗列若干个治疗的方子。

《万物》所记药物，在数量上远不及《病方》多，在药物内容上，也不及《病方》广泛，《万物》仅记某病用某药，或某药治某病，只有少数药提到制备，不像《病方》对药物性味、性状、形态、炮制、剂型、用量、用法都有记载。这都说明《万物》所记药物内容很原始，很简单，很难说它是一本药物书，或说它是一本方书。

从随葬时间来讲，《病方》是在汉文帝十二年（公元前 168）入墓，而《万物》是在汉文帝十五年（公元前 165）入墓。二者入墓时间极相近，又都在楚地。说明二者是同一时期和同一地区流行的文献，或因《万物》是初级的或更原始的资料，不及《病方》内容先进，故不为马王堆墓墓主所重视。

如果将《万物》同今日流行的最早的《本草经》相比较，无论在药物数量上，还是药物内容上、药物分类上、主治内容上、药物排列条理性及系统性等，都不具有可比性。如果说《万物》是药物书的话，那也只能说《万物》中的药物资料是在萌芽阶段，而《本草经》已发展到开花结果成熟的阶段了。《本草经》不仅比《万物》先进，也比《病方》中药物内容丰富。当时如果真有这样先进的《本草经》或《子仪本草》书存在，必为墓主生前所搜罗。

按马王堆墓墓主生前如此重视医书，对这样先进的《本草经》或《子仪本草》，墓主凭借他的权势，得之何难。但马王堆 14 本医书中，竟无一本《本草经》。《汉书·艺文志·方技略》收藏医书 36 家 868 卷中，也无《本草经》的记载，这只能说明当时确无《本草经》存在。

根据这些事实，可以确认，先秦并无像今日这样十分完善的《本草经》书的存在。文献所讲的诸般《本草经》及《子仪本草》均是秦汉以后的人托名之作。

（二）《神农本草经》 书名出于汉代本草官之手

从现存所有先秦文献来看，未见任何一本先秦文献记载过《本草经》。不仅《本草经》未见过，连"本草"2 字亦未见过。如果先秦有《本草经》存在，为何现存所有的先秦文献不见其踪迹。联系上述的事实来看，先秦没有《本草经》存在，它是秦以后的托名之作。究竟何时何人托名，兹讨论如下。

托名《神农本草经》，不见于先秦，而见于西汉，此与西汉成帝"征天下通知逸经……方术、本草"有关。为了弄清这个问题，先从方士讲起。

方士是鼓吹神仙的，其目的是想得到权贵重视，从而可以封官致富，因此从事方士活动的人很多。《汉书·郊祀志》记载方士活动，从战国已有。《汉书·郊祀志》云："自齐威（公元前 378—公元前 343）、宣（公元前 342—公元前 324）时，驺子之徒论者，以阴阳主运，显于诸侯，而燕、齐海上之方士传其术，不可胜数。"又云："秦始皇初并天下，甘心于神仙之道，遣徐福、韩终之属，多赍童男童女入海求神采药。"又云："汉兴、新垣平、齐人少翁、公孙卿、栾大等，皆以仙人、黄冶、祭祠、事鬼使物、入海求神采药贵幸，赏赐累千金，大尤尊盛，至妻公主，爵位重累，震动海内。元鼎（公元前 116—公元前 111）、元封（公元前 110—公元前 105）之际，燕齐之间方士瞋目扼腕，言有神仙祭祀致福之术者以万数。"这段记载，说明方士吹嘘神仙封官致富，因此从事方士之术者，数以万计。

汉武帝元鼎四年（公元前 113）"以二千户封地士将军大为乐通侯……贵震天下，而海上燕齐之间莫不扼腕而自言有禁方"（《史记·封禅书》卷 28）。方士以其方术贵震天下，而从事本草者，又何尝不能仿效方士。在汉成帝、汉平帝时，就有本草待诏职称设置。汉成帝建始二年（公元前 31）丞相衡（匡衡）、御史大夫谭（张谭）奏言："罢侯神、方士、使者、副佐、本草（以方药本草而待诏）待诏，七十余人皆归家。"共罢 5 科 70 余人，平均每科约 15 人，则从事本草者当有15 人。

《汉书·平帝纪》元始五年（公元 5）："征天下通知逸经、古记、天文、历算、钟律、小学、史篇、方术、本草，以及五经、《论语》《孝经》《尔雅》教授者，在所为驾一封诏传，遣诣京师，至者数千人。"在此文中，诏传的项目有 13种，其中本草也算是独立的一门。而应征的人有数千人。所谓数千，少则 2000，多则 9000。若以最低 2000 人计算，则 13 科分摊，平均每科有 154 人。而从事本草者亦当有 150 余人。

从公元前 31 年本草官被罢，平均有 15 人，到公元 5 年本草官被诏，平均有

150 人，前后相隔 36 年，而从事本草职称活动的人增加了近 10 倍。

被诏的本草官做什么事呢？按唐代颜师古注《汉书》云："本草待诏，以方术本草待诏。"这里提示本草官是从事方术本草工作。《汉书·艺文志·方技略·经方类》序云："本草石之寒温，量疾病之深浅，假药味之滋（以上言个别药物作用），因气感之宜，辨五苦六辛，致水火之齐（剂）（以上言方剂调制），以通闭解结，反之于平（以上言治疗）。"从这个序文看，本草官是从事方药配制和治疗等一些技术工作。所以颜师古称之为："本草待诏，以方术本草而待诏。"

郑康成注《周礼·疾医》云："五药，草、木、虫、石、谷，其治合之齐（剂），存乎神农、子仪之术。"贾公颜疏注："云治合之齐（剂），存乎神农、子仪之术者，言此二人能合和此术耳。"所云"合和"，义同现在配方调成制剂，适合患者服用。贾公彦所疏与颜师古所注"方术、本草者"，其义全同。

从上述资料看，汉代本草官主要负责方药合和，调成制剂。在合和时，首先要根据药性"本草石之寒温"。如果不依药性，以热益热，以寒增寒，精气内伤，是所独失。本草官为了合和的需要，必须掌握药性及其主治功用。本草官一方面从合和实际工作中掌握药性，另一方面也可从经方的方剂内药物，掌握药物主治功用知识。

《证类本草》白字《本草经》文包含两大内容，一是治病内容，二是延年不老内容。在全书 365 种药物中，有 160 种提到"久服不饥，轻身延年不老，神仙"。《本草经》为什么会有大量药物记载久服不老神仙呢？这也与汉代方士有关。《汉书·艺文志·方技略》收载神仙著述 10 家 205 卷，并对"神仙"解释说，"神仙者，所以保性命之真，而游求于其外者也"。说明"神仙"在当时深受民众信任，其著述亦多，因而神仙著述的影响就会渗入《本草经》中。

例如，《本草经》记载"久服轻身益气，延年不老神仙"的药有云母"久服轻身延年神仙"；玉泉"久服不老神仙"；朴硝"炼饵服之，轻身神仙"；石胆"久服增寿神仙"；太一余粮"久服轻身神仙"；雄黄"久服轻身神仙"；水银"久服神仙不死"；蒲黄"久服延年神仙"；青芝、赤芝、黄芝、白芝、黑芝"久服轻身不老，延年神仙"；鸡头实"久服耐老神仙"等。类似此例者有 160 余条。

《本草经》不仅记载某些药物人久服神仙，有些动物吃了也能成仙。例如，菴菌子记有"駏驉食之神仙"。茵陈蒿记有"白兔食之神仙"。

这些"久服轻身益气，延年不老神仙"的药物当是方士们收入《仙经》中，本草待诏的一些官员，为了取信于帝王，自然也会把方士们的一些话收入书中。

方士们除寻求仙药外，还进行炼丹，炼黄金。在炼丹、炼黄金过程中，会出现很多化学反应。这些化学反应，与医疗可以说是不相关的，但是《本草经》中有很多药物均记载此等化学反应。兹举例如下。

朴硝"能化七十二石"；石胆"能化铁为金银"；空青"能化铁铅锡作金"；曾青"能化金铜"；白青"可消为铜剑"；石硫黄"能化金银铜铁奇物"；水银"杀金银铜锡毒，熔化还复为丹"；铅丹"炼化还成九光"；雄黄"得铜可作金"。

这些化学反应，都是方士们冶炼时的实践经验，被收入《仙经》中，作《本草经》者，又以《仙经》录入《本草经》中。

例如，《证类本草》107 页"水银"条，白字《本草经》文有"水银杀金、银、铜、锡毒，熔化还复为丹"。其下有陶弘景注云："还复为丹，事出《仙经》。"由此可见，《本草经》所记有关"久服延年不老神仙"，以及炼丹出现的化学反应等资料，当是作《本草经》的人，转录方士们所著《仙经》的内容。

又方士讲究炼丹服食，以期神仙不死。因此，《本草经》中记载很多"炼饵服食"的内容。例如，硝石条记有"炼之如膏，久服轻身"；矾石条记有"炼饵服之，轻身不老增年"；朴硝条记有"炼饵服之，轻身神仙"；雄黄条记有"炼食之，轻身神仙"；松脂条记有"炼之令白，久服轻身不老"。

上述大量事实，说明方士所撰的神仙著作对《本草经》的影响。结合前面的论述，可以确认汉代被诏的本草官，他们从药物合和工作中获得药性知识，从经方中获得药物治疗知识，从神仙著作中获得药物养生知识，他们把这三部分知识糅合为一体，以药物为纲，撰写本草专书。书成后，为了取信于世人，不得不托名神农、子仪等先秦人物，取得上级官员的信任，从而就能更好地获得"本草待诏"的机会，所以《本草经》疑是汉"本草待诏"者托名之作。

（三）汉代托名《本草经》者不止一家

汉代托名的《本草经》有多家，这可从吴普所引诸家药性资料统计测知。其中引"神农"药性 118 条，"岐伯"药性 57 条，"黄帝"药性 53 条，"扁鹊"药性 50 条，"雷公"药性 83 条，"桐君"药性 42 条，"李氏"药性 52 条，"医和"药性 4 条，"一经"药性 8 条，所引的资料，绝大多数是讲药物的性味。根据吴普所论述的诸家药性资料看，吴普所见的本草书，有下列几种。

（1）神农。《吴普本草》引"神农"药性 118 条，是吴普援引诸家药性资料最多的一种。将《吴普本草》所引"神农"药性，校以《证类本草》白字《本草经》的药性，二者并不相同。例如牛膝，《证类本草》白字作味苦酸，吴普作味甘。女萎，《证类本草》白字作甘平，吴普作味苦。菴蕳子，《证类本草》白字作味苦微寒，吴普作味苦小温无毒。泽兰，《证类本草》白字作苦微温，吴普作酸无毒。类似此例者很多。

此外，还有些药如粟米、黍米、乌喙、侧子等，《证类本草》作《别录》药，而《吴普本草》在此等药名下，均引有"神农"药性。粟米，吴普引神农作苦无毒。黍米，吴普引神农作甘无毒。乌喙，吴普引神农作有毒。侧子，吴普引神农作有大毒。由此可见，《吴普本草》所引"神农"药性，不同于《证类本草》白字《本草经》药性。这就提示，《吴普本草》所引的"神农"药性，当是另一种《神农本草》或《神农本草经》。

（2）岐伯。《吴普本草》引"岐伯"药性57条，如丹砂，苦有毒。人参、桔梗，甘无毒。蜀漆、巴豆，辛有毒。狼牙，苦无毒。马刀，咸有毒。菴蕳，苦小温无毒。吴普既然引岐伯药性，则古代当有岐伯药书存在，否则吴普怎么能引到岐伯的药性？《证类本草》卷8"狗脊"条，载有吴普曰："狗脊，《岐伯经》云，茎无节（但《太平御览》卷990"狗脊"条吴普文，作"岐伯：一经"，而非"岐伯经"；《证类本草》脱"一"字）。"

（3）黄帝、扁鹊。《吴普本草》引"黄帝"药性53条，引"扁鹊"药性50条，如人参，黄帝甘无毒，扁鹊有毒。芎藭，黄帝辛无毒，扁鹊酸无毒。防风，黄帝、扁鹊甘无毒。丹参，黄帝、扁鹊苦无毒。山茱萸，黄帝、扁鹊酸无毒。贯众，黄帝咸酸微苦无毒，扁鹊苦等。在"蚔蟩"条下引黄帝云："治妇人寒热。"从以上所引药性看，黄帝、扁鹊当有药书存在。《史记·扁鹊仓公列传》云："高后八年（公元前180），更受师同郡元里公乘阳庆……传黄帝、扁鹊之脉书……及药论甚精。"按《史记》所载，扁鹊曾得到公乘阳庆的《药论》一书。

（4）雷公、桐君。《吴普本草》引"雷公"药性83条，引"桐君"药性42条。如阳起石，雷公、桐君咸无毒。萎蕤，雷公、桐君甘无毒。细辛，雷公、桐君辛小温。落石，雷公苦无毒，桐君甘无毒。芍药，雷公酸，桐君甘无毒等。陶弘景《本草经集注》序云："至于药性所主，当以识识相因，不尔，何由得闻。至乎桐、雷，乃著在于篇简。"

（5）李氏。《吴普本草》引"李氏"（有些条文作季氏）药性有52条。如钟乳大寒，麦门冬甘小温，黄连小寒，附子苦有毒，巴豆生温熟寒等。《隋书·经籍志》载有《李当之本草经》1卷。

（6）医和。《吴普本草》引"医和"药性4条。如石钟乳味甘，石硫黄味苦无毒，凝水石味甘无毒，桔梗味苦无毒。

上述各家，除李氏外，其余 7 家各有别本，称为一经，这些"一经"分别记有不同的药物性味。

在上述《吴普本草》所引各家药性资料中，有关神农、黄帝、岐伯、扁鹊、雷公、医和等成书问题，笔者过去深信他们定有本草书存在。李时珍《本草纲目》、孙星衍《神农本草经》均持此种观点。为此，笔者曾撰文函请范行准先生审阅，范行准先生当时回信，批评说，哪有这么多的本草？笔者当时很不服气，难道李时珍、孙星衍都错了不成。后来笔者通过大量文献阅读，才发现笔者的观点有问题。《吴普本草》所引诸家药性，固然有所本。但吴普所见的书未必出自先秦，疑为汉代方士之流本草官（即《汉书·郊祀志》中"本草待诏"者）托名之作。

按神农、黄帝、岐伯、雷公、扁鹊、医和都是先秦医家，若这些医家在那个时代果真著有药书，为何在先秦各种文献（包括先秦出土资料）中不见其踪迹？因此，笔者怀疑所谓的这些人的著作，很可能是汉代人托名之作。

（四）陶弘景以前古《本草经》概况

古本《本草经》，是古人托名神农所著的《神农本草经》。当时托名的不止一家，后因战乱损失，只剩下 4 卷本。梁·陶弘景序云："汉献迁徙，晋怀奔进，文籍焚靡，千不遗一，今之所存，有此四卷，是其《本经》。"

4 卷本《本草经》经过魏晋名医增补，形成多种《本草经》，这些《本草经》在收载药物数目、三品分类、自然属性分类、药性寒热，主治内容多寡等方面，均不相同。陶弘景将诸家《本草经》，统称之为"诸经"。在"诸经"中，4 卷本《本草经》是最古的本子，其余都是名医增补的本子。

陶弘景作《本草经集注》时，采用"苞综诸经"的方法，将最早的 4 卷本《本草经》和名医增补的《本草经》统统收入《本草经集注》中。对 4 卷本的文字，以朱字书写为"《本草经》文"，对名医增补的文字，以墨字书写为"《别录》文"。

《本草经集注》原书久佚，它通过历代本草，保存在《证类本草》中。《证类本草》白字，即《本草经集注》朱书《本草经》文，《证类本草》黑字，即《本草经集注》墨书《别录》文。所以《证类本草》白字，归根结底，本源于 4 卷本《本草经》。由于 4 卷本《本草经》亡佚，只有《证类本草》白字存在，所以现行单行本《本草经》文是辑自《证类本草》白字，不是来源于 4 卷本《本草经》。

然而《证本草类》白字《本草经》文，是经过陶弘景"苞综诸经"整理而成，因此现行单行本《本草经》文字，是陶弘景整理的。陶弘景整理后的《本草经》文，与古代4卷本《本草经》不完全相同。例如，陶弘景整理后的《本草经》在药物条文书写体例上为：正名→性味→主治功用→一名→生境；而4卷本书写体例为：正名→性味→主治功用→一名→生境→产地→采摘→暴干、阴干。

在药物内容上，《证类本草》白字《本草经》文，没有生境、产地、药物性状、形态、采收时月、阴干暴干、七情畏恶等内容。4卷本《本草经》，有生境、产地、药物形态、采收时月、阴干暴干、生熟、真伪陈新、七情畏恶等内容。这些内容，对现行单行本《本草经》而言，都是《神农本草经》的佚文。

兹将4卷本《本草经》内容讨论如下。

在书写体例上，4卷本《本草经》药物条文书写体例为：正名→性味→主治功用→一名→生境→产地→采摘→暴干、阴干。

例如，《太平御览》所引"神农本草经曰"的药物条文，均是按此例写的。陶弘景"苞综诸经"时，将这种体例改为：正名→性味→主治功用→一名。

日本·森立之辑的《本草经》，即把《证类本草》白字《本草经》文录出，按《太平御览》体例书写，收入书中。森氏在其序中说明此问题时，认为《本草经》药条文书写体例，由《太平御览》体例改成《证类本草》体例，是唐代苏敬作《新修本草》时改的。森氏在其序中注云："苏敬新修时，一变此体。"其实，"一变此体"并不是苏敬新修，而是陶弘景《本草经集注》。因吐鲁番出土的《本草经集注》残片中，药物书写体例与《证类本草》书写体例完全相同。

明清以来，国内各家所辑的《本草经》，其药物条文书写体例均按《证类本草》白字《本草经》文体例书写。要知《证类本草》白字《本草经》文，归根结底来源于《本草经集注》，它是陶弘景"苞综诸经"所改变的书写体例，不是4卷本《本草经》原来体例。因此，明清国内诸家辑本《本草经》药物条文书写体例，不符合4卷本《本草经》原来面貌。

4卷本《本草经》文与《证类本草》白字《本草经》文不同。4卷本《本草经》文与《证类本草》白字《本草经》文有很多不同之处。为讨论方便，先从《证类本草》白字《本草经》序文和《本草经》药物条文之间差异勘比分析。

《证类本草》白字《本草经》序文共有13条。此13条所言内容，在《证类本草》白字各药条文中，或不一致，或标记有出入，或缺少。兹勘比如下。

（1）《证类本草》白字《本草经》序文第1～3条，论述本经药三品定义的，即上品药久服延年不老神仙；中品药遏病，补虚羸；下品药除寒热，破积聚愈疾。

联系《证类本草》白字《本草经》药，其三品位置并不符合序文三品定义。兹将《证类本草》白字《本草经》药，不符合三品定义者列举如下。

1)《证类本草》白字《本草经》上品药，不符合上品定义的有：83 石钟乳（药名前号码，指 1957 年人民卫生出版社影印《政和本草》页次，下同）、165 巴戟天、175 黄连、185 五味子、174 芎䓖、183 丹参、189 沙参、301 五加皮、190 白菀藋、182 营实、190 薇衔、363 发髲、370 牛黄、397 丹雄鸡、415 桑螵蛸、416 海蛤、417 蠡鱼、461 橘柚、299 黄檗、306 木兰、503 瓜蒂。

2)《证类本草》白字《本草经》中品药，不符合中品定义的有：107 水银、330 龙眼、328 猪苓、208 石龙芮、514 水苏、326 秦椒、332 合欢（以上各药，按三品定义，应列在上品）、401 燕屎、402 天鼠屎、433 木虻、433 蜚虻、433 蜚蠊、448 水蛭、230 马先蒿、117 肤青、199 当归、513 假苏、233 积雪草、226 款冬、227 牡丹、223 防己、207 黄芩、237 女菀、220 地榆、237 蜀羊泉、222 泽兰、211 紫参、221 海藻、210 败酱（以上各药，按三品定义，应列在下品）。

3)《证类本草》白字《本草经》下品药，不符合下品定义的有：126 铅丹、249 莨菪子、340 蜀椒、357 药实根、249 桔梗、189 杜若。

按上述各《本草经》药物三品位置，均不符合三品定义的要求。这里面除陶弘景作《本草经集注》"苞综诸经"时更改外，亦与后世本草作者更改有关。查敦煌出土《本草经集注》"七情畏恶药例"中，各药三品位置，与《新修本草》及《证类本草》三品位置互有出入。说明《证类本草》白字《本草经》药三品位置，其中有些是本草编者所更改。

例如，水银自《新修本草》以后，都列在中品，但《本草经集注》"七情畏恶药例"列在上品。按《本草经》上品药定义，是"久服不老延年，轻身神仙"。而"水银"条《本草经》云："水银……熔化还复为丹，久服神仙不死"，此与《本草经》上品定义合，故《本草经》列在上品。后世人们发现水银有毒，不能列入上品，改从中品。又如黄芪，自《新修本草》以后，列入上品，但黄芪并无久服神仙，故《本草经》列入中品，后世发现黄芪有补益功能，改移到上品。

这些例子，说明《证类本草》白字《本草经》药三品，有些是后世改动的，使三品位置与《本草经》三品定义不相吻合。

(2)《证类本草》白字序文第 4 条，讲"本经药三品合三百六十五"。但《证类本草》白字《本草经》药实际上总数是 367 种。按《证类本草》卷 20 "文蛤"条陶弘景注云："海蛤、文蛤，此既异类而同条，凡有四物如此。"所言四物，含大豆、赤小豆共条（《证类本草》卷25赤小豆），葱、薤共条（《证类本草》卷28薤），锡铜镜鼻、粉锡共条（《证类本草》卷5锡铜镜鼻）。以上共条药，在4卷本《本草经》原是各自独立为条的，陶弘景作《本草经集注》，为使本经药总数符合365种数目，将上述锡铜镜鼻、粉锡、海蛤、文蛤、大豆、赤小豆、葱、薤8种药、分别共条，成为4种药。

陶弘景归并上述8种药时，并在"文蛤"条下注云："此既异类而同条，若别之，则数多，今以为附见，而在附品限也。"注中所云"则数多"，其义为不共条，则总数将超出365种之数。陶氏为了牵合《本草经》药数符合365种，将海蛤、赤小豆、葱、粉锡等药，分别归并在其他药物条文中，作为副品看待。苏敬作《新修本草》时，曾批评道："夫天地间物，无非天地间用，岂限其数为正副耶？"（尚志钧辑《唐·新修本草》405页"文蛤"条）。

根据陶弘景注文，可以看出，陶弘景在作《本草经集注》"苞综诸经"时，对4卷本《本草经》药物进行归并过。除上述8种药物外，还有牛角䚡、牛黄等条，亦曾被陶氏在"苞综诸经"时厘定过。此等归并，都不能反映4卷本《本草经》实际情况。

（3）《证类本草》白字序文第5条是讲药物君臣佐使。按理《本草经》药物应注有君、臣、佐、使内容。通检明清国内外各家所辑《本草经》，未见任何《本草经》药注有君、臣、佐、使内容。然而《证类本草》白字《本草经》药，仅少数记有君、臣、佐、使内容。但所记内容均作黑小字。

例如，152牛膝、156麦门冬、163远志等，其下各自注有"为君"2字；148甘草，其下注有"国老"2字；246大黄，其下注有"将军"2字。而且所注说明文，均作黑小字，不是白小字，人们不易认识到此类黑小字，也是《本草经》文。由于《证类本草》白字序文"药有君、臣、佐、使"的条例，可以确认《证类本草》白字《本草经》药名下所标的"为君""将军""国老"等文字，应是《本草经》文。而陶弘景注释此条时，亦明言"门冬、远志，别有君臣，甘草国老，大黄将军"。

（4）《证类本草》白字序文第6条，讲《本草经》药有形态和七情畏恶记载。

关于《本草经》药的形态记载，在白字《本草经》序文已明确指出"药有根、茎、花、实、草、石、骨肉"。

《太平御览》卷959页7"栀子"条引《本草经》曰："栀子，一名木丹，叶两头尖，如樗蒲形，剥其子如茧而黄赤。"卷992页8"败酱"条引《本草经》曰：

"败酱，似桔梗，其臭如败豆酱。"卷960页2"辛夷"条引《神农本草经》曰："辛夷生汉中魏兴凉州川谷中，其树似杜仲，树高一丈余，子似冬桃而小。"

上述3例，说明《本草经》药物是有形态记载的。但《证类本草》白字《本草经》药，所记药物形态，均作黑字《别录》文。兹举例如下。

92白石英"大如指，长二三寸，六面如削，白澈有光"。112凝水石"色如云母，可折者良"。117长石"理如马齿，方而润泽玉色"。290菌桂"无骨，正圆如竹"。306木兰"皮似桂而香"。416文蛤"表有文"。500芡实"叶如蓝"。

以上各药，在《证类本草》均作白字《本草经》药，但各药所记的形态，均作黑字《别录》文。按《证类本草》白字序文和《太平御览》所引"本草经曰"的药物，是有药物形态记载的。疑上述《本草经》药所记药物形态，当属《本草经》佚文。

《本草经》药有七情畏恶内容。

《证类本草》白字《本草经》序文，明言药有"七情"。但《证类本草》白字《本草经》药条末，所记"七情畏恶"资料，全作黑字《别录》文。疑此类黑字《别录》文，当为白字《本草经》文传抄之误。其理由如下。

《证类本草》白字序文已记明"药有单行者，有相须者，有相使者，有相畏者，有相恶者，有相反者，有相杀者，凡此七情，合和视之"。

《蜀本注》云："凡三百六十五种，有单行者七十一种，相须者十二种，相使者九十种，相畏者七十八种，相恶者六十种，相反者十八种，相杀者三十六种，凡此七情，合和视之。"按《本草经》药必有七情畏恶资料，否则《蜀本注》从何统计这些数字。

敦煌出土《本草经集注》"七情畏恶药例表"中，载《本草经》药181种，《别录》17种，证明此表中药物大部分出自《本草经》。又在此表开头解说文中提到"《本经》有直云茱萸、门冬者，无以辨其山、吴、天、麦之异"。又云："《神农本草经》相使止各一种。"在此表中既然2次提到"《本经》"，说明《本草经集注》"七情畏恶药例表"是参考过《本草经》的，这就意味着《本草经》药是有"七情畏恶"的内容。

210"前胡"条，陶弘景注云："前胡（《别录》药）亦有畏恶，明畏恶非尽出《本经》也。"

以上证明《本草经》有七情畏恶的内容。据此可以确认《证类本草》白字《本草经》药物条文末，所附小黑字"七情畏恶"资料，应属《本草经》佚文。

（5）《证类本草》白字序文第7条，讲《本草经》药物性味、有毒无毒、阴干暴干、采造时月、生熟、土地所出、真伪陈新，并各有法。兹分述如下。

四气五味：《证类本草》白字序文云："药有酸、咸、甘、苦、辛五味，又有寒、热、温、凉四气。"其中"凉"性，通检《证类本草》白字《本草经》药，未见记有"凉"性的，但药物条文记有"平"性，多作黑字《别录》文。

有毒无毒：《证类本草》白字序文既明言《本草经》药有关毒性记载，但白字《本草经》药，仅有少数药记载"无毒"，未见一条记载过"有毒"。

《本草经》药记载"无毒"的，有下列几种药。270白头翁、301干漆皆记有《本草经》云"无毒"。456衣鱼，《本草经》云"无毒"（但《大观本草》作黑字《别录》文）。其余白字《本草经》药，未见记载无毒或有毒。连剧毒药如钩吻、乌头、狼毒、羊踯躅、大戟、芫花、甘遂、巴豆等，均无白字"有毒"记载。所记"有毒"字样，均作黑字《别录》文。

按古人对药物毒性早有认识，所谓"神农尝百草，一日而遇七十毒"。《周礼·天官冢宰》云："聚毒药以供医事。"为何《证类本草》白字《本草经》药所记"有毒"，均作黑字《别录》文呢？疑是传抄舛误所致。

阴干暴干：《证类本草》白字序文有"阴干暴干"规定。但《证类本草》白字《本草经》药所记"阴干暴干"，全作黑字《别录》文，疑是传抄舛误。

采造时月：《证类本草》白字序文明言有"采造时月"，但《证类本草》白字《本草经》药所载"采造时月"，只有255"青葙"条有"五月、六月采子"作白字《本草经》文（但《大观本草》作黑字《别录》文）。其余白字《本草经》药所记"采造时月"，均作黑字《别录》文。兹举例如下。

202"瞿麦"条是白字《本草经》药，其条末有"立秋采实"作黑字《别录》文。其下有陶弘景注云："按《经》云采实。实中子至细，燥熟便脱尽。"从陶氏注文提"《经》云采实"，说明《证类本草》白字"瞿麦"条下"立秋采实"作黑字，当是白字传写舛误所致。否则陶氏不会讲"《经》云采实"之语。

167"菥蓂"条是白字《本草经》药，其下有"八月、九月采实"作黑字《别录》文。《太平御览》卷993页5，引《本草经》曰："菥蓂……八月、九月采实。"两书文字全同。其中"八月、九月采实"，在《证类本草》中作黑字《别录》文，在《太平御览》中作《本草经》文。由此可见，《证类本草》"菥蓂"条中"八月、九月采实"作黑字，当是传抄舛误所致。

315桑根白皮，《证类本草》白字无"采造时月"记载。《太平御览》卷955

引《神农本草经》曰："桑根白皮，常以四月采，或采无时。"由此可见，《本草经》是有采造时月的。

药有生熟：《证类本草》白字序文记载药有"生熟"。《证类本草》白字《本草经》药365种中，仅几种药有此内容，兹举例如下。

193干姜、194干地黄皆有"生者尤良"，作白字《本草经》文。

424露蜂房、443蛇蜕、451蜣螂皆有"火熬之良"，作白字《本草经》文。

449贝子有"烧用之良"，作白字《本草经》文。

除上述各药有"生熟"记载外，其余各药未见有"生熟"记载。

药有土地所出：《证类本草》白字《本草经》序文，记有"药物土地所出"。但《证类本草》白字本经药所记产地，全作黑字《别录》文，未见一条所记产地作白字《本草经》文。

从陶弘景注文看，《证类本草》白字《本草经》药所记产地是有《本草经》文的。例如，88"滑石"条，是白字《本草经》药，其条文所记产地为"生赭阳山谷"，作黑字《别录》文。陶弘景注云："赭阳县先属南阳，汉哀帝（公元前6—公元前1）置，明《本经》所注郡县，必是后汉后时也。"陶注中所言"《本经》"，当指古本《本草经》而言，说明陶氏所见到的《本草经》是有产地的。

《证类本草》128页"锡铜镜鼻"条，是白字《本草经》药，其条中所记产地为"生桂阳山谷"，作黑字《别录》文。陶弘景注云："铅与锡，《本经》云，生桂阳。"陶注谓"生桂阳"出于《本草经》，则陶氏所见古本《本草经》是有产地记载的。

《证类本草》401页"燕屎"条，是白字《本草经》药，其条文所记产地"生高山平谷"，作黑字《别录》文。

《证类本草》402页"天鼠屎"条，是白字《本草经》药，其条文所记产地"生合浦山谷"，作黑字《别录》文。

但吐鲁番出土《本草经集注》残片中"燕屎"条"生高山平谷"、天鼠屎条"生合浦山谷"，俱作朱字《本草经》文。说明古本《本草经》药物是有产地记载的。现今《证类本草》白字《本草经》药产地全作黑字《别录》文，当为后人所改。

查敦煌出土《新修本草》卷10残卷，是朱墨杂节。其《本草经》文皆作朱书，唯独《本草经》文中产地作墨书。由此可见，《本草经》药物产地改为墨书，盖始于《新修本草》。

通过上述《证类本草》白字《本草经》序文和白字《本草经》药物条文勘比，

白字《本草经》序文所言药有生境、产地、药物形态、采收时月、阴干暴干、生熟、七情畏恶等内容，在白字《本草经》药物条文中，全作黑字《别录》文，这些黑字《别录》文，原先在 4 卷本《本草经》中，也是属于《本草经》文。其中有些是陶弘景作《本草经集注》时所更改，有些是后世本草编者所更改。这些更改，造成今日《证类本草》白字《本草经》药存在大量佚文。这些佚文也正是 4 卷本《本草经》内容的一部分。所以 4 卷本《本草经》内容，除包含《证类本草》白字《本草经》文外，还包含上述大量的佚文。

（五）陶弘景整理《本草经》例证

现行各家辑本《本草经》文，皆出于《证类本草》白字，此白字即源于《本草经集注》朱字，该朱字则是陶弘景将当时流行的多种《本草经》文字糅合而成。此结论来自以下的考察。

（1）陶弘景在《本草经集注·序录》中言他所见的《本草经》有 3 种，载药数分别为 595 种、441 种、319 种，其分类混乱，药物主治功用各不相同，遂"苞综诸经"，收入《本草经集注》中。

（2）陶氏注文中引用的 2 个生姜资料不同。《新修本草》卷 18 "韭"条引陶注云："生姜……言可常啖，但勿过多耳。"但《证类本草》卷 28 "韭"条中，无陶氏此注，而并入卷 8 "生姜"条下，二者内容不完全相同。这可以提示陶弘景是参阅了多种本草著作的。

（3）《证类本草》白字序文云："上药一百二十种……中药一百二十种……下药一百二十五种……三品合三百六十五种，法三百六十五度，一度应一日，以成一岁。"查《养生论》《抱朴子》《博物志》《艺文类聚》《太平御览》等书所引《本草经》有关资料，其仅言上、中、下三品，并无上、中品各 120 种，下品 125 种的数字，更无"三百六十五种，法三百六十五度"之语。这些话亦不见于陶氏以前的书中，仅见于陶氏《本草经集注》中。而这些说法与道家思想有密切关系。据史书记载，陶弘景为道教中人，这些思想当然会渗入本草著作中。

（4）药物分类次序。古代文献如《汉书·艺文志》《太平御览》等书所论药物，皆以"草石"名之，而"草"为首，"石"次之，但《证类本草》白字各个药物排列顺序，是以玉石为首的，这显然与"草石"的含义是不相合的，从敦煌发现的《本草经集注》中七情畏恶药物排列次序，亦是以玉石为首的。这种以玉石为首的药物分类方法，可能是陶弘景看到当时各种《本草经》药物分类的混乱，即"草石不分，虫兽无辨"才提出来的。

（5）从其他文献所引《本草经》资料，亦可知古代有很多种《本草经》的内容没有被陶弘景收入书中。如晋代郭璞注《山海经》云："门冬，一名满冬。"《抱朴子·内篇》卷 11 云："术，一名山精，故《神农药经》曰'必欲长生，常服山精'。"《博物志》引曰："药有大毒，不可入口、鼻、耳、目，入者即杀人……二曰鸿，三曰阴命，四曰内童，五曰鸩。"《艺文类聚》卷 88 引曰："桑根旁行出土上者名伏蛇，治心痛。"（《太平御览》卷 955 引文同）；卷 81 引"芍药"、卷 95 引"熊脂"。《太平御览》卷 992 引"地肤，一名地华，一名地脉；又纶布，一名昆布，味酸无毒；败浆，似桔梗，其臭如败酱"。又引郭璞注《尔雅》云："《本草经》曰'虉卢，一名诸兰'。"；同书卷 918 引曰："丹鸡，一名载丹"；同书卷 996 引曰："萱草，一名忘忧，一名宜男，一名妓女。"以上诸书所引《本草经》资料，皆不见于《证类本草》白字。

（6）陶弘景总结的《本草经》条文内容、书写体例与以前的《本草经》不同。陶弘景总结的《本草经》，原有产地，但无药物性状、形态、生态，没有七情畏恶等内容，其书写体例为：正名→性味→主治功用→一名→产地生境。陶弘景以前的《本草经》，在内容上，有产地，有药物性状、形态、生态，七情畏恶等内容，其书写体例是：正名→一名→性味→产地→形态→主治功用。

现存的《证类本草》中的白字内容，向上推溯，是由陶弘景综合当时流行的多种《本草经》的本子而成的。而明清时期国内外学者，又从《证类本草》白字内容辑成各种单行本《本草经》，这些单行本《本草经》文字，实际上是陶弘景整理的文字，并不是原始古本《本草经》的文字。

（六）《神农本草经》辑本概况

关于《神农本草经》的辑复工作，早在 800 年前，就有人做了。那就是南宋王炎辑的《本草正经》（即《本草经》），王氏辑本已佚，它的序文尚存于王氏《双溪文集》中。

以后明·卢复（1616），清·孙星衍、孙冯翼（1799）、顾观光（1844）、黄奭（1865）、王闿运（1886）、姜国伊（1892），以及日本·狩谷望之志（1824）、森立之（1854）等，分别辑有《本草经》单行本。

这些辑本所用的目录、选择药品的数字、药物三品的位置、某些药物合并或分条，很少是完全相同的。

各种辑本所录的药物条文，虽然皆从《证类本草》白字采集，但是他们对药物条文书写格式，有 2 种不同的写法。

国内各种辑本药物条文书写格式，悉依《证类本草》白字的体例。日本·森立之辑本中药物条文书写格式，完全仿照《太平御览》援引《本草经》药物条文的体例，但森氏书中药物条文内容，仍用《证类本草》白字的文字。

森立之认为《证类本草》白字书写格式，是唐代苏敬编修《新修本草》变更的。他在序中注云："苏敬新修，一变此体……开宝以后，全仿此体，古色不可见，今依《御览》补生山谷等字，陶氏以前的旧面，盖如此矣。"按照森氏的意见，认为《太平御览》书写体例，是陶弘景的原貌，而《证类本草》白字书写体例，是苏敬更改陶弘景之书而成的。其实不然，吐鲁番出土的《本草经集注》残片有燕屎、天鼠屎2条仍保留朱字、墨字杂书，而朱字格式全同《证类本草》白字。由于森氏未见过吐鲁番出土的资料，仅凭着主观臆测，得出错误的看法。

至于药物产地，可能被苏敬修订本草时所删。因为吐鲁番出土的《本草经集注》残片药物产地，仍是朱书，而《证类本草》药物产地全作墨书。按《证类本草》原本于《嘉祐本草》，《嘉祐本草》本于《开宝本草》，《开宝本草》本于《新修本草》，1900年敦煌出土卷子本《新修本草》药物产地，已非朱书。则《本草经》药物产地，由朱书改为墨书，是始于《新修本草》。

类似这样的问题很多，如《本草经》药物的数字、目录、七情畏恶、三品位置以及药物合并与分条等，都存在一些问题。如顾观光辑的《本草经》，采用《本草纲目》卷2所载《本草经》目录，顾氏在序中说那个目录是最古的目录，其实那个目录，是宋以后之人改编的。

《本草经》不仅在文献上存在一些问题，其药物条文也存在不少分歧。试把现行各家辑本加以比较，虽说它们同是取材于《证类本草》白字，但是其间文字分歧是很多的。就《证类本草》白字本身而言，由于各种版本不同，其白字也不完全相同。

它们不同的原因，可能是因《本草经》文，在历代传抄时，不免有舛错或脱误之处。加以有些著作家，采用前人之书，多少都带一点主观看法，进行删改，这样一来，就给《本草经》文带来很多分歧。尤以《本草纲目》援引《本草经》文分歧最多。类似的问题很多，由于篇幅所限，此处从略。

（七）关于本书校注的处理

陶弘景整理的《本草经》文存于历代主流本草中。由于主流本草版本不同，所存《本草经》文，互有出入。本书辑注，以善本为主，并用同类版本校，具体做法如下。

（1）本书所辑资料，以最早所存《本草经》佚文为底本，以后出本为校本。

对《本草经》序录，以敦煌出土《本草经集注》为底本，以《大观本草》《政和本草》为校本。

对《本草经》上、中、下三品药物条文，以卷子本《新修本草》为底本，以《大观本草》《政和本草》为校本。如果卷子本《新修本草》缺，即以《大观本草》为底本，以《政和本草》为校本。

（2）《本草经》文和《别录》文区分。

敦煌出土《集注·序录》，卷子本《新修本草》及《千金翼》等书，俱无《本草经》《别录》标记，故只能借助于各种版本《大观本草》《政和本草》中白字标记来区分《本草经》文和其他文。

《大观本草》《政和本草》白字标记，因版本不同而各异。如成化本《政和本草》、商务印书馆本《政和本草》中菖蒲、龙胆、白英、麝香、鹿茸、姑活等条文，均无白字标记。人民卫生出版社本《政和本草》"曾青"条，亦无白字标记。不仅这几种药白字标记缺落，而且很多药物条文，白字、黑字标记，亦互有出入。只能根据他种版本《大观本草》《政和本草》互校之，才能确定，有时还须参考明清诸家辑本旁证之。

（3）关于《本草经》药物产地。

《证类本草》白字《本草经》序明言"药物土地所出"，但《证类本草》白字《本草经》药产地全作黑字《别录》文。陶弘景注"铅与锡"，谓："《本经》云，生桂阳。"联系吐鲁番出土的《本草经集注》残片"燕屎""天鼠屎"产地俱作朱书《本草经》文。敦煌出土《新修本草》是朱墨杂书，唯独产地墨书，《证类本草》沿袭《新修本草》体例，将《本草经》产地全作黑字《别录》文。说明古本《本草经》中的药物原有产地记载，到《新修本草》编修时才被删掉。

按唐初陆德明注《尔雅音义》云："茶，《本草经》云：苦菜，一名选，生益州山谷；《别录》云：一名游冬，生山陵道旁，凌冬不死。"文中划曲线文字，在《大观本草》《政和本草》俱作黑字《别录》文。而陆德明将"生益州山谷"注为《本草经》文。将"山谷"以后产地"生陵道旁"注为《别录》文。则陆氏所见《本草经》当是《本草经集注》而不是《新修本草》。因《新修本草》产地全作黑字《别录》文，分不出《本草经》产地文。只有《本草经集注》对《本草经》药产地保留朱书，才能辨出《本草经》产地。基于此，本书仿吐鲁番出土《本草经集注》及陆氏注《尔雅》茶例，将《证类本草》黑字产地"生某某山谷"订为

《本草经》文,山谷以后的产地订为《别录》文。

（4）在校勘时,如遇校本《本草经》文和底本不同,又不能确定底本有误,仍以底本为正。

（5）在校勘时,如遇校本《本草经》文和底本不同,但能确定底本有误,即依校本订正之。

（6）关于避讳字改正

《本草经》药物条文中所用"治"或"主治",在《新修本草》编纂时,因避唐高宗李治讳,将"治"字或删,或改为"疗",后世本草书沿袭《新修本草》旧例,俱将"治"改为"疗","主治"改为"主",省去"治"字。吐鲁番出土《本草经集注》残片燕屎、天鼠屎等条文中朱字《本草经》文,仍作"主治",然《大观本草》《政和本草》作"主",无"治"字。其余各药物条文亦同此。本书辑录时,仿《本草经集注》体例,将各药物条文"病名"前的"主"字,改用"主治",但"功效"前"主"字不改。

（7）《本草经》原文中某些疑难字、词及病名等,予以注释。注释文与校勘文,按所在条文中顺序编号,列于当药条文之下。

（8）关于《本草经》365种具体药物及其三品分类,各书不一。本书据《本草经》三品定义重加考订,确定《本草经》365种具体药及其三品位置,并将考订文附于药物总目之后,以供读者参考研究。

（9）关于《本草经》分卷,据陶隐居序"今之所存,有此四卷,是其《本经》"定为4卷。卷1为序录,卷2、卷3、卷4为上、中、下三品药物。

（10）古书所存《本草经》佚文,都是繁体竖排,本书辑校时改为简体横排。

（11）为使读者查阅方便,每种药物条文末,附以底本页次,并用圆括号括之。

（12）本书初成于1978年5月,1981年由皖南医学院科研处铅印出版,面向国内学术界交流。1994年由华夏出版社并入《中医八大经典全注》中并出版,后本书又由学苑出版社重行修订后出版。

（此为1995年12月尚志钧先生在安徽芜湖皖南医学院弋矶山医院为《神农本草经校点》撰写的后记。）

《本草经》 校点参考文献

《本草经》原书久佚，其文存于历代类书，古典文、史、哲著作，以及历代主流本草中。今日所见单行本《本草经》，是明清时期国内外诸家辑本，其文均取自《证类本草》白字《本草经》文。由于《证类本草》版本不同，其白字标记互异，加以原书久佚，无目录可据，因此各家辑本在目录、药数、三品分类、内容、条文体例、词句结构等方面差异极大，因此，明清诸辑本俱不能作底本选用，只能将含《本草经》佚文的历代主流本草本子，作为底本选用。

历代主流本草含的《本草经》文，向上推溯源于陶弘景《本草经集注》朱书《本草经》文，其文是陶氏苞综诸经（指陶氏用多种《本草经》整理）而成。《本草经集注》朱书《本草经》文，通过《新修本草》《开宝本草》《嘉祐本草》，保存在《证类本草》白字中。但《证类本草》以前诸本草或亡或残缺，如《本草经集注》仅有出土残卷与断简，《新修本草》仅有出土卷10残本及日本传抄残缺卷子本。《证类本草》有数十种版本，其间差异讹误亦多。现只能从现存最早的本子中选出底本，如最早本缺，以后出本为底本，用同种本为主校本，用其他本作参校本。今将底本、主校本、参校本列举如下。

底本

1. 《集注》断片　吐鲁番出土的《本草经集注》，仅存豚卵、燕屎、天鼠屎、鼹鼠及部分注文。1952 年罗福颐影抄并收入《西陲古方技书残卷汇编》。

2. 《集注·序录》　1900 年敦煌出土《本草经集注·序录》（无具体药物条文），1955 年上海群联出版社影印。

3. 敦煌本《新修》　敦煌出土《新修本草》残卷（仅存草部下品之上，即自"甘遂"至"白蔹"等 30 种药物），1952 年罗福颐影抄并收入《西陲古方技书残卷汇编》。

4. 傅本《新修》　1955 年上海群联出版社据光绪十五年傅云龙在日本摹刻卷子本《新修本草》影印（缺草类、虫鱼类）。

5. 刘《大观》　南宋嘉定四年（1211）刘甲据宋淳熙十二年刊本校刻《经史证类备急本草》。

6. 柯《大观》　1904 年武昌柯逢时影宋并重校刊《经史证类大观本草》。

7. 人卫《政和》　1957 年人民卫生出版社据扬州季范氏藏金泰和晦明轩刻《重修政和经史证类备用本草》影印。

主校本

1.《本草和名》 日本·深江辅仁撰，日本古典全集刊行会影印。

2. 武本《新修》 1936 年日本武田长兵卫用珂珞版复制印《新修本草》（仅存卷 4、卷 5、卷 12、卷 15、卷 17、卷 19）。

3. 罗本《新修》 1985 年上海古籍出版社据上虞罗氏藏日本森氏旧藏影写卷子本《新修本草》影印（缺玉石上品、草类、虫鱼类）。

4. 玄《大观》 1775 年日本望草玄翻刻元大德六年宗文书院刻《经史证类大观本草》。

5.《大全》 明万历五年（1577）宣郡王大献刻《经史证类大全本草》。

6. 成化《政和》 明成化四年（1468）原杰据晦明轩刻《重修政和经史证类备用本草》重刊。

7. 万历《政和》 明万历十五年（1587）经厂刻本《重修政和经史证类备用本草》。

8. 商务《政和》 1921—1929 年商务印书馆缩印金泰和版《重修政和经史证类备用本草》。

9.《医心方》 日本天元五年（982）丹波康赖撰，1955 年人民卫生出版社据浅仓屋藏版影印。该书收录我国隋唐及其以前中医古籍，并包含有亡佚古籍的佚文。

10.《千金方》 唐·孙思邈撰，1955 年人民卫生出版社据江户医学影北宋本影印。该书卷 26"食治"载有古本草资料。

11. 真本《千金方》 唐·孙思邈撰，日本天保三年（1832）影刻卷子本，仅存卷 1。该卷载有七情畏恶药例资料。

12.《千金翼》 唐·孙思邈《千金翼方》，1955 年人民卫生出版社影印。

13.《御览》 李昉等参编《太平御览》，1935 年上海商务印书馆《四部丛刊》三编影宋本。1960 年中华书局据该本缩印。其中药部、百卉部、珍宝部、饮食部、兽部、羽族部、鳞介部俱载有《本草经》资料。所引《本草经》药物条文都是节录的残文，而条文的体例与主流本草中《本草经》文不同。

参校本

1.《本草衍义》 宋·寇宗奭撰，1937 年商务印书馆出版。

2.《图经衍义》 宋·寇宗奭撰，1924 年上海涵芬楼影印《正统道藏》本。

3. 《品汇》 明·刘文泰等撰《本草品汇精要》，1936 年商务印书馆排印本。

4. 金陵版《纲目》 明·李时珍撰《本草纲目》，1590—1596 年南京胡承龙首刻本。上海图书馆、中国中医科学院图书馆珍藏。该书是现存各种版本《纲目》的祖本。

5. 江西版《纲目》 明·李时珍撰《本草纲目》，明万历三十一年（1603）夏良心、张鼎思等重刊本。

6. 合肥版《纲目》 明·李时珍撰《本草纲目》，清光绪十一年（1885）合肥张氏味古斋重校刊本。1957 年人民卫生出版社据该本缩印。

7. 《本草经疏》 明·缪希雍撰，清光绪十七年（1891）皖南建德周学海校刊。

8. 《本经疏证》 清·邹澍撰，1959 年上海科学技术出版社铅印本。

9. 《本经续疏》 清·邹澍撰，1959 年上海科学技术出版社铅印本。

10. 《本草经解》 清·叶天士撰，1957 年上海科技卫生出版社排印。

11. 问本 清·孙星衍等辑《神农本草经》，清嘉庆四年（1799）阳湖孙氏刊《问经堂丛书》本。

12. 周本 清·孙星衍等辑《神农本草经》，清光绪十七年（1891）池阳周学海据问本刊刻《周氏医学丛书·初集》本。

13. 孙本 清·孙星衍等辑《神农本草经》，1955 年上海商务印书馆据问本排印。

14. 黄本 清·黄奭辑《神农本草经》，清光绪十九年（1893）黄奭刊刻《汉学堂丛书》子史钩沉本。实际上是黄氏据孙氏问本重刊，并非黄氏本人所辑。

15. 顾本 清·顾观光辑《神农本草经》，刊在《武陵山人遗书》中，1955 年人民卫生出版社据此影印。

16. 森本 日本嘉永七年（1854）福山林立之辑《神农本草经》，1955 年上海群联出版社影印，1957 年上海卫生出版社据此重印。

17. 汪本 汪宏辑注《注解神农本草经》，清光绪十四年（1888）刊本。

18. 蔡本 蔡陆仙辑注《神农本草经》，1940 年中华书局排印本，收在《中国医药汇海》中。

19. 曹本 曹元宇辑《神农本草经》，1987 年上海科学技术出版社出版。

20. 尚本 尚志钧校点《神农本草经》，1981 年皖南医学院排印。

21. 筠默本 王筠默辑注《神农本草经校证》，1988 年吉林科学技术出版社出版。

22.《别录》 尚志钧辑《名医别录》，1986 年人民卫生出版社出版。

23.《集注》 梁·陶弘景编《本草经集注》，尚志钧、尚元胜辑校，1994 年人民卫生出版社出版。

24.《新修》 唐·苏敬等撰《唐·新修本草》，尚志钧辑校，1981 年安徽科学技术出版社出版。

25.《药对》 北齐·徐之才撰《雷公药对》，尚志钧、尚元胜辑，1994 年安徽科学技术出版社出版。

26.《炮炙论》 南朝刘宋·雷敩撰《雷公炮炙论》，尚志钧辑，1991 年安徽科学技术出版社出版。

27.《海药》 五代·李珣《海药本草》，尚志钧辑校，1997 年人民卫生出版社出版。

28.《药性论》 唐·甄权撰，尚志钧辑校，1983 年皖南医学院油印本。

29.《拾遗》 唐·陈藏器撰《本草纲目拾遗》，尚志钧辑校，1983 年皖南医学院油印本。

30.《日华》 五代·日华子撰《日华子诸家本草》，尚志钧辑校，1983 年皖南医学院油印本。

31.《病方药考》 尚志钧撰《五十二病方药物考释》，1983 年皖南医学院油印本。

32.《说郛》 元·陶宗仪辑，明·陶珽续辑《说郛三种》，1988 年上海古籍出版社将涵芬楼百卷本、明刻 120 卷本及续编 46 卷本汇集影印本。

33.《肘后》 晋·葛洪著，梁·陶弘景增补，尚志钧辑校《补辑肘后方》，1983 年安徽科学技术出版社出版。

34.《开宝》 宋·马志等编，尚志钧辑《开宝本草》，1998 年安徽科学技术出版社出版。

35.《证类》 宋·唐慎微著，尚志钧、郑金生等校点《证类本草》，1993 年华夏出版社出版。

36.《图经》 宋·苏颂撰，尚志钧辑校《本草图经》，1994 年安徽科学技术出版社出版。

37. 尚辑本 《神农本草经》，1994 年华夏出版社本，刊入《中医八大经典全注》内。

38. 狩本　日本·狩谷望之志辑《神农本草经》，涩江籀斋订，抄本。南京古籍图书馆收藏。

39. 卢本　明·卢复辑《神农本草经》，日本宽政十一年（1799）新镌。

40. 徐本　清·徐大椿辑《神农本草经百种录》，1956 年人民卫生出版社影印。

41. 王本　清·王闿运辑《神农本草经》，清光绪十一年（1885）成都尊经书院刻本。

42. 莫本　清·莫文泉辑《神农本草经校注》，清光绪二十六年（1900）莫氏家刻本。

43. 姜本　清·姜国伊辑《神农本草经》，清光绪十八年（1892）成都黄氏茹古书局刊《姜氏医学丛书》本。该丛书有 5 种，其中第 3 种是《神农本草经》。

44.《本经逢原》　清·张璐纂述，1959 年上海科学技术出版社出版。

45.《图考》　清·吴其濬《植物名实图考长编》，1959 年商务印书馆重印本。该书收集了很多植物资料。

46.《草木典》　清·康熙时敕修《古今图书集成·博物汇编·草木典》，中华书局影印本。该书收集了很多植物药资料。

47.《禽虫典》　清·康熙时敕修《古今图书集成·博物汇编·禽虫典》，中华书局影印本。该书收集了很多动物药资料。

48.《食货典》　清·康熙时敕修《古今图书集成·博物汇编·食货典》，中华书局影印本。该书收集了很多矿物药资料。

49.《尔雅》　即《尔雅注疏》，商务印书馆《四部丛刊》本。是书郭璞注时所引本草资料，与现存古本草中内容不同。

50.《尔雅疏》　宋·邢昺注《尔雅注疏》，中华书局聚珍仿宋版《四部备要》本。是书为邢昺注，所引本草资料与宋代本草内容同。其中释草、释木引本草资料较多。

51.《广雅疏证》　清·王念孙注《广雅疏证》，中华书局聚珍仿宋版《四部备要》本。该书卷 10 引有本草资料。

52.《急就篇》　汉·史游撰，唐·颜师古注，宋·王应麟补注。清光绪五年（1879）福山王氏刻本（天壤阁丛书）。该书记有两汉时药名、病名。

53.《淮南子》　西汉·刘安撰，东汉·高诱注，诸子集成本。该书收有自然科学史料，记有西汉时期名物。

54.《释名》　东汉·刘熙撰，《四部丛刊》影印明复宋陈道人刊本。该书记有释疾病名。

55.《内经》 唐·王冰注《黄帝内经素问》，1956年人民卫生出版社影印本。

56.《难经》 《难经集注》，1956年人民卫生出版社影印本。

57.《注解伤寒论》 汉·张仲景撰，金·成无己注解，1955年人民卫生出版社铅印。

58.《金匮要略》 汉·张仲景撰，1956年人民卫生出版社影印本。

59.《肘后方》 东晋·葛洪撰，梁·陶弘景增补，1956年人民卫生出版社影印本。

60.《诸病源》 隋·巢元方《巢氏诸病源候论》，清宣统周澂之校刻医学丛书本。

61.《古代疾病名候疏义》 余云岫编著，1953年人民卫生出版社排印。

62.《外台秘要》 唐·王焘著，1955年人民卫生出版社影印本。

63.《史讳举例》 陈垣著，1958年科学出版社排印本。

64.《毛诗草木鸟兽虫鱼疏》 吴·陆玑撰，清·丁晏校，颐志斋丛书本。

65.《博物志》 晋·张华撰，清·黄丕烈据汲古阁影宋本翻刻，收入《士礼居黄氏丛书》。

66.《齐民要术》 后魏·贾思勰撰，商务印书馆《丛书集成初编》本。

67.《颜氏家训集解》 北齐·颜之推撰，王利器集解，1982年上海古籍出版社出版。

68.《抱朴子》 晋·葛洪撰，清光绪十一年平津馆丛书本。

69.《养生论》 晋·嵇康撰，收存《嵇中散集》内，清末扫叶山房印本。

70.《范子计然》 清光绪十年（1884）李氏重刊玉函山房辑佚书本。

71.《艺文类聚》 唐·欧阳询等著，1959年中华书局影宋绍兴本，该书卷81至卷97有本草资料。

72.《初学记》 唐·徐坚撰，1962年中华书局点校排印本。

73.《北堂书钞》 唐·虞世南撰，孔忠愍侯祠堂旧校影宋本，清光绪十四年（1888）南海孔广陶校注。

74.《白孔六帖》 唐·白居易撰，宋·孔传续撰，明刊本。

75.《编珠》 隋大业四年（608）杜瞻纂修。清康熙三十七年（1698）高士奇刻巾箱本，据张心澂《伪书通考》944页云其是伪书。

76.《海录碎事》 宋绍兴十九年（1149）叶廷珪撰，明万历二十六年（1598）

刊本，是书卷 14 至卷 22 有本草资料。

77.《事类备要》 宋·谢维新撰《古今合璧事类备要》，明嘉靖三十五年（1556）夏氏据宋本复刻。是书分前集、后集、续集、别集、外集五部分，其中别集有本草资料。

78.《事类赋》 宋·吴淑撰，清嘉庆十八年（1813）聚秀堂翻刻剑光阁本。

79.《事文类聚》 宋·祝穆撰《新编古今事文类聚》，明翻刻元刊本。

80.《记纂渊海》 宋·潘自牧撰，明万历七年（1579）胡维新刻本。是书卷 90 至卷 99 有本草资料。

81.《翰墨全书》 宋末·刘省轩《新编事文类聚翰墨全书》，元刊本。是书分前集、后集两部。前、后集各按甲、乙、丙……分为 10 集，共 20 集。其中后戊集卷 1 至卷 4 有本草资料。

82.《玉海》 南宋·王应麟编，清光绪年间浙江书局重刊本。

83.《永乐大典》（残本） 明·解缙、姚广孝等编，1960 年中华书局将征集到的 730 卷影印出版，1986 年又影印出版新征集的 67 卷。其中引医药书资料很多。

84.《锦绣万花谷》 佚名，《四库全书简明目录》谓该书原本成于南宋淳熙中（1174—1189），明嘉靖十四年（1535）徽藩刊本。是书分前集、后集、续集三部分。前集卷 30 至卷 39 有本草资料。

85.《渊鉴类函》 清·康熙四十九年（1710）张英等奉敕纂，1917 年同文图书馆复印本。

86.《昆虫草木略》 宋·郑樵撰《通志略·昆虫草木略》，中华书局聚珍仿宋本。

87.《周易参同契考异》 宋·朱熹注，四库备要守山阁本。原书是东汉·魏伯阳撰《周易参同契》，为古代炼丹专著。

88.《石药尔雅》 唐元和（806—820）中西蜀·梅彪撰，1933 年上海商务印书馆《丛书集成初编》本。

89.《和名类聚钞》 日本·源顺撰，清光绪三十二年（1906）龙壁勤刊印杨守敬所得抄本。

90.《梦溪笔谈》 宋·沈括撰，胡道静校注名《梦溪笔谈校正》，1957 年上海古典文学出版社出版。是书卷 26 记有本草资料。

91.《类编》 宋·司马光撰，1987 年上海古籍出版社据汲古阁本影印本。

92.《经典释文》 唐·陆德明撰，1985 年上海古籍出版社影印宋刻元修本。

93.《世说新语》 南朝刘宋·刘义庆编撰，梁·刘孝标注。《四部丛刊》影印明袁褧嘉趣堂仿宋刊本。

94.《文选》 梁·昭明太子撰，唐·李善注，中华书局聚珍仿宋版《四部备要》本。

95.《国语》 相传为春秋·左丘明传，三国吴·韦昭注，1978年上海古籍出版社出版校点本。

96.《山海经》 作者不详，1979年上海古籍出版社出版袁珂《山海经校注》。

97.《庄子》 战国·庄周撰，清末扫叶山房石印郭庆藩辑《庄子集释》。

98.《荀子》 战国·荀况撰，1976年文物出版社影印宋浙刻本。

99.《管子》 旧题春秋·管仲撰，1956年科学出版社出版郭沫若等《管子集校》。

100.《楚辞》 西汉·刘向编屈原、宋玉等人作品为集。东汉·王逸著《楚辞章句》，清光绪十七年（1891）湖北三余草堂刊湖北丛书本。

101.《吕氏春秋》 秦·吕不韦撰，《四部丛刊》本。

102.《史记》 汉·司马迁撰，1959年中华书局出版标点本。

103.《汉书》 汉·班固撰，1962年中华书局出版标点本。

104.《后汉书》 南朝刘宋·范晔撰，1965年中华书局出版标点本。

105.《三国志》 晋.陈寿撰，1959年中华书局出版标点本。

106.《论衡》 东汉·王充撰，1974年上海人民出版社排印本。

107.《潜夫论》 后汉·王符撰，1979年中华书局出版彭铎《潜夫论笺校正》。

108.《说文》 东汉·许慎撰《说文解字》，1981年上海古籍出版社出版清·段玉裁《说文解字注》。1986年中华书局出版南唐·徐锴《说文解字系传》。

109.《广韵》 宋·丘雍、陈彭年奉诏修《大宋重修广韵》，1982年中国书店出版社据清张士俊泽存堂刻本影印本。

110.《集韵》 宋·丁度撰，1985年上海古籍出版社据述古堂影宋抄本影印本。

111.《一切经音义》 ①唐·释玄应撰25卷本；②唐·释慧琳撰100卷本；③宋太宗时辽释希麟撰《续一切经音义》。1987年上海古籍出版社将释慧琳、释希麟二书合印为《正续一切经音义》，即为此。

112.《水经注》 北魏·郦道元撰，1985年巴蜀书社影印王氏合校本。

113.《中国历史地图集》 谭其骧主编，1982年地图出版社出版第1至第6册，含自古到宋、辽、金各个朝代古地名的分布。

114.《十三经注疏》 1980年中华书局影印本。

115.《双溪文集》 宋·王炎著,《四库全书》本。

116.《校雠通义》 清·章学诚撰,1985 年中华书局出版。

117.《广校雠略》 张舜徽撰,1963 年中华书局出版。

118.《五十二病方》 1979 年文物出版社出版。

119.《治百病方》 武威汉代医简,1974 年文物出版社出版。

在校注中,有些书名是转引,并非注者直接参阅过的原书,如《蜀本草》《徐仪药图》等,此处俱不进行详细介绍。

二十一、《本草和名》校点本

前　言

《本草和名》是日本醍醐天皇延喜年间(901—922)太医博士深江(根)辅仁所撰,全书汇集了中国流传到日本的隋唐医药古籍中的药物名,并附以日本对译的名称。全书收载药名 1025 种,引用中国古医药书 30 余部,是日本古代撰述的第 2 部医药名著。它与百年前广世所撰《药经太素》,同属日本 10 世纪以前著名药物学专书。

日本醍醐天皇延长五年(927)源顺所撰《倭名类聚钞》序文及其引用书目中,均著录有《本草和名》。后来《仁和寺书目》也收载《本草和名》的书名。以后很长时间未见此书流行。日本宝历五年(1755),日本考据学家丹波元简偶然在幕府书库内发现《本草和名》抄本,丹波氏根据各种古籍加以校订,于日本宽政八年(1796)刊刻,使本书重现于世。

大正十五年(1926)6 月与谢野宽等编纂《日本古典全集》时,又将《本草和名》加以重印,收入《日本古典全集》第 1 回中。此外旅大市图书馆藏有抄本。

以上各本,以宽政八年丹波元简镌版为最早(以下简称宽政本)。日本大正十五年(1926)与谢野宽重印本(以下简称大正本)较晚。

现存的几种版本共同点是俗字多,有些俗字,现在已不用。

例如上卷 52 页桑上寄生,59 页桑根白皮、桑菌,下卷 14 页桑螵蛸,47 页桑茎实等药名的"桑"字,俱作"桒"。

下卷 13 页腊蜜,书写作"臈蜜",桒、臈都是古代同义异体字,今日已很少用了。

还有些字,连字书都难以检出。上卷 7 页钢铁写成"剄鐵",陆英写成"陸

197

"奀"，上卷6页石脑的"腦"字，写作"脏"，下卷15页秦龟、龟甲的"龜"字写作"龟"。这些"剉""奀""脏""龟"等字，不仅国内医药书未见用，连字书也难检出。

全书中"椒"字写成"枀"，"杉"写成"枀"。有时同一个字，在各个药名中，书写字体也各不相同。

例如，"龙"字繁体字为"龍"。《本草和名》上卷11页伏龙肝条，19页石龙芮条，12页续断一名龙豆，13页徐长卿一名龙衔根，下卷5页龙骨，16页石龙子等药名中的"龙"字，俱作"龍"。

下卷21页蛇蜕皮一名龙子衣，一名龙子皮，一名龙子单衣。此类一名中的"龙"字，俱脱笔成"龍"字。

下卷47页龙常草，48页天蓼一名石龙，45页龙石膏等药名中"龙"字，俱作"竜"。

例如，"铁"字在《本草和名》上卷7页铁落、铁、钢铁、铁精等药名中，俱作"鐵"，在此类药物的异名中又作"铁"。如鐵落一名铁液，鐵精一名铁浆，剉（钢）鐵一名跰（跳）铁。

其次《本草和名》还存在一些笔误。

例如，下卷15页"蠡鱼"条有"一名鲖鱼"。其中"鲖"字误作"鯛"。所引书名《范汪方》误作《范注方》。

书中有些注文有脱漏字。

例如，《本草和名》上卷8页"石床"条中有"出钟乳中"4字。按传本《新修本草》卷4页62、罗本《新修本草》卷4页31、《证类本草》卷4页117"石床"条俱作"出钟乳堂中"。由此可见，《本草和名》"出钟乳中"的"钟"字后，脱"堂"字。

书中，有些异名，出现张冠李戴。

例如，下卷15页"蠡鱼"条有"一名鲔"，下有小字注云："大者也，古今注。"查《古今注》卷中（《丛书集成初编》商务印书馆版15页）鱼虫第5"鲤"条云："鲤之大者曰鳣，鳣之大者曰鲔。"鲤和蠡音同，实物是2种鱼。《本草和名》将"鲔"列在"蠡鱼"条下，显然是张冠李戴。

有些字因避讳而更改或删掉。

例如，全书所引"陶弘景注"，因避唐高宗太子弘的讳，将陶弘景改成"陶景"，删去"弘"字。

从以上所举的例子来看，今存本《本草和名》存在不少问题。须要加以校点。

笔者搜集各种刊本《本草和名》，参考《尔雅》《广雅》《说文》《千金方》《医心方》《新修本草》《证类本草》等书，进行校勘，以改正各种刊本讹误。

由于本人学术水平所限，错误和缺点难免，请读者批评指正。

（此为1991年9月尚志钧先生在安徽芜湖皖南医学院弋矶山医院为《本草和名》校点本撰写的前言。）

校点说明

本书校勘，用红叶本为底本，红叶本所缺，以宽政本补之。以大正本为主校本，以抄本为旁校本，以《医心方》《千金方》《新修本草》《大观本草》《政和本草》《说文》《尔雅》《广雅》《古今注》《肘后方》《外台秘要》等为参校本。以对校、本校为主，间或进行理校、他校。

在具体做法上，按点校通则进行。因《本草和名》有其特殊性，是日本人所撰写的较早的本草，为了保持该书本来面貌，除对正文加标点外，至于前面所列举各项问题，均不予更改，用校注说明之。为了避免出注繁冗，对异体字、错字、脱漏字做如下的处理。

（一）对异体字，即随文注出，外加（　　）。

例如，下卷45页"竜石膏"即写成"竜（龍）石膏"，上卷6页"石脑"即写成"石脑（脑）。"

（二）对错字，随文注明正字，外加〈　　〉。

例如，下卷15页"蠡鱼"条有"一名鲷鱼"，即写成"一名鲷〈鲖〉鱼"。

（三）对脱漏字，随文补出，外加〔　　〕。

例如，上卷8页"石床"条有"出钟乳中"，即写成"出钟乳〔堂〕中"。

（四）对于多次重复出现的错字，或因避讳省去的字，不予改动，在首次见时，出注说明。如"范注方"的"注"为"汪"之误；"陶景注"为"陶弘景注"，只因避讳省去"弘"字。

（五）对引文有误者，不予改动，亦出注说明之。

例如，下卷"蠡鱼"条有"一名鲔，大者也，古今注"。据崔豹《古今注》卷中"鲤"条有此文，则此文应属"鲤"条，误入"蠡鱼"条。鲤、蠡虽音同，但非一物也。

后 记

本书分 6 点介绍：一是本书历史状况（包括原书作者简要生平），二是本书内容，三是本书历代主要版本情况，四是过去校勘、注释整理情况，五是本次校勘情况，六是本书意义及价值。其中第五条是本文重点内容。为了保持底本原始面貌，对书中一切讹误、脱漏不加改动，统出注说明之。因此，全书校勘出注共有 3100 余条，比丹波元简校勘所出眉注 580 条，多达 5 倍有余。

（一）本书历史状况

《本草和名》是日本醍醐天皇延喜年间（901—922）太医博士深江（根）辅仁所撰。深江（根）辅仁是日本醍醐天皇（898—930）时代右卫门府医官，任侍医、太医博士等职。延喜十八年（918）奉敕撰写《掌中方》《类聚符宣抄》。《本草和名》也是在此时期奉敕编纂的。

日本醍醐天皇延长五年（927）源顺所撰《倭名类聚钞》序文及其引用书目中，均著录有《本草和名》。后来《仁和寺书目》也收载《本草和名》的书名。以后很长时间未见此书流行。直至日本宝历五年（1755），日本考据学家丹波元简偶然在幕府书库内发现《本草和名》抄本，丹波氏根据各种古籍加以校订，于日本宽政八年（1796）刊刻，使本书重现于世。

（二）本书内容

本书属于药名集。全书分上、下 2 卷。但卷内又立卷 3 到卷 20 若干卷。按书中所云卷 3 到卷 20，乃是转录《新修本草》卷次。《新修本草》卷 1、卷 2 为序例，内无药名；从卷 3 到卷 20 为药物各论。本书编纂，在录《新修本草》药名时，相应地把《新修本草》药名卷次亦转录于书内。这样一来，同一种书，存在 2 种分卷。一是全书总的分卷（即分为上卷、下卷），一是书内转录《新修本草》药物的分卷。这 2 种分卷含义不同，望读者明察。

这里要注意的是书内转录《新修本草》卷次，对各卷每种药物排列亦依《新修本草》药物目次排列。但每种药物主名下所列各个异名，并非全出自《新修本草》，而是夹有其他书（非《新修本草》）中所载的异名。

全书收录药名 1025 种，其中《新修本草》药名 850 种，诸家食经药名 105 种，本草外药名 70 种（《五经稽疑》33 种、《新撰食经》8 种、《本草拾遗》25 种、

《世用》4 种）。各药品均附记有当时传入日本的中国本草书中药物的别名，然后再将已判明有日本名者（和名）记入，最后复将各药于日本的产地名记入，日本无产地者则注以"唐"字。其所引之书目均载于卷首，皆为唐以前之古书。如《范汪方》《录验方》《广利方》《删繁论》等，其中失传的医方书甚多。所以本书也是研究自六朝至唐代医方的重要文献。

（三） 本书历代主要版本情况

《本草和名》原书久逸，今所存者有日本·森立之据红叶山文库所藏的本子抄本。红叶山文库所藏原本（简称红叶本），据日本·真柳诚博士云："日本所有图书馆及藏书部门，均未见，恐已亡逸。"森氏抄本，后被我国杨守敬所得，现藏于中国台湾台北故宫博物院。日本东京北里研究所附属东洋医学综合研究所医史文献研究室曾加以复制。1989 年皖南医学院药理教研组宋建国讲师留学日本，会见北里研究所真柳诚博士时，问及此事，并托真柳诚博士代为复制一份，于 1990 年春寄给笔者。笔者同夏铭霞、尚元藕即据日本真柳诚博士提供的森氏据红叶山文库藏本之影抄本加以复制的本子为底本，进行校勘。

日本宽政丙辰（1796）春，日本聿修堂开镌《本草和名》版。共一函二册，分上、下 2 卷。上卷 60 页，下卷 56 页，共计 116 页，36000 字，线装本，繁体字。每页 9 行，每行 16～18 字。该本每个药首列该药主名，次列一名（即异名）及日本对译名（即和名），末列该药日本产地名。如该药不产于日本，即注以"唐"字，表示该药产于中国。正名、异名、和名、产地名均用大字书写，正名在首行顶格写，以下各提行空一字。各药名下所注文献出处、音义等用双行小字书写。

大正十五年（1926）6 月与谢野宽等编纂《日本古典全集》时，又将日本·丹波元简校刊的《本草和名》加以重印，收入《日本古典全集》第 1 回中。

此外，旅大市图书馆藏有抄本，山东中医学院图书馆藏有影写抄本。此类抄本，都是依据宽政本抄录，由于抄后没有精详的校对，抄本的错误比宽政本还多。笔者于 1962 年曾借范行准藏大正本抄录一部。1989 年借山东中医学院图书馆所藏抄本又抄一部。

（四） 过去校勘、注释整理情况

最早校刊此书，是日本·丹波元简于日本宽政八年（1796）刊行。

关于宽政本校刊情况，可以从现存红叶本勘比而知之。红叶本共有 206 页，每页 9 行。为了研究方便，把全书页次行次标以阿拉伯数字序码，以页次序码为分母，以行次序码为分子，组成检索标记为"某行/某页"。例如，底本 5/96，即指红叶本 96 页第 5 行，其余类推。

兹将宽政本、红叶本勘比的情况，介绍如下。

（1）宽政本在校刊时，做了不少补正工作。

底本 1/68 井水蓝："井"下，原脱"中"字，宽政本校刊时补"中"字。

6/161 前练沙糖为之："前"为"煎"之误，宽政本、大正本校刊时，改为"煎"。

8/68 上女下揍："女"为"必"之讹，宽政本校刊时改为"必"。

8/48 黄芩条有一名而头："而"为"印"之误，宽政本、大正本校刊时，改为"印"。

9/51 栝楼一名泽臣："臣"为"巨"之误，宽政本、大正本校刊时，改为"巨"。

7/206 暑豫："暑"为"署"之误。宽政本、大正本校刊时改为"署"。

类似此例很多，此处从略。

（2）宽政本校刊时，对底本误刻的亦有如下。

底本 5/42 一名槐：宽政本校刊时作"一名槐生"，大正本同。《大观本草》卷 7 页 24、《政和本草》卷 7 页 18"续断"条作"一名槐，生常山山谷"。宽政本校刊时，误将下句"生"字错入本句，使"一名槐"误为"一名槐生"。

8/41 主明目故以名之："名"，宽政本、大正本误刊为"明"。

2/138 "蜚蠊"条有一名石姜，一名卢蜼，一名负盘，一名滑虫。以上四名，原注出苏敬注。《大观本草》卷 21 页 21、《政和本草》卷 21 页 22"蜚蠊"条"唐本注"中确有 4 个一名，证明底本所注出苏敬不误，宽政本、大正本校刊时，误改为出"兼名苑"。

7/134 "鱤鱼"条有"一名鮦鱼"："鮦"，宽政本误作"鲖"。

（3）底本有误，宽政本、大正本未改者很多。

2/180 一名芘芙华：以上 5 字，原注出《古今注》。查《古今注》作"一名芘芙，华似木槿"。据此，"华"字应属下句，误入本句。而宽政本、大正本校刊时未改，仍沿袭底本之误。

7/134 "鱤鱼"条有"一名鮪"，下有小字注云："大者也，古今注。"查《古今注》卷中（《丛书集成初编》商务版 15 页）鱼虫第 5"鲤"条云："鲤之大者曰鳣，鳣之大者曰鮪。"鲤和鱤音同，实为 2 种鱼。宽政本将"鮪"列在"鱤鱼"条下，显然是张冠李戴。大正本亦沿袭此误未改。

底本全书所引《范汪方》，均作"《范注方》"，宽政本、大正本皆沿袭底本之误未改。

6/15"石床"条中有"出钟乳中"4字。按传本《新修本草》卷4页62、罗本《新修本草》卷4页31、《政和本草》卷4页117石床条俱作"出钟乳堂中"。由此可见,宽政本"石床"条"出钟乳中"的"钟"字后,亦脱"堂"字,此亦因沿袭底本之误未改。

类似此例很多,详见本书注中。

(4)宽政本在校刊时,漏刻的很多。

7/78牙子一名狼齿;5/180杨玄操音在浪反;6/180一名巨胜黑者名也巨大也;6/180一名大胜;6/180叶名青蘘。以上5条,宽政本、大正本刊刻时俱脱漏。

(5)宽政本校勘,以《证类本草》、《医心方》、字书、类书等进行校勘,校勘出的异文、讹误等,以小字列在刊本书眉相应的条文头上作为眉注。全书共出眉注580条。大正本翻刻时,将此等部分眉注移在相应条文之下注之。

(6)宽政本眉注中,有个别注文位置错放。

宽政本卷上6页"雌黄"条头上有眉注云:"《医心方》云出备中国英贺郡。"以上11字,原是讲"殷孽"条日本产地名称,应置"殷孽"条头上,宽政本误置在"雌黄"条头上。

(五)本次校勘情况

本次校勘,以红叶本为底本,以宽政本、大正本为校本,以传本《新修本草》、罗本《新修本草》、尚本《新修本草》、《大观本草》、《政和本草》为他校本,以字书(《说文解字注》《尔雅》《广雅》)、类书(《艺文类聚》《太平御览》)、《医心方》、《千金翼方》、《十三经注疏》为参考书。

校勘方法,以对校、他校为主,结合理校。

在校勘处理上,一律不改动底本。凡底本和校本、他校本有歧异处,均出注说明之。本次校勘,共出注3100余条,比宽政本校勘眉注580条,要多5倍有余。

在此3100余条注文中,从内容上来看,大致可分为以下4类问题,即衍脱类、讹误类、异体字类、其他类。兹将此4类问题分述如下。

第1类 衍脱,即衍文和脱漏。

1. 在校勘时,底本有衍文,予以出注说明之

7/181状员似玉篇可爱:"篇"属衍文,应删除之。

4/185已上三名三名出崔禹:后一个"三名"属衍文,应删除之。

2. 在校勘时,凡底本有脱漏,均出注说明

（1）底本药物条文脱漏。

9/114 梓白皮条和 1/115 枳椇条之间，底本脱漏 2 条：①苏方木，唐；②接骨木，和名美也都古反。

3/14 铁条和 4/14 钢铁条之间，脱漏生铁条。

7/15 第五卷玉石下卅种：原书实有药名 29 种，脱漏"乌古瓦"一条。

（2）底本药名脱漏。

8/26 泽泻："泻"下，脱"一名鹄泻"4 字。

4/197 一名："名"下，脱"女木"2 字。

4/61 防己条末，脱"又佐祢加都良"6 字（《医心方》有此 6 字）。

3/62 地榆条末，脱"又依比须久佐"6 字（《医心方》有此 6 字）。

（3）底本药名称呼"一名"脱漏。

5/82 名黄斤、6/58 名强瞿：以上 2 个"名"上脱"一"字。

4/27 一王廷、9/27 一女箊、8/151 一板鱼：以上 3 个"一"下脱"名"字。

2/144 赤卒、4/76 乌国子：以上"赤""乌"之上均脱"一名"2 字。

（4）底本药名脱字。（具体例证略）

（5）底本引书名脱字。（具体例证略）

第 2 类　讹误，分条文讹误、注文讹误、文字讹误。

1. 底本条文讹误或错简

（1）条文全部或部分相互错简。（具体例证略）

（2）底本将不同的药物误并为一条。（具体例证略）

（3）底本误并陶注中性效相近的药为一条。（具体例证略）

（4）底本同一条中，上下文句相互错置。（具体例证略）

（5）底本药物条文的合并和分条。①将一个药物并入另一条内；②从同一条中分出另一条。

2. 底本注文有误

（1）所注文献出处有误。（具体例证略）

（2）误注文为正文。（具体例证略）

（3）误正文为注文。（具体例证略）

（4）底本注文中数据有误。（具体例证略）

3. 底本文字讹误

（1）底本误字的查证。（具体例证略）

（2）底本药名字误。（具体例证略）

（3）底本引书名字误。（具体例证略）

（4）底本注音字误。（具体例证略）

（5）底本误字产生的原因。①因字形相近，发生讹误；②书写因笔画变异，形成误字；③书写因偏旁改变，发生讹误；④因书写笔画讹转，形成误字；⑤底本字竖抄时，因上下分拆或合并，发生舛误。（具体例均证略）

第 3 类　异体字，这里所讲的异体字，指不同于通行的繁体字而言。底本所存的异体字，大致有 4 种：一是字书查不出的字，二是因笔误产生的异体字，三是沿用唐代抄本的俗字，四是含有相当于今日通行的简化字。兹分别介绍如下。

1. 底本所存异体字，字书查不出者，采用他校、理校正之（具体例证略）

2. 因笔误产生的异体字

（1）多一点例。（具体例证略）

（2）少一点例。（具体例证略）

（3）多一横例。（具体例证略）

（4）少一横例。（具体例证略）

（5）多一竖例。（具体例证略）

（6）少一竖例。（具体例证略）

（7）短笔例。（具体例证略）

（8）省去笔画例。（具体例证略）

3. 沿用唐代抄本的俗字（具体例证略）

4. 底本含有相当于今日通行的简化字（具体例证略）

第 4 类　其他。

1. 在校勘时，凡底本有《神农本草经》文、《名医别录》文，均出注说明之

底本所引《新修本草》中的《神农本草经》药名、《名医别录》药名，或不出注，或以"本条" 2 字注之，未有作出《神农本草经》《名医别录》的区分。这次校勘时，对《神农本草经》药名、《名医别录》药名，皆分别注明之。

3/30 "卷柏" 条有 "一名万岁、一名豹足、一名求股、一名交时" 16 字，底本对此 16 字注作 "已上本条"。按《大观本草》卷 6 页 88、《政和本草》卷 6 页 56 "卷柏" 条，对首 4 字 "一名万岁" 作白字，对余下 12 字作黑字。据此，对 "一名万岁" 4 字，应注出《神农本草经》；对余下 12 字，应注出《名医别录》。

5/51 "贝母" 条，有 "一名空草、一名药实、一名苦华、一名苦菜、一名商

草、一名勒母"，没有标明文献出处。按《大观本草》卷8页30、《政和本草》卷8页26"贝母"条对首4字"一名空草"作白字，应注出《神农本草经》；对余下20字，作黑字，应注出《名医别录》。

2. 在校勘时，底本有避讳字，出注说明之

9/77 恒山："恒"，宽政本、大正本同，《大观本草》卷10页30、《政和本草》卷10页26作"常"。此因宋代本草避真宗赵恒讳，改"恒"为"常"。

2/78 鸡骨恒山："恒"，宋代本草作"常"。

4/84 虎杖根条有"一名武杖"："武"，唐人讳虎，改"虎"为"武"。

7/87 武膏：即虎膏。

5/115 赤爪草：子似武掌，武掌即虎掌。

1/175 香薷：本名胡薷。石勒讳胡，改为香薷。

底本中有关"陶弘景"人名，皆作"陶景"，此因避唐代高宗太子弘的讳，省去"弘"字。

（六）本书意义及价值

《本草和名》汇集了中国流传到日本的隋唐医药古籍中的药物名。为中药正名、异名等源流变迁，提供了历史的依据。全书收载药名共1025种，引用中国古医药书30余部。从而证实了中国隋唐医药传入日本，对日本医学产生巨大的影响。

该书成于五代，书中所引的文献是隋唐时代中国医药文献，这些文献通过中日文化交流而传到日本，表明了中日人民友好往来的历史是悠久的。无疑，本书确是中日人民文化交流的见证物之一。

从该书药名下注文来看，深江（根）辅仁是精通汉文的。又从该书所引隋唐医药古籍来看，说明深江（根）辅仁对中国隋唐医药典籍很有研究，并精通中国医药学。从这些可以看出，当时日本人民对中国隋唐医药的重视和研究盛况。

从另一方面来看，《本草和名》所引的书30余部，其中多数已亡佚，很多书如《释药性》、《兼名菀》、马琬《食经》等，连唐慎微《证类本草》、李时珍《本草纲目》均未曾引用过。这些书虽然亡佚了，但其中药名仍保留在《本草和名》中，说明此书在文献保存方面有很大的价值。

再者，本书内所录玉石上21种到有名无用193种，是据《新修本草》辑录的。因此，本书对于校订《新修本草》具有重要价值。尤其在本书成书之际，正当唐

代末年，其书未经过宋代修改，从文献学角度来讲，是更有意义的。

本书，亦可用以校订世传本《新修本草》之误。例如"凝水石"条，下有"一名白水石"。1955 年上海群联出版社影印《新修本草》及 1985 年上海古籍出版社影印《新修本草》卷 4 "凝水石"条俱作"一名泉石"。检 1957 年人民卫生出版社影印《政和本草》卷 4 及 1977 年人民卫生出版社校点《本草纲目》638 页"凝水石"条，仍作"一名白水石"。据此可以断定，卷子本《新修本草》"凝水石"条误"白水"为"泉"字。

本书可以校证宋代本草所存《新修本草》的佚文。例如，本书"蘩蒌"条有"一名百滋草"5 字，注出苏敬。《大观本草》卷 29 页 10、《政和本草》卷 9 页 9 "蘩蒌"条所存《新修本草》佚文无此 5 字。尚志钧所辑《唐·新修本草》（1981 年安徽科学技术出版社版 475 页）"蘩蒌"条据本书补"一名百滋草"5 字。

除上所述，本书还可作为研究单味药发展史的参考资料。

《本草和名》一书，是日本古代撰述本草的第 2 部名著。它与百年前广世所撰《药经太素》，同属日本 10 世纪以前有名的药物学专著。

从今日来看，本书所言不仅与古代药物学以及古代医学文献有关，而且在博物学、语文学和文字学范围内，也是重要的参考文献。

（此为 1991 年 9 月尚志钧先生在安徽芜湖皖南医学院弋矶山医院为《本草和名》校点本撰写的后记。）

二十二、《大观本草》点校本

前　言

本书源于宋·唐慎微著《经史证类备急本草》。大观二年（1108）艾晟将陈承《重广补注神农本草并图经》的《别说》及林希序，辑入《经史证类备急本草》中，改名为《大观经史证类备急本草》，简称《大观本草》。

原书 31 卷，目录 1 卷，载药 1746 种，新增药 628 种，附古方 3000 余首。汇集唐宋以前，各家医药名著，以及经史传记、山经地志、诗赋杂记、佛书道藏等中有关本草学的知识，详述各药功用、采集、炮制、鉴别及名医心得，涉及宋以前秘本

500 余种，由此也保存了许多早已失传的医药典籍资料。李时珍对此给予高度评价："使诸家本草及各药单方，垂之千古，不致沦没者，皆其功也。"

本书对所收录的前代有关本草资料，皆原文转录，按朝代次序排列，使之形成层层包裹的状态，这比《本草纲目》窃切前代本草原始面貌，要更高一筹。因此，本书成为我们今天考察古本草发展，厘清单味药历史，辑佚古方书、古本草重要文献来源，同时也成为我们今后发掘中医药遗产、丰富和发展中国医药学的重要参考资料。

《大观本草》经过 2 次修订，成为《政和新修经史证类备用本草》《重修政和经史证类备用本草》。前者已佚，仅存后者，简称《政和本草》。

它们的关系如下。

《证类本草》是唐慎微最原始本，其全名为《经史证类备急本草》，原书已佚。

《大观本草》是艾晟用《证类本草》修订的，增加《别说》44 条及林希序。

《政和本草》是张存惠修订的，它比《大观本草》多《本草衍义》。

《证类本草》本是唐氏书原本简称，后来泛指唐氏书各种修订本总称，含《大观本草》《绍兴本草》《大全本草》《政和本草》。但今日通行的《证类本草》专指《政和本草》而言。

1991 年上海古籍出版社影印《证类本草》，是据清代四库全书所抄成化本《政和本草》影印的。

1993 年北京华夏出版社出版的《证类本草》，是据 1957 年人民卫生出版社影印金泰和晦明轩本《政和本草》校点排印的。

以上两书，名为《证类本草》，实乃是《政和本草》。

在现代，《大观本草》《政和本草》是唐氏书多种修订本中最佳的本子。凡研究本草者，都以此二书为范本。

例如，1978—1981 年人民卫生出版社排印刘衡如校点《本草纲目》，刘氏首选此二书为参考书。刘氏在校点说明"参考书"项下，列举 4 类参考书，头一类即是《经史证类备急本草》，并加括号说明"现存大观本及政和本"。

政和本有多种影印本和校点本：如 1921—1929 年商务印书馆影印本、1957 年人民卫生出版社影印本、1991 年上海古籍出版社影印本、1993 年华夏出版社排印校点本。惟独大观本既无影印本，又无校点本。

大观本、政和本既是同等重要，则大观本也应当有影印本和校点本。笔者在 1958—1960 年曾校点过《大观本草》，只因人事匆匆，终未写定。为了弘扬民族文化，振兴中医药，笔者特将 40 多年前校点的《大观本草》旧稿，重新整理出版。

由于本人年事已高，学术水平所限，加之体弱多病，精力、目力皆不济，错误、缺点难免，请读者批评指正。

（此为 2001 年 5 月尚志钧先生在安徽芜湖皖南医学院弋矶山医院为《大观本草》撰写的前言。）

校点说明

（一）书名：历代书志和本草书中所记本书名有 8 种。

题《证类本草》，有《八千卷楼书目》。

题《大观本草》，有《医籍考》等。

题《大观证类本草》，有《观海堂书目》等。

题《经史证类本草》，有《直斋书录题解》等。

题《经史证类备急本草》，有刘甲刊本。

题《大观经史证类备急本草》，有《宋史·艺文志》。

题《经史证类大观本草》，有《中医图书联合目录》等。

题《经史证类大全本草》，有《带经堂书目》等。

在上述 8 种名称中，以《经史证类大观本草》书名用得最多，有 20 多种书目用此书名。1904 年柯逢时影刻本，其各卷首页首行及各卷末页末行，所题书名互不一致。或题"经史证类大观本草"，或题"经史证类备急本草"，或题"经史证类大全本草"。本书各卷一律用"大观经史证类备急本草"。

（二）本书校点以 1211 年刘甲本《经史证类大观本草》（以下简称刘《大观》）为底本，以 1904 年柯逢时影刻本《经史证类大观本草》（以下简称柯《大观》）为校本，以 1957 年人民卫生出版社影印《重修政和经史证类备用本草》（以下简称人卫《政和》）及敦煌出土《本草经集注》（以下简称敦煌《集注》），日本卷子本《新修本草》、《本草和名》等为旁校本，以其他书如《本草纲目》《千金翼方》《备急千金要方》《外台秘要》为参考本。

（三）本书校勘方法，以对校、本校、他校为主，兼用理校。

（四）本书校勘，以底本为主，以诸校本为辅，对其他书仅作参考应用。对其中存在的各种异文，予以出注。在出注时，对各种校本书名，均用简称，对参考本用书名全称。

（五）对底本中所引的书名、书中细节，均保持原貌，不予改动。

（1）凡底本引同一种书，所用书名有不一致的，均依底本原貌，不加改动。按底本所引的书，有300余家，对同一种书，所引书名很复杂，或用全书名，或用其异名，或用其简称，或用作者名，或用作者姓氏。

例如，援引陈藏器《本草拾遗》，或作"陈藏器"，或作"陈藏器解纷"，或作"陈氏拾遗"，或作"陈氏"。又如引葛洪《肘后方》，或作"葛洪"，或作"葛稚川"，或"葛稚川百一方"。

（2）有时同一条下，各注中对同一种书，所用的名称也不同。

例如，底本卷3"紫石英"条，在掌禹锡注中引有"《岭南录异》"，在苏颂《本草图经》注中作"《岭表录异》"。按《四库全书总目提要》云"《岭南录异》""《岭表录异》"是同书异名。在点校时，对此类同书异名，均依底本原貌，不加改动，亦不出注。

（3）底本中避讳字，一般不改动。如底本中"慎"，因避宋孝宗赵昚（音慎）名讳，或作"谨"，或作"避"，或作"忌"，或作"氏"，或作"避御名"。这些避名讳所用的字，均不改动。

（六）底本所引前代文献有省略处，本书出注指明，但不在底本上补。

例如，底本卷20"鲤鱼"条"图经曰"，引崔豹《古今注》释鱼有3种："兖州人谓赤鲤为玄驹，谓白鲤为白骥，黄鲤为黄雉。"但今本崔豹《古今注》作"兖州人谓赤鲤为赤骥，谓青鲤为青马，黑鲤为玄驹，谓白鲤为白骥，黄鲤为黄雉"。文中有横线者为底本所省略。本书仅出注指明，不改动底本。

（七）对底本中所作《神农本草经》白字标记与《名医别录》黑字标记，均保持原貌，不加改动。

对底本中文同校本勘比有异文时，其异文并不影响文义，只出校注指明，但不改动底本。

（八）凡底本有脱漏，即据校本补。

例如卷21"白僵蚕"条附方，底本脱漏《外台秘要》等9方，即据校本补。

凡底本、校本均脱漏，即据旁校本补。底本、校本卷28"水苏"条下引"唐本注"文，有"今以鸡苏之一名"句。由于此句有脱漏，文义欠通。查《新修本草》卷18"水苏"条，其句为"今以鸡苏为水苏之一名"，是底本脱漏"为水苏"3字，本书即据《新修本草》补。

底本、校本卷 31 俱脱漏"天仙藤"条，即据旁校本补。底本、校本卷 9"凫葵"条俱脱药图，即据旁校本补。

（九）凡底本、校本有讹误，即据旁校本及其他参考本改。

如底本、校本卷 27"胡荽"条引《食疗本草》有"煮食腹破"句。旁校本同。此句不可解，查《食疗本草》"胡荽子"条为"煮使腹破"（其义将胡荽子煮胀开），本书即据《食疗本草》改。

（十）凡底本文献标记讹误或脱漏，按底本体例删改或补正。

例如，本书对唐慎微新添资料，所冠标记互不一致，或标墨盖子（▉）或标方框（□），本书一律用墨盖子（▉）标记。

（十一）凡底本所云事物与历史不符合者，则据诸校本改。如诸校本也不一致，则参考有关文献改。如一时查不出相关依据，则存疑待考。

例如，底本卷 3"车渠"条引有《集韵》的书名。底本卷 5"青琅玕"条陈藏器引文同，但书名作《韵集》。按车渠是唐代药，《集韵》是宋治平四年（1067）丁度所撰，二者时代不合。查《旧唐书·经籍志》《新唐书·艺文志》载有吕静撰《韵集》。则底本卷 3"车渠"条所引《集韵》，当是《韵集》倒置之误。本书据此改。

又如底本卷 5"不灰木"条引陈藏器文有"中和二年，于李宗处见传"。按陈藏器是唐代开元年间（713—741）人。而"中和二年"是唐僖宗年号，即公元 882 年，晚于陈藏器生活年代。陈藏器《本草拾遗》不可能记载 100 多年以后的事。由于文献未查出，暂存疑待考。

（十二）凡需校勘的词、字多次重出者，每次见均校。予以出注。

例如底本全书中，对"己""已""巳"，均作"巳"。如"防己""及己"，俱作"防巳""及巳"。又"已上"俱作"巳上"。凡此重出"己""已"笔误，每见均校之。

（十三）凡底本词、字，与诸校本不同，但与现存最古的本草或方书词、字相同，则从底本为正，不予改动。

（十四）底本出现的难字、僻字，进行训释。如释药名，仅注音，不释义。凡需训释之词、字多次重出者，于首见时出注，以后重出者，不再加注。

（十五）底本中同名异物的药，在校勘时出注说明。如石蜜在卷 20 是《神农本草经》药名，在卷 23 是《新修本草》新增药物。女菱在卷 6 是《神农本草经》药名，在卷 8 是《新修本草》新增药物。

（十六）校勘、训释出注序码，列于当页右栏下端，并统一排列。

（十七）底本中所用的字体大小有四，即黑大字、黑小字、白大字、白小字。这次点校时，对黑大字、黑小字用不同型号宋体字表示。对白大字、白小字用不同型号黑体字表示。

（十八）底本中的异体字或古体字均直接改为现代通行简化字，不再出注。

（十九）原书是繁体竖排，无标点；为了方便读者阅读，改用简体横排，并试加标点。由于书中文字古奥和点校者水平所限，对书中文义领会不够，所加的标点，仅仅是一种尝试，错误和缺点难免，请读者指正。

二十三、《证类本草》校点本

前　言

本书是宋·唐慎微所著，原名《经史证类备急本草》，大观二年（1108）艾晟将陈承《重广补注神农本草图经》的《别说》加入书中，上之于朝，改名为《大观经史证类备急本草》简称《大观本草》。到政和六年（1116），曹孝忠重加校定，改名为《政和新修经史证类备用本草》。至淳祐九年（1249）张存惠将《本草衍义》随文散入于书中，改名为《重修政和经史证类备用本草》，简称《政和本草》。

原书 30 卷，载药 1746 种，新增药 628 种，附古方 3000 余首。集唐宋以前，各家医药名著以及经史传记、山经地志、诗赋杂记、佛书道藏等书中有关本草学的知识，详述药物功用、采集、炮制、鉴别及名医心得，涉及宋以前秘本 247 种，保存了许多今已失传的医药典籍的内容。李时珍对此给予高度评价："使诸家本草及各药单方，垂之千古，不致沦没者，皆其功也。"

本书对所收录前代本草资料，皆原文转录，按朝代次序排列，使之形成层层包裹的状态，这比《本草纲目》窬切前代本草原始面貌，要更高一筹。因此，本书成为我们今天考察古本草发展，厘清单味药历史，辑佚古方书、古本草，丰富和发展中国医药宝库的重要参考资料。

本书是宋代本草发展最高峰的总结，其对众多药物形态的记述和药图的收录也最为齐全。

李约瑟博士在《中国科学技术史》中赞扬本书说："要比 15 和 16 世纪早期欧洲的植物学著作高明得多。"所以本书一直是与《本草纲目》齐名的政府法定本草范本。它在学术上、实用上都有极高的价值。

本书经历代翻刻，刊本极多，各种刊本，存在很大差异，衍脱、讹误、颠倒、错简等，各本皆有。这导致本书应用到科研、教学、临床、生产等上时，存在一些缺点。同时原书是繁体字，无标点，这给一些年轻读者阅读又带来一定的困难。为此，我们从各种刊本中，选择最好的版本为底本，用各种善本详加校勘，改正底本中一些讹误，并加标点和释疑，将繁体竖排改为简体横排，并以悦目美观的版式影绘原书附图，使其易读、实用，以便更多的人从中发掘到中医药学的最精粹部分。

凡中医药工作者、西药从业人员，以及在教学、临床、科研、生产（包括药工、药农、采药、制药、鉴别）等领域的相关人员均可参考应用。

由于笔者学术水平所限，错误和缺点难免，敬请读者批评指正。

（此为1992年12月尚志钧先生在安徽芜湖皖南医学院弋矶山医院为《证类本草》校点本撰写的前言。）

校点说明

（一）唐慎微所撰的《经史证类备急本草》简称《证类本草》。该书曾被多次修订、翻刻，且每次修订、翻刻后，其书名和内容与之前不尽相同。今以1957年人民卫生出版社据扬州季范董氏藏金泰和张存惠晦明轩本影印的《重修政和经史证类备用本草》为底本。人民卫生出版社将该底本影印成2种本子：一种是线装本，简称线装本《政和》；另一种为精装4页合1页本，简称人卫《政和》。

（二）本书除用不同版本《政和本草》互校外，亦用不同版本《大观本草》《新修本草》《本草经集注》等予以校勘。对其间所存在的各种异文，予以出注。在出注时，对各种校本书名均用简称。兹将简称书名版本介绍如下。

（1）宋嘉定四年（1211）刘甲校刊《经史证类备急本草》（简称刘《大观》）。

（2）清光绪三十年（1904）武昌医馆柯逢时影宋并重刊《经史证类大观本草》（简称柯《大观》）。

（3）明成化四年（1468）山东巡抚原杰据晦明轩本翻刻本（简称成化《政和》）。

（4）1921—1929年商务印书馆影印金泰和甲子下己酉晦明轩刊本（简称商务《政和》）。

（5）清乾隆十年（1745）《钦定四库全书·子部·医家类》抄本《证类本草》（简称四库《证类》）。

（6）1955年上海群联出版社影印《吉石盦丛书》本开元写本《本草经集注·序录》残卷（简称敦煌《集注》）。

（7）1952年罗福颐《西陲古方技书残卷汇编》影抄吐鲁番出土《本草经集注》残片（简称吐鲁番《集注》）。

（8）清光绪十五年己丑（1889）傅云龙影刻唐卷子本《新修本草》（简称傅《新修》）。

（9）1985年上海古籍出版社影印上虞罗振玉收藏日本传抄唐卷子本《新修本草》（简称罗《新修》）。

（10）宋庆元年（1195）江南西路转运司修刊寇宗奭《本草衍义》（简称庆元《衍义》）。

（11）1957年商务印书馆出版寇宗奭《本草衍义》（简称商务《衍义》）。

（12）1977—1981年人民卫生出版社出版刘衡如校点李时珍《本草纲目》（简称《纲目》）。

（三）在校勘时参考其他书，如《肘后方》、《外台秘要》、《备急千金要方》（简称《千金方》）、《千金翼方》、《医心方》、《本草和名》、《尔雅》、《说文解字》（简称《说文》）、《博物志》、《十三经注疏》以及史书、类书如《太平御览》等，均用原书名出注，此处不再一一介绍。

（四）本书校点时以底本为主，以诸校本为辅，其他书仅作参考。

（五）对底本书名、书中细节均保持原貌。

（1）凡底本引同一种书，所用书名不一致，均依底本原貌，不加改动。按底本所引的书有300余家，对同一种书，所引书名很复杂，或用其全称，或用其异名，或用其简称，或用其作者名，或用其作者姓氏。

例如，援引陈藏器《本草拾遗》，或作"陈藏器"，或作"陈藏器解纷"，或作"陈氏拾遗"，或作"陈氏"。又如引葛洪《肘后方》，或作"葛洪"，或作"葛稚川"，或"葛稚川百一方"。

（2）有时同一条下各注对同一种书所用的名称也不同。

例如，底本93页同一"紫石英"条，在掌禹锡注中引有"《岭南录异》"，在苏颂《本草图经》注中作"《岭表录异》"。按《四库全书总目提要》，"《岭南录异》""《岭表录异》"是同书异名。在点校时，对此类同书异名，均依底本原貌，不加改动，亦不出注。

（3）对底本总目及各卷分目均予以保留。凡目录与正文不一致的，则从正文为是。

例如卷 19 禽部目录"陈藏器余"标题下有"鹁鸪""鹦蝉""鸟目有毒"等药名，各衍"鸪""蝉""无毒"等字，即据底本正文删。又卷 22 "蓝蛇头"的"头"字，亦属衍文，即据正文删。

（4）凡底本引前代文献有省略处，本书出注指明，但不在底本上补。

例如底本卷 20 "鲤鱼"条"图经曰"，引崔豹《古今注》释鱼有 3 种："兖州人谓赤鲤为玄驹，谓白鲤为白骥，黄鲤为黄雉。"但今本崔豹《古今注》作"兖州人谓赤鲤为赤骥，谓青鲤为青马，黑鲤为玄驹，谓白鲤为白骥，黄鲤为黄雉"。文中划有横线者为底本所省略。本书仅出注指明，不改动底本。

（5）凡底本与诸校本有异文时，若其异文并不影响文义。只出校注指明，但不改动底本。

例如底本卷 16 "龙骨"条引《衍义》曰："孔子曰：君子有所不知。"《十三经注疏·论语·子路》作"君子于其所不知"。前句中用"有"，后句中用"于其"。二者于文义均无疑，故仅出注指明，但不改底本。按，《衍义》是宋代寇宗奭所撰。寇氏引文仅取其义，不重视转录原文。

（六）本书以对校、本校、他校等校勘方法为主，兼用理校。

（七）凡底本文有讹误或脱漏，则据诸校本改或补。如诸校本均讹误或脱漏，则参考其他有关文献改或补。

例如本书卷 15 "发髲"条末有"疗小儿惊热"句。《政和本草》《大观本草》诸校本同。但《纲目》作"疗小儿惊热百病"。傅《新修》、罗《新修》作"疗小儿惊热下"。按"下"字不可解。底本卷 19 "丹雄鸡"条引《图经》曰："发髲，本经云'发髲合鸡子黄煎之，消为水，疗小儿惊热下痢'。"又《小儿卫生总微论方》卷 10 胎中病论"蓐疮"条引刘禹锡文和底本"图经曰"文全同。本书据此补"下痢"2 字。

（八）凡底本有误，则据校本改。如诸校本均误，则参考其他有关文献改。

例如底本卷 1 陶隐居序中有"阮德如张茂先辈逸民皇甫士安"句。诸校本同。《纲目》断句为"阮德如、张茂先辈，逸民皇甫士安"。但句中"辈"，敦煌本《本草经集注》作"裴"。则此句应断为"阮德如，张茂先，裴逸民，皇甫士安"。本书据此改"辈"为"裴"。

（九）凡底本文献标记讹误或脱漏，按底本体例删改或补正。

（1）底本白大字《神农本草经》文标记有误，据诸校本改。

例如底本卷3"曾青"条有"曾青，味酸，小寒。主目痛，止泪出、风痹，利关节，通九窍，破癥坚积聚。久服轻身不老。能化金铜"，此35字原属白大字《神农本草经》文，而底本作黑字《名医别录》文。本书据成化《政和》、商务《政和》将曾青条《神农本草经》文改为白字标记。

（2）底本所注白小字标记有误，则据诸校本及底本体例改。

例如底本卷9"王孙"条的注文有"陶隐居""唐本注"等小标题，按底本体例当作白小字标记，但底本并未作小字标记，本书据底本体例改。

（3）底本大小字标记有误，即据底本体例改。按底本体例所引文献名称，均作大字标记。凡未作大字标记文献的名称，则据底本体例改。

例如卷10"豚耳草"条引《百一方》，该方后半截是《颜氏家训》文。此《颜氏家训》与《百一方》均是文献名称，都应作大字标记。由于《颜氏家训》未作大字标记，易误《颜氏家训》文为《百一方》文。本书则据底本体例改。

（4）底本药物条文出典标记有误或脱漏，则据本书体例删改或补正。

例如底本卷11蒴藋条末误注"今附"2字，则据底本体例删。按"今附"是《开宝本草》新增药的标记，而蒴藋是《名医别录》药，不应当注"今附"2字。

又如卷13伏牛花、蜜蒙花、五倍子、金樱子等药，都是《开宝本草》新增药，当注"今附"。但底本均脱漏"今附"2字，本书则据底本体例补。

底本卷19乌鸦、练鹊等条均脱漏"新补"标记，本书据底本体例补。按"新补"是《嘉祐本草》新增药标记。乌鸦、练鹊都是《嘉祐本草》新增药，按底本体例，应加上"新补"2字为标记。

（5）底本墨盖子标记有误，即据底本体例删改或补正。

按底本体例，凡属唐慎微所增诸家文献，在诸家文献为首的文献头上，皆冠以墨盖子（▼）标记。但底本朴硝、白石英、食盐、大盐、鸢尾、松脂、夫衣带、蜂子等条，均有唐慎微增补文献，皆脱漏墨盖子标记。本书据底本体例补。

还有些引文，如"别说"资料，不是唐慎微所增，是艾晟修《大观本草》所增，即不能冠以墨盖子。例如，底本卷4"铁"条及卷12"藿香"条下引的"别说"，其上冠有墨盖子，本书据底本体例删。

（十）底本引同一家资料，前后不一致时，择其善者而从之。

例如，底本卷14"赤爪木"条引陈藏器文有"梂以小查而赤"，线装本《政和》、成化《政和》、商务《政和》"赤爪木"条俱作"梂以小查面赤"。从文理上讲"梂以小查而赤""梂以小查面赤"都不可解，但底本卷 13 "吴茱萸"条引陈藏器文亦作"梂似小查而赤"，此文较"梂以小查面赤"为善，本书即择"梂似小查而赤"。

（十一）凡底本所云事物与历史不符合者，则据诸校本改。如诸校本也不一致，则参考有关文献改。如一时查不出相关依据，则存疑待考。

例如，底本卷 3 "车渠"条引有《集韵》书名。底本卷 5 "青琅玕"条陈藏器引文同。但书名作《韵集》。按，车渠是唐代药，《集韵》是宋治平四年（1067）丁度所撰，二者时代不合。《旧唐书·经籍志》《新唐书·艺文志》载有吕静撰《韵集》，则底本卷 3 "车渠"条所引《集韵》，当是《韵集》倒置之误。本书据此改。

又如底本卷 5 "不灰木"条引陈藏器文有"中和二年，于李宗处见传"。按，陈藏器是唐代开元年间（713—741）人。而"中和二年"是唐僖宗年号，即公元 882 年，晚于陈藏器生活年代。陈藏器《本草拾遗》不可能记载 100 多年以后的事。由于文献未查出，暂存疑待考。

（十二）凡需校勘的词、字多次重出者，每见均校，予以出注。

例如底本全书中，对"己""已""巳"，均作"巳"。如"防己""及己"，俱作"防巳""及巳"，又"已上"俱作"巳上"。凡此重出"己""已"笔误，每见均校之。

（十三）凡底本词、字与诸校本不同。但与现存最早的本草或方书词、字相同，则从底本为正，不予改动。

例如底本卷 5 "青琅玕"条陶隐居注文有"琅玕亦是昆山上树名"。文中"昆"，刘《大观》、柯《大观》作"昆仑"。查傅《新修》、罗《新修》仍作"昆"。本书从底本为正，不予改动。

又如底本卷 23 "杏仁"条引有《外台秘要》方。其方有"日料一升取尽"，句中"日"，柯《大观》作"每"。查《外台秘要》仍作"日"。本书从底本为正，不加改动。

（十四）对于底本中出现的难字、僻字进行训释。如属药名，仅注音，不释义。凡需训释之词、字多次重出者，于首见时出注，以后重出者，不再加注。

（十五）对于底本中的避讳字，一般不予改动。如有影响文义的，即出注说明。

例如《开宝重定序》有"梁正白陶景"，按文理应作"梁贞白陶弘景"。此因底本沿袭旧本避讳例所致。旧本避宋仁宗赵祯讳，改文中"贞"为"正"，又避宋太宗父赵弘讳，删去文中"弘"字。本书不予改动，仅出注说明。

（十六）底本中同名异物的，在校勘时出注说明。如石蜜在卷20是《神农本草经》药，在卷23是《新修本草》新增药。女萎在卷6是《神农本草经》药，在卷8是《新修本草》新增药。

（十七）校勘、训释出注序码，列于当页右栏下端，并统一排列。

（十八）底本中所用的字体大小有四，即黑大字、黑小字、白大字、白小字。这次点校时，对黑大字、黑小字用不同型号的宋体字表示。对白大字、白小字用不同型号黑体字表示。

（十九）底本中的异体字或古体字均直接改为现代通行简化字，不再出注。

（二十）原书是繁体竖排，无标点。为使广大读者方便阅读，现改用简体横排，并试加标点。

二十四、《绍兴本草》校注本

前　言

《绍兴本草》即《绍兴校定经史证类备急本草》的简称。原书由南宋政府组织医官王继先等，在唐慎微《大观本草》基础上校定而成。凡由王继先所增的新药，皆冠以"绍兴新添"4字。全书仍为31卷，于绍兴二十七年（1157）刊行。

王应麟《玉海》云："绍兴二十七年八月十五日王继先上校定《大观本草》三十二卷（含目录1卷，实乃31卷）。释音一卷，诏秘省修润付胄监镂板行。"

其后又将《绍兴本草》节略成22卷，于绍兴二十九年（1159）刊行。陈振孙《直斋书录解题》卷13云："《绍兴校定本草》二十二卷，医官王继先等奉诏撰。绍兴二十九年（1159）上之，刻板修内司。"

32卷本《绍兴本草》不见于后世书志记载，可能没有重刊过。而22卷本《绍兴本草》，后世书志多有记载。

《文献通考·医籍考》，记载《绍兴校定本草》22卷。

明·陈第《世善堂藏书目录》卷下，记载《校定本草》22卷，王继先。

《国史·经籍志》卷4下，记载《绍兴校定本草》22卷，王继先。

明·毛晋《汲古阁毛氏藏书目录》，记载《绍兴校定本草》22卷，医官王继先等。

早期传入日本的《绍兴本草》，可能是22卷本，仅含《绍兴本草》的药物正文、药图、绍兴校定文、绍兴新增药，不含《绍兴本草》的序例、药物注文、诸本草余药、人部药、有名无用药以及《本草图经》所附的图和药。

22 卷本《绍兴本草》在日本传抄版本有 20 多种，其中以日本文化八年（1811）伊藤弘美抄本最佳，该本于日本天保七年（1836）由日本·神谷克桢重抄（以下简称神谷本）。

北京大学图书馆藏有神谷本，1999 年华夏出版社出版《中国本草全书》第 15、16 两卷，即据神谷克桢抄本加以影印。

神谷本载药 700 余种，按矿物、植物、动物分类。矿物药按水、金、玉石等分类，植物药按草、谷、菜、果、木等分类，动物药按鱼、虫、禽、兽分类。这种分类方式与《大观本草》药物分类不相同，而与《本草纲目》药物分类正相同，说明抄写的人，在药物分类上受《本草纲目》的影响。

神谷本各类药物分得并不严格，其间互有掺杂，如木类中夹有草类，果类中夹有木类，如侧柏、杉材等。

有些药物按以类相从来分。例如薏苡仁，《大观本草》列在草部，《绍兴本草》移到米谷部。

神谷本对药物内容的编排。首列药物正文，次列药图，最后列"绍兴校定"文、"绍兴新添"药。少数药正文后兼记药物部分注文，如陶隐居、唐本、食疗、陈藏器、日华子、《图经》等注文。但所记的文字，都是片断的。

由于王继先是个奸佞之臣，其书亦为后人所贬低。陈振孙《直斋书录解题》云："《绍兴校定本草》二十二卷，医官王继先等奉诏撰……每药为数语，辨说浅俚，无高论。"

李时珍《本草纲目·历代诸家本草》，在《本草别说》条云："高宗绍兴末，命医官王继先等校正本草，亦有所附，皆浅俚无高论。"

其实该书对药物性味、主治、炮制、产地、药用部位都有考订，对前代本草用药得失，多从临床实际来评论，有效者，谓其用之有"的验"，无效者，即说用之"未闻有验据"。这种评论，在前代本草中，是很少见的。而且书中药图很精美，对药物基源考订很有参考价值。由于本书蒙尘很久，这些优点鲜为世人所知。

此书在国内亦少见。北京大学图书馆虽有收藏，乃属善本，一般人难以借阅。笔者为此予以点校注释。

总之，本书在学术上和文献上都很有价值。对研究宋代本草史及宋代用药情况，有很重要的参考价值。

由于本人学术水平所限，错误和缺点难免，请读者批评指正。

（此为 2000 年 10 月尚志钧先生在安徽芜湖皖南医学院弋矶山医院为《绍兴本草》校注本撰写的前言。）

校注说明

（一）南宋·王继先校定的《绍兴本草》有 32 卷本和 22 卷本。后者早期传入日本有 20 多种抄本，其中以 1811 年伊藤弘美抄本最佳。1836 年日本·神谷克桢氏予以重抄。本书用神谷本为底本加以校注。

（二）神谷本所记的正文，极少数是全文转录，多数是选择性摘取。摘取内容长短不一，最短的仅摘药名。对药物正文未摘取的文字，本书校注时，均出注说明之。

例如，卷 16 "猪苓" 条，在《大观本草》中有一名、产地，而神谷本省之。

（三）神谷本对《绍兴本草》校定文，都冠有 "绍兴校定" 4 字。但是神谷本中有些校定文并未冠以 "绍兴校定" 标记。本书根据下列情况判断，予以标记。

按神谷本所记的文字，在《大观本草》《政和本草》中均可查出，所引的条目前，皆冠有文献出处，如陶隐居、图经、陈藏器等。但极少数引文，没有文献出处标记，可是所引的记文，其内容、体例、行文语气，均和 "绍兴校定" 文相似，据此可以确定，此等记文当出于王继先所撰，本书即用 "绍兴校定" 4 字冠之。兹举例如下。

比如本书卷 10 "紫葛" 条，其条末有 "紫葛，味甘、苦，寒，无毒是矣。采根皮，五月、六月采苗日干" 23 字，此 23 字无文献出处标记。观其内容和行文语气，与 "绍兴校定" 文同，本书即以 "绍兴校定" 4 字冠之。并出注说明。

又如本书卷 10 "钩藤" 条，其条末有 "本经虽不载采何为用，但用枝茎及皮，以疗小儿惊风，诸方用之颇验。今当作味苦、甘，微寒，无毒者是矣。京西与川蜀多产之" 48 字。此 48 字无文献标记。观其内容和行文语气，与 "绍兴校定" 文同，本书即以 "绍兴校定" 4 字冠之。

（四）《永乐大典·医药集》所存《绍兴校定》文，共 19 条，各条或冠以 "绍兴本草" 或 "绍兴本"。本书校注予以收录，按神谷本体例，改用 "绍兴校定" 4 字冠之。在此 19 条内，其中仅有 8 条见录于神谷本，还有 11 条未见神谷本收载。说明神谷本所存"绍兴校定"文，不是《绍兴本草》里全部"绍兴校定"文。

（五）神谷本所收药物数目，在目录上所列的药数，与正文中所述药数不完全一致，本书校注时，亦仍其旧。

（六）有的药物条文重出，例如，神谷本卷 1 第 47 号为炉甘石条，在卷 2 第 78 号为黑石脂之后，又重出炉甘石条，对重出条文，本书校注时予以合并。

（七）对神谷本中某些条目，存在分条和并条的问题，本书校注时，予以适当的调整。

例如，神谷本卷 4 "赤箭"条并有天麻，本书校注时仍保持旧貌。又如神谷本卷 19 阿胶中分出阿井，阿井并非是药物，不能独立成一条，本书校注即将阿井并入"阿胶"条内。

又如本书卷 19 "野猪黄"条，其条末并有"豺皮"条全文，本书校注时即将"豺皮"条拔出，单独立为一条。

（八）神谷本所绘的药图，与《大观本草》药图相比，在轮廓上虽相似，但在细节上差异很多。

在植物图方面，神谷本所绘植物多是全株，有枝、叶、干、根。《大观本草》绘的药图，仅画出植物部分，或枝叶，或树干，根都未画出。在动物图，对动物形态、动物活动状况，以及动物所在环境，两家所绘图，均不相同。例如，犀的图，神谷本所绘犀脚如牛、羊蹄，而《大观本草》所画犀足如猫犬爪。类似此类极多。

凡药图差别很大的，校注时，将两书图并列，以资比较。

（九）有些药物品种类别相同，《大观本草》《政和本草》并列在一起，例如，粗黄石与姜石是同类药，《大观本草》《政和本草》将此二药图并列在一起。神谷本对此二药图，分置两处，姜石列在卷 3 "金牙"条后，粗黄石列在卷 3 末，姜石有图，又有记文，粗黄石仅有一图，无记文。本书校注时，据《大观本草》姜石所注"粗黄石附"，即将粗黄石图移置姜石图之旁，并出注说明。类似此例有天麻、赤箭、施州小赤药等。

（十）神谷本所记文中，凡有讹误、脱漏、错简、颠倒等，本书校注时，均予以改正。

（十一）在神谷本所记文中，对一些古病名、古地名，均加注释，附于当药条文之后。

（十二）本书各药名前所编阿拉伯数字序码，仅为检阅方便，不代表本书收载药数。

（十三）有很多问题，涉及面较广，一两句话讲不清楚，即设专题讨论，作为研究资料，附于书末。

二十五、《本草纲目》金陵初刻本校注

校注说明

李时珍（1518—1593）为明代杰出的医药学家，字东璧，晚年号濒湖，蕲州（今湖北蕲春县）人。祖父是"铃医"（走方郎中）。父亲李言闻，号月池，是当地名医。母亲张氏。时珍少年多病，由于当时医生社会地位低，其父要时珍应科举试。时珍14岁（1531）补诸生（考中秀才），以后分别在17岁、20岁、23岁时，赴武昌乡试孝廉（考举人）均不中，转而业医。时珍随父业医，屡奏奇效，名重一时。楚王闻之，聘为奉祠（管理医务），掌良医所事。世子暴厥，立活之。荐于朝，授太医院判，一年告归。

时珍告归后，决心重编一部本草著作。仿朱熹《通鉴纲目》"以纲系目，纲举目张"，进行编撰。并"渔猎群书，搜罗百氏"，除广泛参阅历代医药典籍及其他文献、吸收前人经验外，还向药农、樵夫、猎户、渔民和铃医请教，并亲自上山采药，对某些药物进行栽培、试服。通过对药物实地观察研究，纠正古本草中很多错误记载。他从嘉靖壬子（1552）直至花甲之年（1578）才完成此《本草纲目》（简称《纲目》）。全书约190万字，载药1892种，其中374种药物是李时珍新增的，附方1万多首，插图1109幅。

全书52卷，卷1~2辑录前代各家本草序例，卷3~4评述并补充《证类本草》诸病通用药。卷5以后，将收录药物按自然属性分为62类。对每种药物按释名、集解、正误、修治、气味、主治、发明、附方等项论述。全书涉及内容不仅限于本草学，对动物学、植物学、矿物学、天文学、地理学、地质学、化学、医学、历史学等都有涉及，是一部内容广泛、资料丰富的博物学巨著。它继承和总结明代以前本草之大成，对明以后的本草产生了深远的影响。《纲目》的主治项，是总结明以前千余年用药的经验，这些经验都是药物应用于人，从人体直接反映中总结出来的，它比现代动物实验结果更为难得。所以清代大部分本草著作，如《本草备要》

《本草从新》等，都是从《本草纲目》主治项目中摘要编成，它们是广大临床医家必不可少的读物。

在当时，本书编成后，如何能出版，是个难题。时珍在蕲州、黄州、武昌无法出版。1579 年，时珍到金陵寻求出版亦未成。又经过 10 年的努力，才被金陵书商兼藏书家胡承龙接受刻印。书刚刻成，时珍溘然逝世，终年 76 岁。在逝世这一年，时珍曾作遗表，授其子建元。其表略曰："臣幼苦羸疾，长成钝稚，惟耽嗜典籍，奋切编摩，纂述诸家，心殚厘定。伏念本草一书，关系颇重，谬误实多，窃加订正，历岁三十，功始成就。"3 年后（1596），《本草纲目》在金陵（即南京）正式刊出，称为"金陵版"。其后，明朝万历皇帝朱翊钧下诏令征集图书，由时珍子李建元将《本草纲目》献上，朱翊钧仅批"书留览，礼部知道"7 字。

《本草纲目》不仅是一部药物学巨著，而且对矿物学、化学、动植物学的发展都有一定的贡献，它促进我国医药学的发展，对世界药物学的进展，也起到了一定的影响。从 1596 年《纲目》问世以来，不仅国内反复地翻刻，世界各国也先后译成拉丁、法、日、德、朝鲜、英等语言，在国外发行，被国际药物学、植物学者所重视。

《本草纲目》刊本有 70 多种，大体分为"一祖三系"，初刻金陵本为祖本，下分江西本、钱本、张本 3 种系列本。

祖本：最早为胡承龙首刻金陵本。载药图 1109 幅（藤黄有名无图）。1640 年程嘉祥加以翻刻，程氏改金陵本"辑书姓氏"为"校书姓氏"，并添上程氏姓名及摄元堂字样。

江西本：1603 年由夏良心、张思鼎刻于江西南昌，增李建元进疏及夏、张二序。该本基本保持祖本原貌，转载金陵本药图 1109 幅（藤黄有名无图），为明末清初《纲目》各种版本的底本。其后据此翻刻有 10 余家。1977—1981 年刘衡如亦据江西本校点，由人民卫生出版社排印出版。

钱本：1640 年钱蔚起刻于杭州，又称武林钱衙本。并改绘江西本药图，增加藤黄图 1 幅，共收药图 1110 幅。其后据钱本翻刻近 40 家。

张本（亦称味古斋本）：1885 年张绍棠刻于南京，文字参校江西本、钱本 2 种系列本，药图依钱本改绘，并参考《救荒本草》和《植物名实图考》，改绘图很多，共收药图 1122 幅，比钱本增绘 12 幅（计药 17 种，滇钩吻、土三七等）。张本改绘药图虽精美，但使原著失真，因此被现代本草品种考证学者指为伪本。但全书文字不伪，翻刻很多，流传极广。1957 年人民卫生出版社社据味古斋本加以影印，书末附校勘表、药物索引、释名索引。

上述 3 种系列本易见，惟独祖本难得。国内中国中医研究院、上海图书馆各藏一部，国外日本内阁文库、狩野文库、伊藤笃太郎、美国国会图书馆亦有收藏。旧载德国柏林国立图书馆藏有一部，后毁于战乱。国内所藏，视为极珍贵的善本，一般人难以借阅。

1998 年上海科学技术出版社据金陵本加以影印成 16 开本，特精线装成 10 册。

为了方便一般读者和青年人阅读，我们用最早的祖本（金陵本）进行校点，并把金陵本繁体竖排改为简体横排，用多种善本医药典籍加以校勘，对书中难字难词加以解释，连同校勘歧异文出注于相关章节或每药物文末之后。

《纲目》原是在《证类本草》的基础上编纂的，笔者从校勘实践中发现《纲目》是利用明代成化本《政和本草》系列本为蓝本编纂的。《纲目》所引《证类本草》文字，其异同讹误悉同成化本《政和本草》。这就使我们在校点《纲目》时，很多地方可以利用过去校点《证类本草》所用的资料。校点《证类本草》所参考的书，在校点《纲目》时，同样也可以用。

1957 年人民卫生出版社影印张绍棠刻《纲目》（以下简称张本）和 1977—1981 年铅印刘衡如校点《纲目》（以下简称刘本），也是很重要的参考资料。刘本和张本在校勘内容方面基本相近，凡刘本校出的，在张本均已改正，惟张本未出书证，而刘本出了详细的书证，这是刘本胜过张本之处。又张本仅有断句，且有误断，而刘本加了标点，并改正了张本中的误断，例如，《纲目》卷 43 鳞部"龙"条，张本（1574 页）误断，而刘本（2375 页）断得正确。不过对古书的断名标点，本来很难。例如，《纲目》卷 1 序例上，对同一节文，张本、刘本也有误断。张本（357 页）作"其贵胜阮德如张茂先辈。逸民皇甫士安"。刘本（51～52 页）作"其贵胜阮德如、张茂先辈，逸民皇甫士安"。两本皆断为 3 个人名，其实是 4人，按《本草经集注·序录》，文中"辈"字实为"裴"之误。所以当断为"其贵胜阮德如，张茂先，裴逸民，皇甫士安"。

李时珍生活在我国的封建社会，由于历史条件和当时科学水平的限制，加以后世对《纲目》翻刻校勘不精，书中不可避免地存在一些讹误或不够确切之处，这也是正常的。从清初直到现代，各家翻刻《纲目》时，对书中讹误都进行了很多补正。这次校注，卷 1 至卷 18 由尚志钧负责，卷 19 至卷 52 由任何承担。《本草纲目（金陵初刻本校注）》是在继承前人的工作基础上进行的，但是难免存在不足，敬请读者指正。

注释、集纂、编写

二十六、《〈诗经〉药物考释》

前　言

《诗经》是中国古代第一部诗歌总集，它在科举时代是必读之书①。其资料的真实性，是现存古书中比较可靠的②。它收集了西周初年（公元前 11 世纪）到春

---

① 《诗经》在科举时代，是士子必读之书。笔者幼年读私塾时，也念过《诗经》，那时老师要求学生熟读，定期背诵。在背诵时，老师提一句，学生接着下一句背诵，背不出，就罚跪。为了不被罚跪，笔者几乎每天行走、睡觉都在默念。这样日久，笔者也就能背出来了，所以时至今日仍能不忘。但这种背诵，纯出于口腔肌肉习惯性的运动，对句中意思，笔者在当时全无所知。

② 在先秦文献中，《诗经》是最可靠的。梁启超《要籍解题及其读法》云："现存先秦古籍，真赝杂糅，几乎无一书无问题；其精金美玉，字字可信可宝者，《诗经》其首也。"清·阮元《毛诗注疏校勘记·序》云："自汉以后，转写滋异，莫能枚数……自唐后至今，锓版盛行，于经、于传笺、于疏，或有意妄更，或无意伪脱，于是缪盭莫可究诘。"

秋中叶（公元前6世纪）[1] 约500年的诗歌，在孔子时称为"诗"或"诗三百"[2]，到汉武帝罢黜百家而尊孔，才称为《诗经》。汉代研究《诗经》者有四家，鲁人申培的鲁诗[3]，齐人辕固的齐诗[4]，燕人韩婴的韩诗[5]及毛苌所传的毛诗[6]。前三者已佚，今仅存毛诗。毛诗共有305篇，分风[7]、雅[8]、颂[9]三部分。郑樵《六经奥论》

---

[1] 《诗经》是最早的诗篇，一般认为是西周前期写成的，但从《诗·商颂·长发》"洪水芒芒，禹敷下土方"、《诗·大雅·生民》"时维姜嫄""后稷肇祀"等诗句中讲到大禹治水，周始祖后稷及其母亲姜嫄等资料来看，《诗经》的起源可以追溯到我国史前时代传说中的人物。最晚的诗篇为《诗·秦风·无衣》，据王船山《诗经稗疏》卷1云，此篇是秦哀公为向秦廷乞师的楚人申包胥作的，事在公元前506年，距离春秋的下限（公元前481年），仅有26年。

[2] 孔子称述的《诗》300篇和《汉书·艺文志》所载《诗》305篇，与现存本《诗经》正相符合。孔子曰："小子何莫学乎诗？诗可以兴，可以观……多识鸟兽草木之名。"

[3] 按《汉书·儒林传》所载，申公培鲁人，少事齐人浮邱伯受诗，为楚王太子戊傅，及戊立为王，胥靡申公；申公耻之，归鲁，以《诗经》为训，以教无传疑，是为鲁诗。传其学有藏代、赵绾、孔安国、周霸、夏宽等。

[4] 按《汉书·儒林传》所载，辕固生齐人，以治诗，孝景（公元前156—公元前141）时为博士。后帝以固廉，直拜为清河王太傅，固老罢归，已九十余矣。传其学有公孙宏、始昌，昌授后苍，苍授匡衡，匡授师丹，师授伏黯。伏改定章句，作解说九篇，以授嗣子恭，恭删黯章句，定为二十万言，年九十卒。

[5] 按《汉书·儒林传》所载，韩婴燕人，景帝（公元前156—公元前141）时为常山太傅，婴推诗之意而作内外传，其言与齐、鲁间殊。傅其学有贲生、赵子，赵授蔡谊，谊授包子与王吉，吉授长孙顺，顺授发福。建武初薛汉传父业，其弟子杜抚定韩诗章句。

[6] 按陆玑《毛诗草木鸟兽虫鱼疏》云："孔子删诗授卜商，商为之序以授鲁人曾申，申授魏人李克，克授鲁人孟仲子，仲子授根牟子，根牟子授赵人荀卿，荀卿授鲁国毛亨，亨作训诂传以授赵国毛苌。时人谓亨为大毛公，苌为小毛公，以其所传，故名其诗曰毛诗。苌授长卿，卿授解延年，年授徐敖，敖授陈侠，侠为新莽（8—23）讲学大夫。由是言毛诗者本之徐敖。时九江谢曼卿亦善毛诗，乃为其训，东海卫宏从曼卿学，因作《毛诗序》。其后郑众、贾逵传毛诗，马融作《毛诗传》，郑玄作《毛诗笺》。"

[7] 风是指各地民歌的调子。国风即是各地土乐调。秦风、魏风、郑风等十五国风，即15个不同地方的乐调，犹如今日陕西调、河南调一样。这些民歌多是反映西周到春秋中的人民生活和社会风貌，其中有的是人民内心情感的抒发或倾诉，有的是反映劳动人民悲惨生活与反抗，有的是揭露统治者的剥削和压迫，有的是描写征夫思妇、小吏不幸和怨怼。

[8] 雅是秦地的乐调，周秦同地，在今陕西。西周都于镐（西安的西南），这个地方的乐调，被称为中原正音，所以称周朝首都的乐调为雅。雅原是奏乐声中发出的特殊乌乌声。雅分为大雅、小雅。产生于西周的旧诗名大雅，兼有东周的新诗称为小雅。大雅、小雅都是奴隶主贵族在享乐时作的诗歌。其中也有一些讽刺诗。

[9] 颂是奴隶主贵族们歌颂上帝和祖先庙堂的歌，即宗庙祭祀乐歌。颂诗多无韵，不分章，篇制短，奏的时间拖长，并且连歌带舞。

云："风土之音曰风，朝廷之音曰雅，宗庙之音曰颂。"

305 篇诗中大部分采集于民间歌谣，小部分来自贵族创作。贵族所作的诗，多为了歌颂典礼，或讽刺、或谏议、或表达情意。如贵族遇有祭祀、出兵、打猎、宫室落成等，往往要奏乐唱歌。

民间歌谣是人们为了歌唱生活所作。所谓饥者歌其食，劳者歌其事。这些诗在一定程度上能反映社会的真实矛盾和人民的思想感情①。如《诗·豳风·七月》篇反映劳动人民对统治者的愤恨，该诗通过对一年四季各种繁重劳役的叙述，揭露在衣、食、住等方面奴隶和贵族间的差距，反映贵族对奴隶的剥削和压迫。所以《诗·豳风·七月》篇可视为当时社会的一个缩影。又如《诗·魏风·硕鼠》篇把贪得无厌的统治者比作老鼠，反映了奴隶对贵族的愤恨②。

此外，《诗经》还记载了劳动人民在生产斗争、生活实践、同疾病作斗争过程中，所发现的有益于健康的药物。也提到了很多具有医疗实用价值的药物，这些药物都是天然的草、木、鸟、兽、虫、鱼等各类动植物③。其中有些动植物，到后来成为本草中的正式药物。

清乾隆二十七年（1762）雾阁邹梧冈先生辑《诗经补注》提到《诗经》的资料中，有关药用的动植物有 40 多种。

1957 年陈邦贤《中国医学史》（商务印书馆版 36 页）第 3 章第 6 节"周代及春秋战国时药品的记载"谓《诗经》中植物药品的记载有 88 种。

1962 年《中华医学杂志》（473～474 页）陈维养提出《诗经》所载药物有 100 多种。

本书将历代本草的药物条文下注文中，所引用《诗经》词句中动植物的名字，罗列在一起，按药物自然属性分为草类、木类、兽禽类、虫鱼类、果类、菜类、米

---

① 《诗经》有不少诗篇，反映了当时的社会风貌；也有不少诗篇和诗句，反映了当时农业以及其他生产活动的情况。以农作物生产为主要内容的诗篇，在西周前期有《周颂·噫嘻》《臣工》《载芟》《良耜》等；西周后期有《小雅·信南山》《甫田》《大田》等；春秋时期有《诗·豳风·七月》。

② 《诗经》中有关人民讽刺剥削者的诗歌很多。如《诗·周南·螽斯》，《毛诗序》云："后妃子孙众多也。言若螽斯。不妒忌，则子孙众多也。"其实此诗以蝗虫纷飞，吃尽庄稼，比喻剥削者子孙众多也。

③ 《诗经》中所讲的动植物，以黄河流域为主。因为西周、东周主要活动于黄河流域中下游，包括今天的陕西、山西、河北、河南、山东及湖北的北部。

类进行注释。

每个药名先录《诗经》篇名，次录《诗经》词句中含有药名的诗句，然后用《说文》《尔雅》等书解释药物名词含义，再选录历代比较合理的古注①，最后摘录本章注文中所引诗句的资料，并录本草记载该药的有关形态及其主治的内容。

这样注释，可以将诗句中的动植物名称与本草中的药物联系起来，为核实古今药名提供部分参考资料。

关于历代本草注文引用《诗经》词句中动植物作为药物注释时，其中也存在不少的问题。因为《诗经》是公元前 11 世纪至公元前 6 世纪的作品，而现存的历代本草都是公元后著的，如陶弘景《本草经集注》是公元 6 世纪初著的，李时珍《本草纲目》是公元 16 世纪著的。同一个实物在不同时代其名称大都是不相同的。因为同物异名或同名异物，在同一时代不同地区都会出现，那么在不同时代就更普遍了，所以历代本草药名也存在同名异物或同物异名的现象，各家的考证也有出入。特别是《诗经》中的实物名称，年代那么久远，怎么会和后世本草药名暗合呢？所以各家考证药物名称引用《诗经》资料，也是根据各家理解《诗经》的诗意而定的。因此，《诗经》上同一句话，各家理解不同，应用到什么药物上也不同。我们可以举一些例子来看。

1. 诗云"于以采藻"的"藻"

苏颂《本草图经》把这个诗句中的"藻"作为"海藻"注释。（见《证类本草》221 页）

---

① 历代对《诗经》作注释的，不下数百家。汉代研究《诗经》的有齐、鲁、韩、毛四家，《汉书·儒林传》云："赵人毛苌传诗，是为毛诗。"汉·郑玄《六艺论》云："注诗宗毛为主，毛义若隐略，则更表明，如有不同，即下己意，使可识别。"郑玄所注，称为郑笺，后人称之为《正义》。自郑笺行世，则齐、鲁、韩三家诗遂废。但郑笺与毛传亦有异同。魏·王肃作《毛诗注》《毛诗义驳》《毛诗问难》等书，批评郑笺之不足，表彰毛亨原著之长。同时魏·王基作《毛诗驳》反对王肃之说。晋·孙毓作《毛诗异同评》支持王肃之说。但晋·陈统又作《难孙氏毛诗评》反对孙毓之说。

至唐代贞观十六年（642）孔颖达等，尊郑笺为范本，参考隋·刘焯《毛诗义疏》、隋·刘炫《毛诗述义》进行疏注，成为唐代《诗经》注解的权威性著作。

宋代学者对《诗经》著作时有争论，如欧阳修引其释《卫风·击鼓》5 章，谓郑笺不如王肃。王应麟《困学纪闻·经典释文》引其驳"茉苢"一条，谓王肃不如郑笺。宋南渡后，诸儒多以评毛郑为能事，尤以郑樵评论最激，朱熹《诗经传》亦从郑樵之说，对《诗小序》多所抨击。明·胡广等以刘瑾之书为蓝本，专宗朱传之说，从此形成汉、宋学派门户之争。所以千百年来，研究《诗经》的著作不下千种，由此而形成的各家学派（今、古文派，汉、宋学派），各成体系，众说纷纭，莫衷一是。

李时珍把这个诗句中的"藻"作为"水藻"注释。（见《本草纲目》1072 页）

2. 诗云"常棣之华"的"棣"

掌禹锡《嘉祐本草》把这个诗句中的"棣"作为"郁李仁"注释。（见《证类本草》345 页）

陈藏器《本草拾遗》把这个诗句中的"棣"作为"扶栘木"注释。（见《证类本草》357 页）

3. 诗云"隰有游龙"的"游龙"

陶弘景《本草经集注》把这个诗句中的"游龙"作为"荭草"注释。（见尚志钧辑《本草经集注》71 页）

李时珍《本草纲目》把这个诗句中的"游龙"作为"马蓼"注释。（见《本草纲目》931 页）

孙星衍等辑《神农本草经》把这个诗句中的"游龙"作为"蓼实"注释。（见《神农本草经》93 页）

4. 诗云"芄兰之支"的"芄兰"

李时珍《本草纲目》把这个诗句中的"芄兰"作为"萝藦"注释。（见《本草纲目》1046 页）

孙星衍等辑《神农本草经》把这个诗句中的"芄"作为"女青"注释。（见《神农本草经》111 页）

5. 诗云"葛藟累之"的"葛藟"

苏颂《本草图经》及陈藏器《本草拾遗》把这个诗句中的"葛藟"作为"千岁藟"注释。（见《证类本草》187 页）

孙星衍等辑《神农本草经》把这个诗句中的"葛藟"作为"蓬虆"注释。（见《神农本草经》52 页）

6. 诗云"六月食郁"的"郁"

掌禹锡《嘉祐本草》及苏颂《本草图经》把这个诗句中的"郁"作为"韭"注释。（见《证类本草》511 页）

李时珍《本草纲目》把这个诗句中的"郁"作为"蘡薁"注释。（见《本草纲目》1335 页）

7. 诗云"鼅鼄"的"鼅鼄"

李时珍《本草纲目》把这个诗句中的"鼅鼄"作为"蟾蜍"注释。（见《本草纲目》1557 页）

孙星衍等辑《神农本草经》把这个诗句中"醜鼁"作为"虾蟆"注释。(见《神农本草经》121页)

以上的例子是讲诗句中同一个动植物名称，因各家理解不同作为药物注释也不同。下面再举一些例子，说明诗句中不同的动植物作为同一个药物注释的情况。

1. 郁李仁

掌禹锡《嘉祐本草》在"郁李仁"条下所引诗句是"常棣之华"。(见《证类本草》345页)

孙星衍等辑《神农本草经》在"郁李仁"条下所引诗句是"六月食郁"。(见《神农本草经》116页)

2. 菟丝子

苏颂《本草图经》在"菟丝子"条下所引诗句是"茑与女萝"(见《证类本草》151页)，视"女萝"为"菟丝子"。

孙星衍等辑《神农本草经》在"菟丝子"条下所引诗句是"爰采唐矣"(见《神农本草经》14页)，视"唐"为"菟丝子"。

3. 蒺藜

陶弘景《本草经集注》在"蒺藜"条下所引诗句是"墙有茨"(见尚志钧辑《本草经集注》52页)，其意为《诗经》中的"茨"即本草中的"蒺藜"。

陈邦贤《中国医学史》在"蒺藜"条下所引诗句是"其甘如荠"(见该书1957年商务印书馆版37页)，其意为《诗经》中的"荠"即本草中的"蒺藜"。

此外，还有些本草药名下所引的诗句，似乎文不对题。例如孙星衍等辑《神农本草经》91页"䗪虫"条所引诗句为"喓喓草虫"。草虫似蝗虫，并非䗪虫，孙氏所释，似乎文不对题。按陆玑注云："草虫大小长短如蝗虫……青色，好在茅草中。"而䗪虫《唐本草》注云："此物好生鼠壤土中及屋壁下，状似鼠妇，而大者寸余，形小似鳖。"类似情况很多，详见本书注。

由此可见，古人对本草注释，所引用诗句中动植物的名称，随个人理解的不同而异，大体上只是以类相从而已。

由于本人学术水平所限，错误和缺点难免，敬请读者批评指正。

(此为1985年11月尚志钧先生为《〈诗经〉药物考释》撰写的前言。)

二十七、《〈山海经〉植物药考释》

前　言

　　中国古书里记载植物药最早且数量最多的，要算《诗经》和《山海经》了。《诗经》中所记载的植物药，仅有植物名称，没有植物形态的描述和功用的记载。而《山海经》中所记载的植物药，不仅数量多，而且有植物形态的描述和药用的记载。如把《山海经》各卷中的植物药汇集起来，就是一部很好的古代药用植物志，作为研究我国古代植物史和医药史，很有参考价值。

　　今存本《山海经》，据各家考证，公认是战国时期的作品，全书分《山经》《海经》两部。《山经》即《五藏山经》5 篇，《海经》包括《海外经》《海内经》《大荒经》，各有 4 篇，另外单独有一篇《海内经》，全书共计 18 篇。

　　《山海经》记载有山、水、动物、植物、矿物、医药、神话等资料，其中植物有 254 种，加上补遗（不见今本《山海经》，但见录于他书）8 种，合计 262 种。从《山海经》各卷所记载植物数量来看，《五藏山经》记载植物最多，约占 80%；《海经》记载植物较少，约占 20%。

　　《五藏山经》载植物 203 种，卷 1《南山经》13 种，卷 2《西山经》58 种，卷 3《北山经》26 种，卷 4《东山经》7 种，卷 5《中山经》99 种，以《中山经》记载植物最多。而且《五藏山经》所记植物，绝大部分是真实植物，很少有神话植物。

　　《海经》载植物 51 种，卷 6《海外南经》、卷 7《海外西经》各 1 种，卷 8《海外北经》3 种，卷 9《海外东经》5 种，卷 10《海内南经》4 种，卷 11《海内西经》13 种，卷 12《海内北经》、卷 13《海内东经》没有植物记载，卷 14《大荒东经》4 种，卷 15《大荒南经》9 种，卷 16《大荒西经》4 种，卷 17《大荒北经》4 种，卷 18《海内经》3 种。《海经》所记的植物，其中有不少是神话植物。

　　在《山海经》所记各种植物中，有不少植物，已不知其为何物。有不少植物是神话植物，也有些是同名异物，或同物异名，还有一些是泛称性名称。

　　不明的植物，有骨蓉、华草、弚、椒等。

　　同名异物，例如，同一个"条"有 3 个植物，即柚、韭、苘麻。同一个"穀"有 2 个同名异物，即构树、粮食。类似此例有芑，蓇草、无条、丹木等。

　　同物异名，如白芷称为茝，又名药蘺。构树，称为穀，又名楮。榆树，称为

231

榆，又名枢。楰，称为柤，或名苴。朱槿，称为扶桑，一名扶木，又名博木等。

泛称植物名，有瓜、甘果、香、禾、谷、白谷、嘉谷、穆（早熟谷物的统称）、膏菽、毒草，冬夏不死草（常绿植物）、乔木、刚木、美木、怪木等。

神话植物，有扶桑、扶木、珽木、大木、若木、槃木、木叶、木禾、甘华、甘柤、百果树、三桑、帝女之桑等。不过神话植物，也是古人从真实植物中，经过想象和夸张演变而成的。例如，扶桑，《本草纲目》释为朱槿。李时珍说："东海日出处，有扶桑树，此树花光艳照日，其叶似桑，因以比之。"这就说明神话植物"扶桑"，是从真实植物朱槿，经过想象和夸张编造而成的。

还有些植物，名为树，实际上是珊瑚。如琅玕树、三株树、珥琪树，都是珊瑚虫分泌出石灰质的骨骼所形成的珊瑚，并非是植物。

全书中所记植物名称，虽有 262 个，如果剔除泛称名、神话植物、同名异物、同物异名、珊瑚等名称外，实有植物名在 215 个左右。

在这 215 个植物名称中，有些名称在今日看来，只能表示某一类植物的统称。如麻、竹、樱、松、柏、栎、桃、李、杏、梨、枣、杨、柳等，都是某一类植物统称的名字，很难看出它在当时所指的是哪一个具体的植物。

例如，"麻"有桑科植物大麻，荨麻科植物苎麻、锦葵科植物苘麻。而《山海经》讲麻时，就提一个"麻"字，那就很难确定这个"麻"字究竟是什么麻了。

《山海经》对植物形态所记繁简不一，有的记载较详，有的记载简单，多数仅提一个名字而已。

例如，《南山经》云"招摇之山……多桂""堂庭之山，多棪木""虖勺之山，其上多梓……其下多荆"。桂、棪、梓、荆等一个字的植物名，只能代表某一类植物名称，看不出它所指的是哪一种具体植物。

有些植物，也有简单的形态描述和功用记载，例如，《南山经》云："招摇之山，有草焉，其状如韭，而青华，其名曰祝余，食之不饥。"又如《西山经》云："中曲之山，有木焉，其状如棠而圆叶，赤实，实大如木瓜，名曰櫰木，食之多力。"

有些植物，不仅记载了植物的形态，还记述了气味。例如，《西山经》云："浮山……有草焉，名曰薰草，臭如蘼芜。"《中山经》："阳华之山……其草多……苦辛……其味酸甘。"

有些植物还记有生长习性。例如，《西山经》云："小华之山……其草有萆荔……生于石上，亦缘木而生。"

此外，在《山海经》时代，人们对寄生植物也有认识。例如，《中山经》云：

"衡山，苦山多寓木。"《神农本草经》云："桑上寄生，一多寓木。"《本草纲目》云："此木寄寓他木而生，如鸟立于上，故曰寄生。"

《山海经》所记的植物，按本草传统的分类，有草类、木类、果类、菜类、米谷类。

草类植物，能供作药用的有杜衡、桔梗、朮、藁本、芫、蘼芜、芍药、苏、门冬、藷芎等。有些草类如麻、葛等，可作为纺织的原料。

木类植物，在《山海经》时代，是相当重要的，可用于制造弓、箭、武器、农具、车辆及其他生产工具；亦可用于建筑，如架桥、造房及家具等。有些木类在生长时，还可提供其他农产品，如桑可以养蚕，漆树可以生产油漆。从今日汉墓出土的漆器来看，古人对漆的收取和应用是很有经验的。

《山海经》记载果类植物亦很多，如桃、李、杏、梅、梨、大枣、栗、橘、柚等。由于古代农业生产不发达，加以自然灾害，生产出的粮食往往不能满足全年口粮的需要，有时常用果实来充饥，以补粮食之不足。例如，《战国策·燕策》云："燕……北有枣，栗之利，民虽不田作，枣栗木实，足食于民矣。"这个例子就说明古人把果实当作粮食吃的。

《山海经》记载的谷类有稻、黍、稷、菽（大豆），赤菽（赤小豆）等。但今本《山海经》中，没有"麦"的记载，不知是何道理？

《山海经》记载有医药功用的植物是55种，占真实存在植物（不包括神话植物等）数量的1/4。例如，《西山经》："崦嵫之山，其上多丹木……食之已瘅。"《中山经》："甘枣之山……有枣焉……可以已瞢（音盲）。"类似此例很多，此处从略。

根据以上所述，《山海经》中所记各种植物，汇集起来可以成为一本较好的中国古代药用植物志。

另外《山海经》对南方植物，如橘、柚、竹、桂、樟、梅、楤等，记载最多。这也可作为《山海经》是南方人所著的旁证。《山海经》对北方植物记载不及南方植物多而详，有些植物在《诗经》中很普通，而《山海经》就没有记载，如"麦"。

《诗经》记载麦的有很多处，如《诗·豳风·七月》："禾麻菽麦。"《诗·王风·丘中有麻》："丘中有麦。"《诗·大雅·生民》："麻麦幪幪。"不仅《诗经》有麦的记载，《尚书》《礼记》《春秋》《左传》《战国策》《庄子》《吕氏春秋》《范子计然》等先秦古书，均有麦的记载。不知《山海经》为何没有麦的记载。疑麦生长在北方，而《山海经》为战国南方楚人所作，不知北方有小麦的生长，所以书中无小麦记载。按理讲，麦是极为普通的植物，《山海经》的作者既是博学多闻，不会不知道麦的。或者记有麦，可能因古代传抄有所脱漏。笔者从诸书补辑《山海经》植物药的佚文有 8 种，如盘桃、干腊、木香、丁香等，均不见于今本《山海经》，说明今本《山海经》是有脱漏的。

为提供研究我国植物史、药物史的资料，笔者曾把《山海经》所记载植物药，按各卷出现的次序汇集起来，并标注阿拉伯数字序码进行诠释。

每个植物药名诠释时，先列《山海经》各卷所载植物的原文，按《山经》《海经》次序排列，《山经》又按南、西、北、东、中顺序编排。同一卷《山经》有若干篇者，又按篇目次第分列之。例如，卷 5《中山经》有 12 篇，分为中山经薄山之首、中次二经、中次三经……中次十二经。当同一植物见录于各经时，即按上述次序，将其所载同一植物资料，汇集在一起。

其次是对植物药名进行诠释。诠释注文，以最早文献所注为主，然后按年代次序分述之。所引古书资料，为了避免冗繁，同时又不影响说明问题，摘其精要者注之。为了古为今用，在注释的同时，把历代文献对某一植物所记的资料，汇编在一起，进行分析综合，结合《山海经》所记的植物形态、产地、功用等，初步厘定某一植物相当于今日什么植物。

对于某些植物，前人所释有疑问时，笔者即予以重新考订之。如《山海经》卷 5《中山经》："鼓镫之山……有草焉，名曰荣草，其叶如柳，其本如鸡卵，食之已风。"《本草纲目》卷 18，释荣草为土茯苓。按土茯苓的叶子全不像柳叶，土茯苓根呈不规则块状，也不像鸡卵。郝懿行释荣草为蕳茹，《蜀本草》说："蕳茹根如萝卜。"《神农本草经》说："蕳茹除大风。"此与《山海经》所云义合，当从郝氏所释为正。

由于《山海经》所记物品名称古老，同一品名，各人理解不同，所释的结果出入亦很大。

例如，《西山经》云："上申之山，上无草木，而多硌石。"孙星衍辑的《神农本草经》卷 1 "络石"条，即引用此文释之。要知《神农本草经》卷 1 络石乃是植物，而上申之山的硌石是矿物，二者不能因名同而联系在一起，因为上申之山言明"无草木，而多硌石"，则此"硌石"当是矿物，而非植物。所以，笔者亦不收"硌石"为植物。类似此例很多，此处从略。

（此为1980 年 5 月尚志钧先生在安徽芜湖为《〈山海经〉植物药考辨》撰写的前言。）

234

二十八、《〈五十二病方〉药物注释》

前　言

1973 年长沙马王堆发掘汉墓，其墓主为西汉初诸侯王国长沙国丞相轪（音代）侯利苍及其妻、子等。而利苍官长沙丞相封轪侯，是在汉高帝（公元前 206—公元前 195）至高后（公元前 187—公元前 180）年间。这次发掘出土了最早的帛书医方。该医方原无书名，由于医方是以 52 个病归类的，所以马王堆汉墓帛书整理小组即以《五十二病方》定为该帛书医方的书名。

《五十二病方》有目录和正文两部分。目录和正文是用带有隶草笔意的篆书写的。全文都是竖行书写，自右向左顺序排列，每整行约有 32 个字，正文现存 459 行。

全书包括 52 个病，正文中每个病都有抬头小标题，各个小标题的次序和目录中的病名次序大体是相同的。每个病名标题下分别记载不同的方子，每个方子的开头冠以"一"字为标记。

各个病名标题下所载方子数目不定，多则二十几个，少则一二个，所载方子共有 283 个。但将目录和正文进行对比，正文中因残损导致有 5 个病有目无文，所以原书实有的方子数，应比 283 个要多。

1979 年《五十二病方》由文物出版社出版，采用现代简化字，改成横排，印成单行本，并在书末 196～207 页附有《五十二病方》现存药名表，该药名表共载药名 247 个（其中桑实药名未见）。这 247 个药名是从 283 个方子中的药名摘录汇集而来的。由于《五十二病方》原书实有方子总数应多于 283 个，所以原书实有的药物亦应多于 247 种。

在这 247 种药物中，从它们的来源看，有矿物药、植物药、动物药及器物和加工品。其中矿物药有 21 种，约占 8.5%；植物药有 121 种，约占 49%；动物药有 60 种，约占 24%；器物品和加工品有 31 种，约占 12.5%；待考药品 14 种，占 6%。

在这 247 种药物中，大部分药物都见于古代文献中，只有少数待考药物，不见古代文献记载。

由于《五十二病方》是现存最早的方书，则该方书中所载的药物也是人们最早使用的药物。这些药物填补了我国早期本草史的一大空白。它是研究我国古代药物的起源与发展的极其宝贵的资料。

《五十二病方》的出现，证明我国古代药物并不是通过"神农尝百草"突然产生的，而是广大劳动人民在与疾病长期作斗争的过程中不断总结和发展而来的。

对《五十二病方》的100多种药物都不见于《神农本草经》中，说明我国最早的药物，并不始于《神农本草经》，在《神农本草经》以前已有大量药物存在。

《神农本草经》中记载的很多药物名称，例如大豆、赤小豆、雷丸、蜣螂、芎蒡等名称，都是后代使用的名称，它们最古老的名称叫作大菽、赤荅、雷矢、庆良、麋芜等。而《五十二病方》中所用的药名都是一些最古老的名称。

《五十二病方》中没有提到五脏六腑和十二经。而《神农本草经》多次提到脏腑和十二经。如玉泉，《神农本草经》云："主五脏六腑百病。"大枣，《神农本草经》云："安中养脾，助十二经。"

以上事实都证明《五十二病方》成书时间早于《神农本草经》。因此《五十二病方》是我国现存最早有关药物的文献。

为了方便研究中药史，笔者将古代文、史、哲及古医书中有关药物资料按照《五十二病方》药物次序编排，把它们汇集在一起，供读者研究参考应用。

此外，这些资料也可帮助读者理解《五十二病方》中的药物，能够起到考释作用，因此本书书名定为《〈五十二病方〉药物注辨》。

由于本人学识水平有限，书中收录的资料，有不全或错误之处，敬希读者指正为盼。

（此为1982年2月5日尚志钧先生在安徽芜湖皖南医学院弋矶山医院为《〈五十二病方〉药物注释》撰写的前言。）

注释说明

《五十二病方》载有283方。在这283方中，应用的药物有247个，其中有半数药名，未见于《神农本草经》和《名医别录》。这就说明在先秦时期，有很多民间习用的药，未被《神农本草经》收录。这些未被收录的民间药对研究我国先秦时期的药物学史有很重要的参考价值。为了方便大家研究，笔者把《五十二病方》中所存的药物进行注释，以便为大家提供一些药物学的史料。

对于每个药物注释分3个方面进行叙述。

第一，列举方名，并注明该方在《五十二病方》中的行次。凡含有相同药物的方子，均罗列在一起。

第二，摘录古代文献中有关该药的历史资料，题名为"文献摘要"。在这个标题下，摘录3类文献内容。

（1）非医药书的文献摘要。有字书，如《说文》《尔雅》《广雅》《玉篇》《集韵》等。有经史书，如《诗经》《礼记》《山海经》《楚辞》等。有诸子书，如《庄子》《淮南子》《抱朴子》等。

（2）本草文献摘要。如《神农本草经》《名医别录》《吴普本草》《唐本草》等。

（3）方书文献摘要。如《金匮要略》《肘后方》《备急千金要方》《外台秘要》等。

第三，添加"按语"。从药名、主治、功用等几个方面来介绍后世方书、本草与《五十二病方》中药物的关系。

本书所注释药物以《五十二病方》附表（1979年文物出版社出版，第196～207页）所列的247种药物为主。为了方便检寻，每个药标以阿拉伯数字序码。按表中所列的目次，分为15类。因第7类待考植物药和第15类待考药物中有很多是不了解的，所以未作注释。

有些药物的注释，《五十二病方》所释与本书所释略有出入，如第2类草类药第36号青蒿，原书释为菣。又第63号仆絫，原文释为草类麦门冬，而本文释为蜗牛。类似此例很多。

本书仅对药名进行注释，对病名、器物名，本书未进行注释。

由于本人学术水平有限，注释错误，一定是难免的，敬希读者指正为盼。

二十九、《濒湖炮炙法》

前　言

《濒湖炮炙法》是笔者汇集李时珍《本草纲目》药物"修治"专目而成的。《本草纲目》载药1892种，其中有330种药记有"修治"专目。"修治"专目综述了前代炮制经验。上自《名医别录》，下至明代，总计有50多家的炮制资料，皆被李时珍收录在"修治"专目中。所以，《本草纲目》的"修治"专目，集中国药物炮制之大成。为了方便学习和研究，笔者将《本草纲目》药物"修治"专目汇集成册，名为《濒湖炮炙法》。

像这样的汇集，前代已有人做了。如清代康熙四十三年（1704）张叡（仲岩）从《本草纲目》"修治"专目中，选择常用药物124种，汇编成册，题名为《修事指南》。1928年世界书局石印该书时，改其名为《制药指南》；1931年上海万有书局铅印时改其名为《国医制药学》。该书所载各药炮制资料皆抄自《本草纲目》"修治"专目，但该书在序中对李时珍一字未提，竟署紫琅张仲岩著。这是不够好的，敬希读者明察。

张仲岩所集《本草纲目》"修治"专目资料，仅属部分内容。笔者现把《本草纲目》"修治"专目资料全部录出，定名为《濒湖炮炙法》，借以颂扬伟大医药学家李时珍对中药炮制的贡献。

在汇集本书时笔者采用了1977—1981年人民卫生出版社出版的校点本《本草纲目》作为底本，主要参考了1957年人民卫生出版社据1885年合肥张绍棠味古斋重校刊本影印的《本草纲目》（简称张绍棠本）、清光绪三十年（1904）武昌柯逢时影宋并重刊的《经史证类大观本草》（简称《大观》）、1957年人民卫生出版社影印本《重修政和经史证类备用本草》（简称《政和》）、1957年商务印书馆出版的寇宗奭《本草衍义》（简称"宗奭"）。

本书收录炮制药物330种，分为5卷。卷1是玉石类，收药46种；卷2是草类，收药124种；卷3是木类，收药47种；卷4是虫兽类（包括禽、鱼），收药73种；卷5是果菜米谷类，收药40种。笔者对每种药条文，均予校勘。凡与校本有出入处，均作校记，附于该药条文之下。

每种药物下所讲的炮制内容，均是汇集各家炮制资料而成，多则有数家之言，少则是一家之言。如"附子"条，由苏颂、陶弘景、雷敩、朱震亨等几家之言组合而成。"僵蚕"条由陶弘景、苏恭、苏颂、寇宗奭、雷敩等几家之言组合而成。"白胶"条由《别录》、陶弘景、苏恭、孟诜、雷敩、李时珍、《卫生方》、《医通》等几家之言组合而成。有些药物下的炮制内容仅有一家之言，如败酱、款冬花、紫菀、瞿麦等药物下仅录雷敩一家的文字。

该书论述药物炮制方法，虽多综述前人的资料，但对李时珍本人的炮制经验也有收录。在330种药物中，"修治"专目下载有李时珍本人炮制经验或见解的，就有144种，其中有很多药（如木香、高良姜、茺蔚、枫香脂、樟脑等）下的炮制内容，都是对李时珍个人经验的记载，并非他人经验的综述。

对药物炮制，李时珍在方法上有所发展。例如，"独活"条，雷敩曰："采得细剉，以淫羊藿拌，裹二日，暴干去藿用，免烦人心。"李时珍认为此法不切实用，并认为"此乃服食家治法，寻常去皮或焙用尔"。又如"牵牛子"条，雷敩曰："凡采得子……临用舂去黑皮。"时珍曰："今多只碾取头末，去皮麸不用。"

对前代有问题的炮制方法，李时珍都加以指正。例如，"砒石"条，雷敩曰："凡使用……入瓶再煅。"时珍曰："医家皆言生砒经见火则毒甚。而雷氏治法用火煅，今所用多是飞炼者，盖皆欲求速效，不惜其毒也。"又如"大戟"条，雷敩曰："采得后，于槐砧上细剉，与海芋叶拌蒸，从巳至申，去芋叶，晒干用。"李时珍曰："海芋叶麻而有毒，恐不可用也。"

对药物炮制与药效关系，李时珍阐述较详。例如，"甘草"条，李时珍曰："大抵补中宜炙用，泻火宜生用。""知母"条，李时珍曰："引经上行则用酒浸焙干，下行则用盐水润焙。""牛膝"条，李时珍曰："今惟以酒浸入药，欲下则生用，滋补则焙用，或酒拌蒸过用。"

李时珍对药物炮制与药物保管亦有研究。例如，"腽肭脐"条，时珍曰："以汉椒、樟脑同收，则不坏。"又如"当归"条，时珍曰："凡晒干乘热纸封瓮收之，不蛀。"有补养功效的药物，极易虫蛀，虫蛀多因虫卵落在药物上繁殖而生，晒得干热，可消灭虫卵，再用纸封，藏在瓮内可阻止虫卵重犯，即不蛀。这个方法很合乎科学道理。

对于前人药物炮制，李时珍重视实践，不轻信之。例如，"麋角"条，李时珍曰："麋鹿茸角，今人罕能分别。陈自明以小者为鹿茸，大者为麋茸，亦臆见也。不若亲视其采取时为有准也。"

李时珍对药物炮制作用进行解释时，采用取类比象的方法。例如，"当归"条，雷敩曰："若要破血，即使头一节硬实处。若要止痛止血，即用尾。若一并用，服食无效。"张元素曰："头止血，尾破血，身和血，全用即一破一止也。"李时珍曰："雷、张二氏所说头尾功效各异。凡物之根，身半已上，气脉上行，法乎天；身半已下，气脉下行，法乎地。人身法象天地，则治上当用头，治中当用身，治下当用尾，通治则全用。"

本书记载了 50 多家的有关药物炮制的论述，约涉及数十种炮制方法，所涉及的炮炙方法有水制、火制、水火共制、加料制、制霜、制曲等法。其中大多数制法，例如半夏、天南星、胆南星等药物的炮制方法至今仍为炮制生产所沿用。

本书对保存古代炮制文献亦有重要意义。例如，"大黄"条引陈承曰："大黄采时，皆以火石煿干货卖。""甲香"条引《经验方》曰："甲香，以蜜、酒煮一日，浴过煿干用。""大黄"条、"甲香"条都提到"煿"法，按《集韵》云：

"煿，同爆，火干也。"明·缪希雍《炮炙大法》卷首说"按雷公炮制法有十七：曰炮、曰燂、曰煿……"查《证类本草》唐慎微所引"雷公曰"的文字，皆无煿法。但《本草纲目》引"承曰""《经验方》曰"有"煿"法。则"煿"法似出于宋代陈承。

李时珍所引前人的炮制资料，多数可以查出。例如，所引"敩曰"之文，都可在《证类本草》中查出。但也有个别的条文，是查不出的。例如，"象胆"条有"敩曰：凡使，勿用杂胆。其象胆干了，上有青竹文斑光腻，其味微带甘。入药勿便和众药，须先捣成粉，乃和众药"。查《证类本草》卷 16 "象"条并无雷公曰，亦无此文。不知此条出何处。

此外，李时珍援引前代炮制资料时，标注出处不统一。例如，援引《日华子本草》炮制资料，在鹿茸、蛤蚧、雄雀屎等药下注为"日华曰"。在苍术、辛夷、厚朴等条药下注为"大明曰"。"日华""大明"指同一本书。又如在马陆、络石等药下注为"雷曰"，在牵牛子、海藻、大戟、甘遂等药下注为"敩曰"。按"雷""敩"皆指《雷公炮炙论》。现一仍其旧，不加改动。

在药物名称上，李时珍有时用 2 个名字，如香蒲与蒲黄、薰陆香与乳香、虎掌与天南星、莎草与香附子。笔者在汇集成本书时，仅选一个通用的名字。如对于上述 4 个例子，就分别选用蒲黄、乳香、天南星、香附子。

总之，李时珍《本草纲目》"修治"专目，集中国药物炮制之大成，内容丰富，切合实用。只因这些"修治"专目分散在《本草纲目》全书中，检阅时很不方便，笔者从实用角度出发，为了方便中药炮制工作者查阅，特将《本草纲目》"修治"专目汇集成册。

由于本人学识水平所限，错误在所难免，敬希读者指正为盼。

（此为 1983 年 4 月尚志钧先生为《濒湖炮炙法》撰写的前言。）

三十、《脏腑病因条辨》

序

《脏腑病因条辨》，就是以五脏（心、肝、脾、肺、肾）、六腑（胃、大肠、小肠、膀胱、胆、三焦）和病因（风、寒、暑、湿、燥、火、气、血、痰、饮）为单元，对临床症状进行归类的方法。中医所讲的"病"，绝大部分是"证"，即"辨证论治"的"证"，而绝大部分的"证"是由以上一个或几个单元组合而成的。

举个例子来讲，如果一个患者自诉胃脘隐隐作痛，泛吐清水，喜暖喜按，四肢不温，望其舌质淡白，切其脉搏虚软。从症状分析看，胃脘痛和吐清水，是说病在胃；四肢不温是指脾寒（因为脾主四肢）；脉象软，表示虚；舌质淡白，表示虚寒。那么，对这个病的诊断应是"脾胃虚寒证"。这个"证"，是由 3 个单元——"脾""胃""寒"组成的，脾属脏，胃属腑，寒属病因。

从这个例子可以看出，五脏、六腑和病因中各个单元是组成各种"证"的基础。学习中医的人，一定要系统而全面地掌握它。

在这里要强调一点，就是学习时不要急于用西医的观点来套，过早地去套用西医的观点反而会妨碍自己的学习。因为中医脏腑各名词的含义与现代西医解剖学的名词不完全相同。例如"脾"为中、西医共用的名词，但是中医所讲的脾，是指消化吸收的功能以及水在机体内运动变化过程的调节功能。若用西医解剖学的"脾"来理解中医的脾，那就无法学好中医了。

为了帮助初学中医的读者更好地掌握中医，本书把五脏、六腑和病因中各个单元进行全面概括，并把各个单元的基本概念、特点、主要症状表现，以及与方药的联系，分条论述，命名为《脏腑病因条辨》。

（此为 1997 年 10 月尚志钧先生在安徽芜湖皖南医学院为《脏腑病因条辨》撰写的序。）

三十一、《中国本草要籍考》

前　言

（一）本书所介绍的本草，以历代主要本草为主。这些本草，在中国本草史上占有重要地位，它们相互之间存在前后递嬗关系。通过这些本草介绍的阅读，可以了解中国本草发展的概况。

（二）本书所介绍的本草，从类别上来看，有综合性本草和专门性本草。

1. 综合性本草

（1）大型综合性本草。如《唐本草》《证类本草》《本草品汇精要》《本草纲目》。

（2）节略的综合性本草。如缙云《纂类本草》，从《嘉祐本草》节录而成。王东皋《握灵本草》、王东圃《药性纂要》，均从《本草纲目》节录而成的。

（3）精减的综合性本草。如《本草蒙筌》《本草备要》《本草从新》《本草求真》等。这些本草，同大型综合性本草相比，十分精炼，适合临床医家学习和应用。

2. 专门性本草

（1）药性类。如《药性论》《药性通考》《珍珠囊》等。

（2）食治类。如《食疗本草》《食物本草》《饮膳正要》《调疾饮食辨》等。

（3）炮制类。如《雷公炮炙论》《炮炙大法》等。

（4）地区类。《海药本草》《滇南本草》等。

（5）图谱类。《本草图经》《植物名实图考》等。

（三）各种本草编排，原则上以著述的年代先后为顺序，但有时也"连类并举"。如清·黄钰《名医别录》附于陶氏《名医别录》之后，清代《本草崇原集说》附在明·张志聪《本草崇原》之后。

（四）每一本草著作的介绍，按作者、成书年代、分卷、收载药数、药物分类、内容、特点、评价、版本等几方面介绍。

（五）有些古本草的著作，它们的作者、成书年代、卷数、收载药数等各方面，存在分歧、复杂，没有成为定论的问题。关于这类问题的处理，有的采用一般的说法，有的两说并存，有的"择善而从"，分别注明出处。

（六）本书各种本草提要文，大部分选自笔者在杂志上发表过的文章，一共介绍 96 种本草。这些本草，多数是现存的，少数是亡佚的。

（七）由于本人学识水平所限，错误和缺点很多，敬希读者指正为盼。

（此为 1990 年 4 月 18 日尚志钧先生在安徽芜湖皖南医学院弋矶山医院为《中国本草要籍考》撰写的前言。）

附：该稿于 1996 年投北京华夏出版社，到 1998 年华夏出版社出版张瑞贤等主编《本草名著集成》时，将此稿中有关失传本草介绍文抽出，汇编成册，名《未收本草名著提要》，附刊于《本草名著集成》之后。

三十二、《药性趋向分类论》

前　言

历代本草药物分类，多数按自然属性分类，少数按非自然属性分类。

（一）按自然属性分类

《周礼·天官冢宰》："疾医以五药疗之。"郑康成注："五药，草、木、虫、石、谷也。"

梁·陶弘景《本草经集注》，按自然属性分为玉石、草木、虫兽、果、菜、米谷、有名无实 7 类。

唐·苏敬《新修本草》，沿用陶氏分类，将其中草木、虫兽分为草、木、兽禽、虫鱼，共分 9 类。

宋代本草沿用唐代本草分类，将其中兽禽分为人、兽、禽 3 类。

明代本草分类沿用宋代本草分类，但是分得更详细。例如，《本草品汇精要》对草部又分为草之草、草之木、草之飞、草之走；对禽、兽、虫、鱼又各分羽、毛、鳞、甲、蠃 5 类。

又如《本草纲目》细分为 16 部 62 类。

清代本草多数是按自然属性分类。

自梁·陶弘景创自然属性分类后，历代主流本草皆宗之。随着时代发展，本草分类项目越来越细。

（二）不按自然属性分类

1. 按三品分类

《神农本草经》按药物毒性分上、中、下三品。无毒为上品，稍有毒为中品，有大毒为下品。

2. 按阴阳分类

《蜀本草》："羽毛之类，皆生于阳而属于阴；鳞介之类，皆生阴而属于阳。"

金·成无己按《素问·至真要大论》："辛甘发散为阳，酸苦涌泄为阴，咸味涌泄为阴，淡渗泄为阳。"

明·杜文燮《药鉴》有"药性阴阳论"专题，主张医者应首察病源，次辨药力，论证则由标本而及经络，审药则由阴阳以及畏恶相反。详论药性，述其主治功用。

3. 按法象分类

所谓法象是古人根据自然现象来取类比象。例如，陶弘景注《神农本草经》时，将上、中、下三品药性和自然界时序（从正月到十二月）以及万物生长过程联系起来，即以法象名之。

陶弘景序云："上品药性，亦皆能遣疾，但其势力和厚，不为仓卒之效，然而岁月常服，必获大益，病既愈矣，命亦兼申，天道仁育，故云应天……法万物生荣时也"

"中品药性，疗病之辞渐深，轻身之说稍薄，于服之者，祛患当速，而延龄为缓，人怀性情，故云应人……法万物成熟时也"

"下品药性，专主攻击，毒烈之气，倾损中和，不可常服，病愈即止，地体收杀，故云应地……法万物枯藏时也"。

《蜀本草》云："凡天地万物，皆有阴阳，大小，各有色类。寻究其理，并有法象。故羽毛之类，皆生于阳而属于阴；鳞介之类，皆生于阴而属于阳。"

又云："空青法木，故色青而主肝；丹砂法火，故色赤而主心；云母法金，故色白而主肺；雌黄法土，故色黄而主脾；磁石法水，故色黑而主肾。余皆以此推之，例可知也，此谓法象。"

张元素的弟子李杲（1180—1251）创有"药类法象"。李氏基于《素问·阴阳应象大论》："天有四时（春夏秋冬）、五行（木火土金水）以生长收藏（春生、夏长、秋收、冬藏），以生寒、暑、燥、湿、风（致病之邪）。"取药99种，按五行配五气、四时、升降浮沉化等法则形象来分（表2-2）。

表2-2 药物 五行配五气、四时、升降浮沉分类表

五行	木	火	土	金	水
五气	风	暑	湿	燥	寒
四时	春生	夏长	长夏成	秋收	冬藏
升降浮沉	升	浮	化	降	沉

元·王好古师承东垣，王好古作《汤液本草》基本上沿用李氏理论。他在书中首列"五脏苦欲补泻药味"，说明各药性味对于人体的影响，从而概括地介绍用药原则。他转录李氏《药类法象》96种，按风升生、热浮长、湿化成、燥降收、寒沉藏等分类。每药标明气味。

王氏所作本草部分，仍按自然属性分，每药标气、味、有毒、无毒、归经及转录诸家药物主治。

4. 按脏腑分类——即按五脏六腑分类

明·江涵暾《笔花医镜》、清·吴古年《本草分队》将药物按五脏六腑分为11类，每类细分温、凉、补、泻4小类，每小类又分猛将、次将。

清·凌奂采用吴古年的分类法，按脏腑列11类，各类又分温、凉、补、泻之猛将、次将。诸药下设"害"（毒副作用）、"利"（功用、配伍）、"修治"（炮制、药品鉴别）3项论述。书成名《本草害利》。

关于脏腑分类，最早由金·张元素提出，张元素是根据《素问·脏气法时论》"肝苦急，急食甘以缓之"提出来的。他认为甘草缓肝急，五味子收心缓，白术燥脾湿，黄芩泄肝逆，黄柏、知母润肾燥。

又《素问·脏气法时论》有"肝欲散，急食辛以散之，用辛补之，酸泻之"。张氏用药以川芎散肝，细辛补肝，白芍泻肝；芒硝软心，泽泻补心，黄芪、甘草、人参缓心；甘草缓脾，人参补脾，黄连泻脾；白芍敛肺，五味子补肺，桑白皮泻肺；知母坚肾，黄柏、泽泻泻肾。

张氏认为，药有五味，五脏有苦欲，各随脏气喜恶不同，产生不同补泻作用。例如，同一酸味药芍药既能敛肺，又能泻肝。同是辛味药，细辛能辛散，知母、黄柏能辛润。同是苦味药，白术味苦燥湿，黄连味苦泻火。

他在《珍珠囊·诸品药治主治指掌》中，对90种药，辨药性之气味阴阳厚薄、升降浮沉补泻、六气十二经、归经引经，并简明扼要介绍每种药几点主要功效，使药性体系更为完善。

此外，张氏根据《中藏经》"分辨脏腑虚实寒热"、孙思邈"脏腑虚实辨证"、钱乙《小儿药证直诀》"五脏虚实辨证"，拟定"脏腑标本寒热虚实用药式"。以五脏六腑为纲，述各脏腑本病、标病，以补泻寒热等治法为目的，类列有关药名。《本草纲目》卷1转录之，张寿颐（张山雷）为之补正，易名《脏腑药式补正》。

5. 按经络分类——即药物归经分类

明·顾逢伯《分部本草妙用》论药强调归经，清·岳含珍《分经本草》、唐千顷《本草分经分治》、吴应玑《本草分经》、盛壮《药性分经》等，皆依据药物归经分类。

清道光十八年（1838）陈仲卿《寿世医窍》，将药物按十二经及冲、任、督三经、营卫等分类，各类药物简注药性。

清道光二十年（1840）姚澜《本草分经》，全书以十二经及命门分类。奇经为纲，又设不循经药品一节，类列诸药，各经之下，又分补和攻散寒热6类。另设"总药便览"，按草、木、虫、鱼等14类备载药名，药名下注归经。

清·张节《本草分经》，将全书药物分列在十二经、三焦、命门、奇经八脉之下，形成分经药名录。

清·夏翼增《引经便览》，亦按归经分类，全书按十二经及冲、任、督、带分类。每经之下，立"引经药诀"，将该经全部药名编为七言诗。

按脏腑、经络分类，一药可入数脏、数腑、数经。每一脏、一腑、一经可有多种药，但不及按自然属性或功效分类检索方便。所以按脏腑、经络分类，并不为医家所欢迎，因此这种分类方法在清代未流行。

6. 按十剂分类

"十剂"即宣、通、补、泻、轻、重、滑、涩、燥、湿十剂。

中国历代主流本草，均按药物自然属性分类，不便临床检阅应用。清·沈金鳌从临床应用出发，收集常用药420种，按十剂进行分类。每一剂中，又按自然属性分类。例如，宣剂收药96种，按草、木、谷、菜、果、金石、鸟、兽、鳞、介、虫等分部。其余各剂中药物排列次序同此。

清道光二十年（1840）包诚《十剂表》，全书根据他的老师张琦《本草述录》所载药物，按"十剂"与归经相结合类列成表，表中横排为十剂，纵列为十二经。各药注性味、入脏、功效等，卷前有"十剂解"，注释十剂义理及适应证，继列73种药名、正名及别名。

7. 按治疗分类

按药物治疗分类，最早见于《神农本草经》。《神农本草经》对药物分类，除按药性三品分类外，亦讲药物治疗分类。《神农本草经·序录》云："疗寒以热药，疗热以寒药，饮食不消以吐下药，鬼疰蛊毒以毒药，痈肿疮瘤以疮药，风湿以风湿药。"文中热药、寒药、吐下药、毒药、疮药等，都是按治疗分类。

8. 按脉象分类

清·龙柏《脉药联珠药性考》撰于1795年。该书按脉象分类。以脉象浮沉迟数为纲，草木金石为部类。各药内容取自《本草纲目》，编为四言歌诀。

9. 按病证分类

将主治某一类疾病的药物，归并在一起论述。兹举例如下。

清·邹澍《本经序疏要》，立病名92种，每病罗列主治相同的药物，各药注其性味、功效。

清·王铨《本草因病分类歌》，对杂病罗列主治相同的药述之。

清·孙丰年《治痘药性说要》，记述孙氏一生中治痘用药经验，兼述痘疹饮食诸品。

10. 按药物作用分类

按药物作用分类的方法即将作用相同的药，归纳在一起。一般分为解表药、清热药、祛暑药、祛风湿药、祛寒药、泻下药、利水渗湿药、安神药、平肝息风药、开窍药、止咳化痰药、理气药、理血药、补血药、收涩药、消导药、驱虫药、涌吐药、外用药等。

其中有些类别，又细分各小类，如解表药分为辛温解表药、辛凉解表药；清热药分为清热降火药、清热明目药、清热解毒药、清热燥湿药、清热凉血药；泻下药分为缓下药、攻下药、峻下逐水药；利水渗湿药分为利水消肿药、利尿通淋药、利湿退黄药；安神药分为重镇安神药、养心安神药；止咳化痰药分为止咳平喘药、清化热痰药、温化寒痰药；理血药分为活血化瘀药、止血药；补益药分为补气药、助阳药、补血药、养阴药。

临床应用本草，多按药物作用分类。

清·黄宫绣《本草求真》，将药物按作用分为补、涩、散、泻、血、杂、食物7类，每类各分为若干子目，如在补类中又分为温中、平补、补火、温肾等。其优点是有利于临床应用检阅。

11. 按药性分类——即按药性寒、热、温、平等分类

如清·何岩《药性赋》、清·蒋介繁《本草纲目择要》以及诸家歌赋类本草，都是按药性分类。

早在金代医家刘完素即创立多层次药性分类。

刘完素将《素问·阴阳应象大论》中的"阴味出下窍，阳气出上窍。味厚者为阴，薄为阴之阳；气厚者为阳，薄为阳之阴；味厚则泄（泻下），薄则通；气薄则发泄（发汗），厚则发热"同实际药物相联系。例如"附子、干姜，味甘温大热，为纯阳之药，为气厚者也；丁香、木香，味辛温平薄，为阳之阴气不纯者。故气所厚则发热，气所薄则发泄"。

刘完素在《素问病机气宜保命集·药略》中列举65种常用药功效，以形、色、性、味、体为主干，建立药性多层次体系分类。

形有真假，分为金、木、水、火、土。

色有深浅，分为青、赤、黄、白、黑。

性有急缓，分为寒、热、温、凉、平。

味有厚薄，分为辛、酸、咸、苦、甘。

体有润枯，分为虚、实、轻、重、中。

在上述体系分类中，刘完素说："轻、枯、虚、薄、缓、浅、假宜上，厚、重、实、润、深、真、急宜下，其中平者宜中，余形、色、性、味皆随脏腑所宜。"

南宋·陈无择《纂类本草》也有近似多层次药性分类，他在《纂类本草》中，即按名、体、性、用等项解说药物。陈氏所著《三因极一病证方论》卷2"纪用备论"讲到药性有功、能、气、味、性、用等分类。兹摘录如下。

安魂育神益气定魄守志者，百药之功也。

通润悦泽轻身润泽益精者，百药之能也。

开明利脉滑肤坚肌强骨者，百药之气也。

酸苦甘辛咸者，百药之味也。

收敛干焦甜缓敛涩滋滑者，百药之性也。

衄衃溢汗呕吐涎涌泄利者，百药之用也。

到明末·贾所学《药品化义》，将刘完素、陈无择两家分类糅合为一体，建立多层次分类，以"药母"名之，其中既含刘完素"形、色、性、味、体"分类，又有陈无择"功、能、气、味、性、用"分类。这种"药母"分类，亦称"辨药八法"，立"体、色、气、味、形、性、能、力"8个条目为纲，纲下分列子目（表2-3）。

表2-3　辨药八法表

纲子目		说　明
体	燥、润、轻、重、滑、腻、干	
色	青、红、黄、白、黑、紫、苍	
气	膻、臊、香、腥、臭、雄、和	左上四项（体、色、气、味）为天地产物生成之法象
味	酸、苦、甘、辛、盐（咸）、淡、涩	
形	阴、阳、木、火、土、金、水	左下四项（形、性、能、力）为医人格物推测之义理
性	寒、热、温、凉、清、浊、平	
能	升、降、浮、沉、定、走、破	
力	宣、通、补、泻、渗、敛、散	

贾所学曰："当验其体，观其色，臭其气，嚼其味……唯辨此四者为先，而后推其形，察其性，原其能，定其力。则凡厚薄、清浊、缓急、躁静、平和、酷锐之性及走经、主治之义，无余蕴矣。"

朱家宝《药品化义·序》云："贾九如《药品化义》一书，以八法辨五药（草、木、虫、石、谷），分隶十三门。明辨以晰，而于俶诡峻烈之品，抉剔尤严。使夫读是编者，通其条贯。"

12. 按声韵、笔画、拼音分类

唐·萧炳将小学声韵（平、上、去、入）应用于药物分类。开创后世笔画、拼音、部首等排列药物的先河。《嘉祐本草》云："（萧炳）取本草药名每上一字，以四声（平、上、去、入）相从，以便讨阅，凡五卷。"

近代萧步丹直接仿照萧炳的办法，对药物进行分类，编成《岭南采药录》。

近代的中药字典，即按药名首一字笔画排列，亦是源于此。

现代药物书末附的索引，或按部首字笔画分类，或按部首字拼音分类（用拉丁字母拼音）。

13. 笔者拟订一种分类——药性趋向分类

药性趋向，指药物作用趋势有一定倾向性。不同的药物，其作用趋向各异，有些药物作用趋势向上，表现升提作用。例如，人参、黄芪能升高血压，升提脱肛，治子宫脱出，表现升的作用。

有些药物作用趋势向外，表现发散作用。例如，麻黄、桂枝发汗，散风寒，表现发散作用。

有些药作用趋势向下，表现降的作用。例如，半夏、旋覆花、代赭石降逆止吐，平喘，表现降的作用。

有些药物作用趋势向内，表现收的作用。例如，五味子、山茱萸能敛汗固脱，止自汗、盗汗、大汗，表现收的作用。

升散作用，含有部位改变和功能变化。在部位上，升是由下向上，由低到高；散是由内向外，由里及表。在功能上，升散有振奋、鼓舞、加强、提高作用。

升和降，散与收，都是药物动态作用趋向，它们都呈运行动态趋势，可以用"行"字概括。还有些药作用趋势，倾向于固守状态，可以用"守"字概括之。

本书根据药物作用趋势，分行、守两大类。行类含上行、下行、通行、化行。上升以升散为主，如升举下陷，发散外邪；下行以降下为主，如平降喘咳，泻下利水；通行以通畅为主，如气血不通作痛，用通行药使气血通即可止痛；化行以转化

249

为主，如食积、痰积，通过转化，成为无害物质。

守即固守，不固守即出现虚损，对虚损宜补。守类含补益和收敛2类。

在每类中，按功效相同者分若干小类，这种分类，便于推理、记忆。只要把每一小类药名背熟，共性和个性记住，即可了解一小类中每个药物的作用和用途。这对初学者出处方、看处方、分析处方功效，都有极大的好处，读者不妨一试。这是一种尝试，是否管用，需要通过实践来验证。

本书缺点和错误难免，敬请读者批评指正。

（此为1993年7月尚志钧先生在安徽芜湖皖南医学院弋矶山医院为《药性趋向分类论》撰写的前言。）

第三篇 论文题录

一、1957—1966

1. 我国最早的药典《唐本草》［J］. 医史与保健组织，1957，1（4）：275－277.

2. 学习本草史课程的体会［J］. 药学通报，1959，7（5）：248－249.

3. 学习中医学概论阴阳五行的体会［J］. 药学通报，1959，7（7）：366－368.

4. 学习中药药性的体会［J］. 药学通报，1959，7（12）：644－647.

5. 阿片输入中国考［J］. 人民保健，1959，1（6）：573－575.

6.《唐本草》发行1300周年纪念［J］. 北京中医学院学报，1959，（1）：25－29.

7. 我国历史上第一部药典——《唐本草》［J］. 药学通报，1959，7（10）：498－501.

8.《神农本草经》重复十八种药问题的研究［J］. 北京中医学院学报，1960，（1）：65－67.

9. 学习中药作用的体会［J］. 药学通报，1960，8（3）：155－158.

10.《吴普本草》的研究［J］. 哈尔滨中医，1960，3（3）：71－73.

11. 本经药品属初探［J］. 北京中医学院学报，1960，2（2）：151－153.

12.《唐本草》目录的研究［J］. 北京中医学院学报，1960，2（2）：158－162.

13. 野菜食用问题［C］. 芜湖医专论著汇编，1960，（3）：7－10.

14. 为什么要修订《唐本草》［C］. 芜湖医专论著汇编，1960，（3）：20－24.

15. 现存《唐本草》残卷的考察［J］. 哈尔滨中医，1960，3（5）：52－53.

16. 我国历史上最早的医药院校——唐代"太医署"［J］. 哈尔滨中医，1960，3（6）：63－65.

17. 《神农本草经》来源及其辑本存在问题的讨论［J］. 哈尔滨中医, 1960, 3（7）：61 - 62.

18. 中药炮炙发展的初探［J］. 哈尔滨中医, 1960, 3（9）：57 - 60.

19. "炮制"的概说［J］. 哈尔滨中医, 1960, 3（10）：52 - 54.

20. 泻下药［J］. 哈尔滨中医, 1960, 3（5）：68 - 69.

21. 《神农本草经集注序录》考察［J］. 哈尔滨中医, 1960, 3（11）：66 - 67.

22. 祛暑药［J］. 哈尔滨中医, 1960, 3（6）：68 - 69.

23. 祛寒药［J］. 哈尔滨中医, 1960, 3（8）：85 - 86.

24. 化痰药［J］. 哈尔滨中医, 1960, 3（10）：72 - 73.

25. 补养药［J］. 哈尔滨中医, 1961, 4（2）：56 - 57.

26. 助阳药［J］. 哈尔滨中医, 1961, 4（3）：56 - 57.

27. 《本草经集注》对药物炮炙和配制的贡献［J］. 哈尔滨中医, 1961, 4（3）：64 - 66.

28. 《神农本草经》佚文考［J］. 哈尔滨中医, 1961, 4（4）：61 - 63.

29. 清热药［J］. 哈尔滨中医, 1961, 4（4）：54 - 55.

30. 《雷公炮炙论》著作年代初探［J］. 哈尔滨中医, 1961, 4（5）：54 - 56.

31. 固涩药［J］. 哈尔滨中医, 1961, 4（5）：67 - 68.

32. 养阴药［J］. 哈尔滨中医, 1961, 4（6）：67 - 68.

33. 开窍药［J］. 哈尔滨中医, 1961, 4（7）：54 - 55.

34. 关于《唐本草》的研究［J］. 哈尔滨中医, 1961, 4（7）：55 - 56.

35. 外用药［J］. 哈尔滨中医, 1961, 4（11）：49 - 50.

36. 谈谈八阵（一）［J］. 哈尔滨中医, 1962, 5（4）：52 - 53.

37. 谈谈八阵（二）［J］. 哈尔滨中医, 1962, 5（5）：53 - 54.

38. 谈中药方剂［J］. 药学通报, 1963, 9（3）：97 - 102.

39. 有关汞及炼丹的历史［J］. 哈尔滨中医, 1963, 6（3）：52 - 54.

40. 从《证类本草》所引资料看陶弘景的本草学贡献［J］. 药学通报, 1963, 9（6）：272 - 273.

41. 祖国历史上最早的栓剂——蜜煎导方［J］. 药学通报, 1963, 9（3）：103 - 104.

42. 介绍《本草衍义》兼论其编纂中的几个问题［J］. 药学通报, 1963, 9（5）：235 - 237.

43. "十剂"来源的探讨 [J]. 黑龙江中医药, 1965, (2): 22 - 23.

44. 宋代本草著作的概况（一）[J]. 上海中医学院中医图书介绍, 1966, (3): 1 - 10.

45. 宋代本草著作的概况（二）[J]. 上海中医学院中医图书介绍, 1966, (4): 15 - 23.

二、1980—2000

46. 述整复《唐本草》意义 [J]. 浙江中医学院学报, 1980, (1): 44 - 46.

47.《本草纲目》误《本草经集注》为《名医别录》[J]. 新中医（增刊）, 1980, (2): 50.

48. 对《中药学》药名文献来源标注的商榷 [J]. 成都中医学院学报, 1980, (2): 56 - 58.

49.《神农本草经》中的"七情药"的探讨 [C]. 中医研究院编中药研究资料, 1980, (1): 11 - 12.

50.《山海经》荣草释 [J]. 中华文史论丛, 1980, (3): 186.

51. 孙星衍等所辑《神农本草经》中有关《吴普本草》问题的商榷 [J]. 成都中医学院学报, 1980, (4): 61 - 62.

52.《五十二病方》与《山海经》[J]. 长沙马王堆医书研究专刊, 1980, (1): 12 - 15.

53.《五十二病方》中药物制备工艺考察 [J]. 长沙马王堆医书研究专刊, 1980, (1): 38 - 42.

54. 从《五十二病方》应用水银来看我国古代制药化学的成就 [J]. 药学通报, 1980, 15 (9): 21 - 22.

55.《五十二病方》制剂概况 [J]. 中成药研究, 1981, (1): 20.

56.《五十二病方》残缺字试补 [J]. 长沙马王堆医书研究专刊, 1981, (2): 64 - 66.

57.《五十二病方》与《神农本草经》[J]. 长沙马王堆医书研究专刊, 1981, (2): 78 - 81.

58. 宋代本草概况及其特点 [J]. 中华医史杂志, 1981, 11 (3): 158 - 162.

59. 整复《肘后方》的意义 [J]. 黑龙江中医药, 1981, (1): 44 - 45.

60. 整理现存本《肘后方》之浅见［J］. 安徽中医学院学报，1981，（1）：26－28.

61. 对姚振宗关于《名医别录》考证的质疑［J］. 中华医史杂志，1981，11（3）：182.

62. 中国历史上最早的中成药制药厂——宋代"和剂局"［J］. 中成药研究，1981，（7）：43－45.

63. 《名医别录》作者及成书年代讨论［C］. 中华医学会安徽分会医史论文汇编，1982，（1）：18－30.

64. 罗天益《卫生宝鉴》著述年代辨疑［J］. 中华医史杂志，1982，12（1）：19－20.

65. 《五十二病方》简介［J］. 皖南医学院学报，1982，1（1）：46－47.

66. 《神农本草经》文掺杂方士思想的考察［J］. 中华医学会安徽分会医史论文汇编，1982，（1）：47－48.

67. 诸家辑本《神农本草经》皆出于《证类本草》白字［J］. 江苏中医杂志，1982，3（2）：38－39.

68. 《日华子本草》成书年代的探讨［J］. 中华医史杂志，1982，12（2）：114－116.

69. 从《新修本草》在日本的流传看中日文化的交流［J］. 北京中医学院学报，1982，（3）：19－20.

70. 《雷公炮炙论》成书年代的讨论［J］. 中成药研究，1982，（4）：45－46.

71. 《本草纲目拾遗》评介［J］. 安徽中医学院学报，1982，（4）：55－56.

72. 李珣及其《海药本草》小考［J］. 江苏中医杂志，1982，（5）：45.

73. 《五十二病方》药物炮制概况［J］. 中药通报，1982，7（6）：17－20.

74. 《雷公炮炙论》有关炮制方法的概述（上）［J］. 中成药研究，1982，（10）：20－21.

75. 《食疗本草》考［J］. 皖南医学院学报，1983，2（1）：48－49.

76. 《本草经集注》概述［J］. 安徽中医学院学报，1983，（2）：51－52，54,55.

77. 《嘉祐本草》概述［J］. 皖南医学院学报，1983，2（2）：65－66.

78. 《雷公炮炙论》有关炮制方法概述（下）［J］. 中成药研究，1983，（4）：22－23.

79. 《证类本草》白字《本草经》文原出陶弘景之手［J］. 安徽中医学院学

报，1983，2（4）：39－41.

80. 《蜀本草》的考察［J］. 中华医史杂志，1983，13（4）：237－239.

81. 关于《名医别录》的整复［J］. 江苏中医杂志，1983，4（5）：3.

82. 《日华子本草》的考察［J］. 中成药研究，1983，（10）：16－17.

83. 《本草求真》简介［J］. 皖南医学院学报，1984，3（1）：44，43.

84. 《食性本草》考［J］. 安徽中医学院学报，1984，3（1）：58－59.

85. 《本草纲目》所题陈藏器诸虚用药凡例质疑［J］. 中华医史杂志，1984，14（1）：58.

86. 《本草图经》简介［J］. 中成药研究（增刊），1984，（1）：78－79.

87. 《日华子本草》炮炙的概述［J］. 中成药研究（增刊），1984，（2）：29－30.

88. 《本草崇原》简介［J］. 皖南医学院学报，1984，33（2）：43－48.

89. 《神农本草经》名义辨［J］. 安徽中医学院学报，1984，3（2）：53－55.

90. 《本草纲目》引《肘后方》文疑义举例［J］. 江苏中医杂志，1984，5（4）：36－38.

91. 寇宗奭和《本草衍义》［J］. 中华医史杂志，1984，14（3）：146－149.

92. "十剂"之说提出者的讨论［J］. 中成药研究，1984，（5）：44－45.

93. 《吴普本草》的若干研究［C］. 华佗学术讨论会资料汇编，1984，（11）：80－93.

94. 《五十二病方》郁、芷、庶、蜀椒、茱萸考释［J］. 中成药研究，1985，（1）：31－32.

95. 《名医别录》作者的讨论［J］. 中华医史杂志，1985，15（2）：112.

96. 《五十二病方》"攻□、椁、产齐赤"考释［J］. 中药材，1985，（3）：42－43.

97. 《神农本草经》七情考［J］. 安徽中医学院学报，1985，4（3）：53－54，44.

98. 《本草备要》简介［J］. 皖南医学院学报，1985，4（3）：206－208.

99. 《濒湖炮炙法》考察［J］. 安徽中医学院学报，1985，4（4）：50－51，56.

100. 《汤液本草》中"药味专精"出处的讨论［J］. 江苏中医杂志，1985，6（4）：39.

101. 《五十二病方》"冥蚕种、食衣白鱼、长足"考释［J］. 中药材，1985，（4）：48－49.

102. 《药性论》考察［J］. 中成药研究，1985，（6）：45－46.

103.《五十二病方》"蚖、蛇、全虫蜕"考释 [J]. 中药材, 1985, (5): 45-46.

104.《雷公药对》考略 [J]. 江苏中医杂志, 1985, 6 (11): 39-40.

105. 2000 年的本草文献研究 [J]. 2000 年的中医药, 1985, 60 (集): 168-171.

106.《五十二病方》用药方法概况 [J]. 湖南中医学院学报, 1986, 6 (1): 41-42.

107.《证类本草》白字考异 [J]. 安徽中医学院学报, 1986, 5 (1): 49-52.

108.《海药本草》成书年代考 [J]. 北京中医学院学报, 1986, 9 (2): 40-41.

109. 敦煌出土《本草经集注》序录的考察 [J]. 中国医药学报, 1986, 1 (2): 40-41.

110.《重修政和经史证类备用本草》也要校点 [J]. 安徽中医学院学报, 1986, 5. (2): 50-51.

111.《五十二病方》鳝鱼血、鲋鱼、蠸考释 [J]. 中药材, 1986, (3): 52.

112.《五十二病方》"虫鱼"考释 [J]. 中药材, 1986, (4): 54-55.

113.《五十二病方》瓣、凷、坳和量簧考释 [J]. 中药材, 1986, (5): 48.

114.《本草纲目》引《本草经》文化裁举例 [J]. 江苏中医杂志, 1986, 7 (7): 26-27.

115.《五十二病方》"堇葵""毒堇""苦""仆虆"考释 [J]. 中药材, 1986, (6): 45-46.

116. 从药物产地看《五十二病方》的产生时代 [J]. 湖南中医学院学报, 1986, 6 (4): 44-45.

117.《海药本草》的考察 [J]. 中华医史杂志, 1987, 17 (1): 35-37.

118.《本草经集注》的研究（一）[J]. 基层中药杂志, 1987, 1 (1): 5-8.

119.《历代本草概况》[J]. 中国医药学报, 1987, 2 (1): 41-42, 40.

120.《本草纲目》"草麻绳索"考释 [J]. 中药材, 1987, (1): 47-48.

121.《本草纲目》标注其他资料为《本草经》文的讨论 [J]. 北京中医学院学报, 1987, 10 (1): 22-23.

122.《本草经集注》研究（二）[J]. 基层中药杂志, 1987, 1 (2): 5-10.

123.《历代本草概况》（续）[J]. 中国医药学报, 1987, 2 (2): 38-40.

124.《五十二病方》药物厚柎、朴、白柎考释 [J]. 中药材, 1987, (2): 49-50.

125. 王好古著述年代讨论 [J]. 江苏中医, 1987, 8 (6): 29-30.

126.《神农本草经》目录的讨论（上）［J］．安徽中医学院学报，1987，6（2）：43－47．

127.《本草纲目·序例》辨误两则［J］．成都中医学院学报，1987，（2）：30－31．

128.《神农本草经》目录的讨论（下）［J］．安徽中医学院学报，1987，6（3）：52－56，28．

129.《五十二病方》百草末、屋荣蔡、禾、陈稿、荆箕药物考释［J］．中药材，1987，（3）：45，32．

130.《五十二病方》药物灶末灰、灶黄土、甕䵭处土、囷土、井中泥、冻土考释［J］．中药材，1987，（4）：49－50．

131.《五十二病方》药物丹、水银、青考释［J］．中药材，1987，（5）：48．

132.《本草经集注》研究（三）［J］．基层中药杂志，1987，1（3）：1－6．

133.《本草经集注》研究（四）［J］．基层中药杂志，1987，1（4）：1－3．

134.《本草拾遗》的研探［J］．皖南医学院学报，1987，6（3）：224－226．

135.《本草纲目》"甘家白药"条文错简例［J］．江苏中医，1987，8（10）：42．

136.治疗痰饮眩晕的一点经验［J］．光明中医，1987，（4）：22－23．

137.《政和本草》版本讨论［C］．全国药学史本草学会论文集（上册），1987，10：27．

138.《吴普本草》成书年代的考察［J］．中华医史杂志，1987，17（4）：241－242．

139.《五十二病方》药物消石、恒石、澡石、封殖土考释［J］．中药材，1988，11（1）：42－43．

140.《本草经》白兔藿、鹿藿的试释［J］．中药材，1988，11（3）：48－49．

141.《五十二病方》药物萹根、筴蒘、蓝夷考释［J］．中药材，1988，11（4）：43－44．

142.《本草经集注》研究（五）［J］．基层中药杂志，1988，2（1）：37－39．

143.《本草经集注》研究（六）［J］．基层中药杂志，1988，2（2）：31－32．

144.《本草经集注》研究（七）［J］．基层中药杂志，1988，2（3）：32－33．

145.敦煌本《本草经集注·序录》和《证类本草》引陶隐居序的考察［J］．中华医史杂志，1988，18（2）：124－126．

146.商务本影印《政和本草》错简例［J］．北京中医学院学报，1988，11

（2）：46－47.

147. 谈本草文献的研究［J］. 安徽中医学院学报，1988，7（2）：51－52.

148.《本草纲目》"天行斑"疮流行时间质疑［J］. 成都中医学院学报，1988，11（2），41－42，40.

149. 孙星衍辑《本草经》释通草、络石、麦门冬质疑［J］. 江苏中医，1988，9（3）：31－32.

150.《本草纲目》断句误例二则［J］. 江苏中医，1988，9（6）：39－40.

151. 孙星衍辑《本草经》释苦菜质疑［J］. 江苏中医，1988，9（8）：39－40.

152.《太平惠民和剂局方》的成书概况［J］. 中成药研究，1988，（5）：35－36.

153. 顾观光辑《神农本草经》药物合并和分条的讨论［J］. 中药通报，1988，13（11）：55－57.

154.《本草纲目》版本简介［J］. 安徽中医学院学报，1988，7（4）：45－49.

155.《五十二病方》药物"蒿、青蒿、白蒿"考释［J］. 中药材，1988，11（6）：42.

156. 论《吴普本草》和《本草经集注》之关系［J］. 中华医史杂志，1989，19（2）：125－127.

157. 商务影印《政和本草》版本辨伪［J］. 中国医药学报，1989，4（2）：51－52.

158. 麦饭石膏源流考［J］. 中成药，1989，11（4）：34.

159.《本草经》"蓬蘽"考释［J］. 中药材，1989，12（1）：41－43.

160.《本草经》"苦菜"释［J］. 中药材，1989，12（2）：47－48.

161.《五十二病方》"五谷、米、谷汁、泽泔、黍潘"考释［J］. 中药材，1989，12（5）：43－44.

162.《神农本草经》"菖蒲"考释［J］. 中药材，1989，12（8）：36－38.

163.《神农本草经》"桐叶"考释［J］. 中药材，1989，12（11）：44－45.

164. 五代时期的本草著作及其特点［J］. 安徽中医学院学报，1989，8（4）：48－52.

165. 对汪广庵《注解神农本草经》的质疑［J］. 皖南医学院学报，1989，7（4）：232－235.

166.《四部总录》书目辨疑一则［J］. 江苏中医，1989，10（1）：39－40.

167.《本草纲目》注其他资料为《别录》文举例［J］. 江苏中医，1989，10

（4）：47.

168.《五十二病方》与《肘后方》勘比分析（上）［J］. 中医临床与保健, 1989, 1 (1)：44 –47.

169.《五十二病方》与《肘后方》勘比分析（下）［J］. 中医临床与保健, 1989, 1 (3)：45 –47.

170. 从《五十二病方》探讨我国古代本草的历史渊源［J］. 基层中药杂志, 1989, 3 (1)：36 – 37.

171. 从医药角度探讨《万物》与《山海经》的时代关系［J］. 中医临床与保健, 1989, 1 (3)：47 – 50.

172. 本草文献研究的意义及作用［J］. 基层中药杂志, 1989, 3 (2)：30 – 32.

173. 本草文献研究概述［J］. 基层中药杂志, 1989, 3 (3)：34 – 36.

174.《证类本草》版本概述［J］. 基层中药杂志, 1989, 3 (4)：38 – 39.

175.《神农本草经》白瓜子考释［J］. 中药材, 1989, 12 (12)：47.

176. 历代主要本草矿物药发展概况［J］. 皖南医学院学报, 1990, 9 (2)：56 – 59.

177. 对《李当之药录》的考察及评价［J］. 安徽中医学院学报, 1990, 9 (1)：53 – 56.

178. 李时珍十种著作的考察提要［J］. 中医临床与保健, 1990, 2 (1)：36 – 38.

179. 汪切庵及其《本草备要》［J］. 安徽中医学院学报, 1990, 9 (2)：61 – 63.

180.《本草图经》的考察［J］. 安徽中医学院学报, 1990, 9 (3)：51 – 54.

181.《本草纲目》标注《本经》药物总数的讨论［J］. 安徽中医学院学报, 1990, 9 (4)：52 – 54.

182.《名医别录》考［J］. 陕西中医学院学报, 1990, 13 (3)：36 – 37.

183.《本草图经》特点及其评价［J］. 中药材, 1990, 13 (10)：46 – 48.

184. 从《饮膳正要》看忽思慧对元代保健医学的贡献［J］. 中医临床与保健, 1990, 2 (2)：55 – 57.

185. 南宋新安医学家张杲的保健观［J］. 中医临床与保健, 1990, 2 (3)：51 – 52.

186. 古籍本草版本知识（上）［J］. 基层中药杂志, 1990, 4 (1)：33 – 35.

187. 古籍本草版本知识（下）［J］. 基层中药杂志, 1990, 4 (2)：26 – 29.

188. 《证类本草》文献研究（一）［J］. 基层中药杂志，1990，4（3）：36 – 37.

189. 古方用矿石治痈疽例［J］. 皖南医学院学报，1990，9（4）：57 – 58.

190. 《开宝本草》研究［J］. 中华医史杂志，1990，20（4）：236 – 239.

191. 唐代本草概况及特点［J］. 安徽中医学院学报，1991，10（1）：49 – 51.

192. 润州剪草的本草考证［J］. 安徽中医学院学报（增刊），1991，（1）：33 – 34.

193. 明代安徽名医陈嘉谟和《本草蒙筌》［J］. 中医临床与保健，1991，3（1）：49.

194. 《本草图经》概说［J］. 长春中医学院学报，1991，7（3）：18 – 21.

195. 辑校要掌握基本功［J］. 杏苑中医文献杂志，1991，（2）：5 – 7.

196. 《证类本草》文献研究（二）［J］. 基层中药杂志，1991，5（1）：35 – 37.

197. 《证类本草》文献研究（三）［J］. 基层中药杂志，1991，5（2）：35 – 37.

198. 《本草纲目》新增药品出处分析［J］. 时珍国药研究，1991，2（2）：49 – 53.

199. 《证类本草》文献研究（四）［J］. 基层中药杂志，1991，5（3）：36 – 38.

200. 《法古录》评议［J］. 中华医史杂志，1991，21（2）：76 – 78.

201. 《大观本草》的刊本［J］. 基层中药杂志，1991，5（4）：41 – 43.

202. 丹砂矿物药的综述［J］. 皖南医学院学报，1991，10（4）：266 – 268.

203. 《续说郛》引《李当之药录》辨疑［J］. 北京中医学院学报，1992，15（1）：34 – 35.

204. 山茱萸原植物考证［J］. 中药材，1992，15（1）：45 – 46.

205. 《政和本草》增入寇氏衍义［J］. 基层中药杂志，1992，6（1）：35 – 37.

206. 艾晟校《大观本草》增补陈承别说［J］. 基层中药杂志，1992，6（2）：36 – 37.

207. 《本草经》药物产地的考察［J］. 基层中药杂志，1992，6（3）：41 – 43.

208. 对《药性论》作者及成书时间的讨论［J］. 安徽中医学院学报，1992，11（2）：57 – 58.

209. 对宋人校改《千金翼》引《唐本草》文考证［J］. 杏苑中医文献杂志，1992，（2）：5 – 7.

210. 《太平御览·药部》简介［J］. 基层中药杂志，1992（增刊），181 – 184.

211. 华佗在五禽戏等预防保健方面的成就及影响［C］. 华佗学术研讨会论文

汇编（2），1992，93－96.

212. 今日流传单行本《神农本草经》文是陶弘景整理的［C］. 第六届全国药史本草学术会议论文集，1992，11－15.

213.《本草经》矿物药空青等释义［J］. 皖南医学院学报，1992，11（2）：129－130.

214.《本草图经》概述［J］. 中国药学杂志（增刊），1992，27：29－32.

215.《证类本草》中黑字别录药来源的讨论［J］. 中医药学报，1992，（5）：47－50.

216. 陶弘景集《名医别录》的考察［J］. 基层中药杂志，1993，7（2）：1－4.

217. 孙星衍等辑《神农本草经》题吴普述质疑［J］. 基层中药杂志，1993，7（3）：1－2.

218.《本经》不见于《名医别录》识［J］. 杏苑中医文献杂志，1993，（2）32：8－9.

219. 爵床与紫葛的本草考证［J］. 时珍国药研究，1993，4（1）：1.

220.《本草图经》说明文中所引书目概览［J］. 长春中医学院学报，1993，9（35）：39－42.

221.《政和本草》药物新分条的探讨［J］. 北京中医学院学报，1993，16（5）：18－20.

222."大苦"原植物考证［J］. 中药材，1993，16（10）：39－41.

223. 再评《新华本草纲要》［J］. 中药材，1993，16（8）：45.

224. 四库全书《证类本草》版本的讨论［J］. 中国药学杂志，1993，28（10）：634－635.

225. 陶隐居所云"十剂"辨疑［J］. 中国医药学报，1993，8（2）：61－62.

226. 中药菊花的本草考证［J］. 中华医史杂志，1993，23（2）：114－117.

227. 现行单行本《神农本草经》文是陶弘景整理的［J］. 中华医史杂志，1993，23（1）：64.

228.《名医别录》作者的争论［J］. 吉林中医药（增刊），1993：154.

229. 麻黄的本草考证［J］. 中药材，1993，12：208－209.

230. 食物本草同名异书的讨论［J］. 中药材，1993，12：209－310.

231.《证类本草》陶序和《名医别录》历史关系之辨析［J］. 中华医史杂志，1994，24（1）：38－40，4.

232.《证类本草》药图的考察［J］. 浙江中医杂志, 1994, 29（1）: 46.

233. 名医别录药中有的产生时代并不晚于本草经药［J］. 基层中药杂志, 1994, 8（1）: 27 – 28.

234.《神农本草经》出于汉代本草官之手［J］. 杏苑中医文献杂志, 1994, （2）: 19 – 20.

235. 对《政和本草》中"唐本余"的探讨［J］. 北京中医药大学学报, 1994, 17（2）: 33 – 34.

236.《五十二病方》厚柎的再讨论［J］. 山东中医杂志, 1994, 13（4）: 174.

237.《政和本草》《大观本草》同异考［J］. 中国药学杂志, 1994, 29（3）: 179 – 180.

238.《本草图经》厚朴的品种考证［J］. 中药材, 1994, 17（4）: 42.

239. 对《中药志》山豆根一药历史引文的异议［J］. 中国药学杂志, 1994, 29（6）: 369 – 370.

240.《神农本草经》药物基原考证方法探讨［J］. 中医文献杂志, 1994, （2）: 19 – 20, 30.

241. 银州柴胡的原植物再讨论［J］. 中药材, 1994, 17（9）: 40 – 42, 56.

242. 麻黄去节除沫的讨论［J］. 中成药, 1994, 16（11）: 46.

243.《吴普本草》引神农、黄帝等药性资料的考察［J］. 江西中医学院学报, 1994, 6（4）: 35 – 36.

244. 贝母药用历史及品种考察［J］. 中华医史杂志, 1995, 25（1）: 38 – 42.

245.《救荒本草》考察［J］. 基层中药杂志, 1995, 9（1）: 3 – 4.

246. 现行《神农本草经》的经文来源于陶弘景《本草经集注》［J］. 皖南医学院学报, 1995, 14（2）: 161 – 162.

247. 考据学在本草文献上的应用［J］. 中医文献杂志, 1995（4）: 5 – 7.

248.《子仪本草》辨伪［J］. 中华医史杂志, 1996, 26（1）: 54 – 55.

249. 金陵版《本草纲目》所注"十剂"出处辨疑［J］. 基层中药杂志, 1996, 10（2）: 5 – 6.

250.《本草经》"七情范例"考［J］. 中医文献杂志, 1996, （4）: 1 – 3.

251. 金陵版《本草纲目》引《日华子本草》误注例［J］. 中华医史杂志, 1997, 27（1）: 59 – 61.

252. 古本《本草经》佚文考［J］. 北京中医药大学学报, 1997, 20（5）: 24 – 27.

253. 徐之才和《雷公药对》［J］. 中华医史杂志，1997，27（3）：167－169.

254. 陶弘景作《本草经集注》所据的《本草经》讨论［J］. 皖南医学院学报，1998，17（2）：206－207.

255. 吴普所引神农药性与《证类》"本经药"所引神农药性同异考［J］. 中华医史杂志，1998，28（3）：161－164.

256. 日华子和《日华子本草》［J］. 江苏中医，1998，19（12）：3－5.

257.《神农本草经》书名出现时代的讨论［J］. 中华医史杂志，1999，29（5）：135－138.

258. 陶弘景《本草经集注》对本草学的贡献［J］. 北京中医药大学学报，1999，22（3）：7－8.

259. 杨上善撰注《黄帝内经太素》时代考［J］. 江苏中医，1999，20（5）：42－43.

260.《开宝本草》研探［J］. 基层中药杂志，1999，13（1）：50－51.

261. 金陵版《本草纲目》引孟诜《食疗本草》出处讨论［J］. 中华医史杂志，2000，30（3）：166－168.

三、2001—2008

262.《石药尔雅》简介［J］. 基层中药杂志，2001，15（3）：34.

263.《证类本草》"墨盖"下引"唐本""唐本注"讨论［J］. 中华医史杂志，2002，32（2）：85－86.

264. 日本望氏刻《大观本草》及其底本讨论［J］. 中华中医药杂志，2002，1（5）：68－70.

265. 清代本草概况和特点［J］. 中华中医药杂志，2002，1（7）：82－86.

266. 出版辑复校点《本草》的回顾［C］. 我与安徽出版·安徽出版五十年纪念文集. 合肥：安徽文艺出版社，2002，64－71.

267.《新修本草》药物合并与分条对药物总数的影响［J］. 中华医史杂志，2003，33（3）：173－176.

268.《诗经》药物考释之一——果赢［J］. 中医药文化，2007，（3）：43.

第四篇　思路方法

一、本草文献研究的意义及作用

（一）意义

本草古籍具有与文、史、哲类的古籍同等的学术价值。对本草古籍进行研究，不仅有文化意义，而且有实用价值。本草古籍中蕴藏着几千年来我们祖先同疾病作斗争的经验，整理它，有助于传承和弘扬中国本草学术思想，有利于防病治病，也有利于人民保健事业的发展。

我国本草学源远流长，内容丰富，涉及领域广泛，它来源于各族人民长期与疾病作斗争的经验总结，是我国上下五千年文化的重要组成部分。我国本草学具有独特的理论体系，运用到临床实践是行之有效的，从古到今一直是流传应用的。深入研究和整理历代本草，了解其内容和实质，分析比较其特点，探求其演变和递嬗关系，总结中药理论与实践知识，从而找出本草学发展的规律，对于教学、科研、医疗、生产，核实中药名物，提高中药产量质量，保证临床用药的准确性以及对本草史的研究等，都有重要的意义。

整理本草文献，可以保存历代本草文献，使之不致沦没，从而造福于子孙后代。

（二）作用

本草文献学的作用，有下列几点。

1. 便于全面系统地了解本草的发展

本草文献是本草史的基础，它能提供本草史真实的史料。本草文献是对本草书具体问题的研究，而本草史则是偏重于对本草发展史的研究。本草史不仅把各个时期本草文献作横向联系，而且把历代本草书前后递嬗关系作纵向联系。

2. 辨别本草各方面真伪，分清精华与糟粕，以利于继承

我国有不少本草资料，散存于古代各种典籍中，如文、史、哲注文、历代医书及历代目录学专著。记录本草资料的人或撰述本草专著的人，他们所处的时代、社会背景、其职业和专长、学术水平和文化程度以及个人实践经验不尽相同。因此，在每一种本草专书中或每一种本草资料中，所反映出来的学术观点和特点也不尽相同。或由于历史条件所限难免导致精华与糟粕相混，真实与虚伪并存。如不分清，则后学者难以继承。

3. 对历代本草进行全面的精确的校勘、注释、语译，为现代教学、科研、临床提供大量优质参考书

这样做，可以有力地推动符合民族心理和富有中国特色的医药学的发展，并为专题研究打下良好的基础。同时提供优质的本草书，以供读者钻研。为了改变乏人乏术的现状，使一批人能走上成才之路，精通中药理论，对优质本草书的要求，是越来越迫切的需要了。

4. 对教学、科研、临床、中药生产等各方面起到指导作用

中药是中医治病的物质基础，没有足够的数量和质量的中药做保证，要想振兴中医是很困难的。所以振兴中医必先振兴中药。振兴中药，就要提高中药产量和质量。

本草文献研究，有助于解决中药产量和质量方面的一些问题。

在产量上，目前缺药太多，有时候一张方子很难配齐。为此必须解决药品紧缺的问题。这个问题，可以通过对本草文献研究，寻求解决的途径。

例如，从整理发掘古代本草文献，可能找到对发展现代中药事业有用的品种。基层药学工作者，在研究中药方面，占据地利人和的优势，能够方便实地考察。如果再能了解本草文献，学会查找，那就更有利于去寻求有用的药物。在我国本草书中，也记载了很多地区用药，这些本草文献，如果加以发掘利用，亦可寻求出有用的药物。对临床医生来讲，如能参与药物研究，可以在验证文献记载和发掘新药等方面发挥巨大作用。目前临床常用药数目不太多（约三四百种），可是文献记载的药物有数千种，能不能从中发掘出一些高效、奇效的药物来呢？

开发药源也是提高中药产量的途径之一。历代本草除记载药物性味、功能、主治外，还收载大量单方（单味药的功效和用途）、附方，如果对大量的单方、附方加以系统整理与研究，结合临床的实践，对开发药物的应用，也有一定的作用。如

抗疟药青蒿素，是从《肘后方》中发掘出来的。又如狼牙草原来不知是什么药，通过本草文献研究，知道狼牙草即仙鹤草，狼牙（牙子）即仙鹤草芽。

为了增产药源，对中药资源要进行调查、保护、繁殖。在驯养、栽培、种植等生产技术上，可以与现代科学相结合，加以系统研究和整理，研究地道药材与植物地理关系，用以指导中药的生产。

在中药质量上，首先要确定品种正确性。目前中药品种很混乱，通过对历代本草中关于药物品种记载进行研究，可以找出中药品种混乱的历史原因，从而能寻求正品的所在，借以纠正中药品种的混乱，达到保证中药质量的目的。其次对中药质量最有影响的，是加工炮制规范化。目前中药加工炮制技术是从祖先代代相传下来的，在历代炮制发展过程中有不同的见解，可以通过对历代本草中有关加工炮制法的分析和整理，寻求炮制与药效关系，从而找出哪些见解是符合炮制理论的发展，这对今后中药炮制生产会起到指导作用。

此外，中药药材和制剂等规格标准化，也是保证中药质量的重要因素，为此研究本草文献中有关药材收藏与鉴别等资料，对保证中药质量是大有好处的。

5. 有助于丰富其他学科的内容

按现代科学观点来看，本草书不仅具有中医药临床应用与学术价值，而且对于植物学、动物学、矿物学、博物学、农学、地理学、文学、自然科学史等多种学科领域都有价值，它可以丰富多学科的内容。通过本草学的研究，将散在于历代本草中有关各学科的知识，分别加以系统整理，使之便于查考，可以丰富本草以外的多种学科内容。

二、本草文献研究的目的

中医药学是一个伟大的宝库，应加以发掘、整理和提高。尤其在本草方面，历代都有发展，有必要进行全面、系统地总结，这对于继承和发扬中医学遗产，保证中医临床用药安全有效，为教学、科研提供参考资料，乃至振兴中医药，都具有十分重要的意义。因此，深入细致地研究本草文献，是当今不可忽视的重要课题。

研究本草文献的目的是什么？笔者提出以下 3 个方面的观点，与诸同道切磋。

（一）摸清历代本草文献

我国从古到今，究竟有多少种本草文献？哪些在国内尚存？哪些已经流落到国外？哪些已残缺不全？哪些已经亡佚？其内容如何？价值如何？谁也回答不出来。

为此，必须对我国历代本草文献进行摸底，具体工作如下。

从历代书志、方书，文、史、哲注文，以及全国各大图书馆现存书目中，了解我国从春秋战国到现在，究竟有多少种本草专著。将其名称查出后，进行分类登记。

本草文献可分为本草经类（包括本草经注解本），综合本草类，药效类，地方性本草类，炮制、鉴别、别名类，歌括类（包括歌诀及便读），类书、图谱类，食物本草类（包括食养、食疗、烹制方法），药用植物及驯养类，单味药类（包括单味药文献、单味药考证、生物学研究、药理研究、化学分析、临床应用），杂著类（包括本草史料、用药理法、艺文、近代中药研究资料、辞典、药典及其他杂著）。对各类本草著作中的每一种建立档案，将作者、成书年代、卷数、序跋、凡例、目录、主要内容、特点、价值、版本、散存情况，详加记述，分类存放。

清以前的本草文献，至今尚存者，由于过去没有标点、僻字多、刊刻错误多，应加以校勘、标点、注释，以方便后人阅读；残缺不全者，要把它补辑完整，并加以校勘、标点、注释；亡佚的本草文献，要尽可能地辑复它，并加以校勘、标点、注释。

对于流落海外的本草文献，要复制回来。

对于外国人以及海外华侨著述的本草文献，亦应加以收罗汇集。

对于那些已经校勘、标点、注释的版本，适当重印。重印的套数应能够满足全国各省、市、县及高等医药院校、医药研究单位、医疗单位、药检部门等图书馆的需要，使从事教学、科研、医疗等工作人员能就地查阅。

在收齐历代本草文献后，还要编写 2 本参考书。一是《历代本草述要》，即把上述历代本草文献档案资料汇编成册；二是《本草内容索引》，即把历代本草文献内容，按药名（包括别名）、性味、主治、病名、炮制、采收、种植、驯养、产地、图谱、配伍宜忌、鉴别、形态、药理、化学成分、组方（包括作为主药、配药、辅助药的方剂）等，作出详细索引。还可将此索引输入保存到电子计算机内，以方便检索。

对于清末以来，在报刊杂志上发表的有关中药研究资料，亦按上述方法进行处理。

（二）核实历代本草文献中的药名与实物

我国地大物博，历史悠久。不同时代、不同地区、不同学识水平的医药学家，他们所写的本草著作，尽管药物名称相同，但所指的实物不一定完全相同。宋·苏颂编撰《本草图经》时，要全国进呈实物，几乎每一个药名都有很多种不同的实物。《证类本草》卷 8，前胡名下就有 5 幅不同的药图；同书卷 6，黄精名下就有

10 幅不同的药图。因此，需对历代本草文献中药名与实物进行核实，以正本清源。

怎样做好核实工作，应从以下几个方面来研究。

1. 从药名演变来研究

同一个药名，在不同时代所指实物不同。例如，通草在明以前的本草文献中是指木通，在明以后则是指通脱木。又同一药名，在某类实物作为正名，在另一类实物又作为别名。例如，紫河车原是人的胞衣正名，但在蚤休中又作别名。再如白头翁，以其近根处生白绒毛，状如白发翁，故名。后来有人把类似这样的植物，也叫白头翁，因此，同一药名白头翁，就有 7 种不同的实物。对此，应当详加研究，确定正名与实物。

2. 从药物产地变迁来研究

例如，人参在清以前产于山西上党，名党参。那时的党参是五加科植物人参，由于长期供不应求，过度采挖而绝种，后来当地人就以桔梗科植物冒充人参。从此上党的人参，不是五加科植物，而是桔梗科植物。通过药物产地变迁，可以了解同一药名，在不同时代或不同地区，所指实物也不相同。

3. 从古代文献中对药物形态描述和采收季节来研究

例如，《证类本草》卷 9 零陵香是《开宝本草》新增的药。《开宝本草》对零陵香形态描述为："生零陵山谷，叶如罗勒。《南越志》名燕草，又名薰草，即香草也。《山海经》云：薰草麻叶方茎，气如蘼芜。"事实上《开宝本草》把好几种有香味的药，拼在一起，统称为零陵香。古人以名同而归类，不从实质上来分辨。按《证类本草》卷 30 "薰草"条陶注："燕草状如茅。"茅的形态如茅草，和罗勒叶及麻叶方茎，相差很远。因此，《开宝本草》"零陵香"条，从条文所描述形态来分析，就包含好几种植物。

4. 从药物疗效来研究

古人往往把不同的药物，因疗效相同而并为一条。例如，《证类本草》卷 10 "椿木叶"条，载有 2 幅药图，一为椿木图，一为樗木图。椿木、樗木外形相似，功用相同，故并为一条。因此，"椿木叶"条就包含有 2 种不同的植物。

5. 利用现代动物、植物、矿物分类学来研究

把历代本草文献中每个药物所记载的各种资料进行综合分析，再运用植物分类学、动物分类学、矿物分类学来确定药名与实物。

除上述几点方法外，还有其他很多方法可用。如药物特征、形色气味、理化特性、生长习性、用药历史以及出土实物等。

（三）编写一部综合性的本草专著

我国历代都有代表性本草著作产生，如秦汉有《神农本草经》，魏晋南北朝有《名医别录》和《本草经集注》，唐代有《新修本草》，宋代有《证类本草》，明代有《本草纲目》，清代有《植物名实图考》和《本草纲目拾遗》。那么到我们这个时代，应当有我们时代的本草著作产生，此专著应能反映中华人民共和国成立以来，在本草研究方面的成就和特点。

此专著在内容上可分总论、各论两大部分。

总论着重介绍历代本草专著、历代药物分类、药性总义、药物炮制、诸证主治药、毒药与解毒药、服食宜忌、配伍宜忌等发展及概况。

各论介绍具体药物。

1. 收载的药物

凡古今文献所记皆收，务使全备。所收药物拟分 3 类。

常用药：以全国统编中药教材中收载的药物为主。

一般药：即药房不售，成方少用的地方药和民间药。

冷僻药：乃历代本草方书中"有名无用"类，或现在基本上不用的药。

2. 每个药应包括的内容

（1）药物正名（主名）。即现代和历代的通用名。

（2）别名。即现代和历代所用的别名（异名）。对正名和别名的产生原因和变异，要做必要的解释。

（3）药性。包括药物性味、归经、升降浮沉、有毒无毒等。很多药物的药性，历代本草文献所记并不一致。应在综合所有本草文献基础上，从本草学、方剂学、临床治疗学等各种不同角度重新研究，提出现代的看法。把各家所述的不同药性，从实际出发，求其统一。

（4）主治功用。按历代增衍次第介绍功能，按功能分别介绍单用主治和配方主治，并列举名方来阐述本药在各个方中作为君药或臣药或佐使药等的作用。

（5）配伍及宜忌。阐述药物与药物之间组合应用的意义，同时注意相畏、相恶、相反、相杀及禁忌事项，如妊娠禁忌、食忌、十八反、十九畏等。

（6）产地。对历代产地要作今释，说明药物产地古今的变迁，说明同一药物在同一时期有不同的产地，并寻求该药的道地药材。

（7）种植与驯养、采集与贮藏。

（8）加工炮制。每药的各种炮制法及意义，炮制对药性的影响，并简述该药的炮制发展史。

（9）用法及用量。

（10）现代研究。基原确定、化学成分、药理实验、剂型改进、生药组织鉴定等。

（11）按语。讨论历代对药物认识的疑点，总结临床和药理研究新进展，对该药研究的设想及其他。

总之，编写本书的目的是为教学、科研、临床、中医药发展史研究、中药资料编纂等提供参考资料。因此，对历代中药文献要广采博收，务求全备。所取资料，力求精炼、正确，防止资料罗列、烦琐、重复、杂乱等弊病。

三、古籍目录知识

学习本草首先要了解古籍目录，因为中国几千年来有关药物资料的记载，除历代医方、本草收录外，非医药书记载的亦很多。例如，在《本草纲目》一书中，卷1序例上，所引用的书名有1084种，其中本草书仅42种，医书84种，余下958种均非医药书。这就说明《本草纲目》中所记载的药物资料，有很多是出自非医药书。这些非医药书，在古籍中，如何去查找，这就需要了解古籍目录知识，否则会茫无头绪。为此，笔者特将古籍目录知识简介如下。

（一）古籍目录的作用

目录是著录一批相关的文献，并按照一定的次序编排而成文献的工具书，不是指书籍正文前所载的目次。

图书目录是可以提供和推荐图书资料的有力武器，也是读者自学、科学研究、查考图书资料和图书馆参考咨询工作中经常使用的重要工具书。它不仅为查找图书提供线索，还可以丰富图书知识，指导人们阅读。要了解古今本草书资料的年代、著者、版本、存佚、收藏单位等情况时，必须查找目录书。

唐·长孙无忌等撰《隋书·经籍志》云："古者史官既司典籍，盖有目录以为纲纪。"可见目录学对治学是有重要意义的。特别是那些具有"提要"性质的中医药目录，如清·江苏名医曹禾所著的《医学读书志》及近代曹炳章所撰的《中国医学大成总目提要》等，对学习中医药的人帮助很大。余嘉锡在《四库提要辨证》序里说："余之略知学问门径，实受《提要》之赐。"又如清·王鸣盛在《十七史商榷》卷七中指出："凡读书最切要者，目录之学。目录明，方可读书；不明，终是乱读。"通过目录学，可以有目的地选读，这样就能够提高阅读效率而事半功倍。

通过书目，可以找到学习本草学的途径。如果想进一步钻研某一本草专题，也可在本草书目的分类中找到有关该专题书目，沿着目录的线索，去搜集资料，借助书目这把钥匙来登堂入室。换句话说，选择科研课题，首先必须详尽地占有资料。马克思指出："研究必须充分地占有材料，分析它的各种发展形式，探寻这些形式的内在联系。只有这项工作完成以后，现实的运动才能适当地叙述出来。"俄国的文献学家勃留索夫在其所著的《论目录学对于科学的意义》一文中说："学问与其说是知识的储蓄，倒不如说是善于在书海中找到需要的知识的本领。"可见目录学知识，对了解资料起到"导航图"和"定向器"的作用。所以通过本草目录学的知识，也可以了解到本草学的源流和概貌。

通过本草目录学所著录的序跋、例言等来掌握该本草书的主要情况，并可了解该本草书的存佚情况、卷数、撰者、注者、校订者、书名出处等。梁启超《佛家经录在中国目录学之位置》云："著书足以备读者之顾问，实目录学家之最重要之职务也。"

根据目录学本身的著作年代，亦可判断其收录的古本草的著作与传世年代，也可以根据一书的内容、作者的事迹、书的评价，了解一些本草书籍版本的情况。

通过目录学，可以判断某些书版本的好坏。有些书目，在书名下著有原刊本、翻印本、影印本、残本、百衲本、精校本、抄本、手稿本等版本名称。通过书目，可以知道一些本草书有哪些版本以及刻印传抄情况。过去，有些学者还专门编辑、收藏善本书的书目。

通过目录学，可以认识到本草学是中华各民族共同创造的精神财富。

通过目录学，可以了解国外尤其是日本和朝鲜的汉医和东医本草书籍的流传情况。

此外，通过目录学的研究，还能达到"辨章学术，考镜源流"。汉代刘向对中国古籍进行整理和分类，著成《别录》20卷，是中国较早的目录学专著。刘歆继其父刘向，著成《七略》。东汉·班固《汉书·艺文志》全部收录刘歆《七略》，它将古代学派分九流，"三坟五典"的遗书全部著录，所以目录学又名流略之学。

唐太宗李世民命长孙无忌等编《隋书》，其中《经籍志》收录千年名贤著作，使后人借以寻求古书存亡的线索，对于访求文献有极大的方便。而且研究目录书，还可以了解学术的起源、发展、变迁的概貌。所以读《汉书·艺文志》《隋书·经籍志》等目录书，能起到"辨章学术，考镜源流"的作用。

（二）古籍目录的名称

社会越发达，分工越细，学科就越多，记载各门各类学科书籍的种类，也就越来越多。为了检寻方便，必须要有关于书籍分类的工具，这种工具就是目录学。

从目录学发展史看，书的种类与数量是代代增多，而且有新旧取代的现象。目录的名称，各代是在变化的，其内容也不完全相同。习惯上所讲的目录，多指图书目录，或简称书目，或称薄录。

我国图书目录，在历史上有很多不同的名称。汉·刘向称之为"录"，其著为《别录》；其子刘歆称之为"略"，其著为《七略》；后汉·班固称之为"志"，如《汉书·艺文志》；晋·荀勖称之为"簿"，其著为《中经新簿》；晋·李充则称之为"书目"，其著为《晋元帝四部书目》；唐·毋煚称之为"书录"，其著为《古今书录》。

有些图书目录也用"志""记"取名的，例如，南宋·晁公武的《郡斋读书志》，清·周中孚的《郑堂读书记》，钱曾的《读书敏求记》，孙星衍的《廉石居藏书记》。

有些图书目录用"考"取名的，例如，元·马端临的《文献通考·经籍考》，清·朱彝尊《经义考》，清·姚际恒的《古今伪书考》以及近人张心澂的《伪书通考》。

有些图书目录用"提要"取名，例如，清·纪昀的《四库全书总目提要》，阮元的《四库未收书目提要》。像日本·丹波元胤所撰《中国医籍考》及冈西为人所撰《宋以前医籍考》也都是"提要"形式的中国医学书目，其中载有各书之序跋文字颇多，可借以辨识中医学术之源流。

有些图书目录，所收的书名后附有内容"提要"（或称"解题"），如宋·陈振孙的《直斋书录解题》，该书目不仅记载书名，还介绍著书作者的生平简介及该书的内容大意、版本异同等，这些可以帮助我们了解作者的学术思想、流派风格及其著作特点。

有些图书目录，是以"题跋"取名的。如明·毛晋的《汲古阁书跋》，清·黄丕烈的《士礼居藏书题跋记》。

此外，还有《书目问答》《古籍举要》等，其名称各异，但内容皆是图书目录。

（三）古籍目录分类

1. 古籍目录分类方法

（1）从收录的书按学科种类分，有综合目录和专门性的目录。

（2）从作者来分，有官修目录和私家藏书目录。官修目录又分朝廷官簿和史家著录。

（3）从内容来分，有单纯记载书名的目录；有记载书籍内容提要的书目。

（4）从刊刻情况来分，有善本书目、丛书书目。

（5）从政治要求来分，有禁书目、抽毁书目、违碍书目。

（6）从收录著述书的时代来分，有单纯收载当时（当朝）著述的书目，如王俭《七志》、《明史·艺文志》，有收录各代著述的书目。

2. 各家书目收藏书的情况

（1）史家书目著录的情况。历代史家所编的《艺文志》《经籍志》都属史家书目。史家目录收载的书，多就宫廷秘阁簿录删改而成。如《汉书·艺文志》是班固删改刘歆《七略》而成。史家是按历史价值来审定别择书录。《隋书·经籍志》云：“其旧录所取，文义浅俗，无益教理者，并删去之。”所以史志收录的书，未必能把当时所有的书都收载的。例如，《汉书·艺文志》未载的书，可以在各种传记中查出，其中有明文可考者，就有300多种，所以清·姚振宗据此而著《汉书·艺文志拾补》。

班固删改刘歆《七略》时，皆作注明。凡《艺文志》不同于《七略》之处，班氏皆有注文说明，故《七略》虽佚，但其体例及所收书目，可以从《汉书·艺文志》中考之，所以清·马国翰据此辑成刘歆《七略》。

历代史志收录群书，都是记其书名而已，对于每一本书的情况，是不加以介绍的。

在历代史书艺文志或经籍志中，有关医药书目大多见于各目录书的“子部·医家类”。

史家著录的书目有《汉书·艺文志》《隋书·经籍志》《旧唐书·经籍志》《新唐书·艺文志》《宋史·艺文志》《明史·艺文志》《清史稿·艺文志》7 种，其他各史艺文志大多是近人考证或补辑的，大都收入《二十五史补编》中。

（2）朝廷官簿目录。古代一切有关朝政典章制度的文件（后人名档案）和图书记载，都由官府掌管。如老子（聃）为东周政府柱下史，掌管东周政府文件。又如司马谈、司马迁为汉武帝时太史令，掌管汉代政府文件，据此写成《史记》，该书对战国秦汉间的学术源流进行整理、分析、评价，撰成“论六家要旨”。

从刘向《别录》、刘歆《七略》到宋·王尧臣《崇文总目》等，都属朝廷官簿书目，他们的共同点是都因校书而叙目录，剖析条流，各有其类，推导事迹，辨章学术源流。但他们收录的书，以宫廷秘阁（宫廷内图书馆）所载为限，凡未进入秘阁的书，均未收载。所以宫廷簿录所载之书，未必能概括当时所有的书。

官修目录在历代是不附属于史书的。除《别录》和《七略》外，现存的各种官修书目都是北宋以后修的。

在官修书目中，也著录了很多医药书籍。如北宋崇文书院的《崇文总目》、南宋的《秘书省续编到四库阙书目》以及清代的《四库全书简明目录》，均收载了很多医学书目。

（3）私家藏书目。私家藏书目，在范围上不及官簿、史志广泛，但私家所藏的书多偏重于某一类，又由于经济所限，不可能什么书都能收藏。所以各个私人藏书家的书目，都难以概括当时所有的书。

在私家藏书中，有些书目是有提要的，介绍书的源流，考证其得失，使读者据此能推寻其事迹，辨其源流。所以有提要的书目，能够帮助人考镜得失，辨章学术源流。

较早的私家藏书目录有南宋·晁公武的《郡斋读书志》，陈振孙《直斋书录解题》等，均记有医学书目。

明以后，浙江宁波范钦的"天一阁"，江苏常熟毛晋的"汲古阁"，均是有名的私人藏书楼。清代常熟钱曾的藏书楼名"述古堂"，且钱曾撰写的《读书求敏记》，属于私人藏书家撰写的目录，在此目录中，不仅记载书名，而且对每种书记有提要和考证。浙江吴兴陆心源的藏书楼名为"皕宋楼"，陆心源撰有《皕宋楼藏书志》等。这些私人藏书到中华人民共和国成立以后，只有部分保留，其余的书，早已散佚国外。如陆心源死后，其皕宋楼藏书于 1907 年被日本人掠去，藏于日本"静嘉堂文库"。

当代仍有私人图书馆，如范行准藏书为"栖芬室"，范氏为当代医学文献学家，藏书"卷逾二万"（《中华医学杂志》27 卷 11 期），1975 年其曾整理出一个简目为《栖芬室架书目录》。

3. 古代图书目录对书的分类概况

古代图书目录，对书的分类大体有 2 种类型。一是刘歆《七略》分类，承袭这种分类的有班固《汉书·艺文志》，刘宋·王俭《今书七志》，梁·阮孝绪《七录》，隋·许善心《七林》，唐·马怀素《续七志》等，皆沿《七略》旧例而为之。二是晋代元帝时（317—322）李充的《晋元帝四部目录》，南朝宋、齐、梁、陈及隋朝等各代书志，皆沿用李充《晋元帝四部目录》中的分类法。到唐代《隋书·经籍志》不用甲、乙、丙、丁，直称经、史、子、集分类法。

经、史、子、集的分类，有它的局限性，不能概括所有的书。清末张之洞请缪荃荪作《书目答问》，于经、史、子、集之外，别立丛书一目，而成五部。又缪荃荪《艺风藏书记》又分为经学、小学、诸子、地理、史学、类书、诗文、艺术、小说9门。

近代沈祖荣则分为经部、类书、哲学、宗教、社会学与教育、政治经济学、医学、科学、工艺、美术、文学、语言、历史等类。

中国典籍浩繁，时愈后，书愈多，分类愈难。现在图书馆对书的分类，已成为专门学问了。关于这个问题，可以阅读相关专著，此处从略。

四、《四部总录》书目辨疑一则

1955年商务印书馆出版丁福保、周云青合编《四部总录医药编》，该书子部医家类第459页载《食物本草纲目》22卷，下题明天启辛酉刊本，明姚可成编，托名李时珍撰。接着又引《医籍考》云："李氏时珍《食物本草》二十二卷，存。按松平士龙（秀云）《本草正伪》曰：李时珍《食物本草》所载与《纲目》不同。书中记崇祯丙子十一月食观音粉。考时珍子建元进《本草纲目》，在于万历二十四年，则崇祯中事，非时珍所知，是盖明季姚可成者编辑，托名于时珍耳。"

仔细研读此文，其中所言时间互相矛盾。《四部总录医药编》著录《食物本草纲目》，题刊刻时间在明天启辛酉，明天启辛酉是明代熹宗朱由校天启元年，即公元1621年。下引《医籍考》文中有"崇祯丙子"，崇祯丙子是明代思宗朱由检崇祯九年，即公元1636年，比刊书时间晚15年。如果《四部总录医药编》所著《食物本草纲目》真的刊于明天启辛酉（1621），则其书中不可能有"崇祯丙子（1636）"之事。

《四部总录医药编》所著录的《食物本草纲目》原书，笔者未见到，不能断定该本真正的刊刻时间。如果《四部总录医药编》所录《食物本草纲目》真是明天启辛酉刊本，就不应当援引《医籍考》文来论证，应根据原书是否有"崇祯丙子十一月食观音粉"的记载来考订。

按《食物本草纲目》，简称《食物本草》，《食物本草》同名异书很多。原书作者、修订者、各本刊刻家、各本刊刻时间均各不相同。《四部总录医药编》所录《食物本草纲目》，是若干种《食物本草》同名异书中的一种。《四部总录医药编》所著录的本子题有"明姚可成编，托名李时珍撰"。按明·姚可成修订的《食物本草》，在明代崇祯年间有 2 种刊本：一是明崇祯十一年（1638）年刊本；一是明崇祯十六年（1643）年刊本。

明崇祯十一年（1638）吴门书林刊本，其扉页作"备考食物本草纲目"，内附急救蛊毒良方。卷首为《救荒野谱》，明王西楼辑，姚可成补订。该本原题"元东垣李杲编辑，明濒湖李时珍订"，并有钱允治、李时珍、谷中虚三序。钱允治的序题署"天启元年"。卷中每类后有总论，或题"姚可成曰"，或不著姓氏。书中所载"观音粉"条，记有"崇祯丙子十一月食观音粉"事，此与日本·丹波元胤《医籍考》卷 16 引松平士龙《本草正伪》相吻合，说明此本为明·姚可成所修订。姚可成修订此书，所据蓝本，可能是钱允治修订的本子，因为卷端保留有钱允治的序，序云："太末翁氏好刻奇编，初获此书，讹谬特甚，乃请校。不佞不习医，而颇识亥豕鲁鱼，窃用悯焉，因肆力穷探，僭加评注，每类各种细书驳正，补其缺失，刊其繁芜，虽得罪先正弗顾也。"

书中保留谷中虚的序，序云："梓之浙藩，以广其传。"按谷中虚在明隆庆四年（1570）重刻过《重修政和经史证类备用本草》（见《中医图书联合目录》75 页），并作序云："余来督抚两浙，越再稔，以其暇日，检自敝箧，得尝所校雠《证类本草》一编，表而梓之。"由此可见，谷中虚是 1569 年到浙江任总督职，1570 年刻《政和本草》，到钱允治在天启元年校刊《食物本草》时，已有 50 余年了。但钱允治校刊《食物本草》保留有谷中虚的序，而谷中虚的序明言"梓之浙藩"。由此可见，钱允治所校刊《食物本草》的底本，必是谷中虚在浙藩任职期间的刊本。换句话说，《食物本草》中钱允治的序和谷中虚的序不是同在天启元年写的。谷中虚在天启元年（1621）不会继任浙藩总督之职，因为在明代后期，政治趋于腐败，人事变动很大，一个人很难在一个地方连任 52 年的总督。所以《食物本草》中谷中虚序，疑是谷中虚在浙藩任职刊刻时作的，待钱允治于天启元年重刊时，仍保留了谷中虚序。由于钱允治序题天启元年（即天启辛酉），《四部总录》著录此书时，可能以钱允治序题的时间（1621）误为姚可成修订此书的时间。

此书开头有《救荒野谱》1 卷，共载药 120 种。按明·王磐撰有《野菜谱》。《四库全书总目》农家类《野菜谱》提要云："王磐，明正德、嘉靖间人……所记野菜凡六十种。题下有注，注后系以诗歌，又各绘图于其下。其诗歌多寓规戒，似谣似谚，颇古质可诵。然所收录，不及鲍山书之赅博也。"姚可成根据王磐《野菜谱》又增补 60 种成为 120 种，更名为《救荒野谱》，仍题明·王西楼（即王磐）撰，姚可成补订，以冠书首。书中"观音粉"条所载"崇祯丙子十一月食观音粉"

事，疑是姚可成所增补。"观音粉"在卷21记有"吾吴"等语。疑姚可成为明末吴县（今苏州）人。

五、本草古籍版本知识

（一）版本分普通本和善本

对于本草文献研究来说，善本的价值尤其大。因此，本节主要介绍善本的知识，而对于普通本则从略。

什么样子的本子算善本，各家所定的标准，互不一致。王重民撰的《中国善本书提要》所收的书都是清代以前的书。凡是清代和清代以前的木刻本、线装书，都可视为善本。时代越早，其本越珍贵，宋元刻本最珍贵。

善本的种类很多。从刊本时代上讲有宋本、元本、明本、清本；从刊本地区上讲，有闽本、麻沙本、浙本、川本、曹司本；从刊本出处上讲，有殿本、经厂本、监本、家刻本；从书的形式上讲，有原本、稿本、抄本、卷子本；从书的现存状况上讲，有珍本、孤本。

好的善本书，是十分珍贵的。流落在国外的善本书，有人摄成胶卷，用放大读书机阅读，或加以影印，阅读亦很方便。

（二）版本的收藏

书是传播知识的工具，同时也是商品。有些古书，还有文物性质，可视为古董，所以清代有很多人都喜欢收藏书籍。

清·洪亮吉《北江诗话》卷3论述藏书有五等。

（1）考订家：钱大昕（少詹）、戴震（吉士），得一书必推求本原，是正缺失，是谓考订家。

（2）校雠家：卢文弨（学士）、翁方纲（阁学），辨其版本，注其错伪，是为校雠家。

（3）收藏家：鄞县范氏的天一阁、钱塘吴氏的瓶花斋、昆山徐氏的传是楼，搜采异本，上则补石室金匮之遗亡，下可备通人博士之浏览，是谓收藏家。

（4）赏鉴家：吴门黄丕烈（主事）、乌镇鲍廷博（处士），第求精本，独嗜宋刻，作者的旨意纵未尽窥，而刻书的年月最所深悉，是为赏鉴家。

（5）掠贩家：吴门钱景开、陶五柳，湖州的施汉英诸书贾，于旧家中落者，贱售其所藏，富室嗜书者要求其善价，眼别真膺，心知古今，闽本蜀本，一不得欺，宋椠元椠，见而即识，即为掠贩家。

（三）版本质量

版本质量，与刻书校对有关。精校则质量好，反之质量差。就是宋椠，亦因雕刻前校对不精，其质量亦有差异。南宋·陆游《跋历代陵名》云："近世士大夫，所至喜刻书版，而略不校雠，错本书散满天下，更误学者，不如不刻之为愈也。"

北宋亡后，平阳（又名平水，今山西临汾）代替汴京（今河南开封）地区，成为黄河以北的出版中心。平阳盛产纸，质地坚韧，私人开设书坊很多。叶德辉《书林清话》云："金源分割中原不久，乘以干戈，惟平水（今山西临汾）不当要冲，故书坊时萃于此。"

宋代刻书在北方以山西平阳最盛，南方以四川、浙江以及福建的建阳麻沙镇最盛。

麻沙原系镇名，在福建建阳县西70里，地产榕树，木质松软，易于雕版。南宋时镌书人多居于此，世因称其所刻本名麻沙本。麻沙本质量良莠不齐，其精刻精校初印的本子，质量较高。但有些书商草率，雕版并不加详校，更由于木质松软，多印则版模易磨灭，致使印出的版本，不仅不清楚，而且还有错误。陆游《老学庵笔记》卷7记一则故事：一考官命《周易》上一题云："乾为金，坤又为金，何也？"考生不能对。一考生身怀监本《周易》至帘前请教考官曰："先生恐是看了麻沙本，若监本则'坤为釜'也。"考官一看监本，果然是"釜"字，麻沙脱漏上面两点，讹为"金"字。南宋·朱熹《建阳县学藏书记》云："建阳（今在福建）麻沙版本书籍行四方者，无远不至。"藏书家，一向以宋元本为最珍贵，有得精刻麻沙本，亦是珍如瑰宝。

清·黄丕烈为清代校勘家之一，而生平聚书酷嗜宋版，严可均《铁桥漫稿》讥黄氏有古董气而佞宋版。

（四）版本的鉴别

版本有真伪优劣，需要鉴别。鉴别版本方法很多，兹将其要点介绍如下。

1. 卷数、装订形式、注明所见书卷数及残缺情况、册数、页数　例如，《政和本草》一般是30卷本，或连目录计算，则为31卷；《大观本草》一般是31卷，连同目录算，即是32卷。

2. 行数与字数　每半页（线装本由2个半页叠成1页，线装本半页相当于平装本 1 页）有多少行，每行大字是多少，每行小字是多少。这是鉴别线装版本的一项明确的特征。

3. 版框　其高、宽、大、小，翻刻本与旧本常有差异，就是按照旧版原样雕刻，亦难以达到每页版框尺度大小完全相同，总有一定的差别。如果用旧版重抄重画版框，则高宽大小变化就更大。甚至同一雕版，每因印刷次数过多，版框亦会发生变化。从版框尺度大小，亦可提供判定某一种版本的依据。

4. 首页署名　古籍线装书首卷第 1 页多署作者、编者、校者姓名、籍贯、别号、字号，以至子孙、友好，刻书家等姓名、籍贯、字号或堂名，有的书口上还记有刻工的姓名。在翻刻时，多有改动，署名字数多寡及排列形式和位置常有变动，这些变动有助于版本的判断。

5. 序文、书后（跋）、牌记　这是辨别古籍版本的重要依据，从其中的记载，可以了解该书的历史沿革以及该书各次校刊过程。序文、书后（跋）、牌记等文末均记有时间，从各序、跋、牌记的时间，可以推断该书各次刊刻的时间。明代书商为了以假乱真，蒙骗外行，冒充最早的刊本，除把最原始的序、跋、牌记保留外，往往把历次翻刻所增加的序、跋、牌记全部抹掉。

古书序、跋、牌记等所署年月有二。

（1）题"年号下系甲子"。例如，《大观本草》有元大德壬寅年刊本。

（2）题"年号下系若干年"。例如，《大观本草》有元大德六年刊。元大德壬寅年即大德六年，同是公元 1302 年。

6. 纸质、印色　翻印旧刻本中署名、序、跋、牌记等有残损，或因流传久远，失其序文、跋语，或因书名翻刻抽去序跋，剜掉牌记的，偶不留意，就会在著录上造成错误。对此类情况，还需要另据纸质、印色作为旁证。如果是影印本，纸质、印色无法可辨，即根据书中文字变化和书志的记载，详加研究，考订雕版时间和印刷年代，进而估计刻版的价值。

例如，美国国会图书馆远东部藏《经史证类大全本草》有 3 种刊本，藏《政和本草》有 10 种刊本。这些刊本都是根据各种特征综合判定的。其中有一套《重修政和经史证类本备用本草》，其卷 1、卷 2、卷 7、卷 8 等卷题有重校人胡驯、陈新，其末卷尾配补有校督人胡大庆、冀为珩姓名。胡大庆、冀为珩是嘉靖三十一年（1552）陈凤梧刊本的校督人。而胡驯、陈新是天启四年（1624）曹尔桢刊本的校督人，则此本应定为 1624 年曹尔桢所重刊，所配补的部分，乃是误录嘉靖三十一年刊本拼凑的，非曹尔桢刊本原有部分。

7. 收藏家印记　从收藏家生活的年代，可推知此书所刻的年代。例如，北京图书馆所藏晦明轩本《政和本草》，卷内有明代藏书家"无锡葛元化""长洲顾仁效水东馆收藏图籍私印""毛晋"等印记。美国国会图书馆藏嘉靖二年（1523）陈凤梧刊本《政和本草》，其卷内有"谭莹之印""元珍氏""栽杏堂"等印记。

8. 历代刊刻所增校刊姓名和序跋　一种书随着翻刻次数增多，校刊姓名和序跋的篇目亦随之而增多。从历次刊刻所增的序跋，可以了解本书源流及刊刻的经过和校勘编修情况。

9. 从书中所引的资料，可以推断该书成书的时代　例如，唐慎微作《证类本草》成书时间，《中国医学史讲义》（1964年上海科学技术出版社版）说是1082年，但《证类本草所出经史方书》有初虞世方。据陈振孙《直斋书录解题》卷13记有："《养生必用书》三卷，灵泉山初虞世和甫撰，绍圣丁丑序。"按绍圣丁丑即宋哲宗赵煦绍圣四年（1097），则唐慎微作《证类本草》成书时间，不会早于1097年，至于说在1082年，当然是可疑的。

又如晦明轩本《政和本草》，一般认为金泰和刊本为最早。详细研究，晦明轩本《政和本草》并非刻于金，而是刊于元初。晦明轩本《政和本草》没有记载具体时间，只记载5个"己酉"年。一是晦明轩本记末题"泰和甲子下己酉"，二是麻革为《政和本草》作序题"己酉孟秋望日"，三是《政和本草》刘祁跋题"己酉中秋日"，四是《政和本草》各类书名下注"己酉新增衍义"，五是《政和本草》卷30末题"泰和甲子己酉岁初日辛卯刊毕"。这5个"己酉"都是同一个年代的己酉。从第3个"己酉"刘祁跋来看，刘祁生卒年为1205—1250年（见《金史》卷226刘祁传），1205—1250年之间，只有1249年是"己酉"。在刘祁跋讲到张存惠在己酉年刻《政和本草》增加寇氏《衍义》。而麻革为《政和本草》作序题"己酉"，应是1249年。

对《政和本草》所题"己酉"年的问题，在清代有钱大昕、钱谦益、程瑶田均进行了解释。现在把他们的解释介绍如下。

清·钱大昕《十驾斋养新录》（《四部丛刊》本）卷14《证类本草》条云："旧题记云'泰和甲子下己酉冬'，实元定宗后称制之年，距金亡有十六载矣，而存惠犹以泰和甲子统之，隐寓不忘故国之恩。或以为金泰和刻，则误矣。"

此文中所云定宗后称制之年，即1249年。按元代定宗在位仅3年（1246—1248），有人说己酉为定宗四年，其实到第4年，定宗已不在位了，由其后称制。

又此文末"或以为金泰和刻，则误矣"，是指《四库提要总目》卷 103 和《四库书目邵注》卷 10，两书皆云："翻刻金泰和甲子晦明轩本。"按金泰和甲子是 1204 年，比甲子下己酉（1249）早 45 年。1204 年是金代，1249 年已进入元代。晦明轩本实成于元代而非成于金代。

清·钱谦益《有学集》（《四部丛刊》本）卷 46"跋本草"云："金源氏以夷狄右文，隔绝江右，其遗书尤可贵重，平水所刻本草，题泰和甲子下己酉岁。金章宗泰和四年（1204）甲子，宋宁宗嘉泰四年（1204）也，至己酉岁为宋理宗淳祐九年（1249），距甲子四十五年，金源之亡（1234）已十六年矣。犹书泰和甲子者，蒙古虽灭，金未立年号，又当女后摄政，国内大乱之时，而金人犹不亡故国，故以己酉系泰和甲子之下与。"

清·程瑶田《通艺录》（安徽丛书本）古书求解《证类本草》后云："泰和，金章宗年号，甲子为泰和四年，实宋宁宗嘉泰四年也。下己酉者，元定宗后称制之年也……为宋淳祐九年，时平阳地属元，元初承金而未建元，故上溯金章宗甲子以统之。"

10. 从书的避讳字，来判断该书版本翻刻的时代 例如，瞿镛《铁琴铜剑楼藏书目录》著录金刊本《经史证类大全本草》31 卷，卷首有艾晟序。后有墨图记，题金贞祐二年（1214）嵩州（今河南登封）福昌孙夏氏书籍铺印。但在艾晟序中，唐慎微作唐谨微，并在"谨"字下注有"元从心从真避御名今易"10 字。此书既为金代刊本，不应避"慎"字讳。避"慎"字讳，应在南宋孝宗赵眘时或赵眘以后的事。赵眘的"眘"字读"慎"音，故避讳改"慎"为"谨"，又当时"慎县"因避讳改为"梁县"。从避讳字来看，此本翻刻，当为书商用宋刊复刻，除避讳改字外，其余皆沿用旧制。

11. 从书中改用某些字来判断版本翻刻的时间 晦明轩本《政和本草》自从明代成化四年（1468），经山东巡抚原杰重刊后，书中果人之人，全改作"仁"。清·段玉裁《说文解字注》云："果人之字，自宋元以前本草、方书、诗歌记载，无不作'人'字，自明成化重刊本草，乃尽改为'仁'字，于理不通。"明代成化以后，皆据成化本复刻，所复刻本，其书中果仁之"人"皆作"仁"。而人民卫生出版社影印的《政和本草》，全书中果仁之字，皆作"人"。

12. 从书中某些文字倒置，亦可判断版本刊刻时间 例如，人民卫生出版社影印《政和本草》卷 10"钩吻"条的性味辛温"有大毒"。成化本《政和本草》翻刻时，卷 10 页 25"钩吻"条将"有大毒"颠倒为"大有毒"。成化以后，翻刻

《政和本草》皆沿误为"大有毒"。《本草纲目》卷17"钩吻"条气味下，亦作"大有毒"，李时珍注云："其性大热。本草毒药止云有大毒，此独变文曰大有毒，可见其毒之异常也。"按《千金翼方》卷3"钩吻"条及《大观本草》卷10"钩吻"条，俱作"有大毒"，可见人民卫生出版社版《政和本草》是正确的，而成化本《政和本草》误刻为"大有毒"。则《本草纲目》所据《政和本草》版本有误。

（五）古版本并非完全可靠

古版本不是因为它历史长久，纸墨陈古可贵，而是它未经过多次翻刻，错误相对地要少些，印刷术兴盛后，翻刻次数越多，校勘不精，其衍、脱、讹误、颠倒等错误就越多。

清代卢文弨曾说："所见九经小字本，南宋本已不如北宋本，明之锡山泰氏本又不如南宋本，今文翻刻本者更不及焉。"按事物发展，应是后来居上。而卢文弨所云，反而退步，此与发展观点不符。这是因为刻书者，不精于校对，加以学术水平低，工作粗心，所刻之书，讹误越来越多，产生今不如昔的感觉。

由于刻本舛错多，所以校勘家多重视古本，故在今日得唐写卷子本断片残页，亦珍若拱璧。

不过唐代卷子，其脱误亦多。例如，日本传抄卷子本《唐本草》卷5"戎盐"条（上海群联出版社版影印73～74页）陶隐居注文末尾为"而戎盐、卤咸最为要用"。在"要用"之后，卷子本即漏92字。持以《证类本草》卷5"戎盐"条（人民卫生出版社影印本129页）校之，所脱漏92字为"又巴东朐䏶县北岸大有盐井……如此二说并未详。"此因当时抄写人没有很好地校对，而产生脱漏错误，所以唐代卷子本亦不尽可据，所存脱误，必资后世刊本订正之。

校刊重事实，不必过于拘泥古本、旧本。有的版本杂乱要辨伪。如《竹林寺女科》有30多种刊本，名称各异，常见书名有《宁神秘要》《妇科秘要》《竹林寺女科秘书》《肖山竹林寺妇科》《竹林寺女科秘传》《竹林寺女科》《竹林寺三禅师女科三种》等。

有的商人假名著，滥于刊刻。陈修园书只有《南雅堂医书全集》16种，为陈氏手著。而书商把别人著作夹入陈修园全集中，形成若干种，有9种本、14种本、18种本、21种本、23种本、28种本、30种本、32种本、36种本、40种本、48种本、50种本、52种本、60种本、70种本、72种本等。

（六）校勘或引证古籍本草要重视版本

写文章或编书，大部分资料是引用别人的。例如，唐慎微编纂《证类本草》

几乎全部是引证别人的资料，唐慎微自家的论述几乎是未见到。从《证类本草》向上推溯，有掌禹锡《嘉祐本草》、马志《开宝本草》、苏敬《唐本草》、陶弘景《本草经集注》等，他们书中绝大部分资料都来自前代本草。换句话说，他们是引证别人的资料。他们引证的方法，或全文照录，或删节，或摘其大意，或糅合数家文字；引证后，大多数用各种方式标明其出处。

唐以前古本草都是靠手工抄写的。抄时如不注意，往往会抄错字句，或增衍，或脱漏，或颠倒，或讹误，或跳行，或段落不分等，加以抄后未经过仔细校对，这样错误的抄本，别人重抄，再犯如上的毛病，那就会错上加错。如是抄本，其错误程度，就会一次比一次加重。

北宋初开宝年间（968—975）马志等作《开宝本草》时，所搜集到的各种抄本《唐本草》，几乎没有完全相同的。所以《开宝重定序》云：“然而载历年祀，又逾四百，朱字、墨字无本得同，旧注、新注其文互阙。”这就是因为抄录后没有经过仔细校对，产生各种各样错误，其错误程度，亦随抄的次数和抄者粗心的程度而增加。

宋代本草，因印刷术的发展，书的翻刻量多，流通广，读者亦易于获得。在翻刻时，缮写上模前，如未能经过仔细校对，亦会产生衍脱、讹误、颠倒、错行、错简等，这些舛错若未经过改正，一旦刻成窠模后，给所印的书带来很多错误，下次另一书商据此误本再翻刻，若再犯上述的毛病，所翻印的书，其错误就更多。如此翻刻下去，其错误之多，是可想而知的。读者和写文章的人，不加择别，随便引证错误的资料，这就会为中药科研带来恶劣的影响。校勘或引证古本草资料，要讲究版本。

〔附〕 版本辨伪例

《政和本草》是《重修政和经史证类备用本草》的简称。凡30卷，载药1746种，集唐宋以前各家医药名著以及经史传记、佛书道藏等书中有关本草学的知识。在明·李时珍《本草纲目》刊行以前，一直被当作研究本草的范本。

本书作者是宋·唐慎微，原书名《经史证类备急本草》；在宋大观二年（1108）经艾晟等重修之后，被作为官定本刊行，并改名为《大观经史证类备急本草》，至政和六年（1116），又经医官曹孝忠重加校订，再次改名为《政和新修经史证类备用本草》；后于淳祐九年（1249），即蒙古定宗后称制之年，有平阳书肆晦明轩主人张存惠，把寇宗奭《本草衍义》随文散入书中，作为增订本，又改名为《重修政和经史证类备用本草》。该本图版多，绘刻清晰。明王世贞推崇此本为古本中的精刻。书首"晦明轩"重修版记云："今取证类本尤善者为窠模，增以寇氏《本草衍义》，别本中方论多者，悉为补入……凡药有异名者，取其俗称注之……如蚩休云紫河车，假苏云荆芥之类是也。图像失真者，据所常见，皆更写之。如竹分淡、苦、菫三种，食盐著古今二法之类是也。"可见在重修时，附加了《本草衍义》，增注些俗名。图版也多据实物订正重摹上刊，毕期真实，正是"诠定诸家之说为之图绘，使人验其草木根茎花实之微……以辨其药之真赝"。是书纸墨刻工，比过去水平精美得多，达到当时雕版艺术的最高峰。

在现存《政和本草》中，有几十种刊本，它们都叫"晦明轩本"。在各卷首页第1行，皆题"重修政和经史证类备用本草卷第××"，下注"己酉新增衍义"6个小字。

目前最易得的本子，有1468年明成化四年戊子刊本（简称成化本），及1921—1929年商务印书馆影印本（简称商务本），1957年人民卫生出版社影印本（简称人卫本），此即元明以来所刊数十种版本中的3种。

在版本学家心目中，都以宋元刊本为最珍贵、最神奇，它的商品价值也最大。明代书商为牟取暴利，往往弄虚作假，以伪乱真，商人们都说他自己所刊的本子是最原始的版本。

例如，1921—1929年商务本所据的底本，被认为是最原始的本子。在书序前有4页，第1页是空白，第2页中间有个长方框，框内印文："此为金刻善本，间有原版残损，墨印模糊之字，因医书重要，未敢取校他本，率加修补；其中残存字画，足以辨正明复本之伪者，触处皆是，读者勿以版印摩灭而少之。商务印书馆谨白。"第3页有2行大字为"重修政和备用本草"，一行小字为"四部丛刊初编子部"。第4页中间有2行字为"上海商务印书馆缩印金泰和刊本"。

商务本一再声称是"金泰和刊本"，表明商务本所据的底本，是金泰和张存惠所刻原始刊本，这样就可以提高该书的价值。从"晦明轩"牌记看，像是金泰和本。但从具体问题来看，却不像金泰和原始刊本。因为后人翻刻且还现存的各种刊本《政和本草》，均题"金泰和晦明轩本"，弄不清哪一家是原始的真本，没有真正的晦明轩原始底本作标准，那么对商务本和人卫本两家影印的底本就不太好判断，那我们只能拿成化本来比较。成化本刊于明成化四年，即1468年，看哪一本与成化本相同的情况越多，其刊刻的时间距离成化本就越近；相同情况越少，其刊刻时间就离成化本刊刻时间越远。在未比较之前，先把成化本介绍如下。

成化本30卷，书首有三序，一个牌记，一个引书目录和全书总目录。

第一是"重修证类本草序"，题为"岁已酉孟秋望日贻溪麻革信之序"。

第二是"政和新修经史证类备用本草序"，题"曹孝忠谨序"。

第三是"重刊本草序"，题"成化四年岁次戊子（1468）冬十一月既望，资善大夫兵部尚书兼翰林学士知制诰经筵官淳安商辂序"。

第四是螭首龟座牌记，题"泰和甲子下已酉冬日南至晦明轩谨记"。

第五是"证类本草所出经史方书"。

以下即是《政和本草》总目录。

卷1是序例上，卷2是序例下，卷3至卷30是药物。书末有皇统三年宇文虚中"书证类本草后"一文及刘祁序跋，该跋题"已酉中秋日云中刘祁云"。后有木记云"大德丙午（1306）岁仲冬望日平水许宅印"。

成化本是在成化四年（1468）刊的。有明显时间特点，商务影印的底本和人卫影印的底本皆无时间。但商务本和成化本除序跋有差异外，其余皆同，而成化本与人卫本不仅在序跋有差异外，而且在许多细节都不相同。现在把它们的不同点比较如下。

（一）版本行数与字数的比较

商务本和人卫本，皆署"金泰和刊本"。可是他们每半页版面行数，及其每行大字、小字的字数并不相同。商务本每半页12行，每行大字23字，小字23字。人卫本每半页11行，每行大字20字，小字26字。假如两个影印的底本都是晦明轩原始刻本，其半页行数及每行大小字的数目应该相同。如今两个底本每半页行数不相同，每行大小字的字数又不相同，则两个底本中必有一个与晦明轩原始刊本不相同。换句话说，在商务本和人卫本中，必有一个是假的。

查成化本每半页是12行，每行大字23字，小字也是23字，此与商务本相同。由此可证，商务本刊刻时间与成化本相近，而人卫本刊刻时间与成化本相隔较远。

在古籍版本鉴定中，每半页行数和每行字数，是鉴定版本的重要依据之一。从旧本翻刻时，每当行数与字数改变时，往往会发生药物条文分割或合并的现象。兹举例如下。

例如，人卫本卷3页98有"流黄香"条，全条共64字，前40字即自"流黄香"起到"三千里"止，后24字起于"南洲异物"到"从西戎来"止。

成化本卷3页43"流黄香"条割成2条，即前40字"流黄香……三千里"为一条，后24字"南洲异物……从西戎来"为另一条。

商务本卷3页92全同成化本。

分析成化本和商务本把"流黄香"割成2条的原因，是改版的缘故。按"流黄香"条共64字，在旧版每行是20字，由于抄旧本的人误把前两行字作一条，把后24字作另一条抄，这样就使流黄香一条文字写成两条文字。按前40字在每行20字时，刚好是占满两行，改成每行23字时，则占不满两行。从表面形式看，使前40字变成独立一条，后24字就变成了另一条。

又如人卫本卷30页539，石耆与紫加石是相邻的两条。前条是21字，刚好占满一行，与后条文字相连在一起。但成化本、商务本改版成每行23字时，抄旧本的人，不知是2个药，误把紫加石并在石耆条内，从外表形式看就变成一条了。

在成化本中，把一个药的条文分成两个药，或把两个药的条文并写成一个药，其例是很多的。奇怪的是，凡成化本中出现这样的例子，在商务本中也同样的存在，没有一个是例外。

（二） 脱漏行次的比较

在版本翻刻时，抄旧本的人，可能会把旧本整个一行脱漏。例如，成化本卷7页26"决明子"条引"图经曰"，其文末为："又有一种马蹄决明，叶如江豆，子形似马蹄故得此绿豆者。"查人卫本在该文"此"与"绿"之间，尚有"名。又萋蒿子亦谓之草决明，未知孰为入药者。然今医家但用子如"26字，刚好是人卫本小字的一行，而成化本正好脱漏一行。这就提示成化本所据的底本，每行小字也是26字，在改版时由每行26字改成23字，抄底本的人刚好脱漏26字。而商务本又恰恰与成化本相同，足证商务本的底本是据成化本复刻而来。

类似此例很多，这些例子的产生，都因成化本翻刻时，把旧本每行字数改变，抄旧本人不识药物条文内容，加以抄写人粗心大意，遂产生分条、并条、脱漏等现象；这些现象都提示成化本翻刻所据旧本子是每行大字20字，小字26字。这正与人卫本每行大小字数相吻合。换句话说，人卫本的底本应早于成化本。

（三） 黑底白字标记的比较

人卫本对"本经药"及"文献出处"均刻成黑底白字。商务本及成化本脱漏黑底白字标记很多，而且商务本脱漏的情况又与成化本完全相同。

例如，《政和本草》卷2序例下"诸病主治药"及"七情畏恶相反药"，在人卫本都有黑底白字标记，但在商务本及成化本皆无黑底白字标记。

成化本卷 6 页 6 菖蒲、卷 6 页 50 龙胆、卷 6 页 55 白英、卷 16 页 4 麝香、卷 17 页 5 鹿茸、卷 30 页 44 姑活等《神农本草经》药，均无黑底白字标记，商务本对此 6 种药亦无黑底白字标记，但人卫本对此 6 种药有黑底白字标记。

成化本卷 7 页 24 "天名精" 条中 "小虫，去痹，除胸中结热，止烦渴" 作黑字《名医别录》文，商务本 183 页同。人卫本 182 页作白字《神农本草经》文。

成化本卷 10 页 10 "半夏" 条中 "一名地文，一名水玉" 作黑字《名医别录》文，商务本 253 页同。人卫本 245 页作黑底白字《神农本草经》文。

成化本卷 8 页 30 "贝母" 条中 "无毒" 2 字作黑字《名医别录》文，商务本 209 页同。人卫本 205 页作黑底白字《神农本草经》文。

成化本卷 3 页 32 "紫石英" 条中 "轻身" 2 字，卷 6 页 28 牛膝条中 "酸" 字，卷 6 页 37 独活条中 "甘" 字，卷 6 页 40 "车前" 条中 "无毒" 2 字，卷 10 页 28 "蛇合" 条中 "疗" 字，皆刻成黑底白字《神农本草经》文。而商务本与成化本情况完全相同。但人卫本皆不作黑底白字《神农本草经》文。

成化本与商务本对黑底白字标记脱漏的情况完全相同，而与人卫本不同。这很明显地提示商务本的底本是从成化本复刻而来。

（四）版面模糊痕迹的比较

成化本与商务本在某些版面上出现白色裂缝，或夹杂大小不规则的污点或出现印字模糊不清等痕迹，这些痕迹所在版面位置及其形态大小以及字迹模糊不清程度均相同。人卫本在相应的版面上均无此类现象。

例如，成化本卷 6 页 29 "茺蔚子" 条中，"益、益" 等字，从横断面折开，形成裂纹状白线，商务本 152 页同。人卫本 153 页无此裂纹状白线。

成化本卷 6 页 52 "细辛" 条文中，在 "行，除" 等字横断面中折开，形成裂纹状白线，商务本 163 页同。人卫本 164 页无此裂纹状白线。

成化本卷 23 页 8 "大枣" 条中黑底白字的黑底上，夹杂很多不规则的大小不等的白点（犹如印版涂墨不足时印的样子），使白字模糊不清，商务本 496 页 "大枣" 条全同。人卫本 462 页 "大枣" 条无此现象。类似此例很多，此处从略。

（五）误字的比较

凡成化本出现的误字，商务本亦同样出现。兹将两书主要误字，与人卫本相应条中正字的比较如下（表 4-1）。

表4-1　成化本、商务本两书主要误字与人卫本相应条正字的比较表

成化本		商务本	药　名	成化本、商务本药物条文中的句子	成化本、商务本相同的误字	人卫本页次	人卫本药物条文中的正字
卷	页	页次					
8	6	197	菓耳	滕痛	滕	195	膝
3	26	84	石胆	畏羗花	羗	89	芫
3	32	87	紫石英	长石为之便	便	98	使
3	36	89	黑石脂	出頪川	頪	94	颖
4	3	95	雄黄	疗自痛	自	101	目
6	9	142	菊花	木……为之使	木	144	术
6	11	143	人参	疗心痛	痛	145	腹
6	25	150	菟丝子	一名赤綱	綱	151	網
6	46	160	薏苡仁	荄音毬	毬	161	毯
3	26	89	石胆	臣郫切	臣	89	巨
8	36	212	茅根	一名地管	管	208	菅
9	7	224	水萍	一名水薜	薜	219	蘇
10	14	255	大黄	黄苓为之使	苓	246	芩
10	39	268	及己	主痿蚀	痿	258	瘘
17	7	397	白马茎	主不详	详	374	祥
11	25	282	鬼臼	辟不详	详	271	祥
11	30	273	女青	辟不详	详	273	祥
17	1	397	白马茎	马通，徵温	徵	374	微
18	7	416	驴屎	屎主癥癖、牝驴屎、駮驴屎	屎	390	尿
23	29	506	桃核仁	桃凫	凫	471	枭
6	61	168	卷柏	好容颜	颜	168	体
7	7	174	蘼芜	去三蛊	蛊	175	虫
30	27	579	施州瓜藤	图经曰瓜泺乐	乐	535	藤

从这个表中可以看出，成化本与商务本所出现的误字全部相同，而人卫本无此类误字。由此可证，商务本的底本是据成化本复刻的。

（六）某些字书写的比较

不同版本《政和本草》所书写的字各不相同。有用简化字，如断、斷、鹽、飢、饑；有用近似的字，如疽痔、疽痔，辟瘟、辟温，酒㷔、酒炮；有用不同的字，如蛇合、蛇全，令人、利人；有用异体字，如蛇、虵、雛；有的字笔画增减，如柏、栢，蚀、蝕，齿，有的笔画变异，如梦、㝱等。在这些变异字中，成化本

与商务本是一致的，而人卫本并不相同。

兹举一些例子如下。

例如，"主五脏"的"脏"字，成化本、商务本全书中皆作"臟"，而人卫本作"藏"。

"补五脏"的"补"字，成化本、商务本皆作"補"（衣旁少一点），人卫本皆作"補"。

"胡燕窠内土"条有"浸淫疮绕身"，成化本、商务本将"绕"字写成"遍"字，人卫本作"绕"字。

白青、决明子有"生豫章"，成化本、商务本将"章"写成"章"，人卫本仍作"章"。

石决明有"主目障"，成化本、商务本将"障"字写成"憬"，人卫本仍作"障"。

苏合香有"无梦"，成化本、商务本将"梦"字写成"寔"，人卫本作"夢"。

像这样的例子，在全书中到处可见，举不胜举，由于篇幅所限，此处从略。这些例子，也可提示商务本的底本是用成化本复刻的，否则相同的例子不会有如此之多。

（七）文字颠倒的比较

有些字前后倒置，成化本与商务本是一致的，而与人卫本不同。例如，成化本卷 10 页 25 "钩吻"条"大有毒"。商务本 261 页同此。人卫本 252 页作"有大毒"。

《本草纲目》（人民卫生出版社校点本）卷 17 页 1228 "钩吻"条气味下作"大有毒"，此因其参考的《政和本草》为成化本之类的刊本。在成化本以前的文献，如《大观本草》及《千金翼方》卷 3 "钩吻"条俱作"有大毒"，此与人卫本相吻合。所以人卫本应早于成化本。

（八）果仁的 "仁" 字比较

明代成化四年（1468）山东巡抚原杰在山东翻刻此书时，将书中果人之"人"，悉改为"仁"。清·段玉裁《说文解字注》云："果人之字，自宋元以前本草、方书、诗歌记载，无不作'人'字，自明成化重刊本草，乃尽改为'仁'字，于理不通，学者所当知也。"从此以后，明代原杰翻刻本被翻刻时，书中果人之"人"全作"仁"。而商务本全书果人之"人"皆作"仁"。说明商务本的底本是根据成化本删去序跋翻刻的。而人卫本全书果人之人皆作"人"，由此可证，人卫本是成化以前的本子。

（九）错简的比较

商务本《政和》26 页下第 14 和 15 相邻 2 行有错简。第 14 行文为："经三品合三百六十五为主，又进名医别品，亦三百六十五。"第15行为："合七百三十种，精粗皆取，无复遗落，分副科条，区畛物类。"

在第14行中第16字"别"字，与第15行中第16字"副"字是互为错简。所错的位置，正好在相邻2行第16个字。

在第14行中的"名医别品"，敦煌出土的《本草经集注》（上海群联出版社出版，第4页4行）作"名医副品"。在第15行中的"分副科条"，敦煌出土的《本草经集注》（上海群联出版社出版，第4页5行）作"分别科条"。

又成化本、商务本卷6有蓼荞、鏊菜、甘家白药3条文字互为错简。

（1）蓼荞……亦食其苗如葱韭。亦捣傅蛇咬疮，生高原，如小蒜而长，产后作羹食之，良。

（2）鏊菜……白花，花中甜，汁，饮之如蜜。

（3）甘家白药……岂天资乎?

成化本、商务本在蓼荞条末20字，错简在鏊菜条末；又把鏊菜条末5字（即"汁饮之如蜜"）错简在甘家白药条末。不仅成化本、商务本存在这样的错简，凡据成化本翻刻的本子，也同样存在错简。其错简的原因是成化本在翻刻时，误将底本相邻两个版面互为颠倒。而蓼荞、鏊菜、甘家白药3种药的条文是跨前后两版面的，当版面被颠倒后，跨版面的文字，被拆分，于是就形成了3种药的条文相互错简。而人卫本无此错简。（详见商务影印《政和本草》复制本说明）。

这种错简，在成化本及据成化本重刊的《政和本草》，皆同样存在错简。由此可知商务本的底本是据成化本翻刻的。

从以上各方面资料比较来看，商务本除序跋比成化本少几篇外，其他各种情况，与成化本完全相同，但是人卫本并不与成化本相同。根据《说文解字注》段玉裁所注，《政和本草》果仁之"仁"，在成化以前均作"人"，而人卫本全作"人"，所以人卫本的底本应早于成化本。

在版本每行字数上，成化本、商务本每行大小字皆23字，人卫本每行大字20字，小字26字。而成化本、商务本中"流黄香"的分条，石耆与紫加石、石肌石与龙石膏、山慈石与石濡的并条，都是在改版时，由20字转变成23字的过程中，抄旧本的人不识药物条文内容，误将某些药物分条或并条；其分条、并条都发生在相邻的两个药物之间，其前一个药物的条文字数刚好是20或40字，正好是版本每行大字20字的倍数，故容易同相邻的后一个药物搅在一起，出现分条或并条的现象。在版本小字数目上，成化本、商务本每行23字，人卫本每行26字，成化本、商务本"决明子"条引"图经曰"文所脱漏的26字，正好是版本每行26字的一行。这些事实都证明成化本是据每行大字20字，小字26字的版本翻刻修订。此外在错简上，商务本又与成化本完全相同，这些资料足以证明商务本的底本就是成化本或据成化本复刻本。

根据《经籍访古志》所云，明成化本是根据元大德丙午（1306）本翻刻。由此可推知，元大德丙午刊本，每行大字应是20字，小字应是26字。而人卫本每行大字20字，小字26字，此又与元大德丙午（1306）本相同。但据丁日昌《持静斋书目》所云，元大德丙午刊本，署有"大德丙午（1306）岁仲冬望日平水许宅印"，而人卫本无此印记，说明人卫本可能是张存惠最原始的刻本。反过来看，商务本除缺少几篇序跋外，一切情况全同成化本。由此可知，商务本的底本，是明代书商用成化本或成化复刻本，抹去序跋，进行翻刻，冒充金泰和刊本。

六、校勘概述

（一）校勘意义

对同一种的古籍用不同版本和有关资料，进行相互勘比，核对其文、句、篇、章之异同，加以订正书中各种谬误，谓之校勘。考查核对为校，复核审订为勘。研究这种工作的学问，名校勘学。

关于校勘书籍，早在西汉时，已由政府组织人力校书。汉成帝河平三年（公元前26），政府派陈农求遗书于天下，求得的书，收藏秘府（皇宫内藏书处），命刘向校经传、诸子、诗赋，步兵校尉任宏校兵书，太史令尹咸校数术，太医鉴李柱国校方技。每校完一书，刘向撰写一录，论其指归，辨其讹谬。至魏晋之际，王叔和校《伤寒杂病论》。至隋唐之际，杨上善校《黄帝内经太素》30卷（1965年人民卫生出版社版）及《黄帝明堂经》。杨上善校本，佚于金元，清末杨守敬，获得日抄本，残存23卷。其语如汉人解经，疏通证明，训诂精确，为自来注医书者所未见。杨氏利用文字训诂，释词义，订讹误，为后校勘者所效法。黄以周云："其相承旧本有可疑者，于注中破其字，定其读，亦不辄易正文；以视王氏（王冰）之率意窜改、不存本字，任意移徙，不顾经趣者，大有径庭焉。《太素》之文，同全元起本，不以别论羼入其中。其为注，依经立训，亦不逞私见。杨氏又深于训诂，于通借已久之字，以借义为释；其字之罕见者，据《说文》本义，以明此经之通借。其阐发经意，是以补正次注者亦甚多。"

唐代宝应元年（762）王冰校勘《素问》次注成书，王氏序云："受得先师张公秘本，文字昭晰，义理环周……其中简脱文断，义不相接者，搜求经论所有，迁移以补其处。篇目坠缺，指事不明者，量其意趣，加字以昭其义……错简碎文，前后重迭者，详其指趣，削去繁杂，以存其要……凡所加字，皆朱书其文，使古今必分，字不杂糅。"

但是王氏次注朱书其文的本子，久已失传。至于所加之字及所删之文，今已无法分辨。由于王氏所据版本古老，其校勘出书，学术价值仍很大。日本·丹波元胤云："王冰而降，至元明清，注者无虑数十家，意见各出，虽有彼善于此，亦未能无纰缪，学者要在于取其长而舍其短焉。"

北宋开崇文院校理群书。程俱《麟台故事》云："国初循前代之制，以昭文馆、史馆、集贤院为三馆，通名之曰崇文院。"

沈括、苏颂等名贤咸集秘阁，上自天文律历，下至山经本草，无不通晓，每校一书皆有序录。程俱《麟台故事》卷3谓，嘉祐二年（1057）置校正医书局于编修院，以苏颂、陈检等并为校正医书官。苏颂《苏魏公集》提到校医药所作序录有《补注神农本草总序》《本草后序》《本草图经序》《校定备急千金要方序》《后序》5篇，非医药书序有《校风俗通义题序》《校淮南子题序》。

到明代编有《普济方》。清代编有《古今图书集成·医部全录》。清乾隆中开四库书馆。纪昀（文达）、陆耳山总其成，撰成《四库总目》。戴东原校经部，作经部提要。邵江南校史部，作史部提要。周书昌校子部。

校书宜集体通力合作，对卷帙浩繁的巨著，宜集众力以图之。刘歆云："一人不能独尽其径，或为雅，或为颂，相合而成。"

前人对于校勘古籍，积累了很多的经验。有人把这些经验总结起来，写成专著。如刘知几《史通》、郑樵《校雠略》都是总结过去校勘古籍的经验，到清代章学诚，把我国古代有关校勘书籍经验进行全面的总结，撰成《校雠通义》3卷。此书原是4卷，成于乾隆四十四年（1779），2年后，其游大梁途中遇盗遗失。到乾隆五十三年，章学诚将友人所抄存的前3卷校正改定，即成今日流传的3卷，第4卷已不可复得。该书旨在宗刘向，补郑玄，以正世俗，所以此书实为我国古代校雠学之大成。

（二）古本草为什么要校勘

葛洪《抱朴子·遐览》云："书三写，鱼成鲁，虚成虎。"这是说，古书传抄会产生讹误。本草古籍流传至今约有700多种，由于年代久远，历代传抄及翻刻时，校对不精，由此而产生的"鲁鱼亥豕"之误，已屡见不鲜；伪、误（讹文）、

297

衍（增文）、夺（脱文）、重叠、颠倒、妄删误改、错简、错版、缺页至今犹存。如不经过仔细校勘，必存疑于古人，或留惑于后代。

古本草所存在一些错误，究其原因，有下列几点。

1. 自然原因

古本草流传，年移代革，丝韦磨破断绝，简册随之或脱或乱，虫蛀霉烂，或腐或蚀，造成文字残损缺落。

2. 人为原因

唐代以前的本草靠手工抄写，抄写时如不小心就会抄错；抄后如没有经过仔细校对就刊刻，所错即贻误他人。他人传抄再犯同样的毛病，其错误就会越来越多。《开宝重定序》云："朱字、墨字无本得同，旧注、新注其文互阙。"从这个序中可以了解到，《唐本草》自成书后，经过 400 年的传抄，其《神农本草经》朱字和《名医别录》墨字，没有一本是相同的。陶弘景作的旧注和苏敬作的新注，其注文在各本都是互为缺失的。这些都说明了传抄的讹错。

宋代本草多是雕版印刷，由于刊刻校勘不精，任意改动，致使雕版印刷的书中，也是错误丛生。南宋·周辉《清波杂志》卷 8 云："印版文字，讹舛为常。盖校书如扫尘，旋扫旋生。"南宋·陆游《跋历代陵名》云："近世士大夫，所至喜刻书版，而略不校雠，错本书散满天下。"

3. 历代文字书写的变迁

例如，同一个"粗"字，就有多种书写法，如麤、麁、觕、粗。至于秦篆、汉隶、魏晋正草、六朝唐代俗书，以讹传讹，随处可见。

又如《本草纲目》卷 29 "大枣"条引《肘后方》，有"取枣木心，剉得一斛……吐蛊毒出"。同书卷 36 "桑根白皮"条亦引此方，作"桑木心"。按《唐本草》卷子本，桑写成"桒"，枣写成"棗"，字形相近，易把桑误成枣。查《证类本草》《外台秘要》著录此方，均作"桑木心"，并不作"枣木心"。所以《本草纲目》卷 29 误出此。

4. 古籍刊刻，用字规格改变

对古籍刊刻，因字的规格改变，刊刻不注意，亦会使原著文义发生讹误。

例如，《普济方》卷 102 "鹿髓煎丸"中，有"厚朴去皮，生姜捣汁炙"，而后一味药"生姜汁"是液体，如何能炙呢？后笔者查《圣济总录》有此方，是作"厚朴去粗皮，生姜汁炙"，在此文中，厚朴是大字，"去粗皮，生姜汁炙"是小字，此小字均为"厚朴"一药下的"炮制"文。因翻刻时，误把小字缮写成大字，遂形成"厚朴""生姜"2 种药了。

5. 校对不精，发生讹误

一部古本草，往往经过多次传抄刻印，才能得到流传。每传抄或刻印一次，如未经过严格的校勘，便会增加一些讹错；翻刻次数越多，其错误就越多。这样就会造成同一种古本草，因翻刻版本不同，往往使内容文字不尽相同。所以古本草书流传日久，舛误越多。或脱一字，而事实全异；或衍一字，其义全非。

例如，目前流传的各种刊本《政和本草》，由于历代抄写、刻版、校订、复刊所发生的错误很多，在不同程度上影响了书的质量，如卷 1 序例上"陶隐居序"文有"张茂先辈逸民皇甫士安"，该文中的"辈"字，校以敦煌出土的《本草经集注》，实为"裴"之误；但是现存的各种刊本《证类本草》皆作"辈"，以致明·李明珍《本草纲目》承袭此误，并误断句为"张茂先辈，逸民皇甫士安"，这与敦煌出土的《本草经集注》原文含义"张茂先，裴逸民，皇甫士安"全不相同，张茂先即晋代《博物志》作者张华别名；裴逸民是晋河东闻喜（今山西闻喜县）人，是裴秀的少子；皇甫士安是《黄帝甲乙经》的作者。由于一字"裴"误为"辈"，致使文义全非。

孙诒让《札迻·序》（三十年校勘记）："秦汉文籍，谊旨奥博，字例文例，多与后世殊异……复以竹帛梨枣，抄刻屡易，则有三代文字之通假，有秦汉篆隶之变迁，有魏晋正草之混淆，有六朝唐人俗书之流失，有宋元明校椠之羼改；迷径百出，多歧亡羊。非覃思精勘，深究本源，未易得其正也。"

（三）校勘的目的

校勘的目的，是把古本草进行考订，以求版本归于一式，弄清版本源流，找出通行版本中存在的问题。以提高版本质量，总的说来，有下列几点。

（1）补阙订伪。把古本草全面校勘，以正文字，凡书中讹误、衍、夺、颠倒、错简、错版等都要校正。至于为古本草作注，也要精心校勘，才能帮助人们正确理解古本草的真义。据误字作注，反而损害原本真义，还有很多本草，因历代传抄翻刻，所存在的问题，未经过校勘订正，而引用的人，不加甄别，随便乱引，造成大量引证的舛误。

（2）删去重复，除去衍字。

（3）补其不足，增补脱漏的字。

（4）条理篇目，改正错简。

（5）整理出范本，精校精注，使足本无阙，以求恢复或接近本书原来面貌。

（四）校勘方法

校勘方法有四，即对校、他校、本校、理校。兹分述如下。

1. 对校

针对所校的书，从各种版本中选择最佳本为底本，以其余各种版本与底本逐字逐句的勘比，将其异点（衍、夺、讹误、错简、颠倒、疑点等）用校记的形式注出，称为对校。

陈垣《元典章校补释例·校书四例》云："以同书之祖本（指最早的刻本）或别本（指同一种书的另一种版本，或称异本）对读。遇不同之处，则注于其旁……此法最简便，最稳当，纯属机械法。其主旨在校异同，不校是非。故其短处在不负责任，虽祖本或别本有误，亦照式录之。而其长处在不参己见，得此校本，可知祖本或别本之本来面目。故凡校一书，必须先用对校法，然后再用其他校法。"

2. 他校

以他书校本书，即用本书所引用过的其他现存古书作为校本，或其他古籍引本书的内容，用来校勘，称为他校。他校本有下列几种。

（1）他校本成书在本书之前，其文为本书所引，这种本子如属善本，可作为校勘的依据。

（2）他校本成书在本书之后，其文是引用本书的，如属好的版本，也可作为校勘的依据。

例如，校《唐本草》时，《证类本草》曾引用过《唐本草》的资料，可以用《证类本草》作校本。又《唐本草》曾引用过《本草经集注》，则吐鲁番出土《本草经集注》残简亦可用作校本。

（3）据旧注校勘。古本旧注，有些是经过多种异本校勘后注的。他们在注前，先搜罗多种异本，详加校勘，细加别择，将校勘结论，写入注中。汉代郑玄，唐代孔颖达、陆德明、贾公彦，宋代朱熹为群经作注，事先都经过精密的校勘。所以古代文、史、哲旧注中，保留着丰富的校勘资料。

例如，《证类本草》所载白字《神农本草经》文，皆无生境，孙星衍辑《神农本草经》，根据旧注，确定《神农本草经》文有生山谷、生川泽等生境。孙星衍在《校定神农本草序》中说："按薛综注《张衡赋》，引《本草经》'太一禹余粮，一名石脑，生山谷'，是古本无郡县名；《太平御览》引《经》上云生山谷或川泽，下云生某山某郡，明生山谷《本经》文也。"

笔者校《唐本草》卷15"发髲"条，原以日本传抄卷子本为底本。该本"发髪"条末文为"合鸡子黄煎之，消为水，疗小儿惊热下"。（见 1955 年上海群联出版社影印本 187 页）。其文末"下"字，校以人民卫生出版社版《政和本草》卷 15 "发髪"条，并无"下"字。同书卷 19 "丹雄鸡"条有"图经曰"注文。注文引刘禹锡《传信方》云："因阅本草发髪条，《本经》云'合鸡子黄煎之，消为水，疗小儿惊热下痢'。"从此注文中，可以了解到刘禹锡所见的《本经》"发髪"条末，应有"下痢"2 字，日本传抄卷子本脱漏"痢"字，其文末仅存一个"下"字。宋代本草认为"下"字不可解，干脆删去"下"字。笔者根据旧注，在"发髪"条末"下"字后补"痢"字。

上述 2 个例子，都是利用旧注，以校勘正文的讹误。

进行他校时，首先应广泛搜集他校本，并要选善本校之。凡书中引文注明出处者，即可检阅所引原书而作为他校本以校之；书中引文未注明出处者，可从早于本书的其他古籍中寻求线索，辨别出处，追本求源以校之。本草古籍所引的书，往往只注简称，今日多不易了解。例如，《证类本草》所引的"本草"或"本经"，所指书名，往往是不固定的。在不同篇内，所指书名并不相同。

进行他校，所发现的疑点，要考订真伪，辨明是非，分别进行正确的处理。

底本有明显讹误、脱漏者，应据他校本改；如无明显讹误脱漏者，不宜改底本，只在校记中注明异同。即记"原底本'某某……'，他校本作'某某……'"。又古人引书，多节引大义，或加化裁，很少直接抄录原文。所以在行文上与所引书的文字多数是不相同的。

清·卢文弨《抱经堂文集》卷 20 "与丁小雅论校正方言书"云："大凡昔人援引古书，不尽皆如本文，故校正群籍，自当先从本书相传旧本为定，况未有雕版以前，一书而所传各异者，殆不可以遍举，今或但据注书家所引之文，便以为是，疑未可也。"

在对校诸本文字相同情况下，但文理、医理稍有疑异时，应进行他校。

在对校诸本互异时，又不能断定何者为是，采用他校，往往可以得到很好的解决。例如，校点本《本草纲目》，除用同种书不同版本《本草纲目》来校勘外，亦可用《本草纲目》引用前代其他的书来校。

3. 本校

本校，即据底本前后文义校之。就书中所存在的矛盾，以本书内容前后文义勘比，择正确的部分为据，改正错误的部分。

例如，1957 年人民卫生出版社影印《政和本草》卷 3 "丹砂"条引"别说云"

的文中有"鼎近得武林陈承编次《本草图经》"文，在此文中的"鼎"字，据本书卷7"络石"条引"脊痛"方有"晟顷寓宜兴县张渚镇"的文，应作"晟"，晟即艾晟，他在《证类本草》中增入陈承的"别说"，改书名为《大观本草》）。

同书卷19"鹜肪"条，在引"衍义曰"文中有"又云《本经》用鹜肺"。文中的"肺"字，据前文药名"鹜肪"，应改作"肪"。

商务印书馆影印《政和本草》目录第10页上栏第4行有"衡洞根"药名。其中"衡"字，据本书卷10（269页）"衝洞根"条应作"衝（冲）"字。

同书目录第10页上栏第8行有"灵床下鞋履"药名，居于孝子衫和蚕母之间。同书卷10（269页）在孝子衫和蚕母之间，脱漏"灵床下鞋履"一条。

孙星衍刊平津馆丛书本《中藏经·风中有五生死论》："心风之状……肝风之状……脾风状……肾风之状……肺风之状……"文中"脾风状"，据前后文义，似脱"之"字，据本校应补"之"字。

本校可以改正谬误，或列述诸说，切不可妄下雌黄，但必择善而从，以求版式一致。

凡底本原文前后不一，显有错误和矛盾者，当据一处改正。改后应出注文，其注文书写形式如下："某某"，原误作"某某"，据本书某卷某篇改。

例如，《素问·灵兰秘典论》："肖者瞿瞿。""肖"，原误作"消"，据本书《气交变大论》及新校正引《太素》改。

4. 理校

是以医药理（理法方药）、文理（文义、文气、文例）文章结构体例、语法、音韵、训诂等进行校勘。

理校对所校之书的各方面问题要细加体会，对书中内容要能融会贯通，方能理出头绪，纠缪讹误。理校必据确凿理由方可使用，驾驭难。掌握好，可收良效；掌握不好，易产生错误。

当数说难从，或底本文义不顺，可用理校。理校贯穿在本校、对校、他校中，每校都必须有理有据，求精求实。若单独用时，对删、补、改要特别慎重，必须持之有据，言之成理。

清·段玉裁《经韵楼集》卷11"答顾千里书"云："夫校经者，将以求其是也。审知经字有伪则改之，此汉人法也。汉人求诸义，而当改则改之，不必其有佐证。"又云："校书之难，非照本改字，不伪不漏之难；定其是非之难。"

陈垣《元典章校补释例·校书四例》云："遇无古本可据，或数本互异，而无所适从之时，则须用此法。此法须通识为之，否则鲁莽割裂，以不误为误，而纠纷愈甚矣。故最高妙此法，最危险者亦此法。"

例如，1957 年人民卫生出版社影印本《政和本草》卷 14 木部下品"白杨树皮"条有《图经》曰："其形如杨柳相似，以生氷岸，故名水杨。"在此文中"氷岸"的"氷"字，无论在自然道理上，或文理上，都讲不通。从前后文来看，"故名水杨"，当然是因生水岸边而得名，故"氷"当为"水"字之误。

校勘时，如遇文字并无错误，但与医理药理相违背时，可据医理药理校之。

例如，《普济方》卷 182 "治胸膈痞满，升降水火，调顺阴阳，和中益气，推陈致新，进羹饮食"的"沉香降气丸"，方中有"附子二两，炒去毛"。按，附子无毛，与医理不合，可疑，必有误。后在《瑞竹堂经验方》中查有此方，其药作"香附子二两，炒去毛"。可见《普济方》脱"香"字，使药名发生错误，附子有大毒，香附子无毒，如不经过校勘，误用不仅不能治病，反而会导致患者中毒。

在上述四校中，对校和他校是用他书来校，即求证于本书以外的一切记载，又称为外证，或称为旁证。比本书较早的旧抄本或旧刻本，本书的旧注，或其他类书，均可用来校正讹误，补缀遗佚。

本校和理校是从本书以内求证的，称为内证，或称为本证。本证即从本书的文理、医理、文字、修辞、语法、音韵、训诂、义例等，进行比较，以便校正谬误，订正衍脱。

以上各法，在应用时，宜根据具体情况使用，或单用某一法，或兼用几法。其中理校最难掌握。校审之法，精审有此法，易误亦在此法。当数说难从，或底本所说不合理时，采用理校以订谬误，或列述诸说，切不可"妄下雌黄"。但必择善而从，以求版本归于一式。

一般在四校中，对校为四校基础，理校可视为四校指南。不运用理校易失去校勘的意义和价值；滥用理校反而失去校勘的基本准则，所以理校要用，必须慎之又慎。

（五）校勘要求

1. 精选版本

版本越早越好，经过名家整理过的版本亦好。

版本内容如有差异，应选善本为佳。底本要选用足本（完整无残缺）、古本（早期版本），或者用名家精校的版本亦佳。主校本要选择次于底本的著作。参校本要以其他本作参校本（小书店铅印本或石印本）。他校本是指其他书引有本书资料的本子。

校勘古本草除选好底本外，还要广求副本，包括所校古本草的各种复刊本与佚文的副本，以勘异同；对正讹补阙，据宋元旧本以订伪误，不偏主，不曲从。备载诸本，附于其末，以供查考。

自己要真正读懂底本，并要熟悉版本和前人整理的情况。遇到有疑难处，要查阅图书资料，应反复推敲，正确处理。

2. 认真校勘

对底本一定要认真校，在初校（死校）时，要逐句逐字的勘比，一字也不能放过。终校时，要提出个人的意见或倾向性意见。有问题，则对原文进行处理（改、删、补、移等）。问题不大的，则对原文不作处理，只在校勘记中交待。遇到歧处，要能作出正确的判断。凡需校勘的词字，多次重出者，每见必校。

朱希祖《郦亭藏书题跋》云："择一本为主，而又罗列各本之异同，心知其善者，固当记注于上。即心知其误者，亦当记住于上，以存各本之真面。"又云："使后世读此书者，得参校其异同，斟酌其是非，择善而从。"

总之，校勘要逐一勘比，订讹补阙。应要求校而不漏不误。一般对原书内容不删节，不改编，力求恢复或接近本书面貌，使之成为最佳本。

3. 勘而有据，必须用善本来校

若不得善本，往往会以不误为误；必须要得到可靠的版本，用比较统一的方法选善本，作为校勘的依据。

好的版本，在时间上，是刊本中最早的版本，完整无残缺，能反映该著作的原貌，或接近原貌；如果有残缺，可用多种古本相互配补。若定出 2 种以上底本，应有主次之分。另一种情况是以最佳的版本为底本。因为有些本子经过名家整理后，如清代乾隆刊本等，往往胜过早期的刊本。所以用最早的刊本为底本，不一定完全正确。

4. 校勘宜多参考群书

某些疑难问题，单以同种书来校，未必能获得解决，必须参考多种本子，问题才能彻底解决。

5. 不同时代本草，不同处理

对重点本草、宋元以前本草古籍，重用对校、他校，善用本校，慎用理校，四校合参；明清以来本草古籍，用对校、他校、本校即可，运用理校，要特别慎重。

6. 学术见解中的错误，只宜指正，不宜改正

校勘只限于所校的书因传抄翻刻时所致的错误；对于作者学术见解中的明显错

误，只宜指正，不宜改正。段玉裁"答顾千里书"云："夫校经者，将以求其是也，审知经书之字，有伪则改之，此汉人之法也。汉人求诸义，而当改则改之，不必其有佐证。"

7. 重视本草古籍源流校勘，亦重视学术源流

宋·郑樵《通志略》说："辨章学术，考镜源流。"考证本草传抄刊刻，版本异同，辨明学术发展源流。凡他书与本书有源流关系，都应当加以重视，择善而从。只要无明显歧异者，一般不改动，尽可能保持原貌，对改、补、删，应持十分慎重的态度。

总之，校勘本草也是一个复杂的问题，并非标标点点，改几个错字的问题。要具有本草学一般知识和精审判断的能力；对每一事物，要能穷极要妙。对所校之书，要能深知一书义例，明其述作之本末，以类统杂，执简驭繁。不仅能识别后世传写之讹错，而且能纠正作者原本之谬误，不是仅局限于文字异同的校勘。

段氏重刊明道二年《国语序》云："校定之学，识不到，则指瑜为瑕，而疵类更甚，转不若多存其未校定之本，使学者随其学之浅深以定其瑕瑜。古书坏于不校者甚多，坏于校者尤多；坏于不校者以校治之，坏于校者久且不可治。"

8. 认真整理

（1）凡需改正，必须提出证据，根据什么改的，所提出的证据要确凿可靠，有说服力。

（2）对于据理判断，要把理讲清楚。

（3）对复刊本所增加的序跋，价值较大者，可酌情补入。序跋的校勘与训诂，按正文处理。

（4）以原始底本，或以现存最早的本子为底本，作为编排次序的依据，并记其异点，叶德辉称之为"死校"。或作选择性注，即选择各本主要异点注之，叶德辉称之为"活校"。

以最佳本为依据，参校各种底本和校本，勘比其异同。对明显有误处，虽是底本，亦予以改正。可记"原本作'某某'，今据某本改，或据某本删（补）"。

（5）凡目录与正文标题不一，或互误者，可互勘订正；目录凌乱不堪者，可重新编排。均不出校记，只在点校说明中述明。

（6）校勘宜多，出校注宜少。反之，校勘少，出校注多，即不符合要求。

（7）出校注要恰当，避免重复。在某一篇中，底本有误，校本正确，多次重复出现，只注一次，并注明"下同"，不应重复出校。同一问题，出校过多，显得

烦琐。

（8）整理要求齐、清、定（资料齐全；稿件清楚，字迹工整，定稿后不要改动；经审稿，修改加工的稿件，原则上定下来，不能随便改动）。

（六）校勘的处理

（1）底本有避讳字、异体字，径改，不注。

（2）底本中有明显错字、衍文、脱漏，而校本不误，可据校本改正，注明底本原作"某"，据何本改。

（3）底本不误，而校本误，则保持底本原状，不改，不出注。必要时也可出校记。

（4）底本、校本均误，而主参本不误，可参考主参本，并运用本校法和理校法勘正。一般不改底本，出校记，注明主参本"某"作"某"。

（5）底本、校本、主参本均误，不改底本，出校记，注明"某"疑作"某"。

（6）底本、校本、主参本互异，但义义均可通者，不改底本，出校记，注明各本异文，标明版本。

（7）底本中虚词有误者，应从别本校正，若虽与他校本互异而无关宏旨者，不出校记。

（8）凡底本内容无误，仅与其他同类本互异（如药名、主治、剂量等），不出校记。

（9）凡底本有明显脱漏，据他本增补者，注文要说明其依据。凡底本有明显脱字，当据校本增补，可记："×××"，原脱，据某本或某书或某卷补。例如，日本传抄卷子本《唐本草》卷5"戎盐"条陶弘景注文末，校以人民卫生出版社影印《政和本草》（129页），《唐本草》脱漏92字："又巴东朐䏰县北岸大有盐井，盐水自凝，生粥子盐，方一二寸，中央突张伞形，亦有方如石膏、博棋者。李云戎盐味苦，臭，是海潮水浇山石，经久盐凝著石取之。北海者青，南海者紫赤。又云卤咸即是人煮盐釜底凝强盐滓，如此二说并未详。"

（10）凡校本比底本文多，又无法判断底本是否有脱文，可记："××"，此后，某本或某书或某卷有"某"字。例如，《唐本草》卷11"女青"条陶隐居注云："弥宜识真者。""者"，此后，《本草纲目》卷16有"又云今市人用一种根，形状如续断，茎叶至苦，乃云是女青根，出荆州"。

（11）凡底本脱文无据补入时（找不着字补入），则用方框"□"表示，按所脱字数补入；无法计算字数，用"▨"补入，二者均不另出校记，仅在点校说明中举例述及。例如，敦煌卷子本《本草经集注》（1955 年上海群联出版社影印本 91 页）云："右壹百四十种□□□使，其余皆无。""□□□"，原文残缺不清，疑是"有相制"3 字。

（12）底本引文，用他校本勘比。

经典著作，引文有不同处，不改底本，一一注明。

引其他书，引文有不同处，如不违背原书文义，而文义可通者，不改底本，也不出注。如违背原书文义，或文义不通者，不改底本，出注，说明原书"某"作"某"。

加注说明引文出处和原著作书名。古代本草引文，多节引大义。敦煌出土《唐本草》卷 10 "钩吻"条注云："人自求死者，取一二叶，手挼使汁出，掬水饮，半日即死。"《政和本草》卷 10 "钩吻"条引唐本注作"人或误食其叶者皆致死"。是宋代本草节引其大义，并非原文照录。

（13）底本引用他书处，凡属缩引、义引、节引，不失原义者，不出校记。

（14）类书引文多约取其辞或节用书意，不可据类书改校本。

《北堂书钞》《艺文类聚》《太平御览》等类书，征引古书多约取其辞，或节用书意，因此所载的引文很难与古人原本符合。校书者不可据类书而改校本。

例如，《太平御览》卷 991 页 3 引《本草经》曰："玄参，一名重台，味苦，微寒。生川谷。治腹中寒热，女子乳，补肾气，令人目明。生河间。"按"女子乳"，《证类本草》卷 8 页 203 "玄参"条作"女子产乳余疾"。此因《太平御览》引文约取其辞。

又如《艺文类聚》卷 82 引《本草经》曰："水萍，一名水华，味辛，寒，治暴热，身痒，下水，乌鬓发。久服轻身。一名水帘。"按"乌鬓发"，《太平御览》卷 1000 页 2 水萍条作"长鬓发"，《证类本草》卷 9 页 219 "水萍"条作"长须发"。此等引文，节用书意。

再如，《太平御览》卷 992 页 4 引《本草经》曰："防风，一名铜芸，甘温，生川泽。治大风头眩痛，目盲无所见，烦满，风行周身，骨节疼痛。久服轻身，生沙苑。"按"骨节疼痛"，《证类本草》卷 7 页 179 "防风"条作"骨节疼痹"。此亦因类书引文节用其意。

《北堂书钞》卷 146 页 4 引《本草经》曰："卤盐，味苦，可以治消渴，长肌肤，治大热，除邪，下毒虫。"按"长肌肤""下毒虫"，《证类本草》卷 5 页 130 "卤咸"条作"下蛊毒，柔肌肤"。此亦因类书节引书意。

晋·刘逵注《蜀都赋》云："《神农本草经》曰'菌桂，出交趾，圆如竹，为众药通使'。"按"众药通使"，《证类本草》卷12页290"菌桂"条作"诸药先聘通使"。此因类书引文节用其书意。

（15）凡底本引用具体史实、或人、地、年代之记述或书名，显有错误，原文不改，可于校记中说明。

例如，《本草纲目》卷1序例"历代诸家本草"："名医别录。""名医别录"据敦煌残卷本《本草经集注·序录》应作"本草集注"。

（16）如底本出现疑是疑非，一时找不出更多诸本校之，应通览全篇，就所引诸校本列述于后，不宜轻易改动，以保留底本原貌。疑是疑非，难以定论者，宜保留，或标注，或列述。

例如，孙星衍刊平津馆丛书本《中藏经·人法于天地论第一》有"阳生于热，热而舒缓；阴生于寒，寒则拳急"。句中"热而舒缓"的"而"字，吴本作"则"。"而"与"则"义同，无损于文义。即从底本（孙本），但于注中列述吴本作"则"。

正如朱一新《无邪堂答问》云："国朝（清朝）人于校勘之学最精，而亦往往喜援他书以改本文，不知古人同述一事，同引一书，字句多有异同，非如今之校勘家，一字不敢窜易也。今人动以此律彼，专辄改订，使古书皆失真面目。凡本义可通者，即有他书显证，亦不得轻改，古文词义简奥，又不当以今人文法求之。"

（七）撰写校勘资料

1. 写校勘说明

其内容包括作者生平简介、学术思想、著述情况；本书学术价值；本书版本流传情况；过去对本书整理情况；本书整理所据底本、主要校本、整理方法与体例、正文与目录增删与条理情况；需加说明的事项等。

2. 写校语、校勘记

要写得精炼，表达准确，即用准确简单的语言和清晰的文字来表达。所引书名要统一，引什么本要交待清楚。

3. 写按语

按语为剖析原文，评述得失，要求议论公允，语言中肯。解释歧义及疑难力求精审，重在发掘内涵，开拓思路；从而启发读者深入研究思考。在内容上做到不强加，不附会，不回避，不偏激。

4. 写内容提要

即概述某书、某篇（章或段）的中心内容，要求言简意赅，扣题精当，达到钩玄提要。重在总括全文，述明主题，文字力求简明。

5. 写校后记

校后记应是一篇很漂亮的论文。一般在校完一部书后再写。其内容包括作者生平、学术思想；版本源流，历代整理情况；本书学术内容、特点、源流；学术指导意义；存在的主要问题进行概括交代，底本、校本要写清楚，确保资料的准确性。

（八）校勘举例

1. 刻书者误改字

顾炎武《日知录》卷 18 "别字"条，记载明朝山东人刻《金石录》，于李易安《后序》"绍兴二年（1132）元黓（黓音衣。元黓是天干中"壬"的别名。）岁壮月朔"，不知"壮月"为八月之别名，出于《尔雅》，而妄改为"牡丹"。

2. 传抄讹误

例如商务印书馆影印《政和本草》卷 3 页 89 "黑石脂"条："出颖川"。"颖"为"颖"之误。颖、颖字形近而讹误。

同书卷 5 页 121 "硇砂"条引青霞子云："硇砂为五今贼也。""今"为"金"之误。金、今音同而误。

同书卷 5 页 124 "东壁土"条引唐本注云："比上摩干湿二癣。""比上" 2 字为"此土"之误。因形近而误。

同书卷 5 页 126 "戎盐"条引陶隐居注云："味咸若……又巴东朐䏰县北岸。""若"为"苦"之误。"比"为"北"之误。

同书卷 5 页 119 "礜石"条引唐本注云："此药攻繫积聚痼冷。""繫"为"擊"之误。

3. 误字，多因字形相近而误

例如，《本草纲目》卷 3 有"草麻绳索"条，是"草麻纯熟"之误。又如《本草纲目》卷 35 "杜仲"条引《肘后方》云："病后目中流汁。"查《肘后方》作"眼中流汗"。李时珍觉得"眼中流汗"不可解，故改为"目中流汁"。查《医心方》卷 14 作"眠中流汗"（盗汗）。由于《肘后方》误"眠"为"眼"，因为"眠"和"眼"字形相近，易误。《本草纲目》未加细察，望文生义，改为"目中流汁"。

同是一种书，因版本不同，误字相差很大。例如，商务印书馆本《政和本草》

误字就很多。兹用人民卫生出版社本《政和本草》校之如下。

商务印书馆本卷5页119"礜石"条陶隐居注："今属汉亦有。""属"，人民卫生出版社本作"蜀"。

商务印书馆本卷5页119"礜石"条唐本注："此药攻繫积聚痼冷。""繫"，人民卫生出版社本作"擊"。

商务印书馆本卷5页121"铅"条陈藏器云："和清木香傅。""清"，人民卫生出版社本作"青"。

4. 后人注释，误入正文

古人读本草，见有不同，辄附录其辞以为旁注，后乃窜入原书，误为正文。

例如，《政和本草》卷5"不灰木"条，墨盖下引《陈藏器》文末，有"中和二年，于李宏处见传"10字。按"中和"是唐僖宗第3个年号，中和二年即公元882年。而陈藏器《本草拾遗》成书于唐开元二十七年（739），比中和早143年。陈氏书不会记录143年以后的事。此当是后人读陈氏书所加的注文，误窜入原书，误为正文。

5. 因字误使文理、医理不通

《灵枢·热病》有"热病，面青，脑痛，手足躁"，此文不好理解。查《脉经》卷7第13的一篇中有此文。其中"面青、脑痛"作"两胸胁痛"。"两"字似"面"字，"胸"古作"胷"，与"青"相似，"胁"古作"脇"，与古"膧"（脑）字相似。由于字形相近，传抄遂误。究竟谁对谁错？经查证应是《脉经》对，而《灵枢·热病》错。既为热病，应是面赤，而不会面青，面青为寒证所特有；按古代医书只言头痛，不言脑痛。据此可知，《灵枢·热病》中"面青脑痛"为"两胸胁痛"之误。

6. 误字，凡底本有误字，当据校本改正

"某"，原误作"某"，据某本或某书某卷某篇改。

例如，商务印书馆本《政和本草》卷4页108"阳起石"条唐本注："仍夹带云毋滋润者。""毋滋"据人民卫生出版社本《政和本草》卷4页112"阳起石"条应改为"母绿"。

商务印书馆本《政和本草》卷3页84"石胆"条畏恶："畏牡桂、菌桂、羌花、辛夷、白薇。"此文中"羌花"的"羌"字为"芫"字之误。

卷4页106，"磁石"条"恶牡丹、莽草，是黄石脂"。"是"为"畏"之误。

卷4页115页，"屋内壖下虫尘土……亦消调涂之"。"壖""消"，人民卫生出版社本作"墉""油"。又"壖",其目录（5页）亦作"墉"。

卷6页143，"人参"条："心痛鼓痛。""心痛"，人民卫生出版社本作"心腹"。

7. 底本、校本所误字同，别无所据者

"某某"，诸本同，疑有误，或疑为"某某"之误。

例如，《六因条辨·春温辨论》："人生一小天地。""生"，诸本同，疑为"身"字之误。

8. 凡属明显错别字，可径改

改后用铅笔注明原作"某"，以备核查，不写校勘记。

例如，《甲乙经·手太阴及臂凡一十八穴》第24篇孔最穴，作"刺入三呼，留三分"，可径改为"刺入三分，留三呼"。改后用铅笔注明"分"原作"呼"，"呼"原作"分"。

9. 底本有误，据他校本改

例如，人民卫生出版社本《政和本草》卷17兽部中品"牛角䚡"条下有唐本注云："屎主霍乱……屎主消渴……"文中后一个"屎"，校以卷子本《唐本草》为"尿"之误。

《普济方》卷101"诸风门·风邪"中的"紫石英丸……每服空心食前，用粥饮下丸，日二服"。文中"丸"字前脱数字。"用粥饮下丸"是多少丸呢？以《圣济总录》卷14该方校之，为"粥饮下十丸"。据此可知《普济方》是脱"十"字。

七、考据概述

本文对考据有关问题，分以下几点介绍。

（一）什么叫考据

考据亦称考证是研究古代典籍的文字音义、名物象数、典章制度的一种方法。注重言之有据，信而有征，实事求是，又称之为朴学。

"朴学"最早见于《汉书·儒林传》。汉代经师治学重名物训诂，考据多以文字学为基础，尊信《尔雅》《说文》，强调所说必有所据。清代人推崇之，提倡无征不信，学风朴实，故名。

（二）考据学的产生

大约从有文字开始，就有典籍，延续至清末，累积了大批的文化典籍。因为年

代久远，社会变迁的关系，这些典籍流传下来，或有残缺，或难阅读，对这些典籍加以整理，或注释，或语译，或加以分析批判，去伪存真，并说明其价值之所在是十分有必要的。对祖国文化遗产进行科学整理的需要，促进了考据学的产生与发展。

（三）考据学的作用

考据学的作用，有下列几点。

（1）能辨别书的真伪及书中窜乱芜杂。

（2）整理残缺的书，使之完整。

（3）对难懂难读的书，通过注释、说明，使书易读易懂。

（4）通过考证整理，可以提高书的质量，相应地可以提高书的学术价值和实用价值。

（四）考据学的要求

从事考据工作，应有以下一些基本要求。

（1）读书仔细，留心细节问题，凡遇可疑之处即记之，或询问同仁，或请教老师。

（2）不主观，不执一自是，要虚心。凡立一义，必有证据，无证据则否定之。

（3）选择证据或先用资料，以现存最早出者为主。按历史顺序排：先秦→西汉→东汉→魏晋→唐→宋→元→明→清。以前代证据否定后代，但不能据后代来否定前代。从文献种类上讲，以经书为准，经书的证据可以否定传记，而传记证据不能否定经书。

（4）孤立的证据，不作立案的依据；若无旁证姑存之；待有续证则信之；遇有力的反证则推翻之。

（5）不隐匿证据，不歪曲证据（即不曲解证据），更不作诡辩术伎俩。

（6）搜罗同类证据，加以排比，寻求通则。

（7）引用前代资料作证，必注明出处。

（8）与人讨论，当面讨论或书函讨论，态度和蔼，尊重别人意见。

学术的论点，不是一次能够认识清楚的。一个学术见解，不知要经过多少次的反复，才能得出比较明确、比较符合客观实际的结论。学术认识不怕不一致，战国时就有诸子百家争鸣，中医药也有各家各派。对问题的争论，真理是愈辩愈明。在争论时，不能用攻击的口气对待他人。

（9）研究问题，要在深度上下功夫，适当兼顾到广度，但要防止钻牛角尖，陷入狭窄的小圈子里。

（10）行文要讲究文字简洁、精炼、朴实。围绕主题论述，不生枝叶，力避离题千里、漫无边际的引申。

以上各点都要态度诚恳，作风严谨地去做，不弄虚作假，要实事求是。

（11）考据要讲究实效，力戒烦琐，切忌为考据而考据。

考据要讲究实效。考据原是为了求实，重证据，重史实，重资料，从多方面探索，考证翔实，真则真，伪则伪，还其本来面目。但是有些持考据者，辩论无不极乎幽隐，考核无不穷乎邃密。说一句话，必引数十百家之义，解一字必衍成数千言之文，徒炫人之耳目，浪费时间与笔墨纸张。后世效之，每论一事，讲一题，积稿盈尺，有征引而无论断，不能钩玄提要，使人难以明了，这种矜奇炫博，实乃无济于事。

切忌为考据而考据。清末，有些人坠入歧途，专为考据而考据，走到不胜烦琐的地步，没有经世实用的价值。

（五）考据学的应用

考据学多应用于书的辨伪和资料的辨伪，兹分述如下。

1. 书的辨伪

（1）伪书的历史。

古籍中常有后人伪托前人，或同时代人伪托他人之作，亦有真本在流传过程中，夹有后人伪托之作。对此须加辨伪。

西汉成帝时（公元前32—公元前7）刘向校书，通过不同本子勘比，已发现书有真伪。《汉志》对书的真伪已有著录。隋僧法经《众经书目》立有"疑伪"一门，历经宋、元、明，形成专门的学问。明·胡应麟《四部正讹》、清·姚际恒《古今伪书考》、张心澂《伪书通考》、郑良树《续伪书通考》（台湾学生书局，1984）等，都是这方面的专著。据张心澂《伪书通考》记载，古今书籍掺杂伪赝者，有1000多种。

（2）本草书，亦有伪托。

如《神农本草经》乃托神农所作。《淮南子·修务训》云："世俗之人，多尊古而贱今，故为道者，必托之于神农、黄帝而后能入说。"

《四库全书总目》"珍珠囊指掌补遗药性赋"条下云："考《珍珠囊》为洁古老人张元素著，其书久已散佚，世传东垣《珍珠囊》乃后人所伪托，李时珍《本草纲目》辨之甚详。是编首载寒热温平四赋，次及用药歌诀，俱浅俚不足观，盖庸医至陋之本，而亦托名于杲，妄矣。"由此可知，《珍珠囊》亦是伪托之作。

《南方草木状》有人考证亦是后人所为。

《本草易读》托名汪昂，内容粗浅杂乱，文字水平低。

（3）托伪的原因。

伪书多属假托，或借前贤之名以尊其书，以期后世矜其名。或激于私愤，或徇于公赏，或盗袭前人之书为己书，或攘时流之说为己说，或因书之亡佚（战争与自然灾害），有好事伪作之，或部分伪作之。

（4）如何辨伪。

梁启超在《中国历史研究法》第5章中列举辨别伪书12条：①其书前代从未著录，或绝无人征引而忽然出现者；②久经散佚而忽有异本突出，篇数及内容与旧本不同者；③今本来历不明者；④从其他方面可以考见今本所题作为不确者；⑤今本与前人称引之原本有歧异者；⑥书中载事迹，有在作者本人之后者；⑦其书虽真，然一部分确有经后人窜乱之证据者；⑧书中所言与事实相反者；⑨两书同载一事绝对矛盾者；⑩其书文体与该书所处时代文体不同者；⑪其书所言之时代状态与当时情理相去悬殊者；⑫其书之思想与其时代不相衔接者。

以上所言，凡有其一，即可判断为伪书，或其中有伪。

（5）伪书不可尽弃，退后其时代，亦可反映所退时代之作品的学术观点。

张心澂《伪书通考》云："伪书不一定是无价值的无用的书，但如根据某部书来考察某个时代的思想或情况，或著书做论文引用到某部书某段或某句文字，如所根据的或所引的是伪书，或有问题的伪书，认为它所说的，是那个所伪托的时代的思想或情况，那就错误了。"

《神农本草经》中的药学基本理论及其药数，当然不能当作神农时代的作品，但也可以反映所退后的时代的本草学术观点。其中有很多理论与疗效总结，至今仍能在临床实践中应用，书名虽是伪托，书的学术价值和实用价值并未丧失。

2. 资料辨伪

真实的资料，对研究整理本草文献是十分重要的。正确的资料，可以得出正确的结论；错误的资料，则得出错误的结论。所以错误的资料比资料不足或没有资料对研究整理本草文献影响更大。凡是伪书或伪资料，皆不能引用之作为立论的依据。

资料真伪程度不一，或全伪，或部分伪，或因后人增修掺入，非原书所有。

例如，《颜氏家训·书证》："秦人灭学，董卓焚书，典籍错乱，非止于此。譬犹本草，神农所述。而有豫章、朱崖、赵国、常山、奉高、真定、临淄、冯翊等郡县，出诸药物。皆由后人所羼，非本文也。"

据《汉书·地理志》所载：豫章（今江西南昌）高帝（公元前206—公元前195）置，朱崖（今海南琼山县）武帝元鼎六年（公元前111）开，赵国（今河北邯郸）高帝四年（公元前203）改，常山（今河北元氏县）高帝置，奉高（今山东泰安）高帝置，真定（今河北正定）武帝元鼎四年（公元前113）置，临淄（今山东临淄）师尚父所封，冯翊（今陕西大荔县）武帝太初元年（公元前104）改。颜之推是北齐（550—580）黄门侍郎，他在《颜氏家训·书证》列举《神农本草经》药物产地有汉时制定的地名，一般认为这是后人增入，非原书所固有。

3. 异文辨伪

同是一节或一句文字，在不同书记载时，或不同书援引时，往往出现有异文存在，如何确定哪个异文对，有时亦用考证方法来解决。

例如，卷子本《唐本草》卷15"发髲"条文末句为"疗小儿惊热下"。《千金翼方》卷3、《证类本草》卷15"发髲"条作"疗小儿惊热"，无"下"字。《本草纲目》卷52"发髲"条作"疗小儿惊热百病"。

按"发髲"条末文，原属《名医别录》文，后世医药书援引时就有3种不同的异文。哪个异文正确，需要通过考证才行。尚志钧辑《唐·新修本草》365页"发髲"条，对末句考证为"疗小儿惊热下痢"，并出注云："下痢，《纲目》作'百病'，《新修本草》原脱'痢'字，据《千金方》补。按《千金方》卷15治痢方单用乱发煎鸡子黄止痢。《外台》卷25亦云乱发止痢。《小儿卫生总微论方·胎中病》引刘禹锡云：因阅本草有云，乱发合鸡子黄煎，消为水，疗小儿惊热下痢。"

盖《名医别录》原文有"下痢"2字，《唐本草》抄时脱漏"痢"字。宋代本草因"疗小儿惊热下"的"下"字不可解而删去"下"字。《本草纲目》据陶弘景注文，改为"疗小儿惊热百病"。此与《名医别录》原文均不合，只有通过考证，才能解决不同的异文。

4. 为了应用辨伪方法须读辨伪专著

古人对于辨伪，曾撰有专著。兹举例如下。

唐·刘知几撰有《疑古》《惑经》2篇，列可疑史实30余条。

明·胡应麟《四部正讹》提出辨伪八法。

清·姚际恒引用前人所说，著成《古今伪书考》，由于书中所引论据不足，遭到后人非议，后来黄云眉对姚氏书加以补正，辑成《古今伪书考补正》。将历代有关论证列于前，今人之说附于后。所列资料，多是原文摘录，极少资料是由黄氏个人补入。

张心澂所著《伪书通考》，乃是将宋濂《诸子辨》、明·胡应麟《四部正讹》、清·姚际恒《伪书通考》糅合为一体，以书名为纲，将某一书辨伪资料，汇集在同一书名下，博引旁征，详加考证，并附以张氏按语。共收录书名 1104 种，按经、史、子、集、道藏、佛经分类。子部医家类收有医经、本草等 21 种，其中有关本草书如《雷公炮制药性解》《珍珠囊指掌补遗药性赋》等书，辨伪考证甚详。在《伪书通考·总论》中，介绍有辨伪缘由、方法、规律及条件等内容。

（六）考据学在清代的风行

1. 清人从事考据学的原因

清人从事考据工作的原因有二。

（1）与清代统治政策有关。为了防止明代遗老反清，清代统治者对知识分子在思想上采取压制政策，大兴文字狱，尤以当时人对政治、经济上的论述为重，极易触犯清廷。一般知识分子只好把精力集中在文化典籍研究方面。有不少人从壮年到老年，终日埋头于故纸堆中，一点一滴地钻研。也有一些知识分子，具有较高的官职，汇集了一群学者，帮助他编书、著书、校书、印书。还有一些寒士或初考取的读书人，被官家所聘请，做家庭教师。这些人凭借官家的藏书，阅读钻研，日渐博学多才，对古书也能进行注释、考证、校勘、匡谬、辨伪等工作。

（2）清朝是少数民族建立起来的封建王朝。在康熙、雍正、乾隆年间，为了镇压和清除汉人的反抗，对宋明以来古籍进行清理，把汉人在著作中对东北和满族的所谓有"违碍"的篇章、语句，以及胡、夷、狄等字，全部清除掉，故而政府层面实际上也推动了考据学的风行。

2. 清代考据所涉及的学科范围

从清初黄宗羲、顾炎武、马骕、阎若璩、胡渭等诸家著作问世，才形成清代考据学的风气。他们研究的学科涉及范围很广，如经学、历史、地理、医药、天文、算术、金石、书画、草木鸟兽虫鱼之类，无所不包。

他们的做法包括资料的搜集和整理以及对资料的考证和评论。他们整理典籍有辨伪、校勘、翻印等。对亡佚的书加以辑佚，残缺的书加以补缀；对文字难认的，加以音韵训诂，文义难懂的，加以注释；对名物制度加以解释考证；对金石加以考古；对学术著作加以评论；对地方志、年谱加以编修；对类书加以编纂。这些工作，在清朝已成为时代的风尚，尤以乾隆、嘉庆两朝最为风行，上自王公大臣，下至书生寒士以及富商大贾，在不同程度上，都参与了这些工作。

3. 清代人在考据上的成就

清代人在考据上的成就有下列几点。

（1）通过考证，保存前代人的著述。

在清朝200多年的统治中，很多知识分子，通过考据学，对中国古籍做了大量考证工作，把古书中资料考证确切，从而减少错误。通过清代人整理，许多前人心血，得以保存。所以清朝乾嘉时期，也算是封建文化兴盛时期。

（2）通过考证，使中国文化获得整理。

中国文化，在清代，通过考证，获得一番整理，如编抄《四库全书》《古今图书集成》《全唐诗》《全唐文》《渊鉴类函》《佩文韵府》《西清古鉴》《石渠宝笈》《数理精缊》《钦定曲谱》《钦定词谱》等。这些文化遗产，经过一番整理后，在质量上亦有所提高；大量古籍被整理得清楚明白，使人易读易懂。

（3）通过考证，刊印了大量文化典籍。

清代人考据的范围很广，包括有经、史、子等书。其数量之大，远胜过前朝。兹举例如下。

徐乾学《通志堂经解》1781 卷

阮元《皇清经解》1412 卷

王先谦《续皇清经解》1315 卷

沈楙惪《昭代丛书》560 卷

丁谦《蓬莱轩地理丛书》69 卷

武英殿本《二十二史考证》515 卷

姚振宗《隋书经籍志考证》52 卷

钱大昕《二十二史考异》100 卷

王鸣盛《十七史商榷》100 卷

赵翼《二十二史札记》36 卷

牛运震《读史纠谬》（即《十七史论》）15 卷

洪颐煊《诸史考异》18 卷

姚际恒《古今伪书考》2 卷

崔述《上古考信录》36 卷

康有为《新学伪经考》14 卷

卢文弨《群书拾补》39 卷

王念孙《读书杂志》82 卷

俞樾《诸子评议》50 卷

俞樾《群经评议》50 卷

孙诒让《札迻》12 卷

（4）通过考证，培养了一大批知名学者。

清代考据名家，有阎若璩、胡渭、惠栋、戴震、钱大昕、段玉裁、王念孙、王引之等，他们多数在经学方面大有成就。他们对待考证工作，有严谨的学术作风，实事求是的治学态度，能从多方面去考镜学术源流。

（5）通过考证，形成学派之争。

生活在乾嘉时期的知识分子，为了避开民族关系等一系列政治问题，便走上音韵、训诂名物等考证工作。他们以经学为研究对象，形成汉学、宋学之争。清代人遵从汉学，但不受郑玄、孔安国、许慎、王弼、杜预、孔颖达、陆德明等人的思想束缚，他们有自己的创见，为中国古籍解决了很多疑难问题。

4. 清代考据学的末落

到清代道光、咸丰以后，受特殊历史条件的限制，乾嘉学派已到穷途末路。一批政治改革家和学术改革先行者，如魏源、龚自珍等人起来反对他们，倡导放弃乾嘉学派的传统，来搞经世致用之学。

八、辑校要掌握基本功

辑或校某一本古医药书，除全面了解某一本古医药书的历史和内容外，还要掌握一些基本功。兹将这些基本功，简介如下。

（一）要认识难字

现存古医药书，绝大多数为宋元以后刊行本，所用字体多为小楷或宋字，少数古抄医药书的字体，也多是楷中夹行书。就总体而说，除了一些现代不用的古冷僻难字外，一般古医药书的字，是可以认识的，只有较少数的难字，比较难认。古书的繁体、竖行，会给许多普通读者带来阅读障碍；而古人习用的一些俗字、别字，常使一些有相当学力的人，也被难倒。

例如，"肉"字，在成化本《政和本草》都刻成"肉"，在日本传抄的卷子本《唐本草》写成古体"宍"，或写成"宍"。这个古体"宍"字，在某些药物条文中，又转写成"完"。例如1985年上海古籍出版社影印《唐本草》第212页"雄完味酸"，同书195页有"完味辛"。这两个"完"字，实由古肉字"宍"转变成"完"。倘若没有多种版本对读，读者根本无法弄清"完"即是"肉"字。又如"延季"实为"延秊"的形讹。"秊"即古"年"字。

（二） 要理解词义

要理解古医药书中的词义，才能够正确的应用。否则，会影响辑复中的取舍，或造成误注误改。

例如，《唐本草》卷4"雄黄"条陶隐居注云："始以齐初梁州平市微有所得。"

在此注中，有"平市"一词。此词在《政和本草》卷4雄黄的陶隐居注中作"互市"。"互市"的词义，即南北朝对峙时，在交界处，互派使臣主持商品交易的地方。那么《唐本草》为什么称"平市"呢？这是古字形讹所致。"互"字古体为"乐"，"乐"字形与"平"相近，抄写人不懂词义，遂误"互市"为"平市"。

又如，《本草和名》卷7"续断"条的别名，有"一名槐生"。查《政和本草》卷7"续断"条作"一名槐"，并无"生"字。其原文为"续断，一名槐，生常山山谷"。摘录的人未弄清"续断，一名槐"的词义，误将"生"字录入上句，遂误"一名槐"为"一名槐生"。

再如，《本草和名》卷16"鼺鼠"条"有一名飞生"。在"生"后引注文为"陶景注云：暗夜行飞行生"。查《政和本草》卷18"鼺鼠"条引陶隐居注作"暗夜行飞行，生人取其皮毛以与产妇持之"。在此注文中，"生"应属下句，摘录的人不明词义，误入上句。

（三） 要辨清异文

中医药古籍，经后人研读或整理时，多加注文或按语。这些注文或按语，对正文而言，多属异文。有些异文因传抄或翻刻时不注意，往往误入正文。在校注或辑录时要能辨清。

例如，《政和本草》（人民卫生出版社本259页）卷10"豚耳草"条引《百一方》云："豚耳多种，未知何是，菘菜白叶者亦名豚耳。《颜氏家训》马苋一名豚耳，马齿苋也。又车前叶圆者亦名豚耳。"

按《百一方》，是陶弘景整理葛洪《肘后方》，改名为《百一方》。《颜氏家训》是北齐·颜之推著的书。陶弘景是南朝梁时人，比颜之推早。陶氏作《百一方》时，颜之推尚未出世。则陶氏书中的《颜氏家训》当为后人所增的异文，误入正文。

又如，《政和本草》（人民卫生出版社本 136 页）卷 5 "不灰木"条引陈藏器云："不灰木要烧成灰，即斫破，以牛乳煮了便烧，黄牛粪烧之成灰。中和二年，于李宏处见传。""中和"是唐僖宗第 3 个年号，中和二年即公元 882 年。陈藏器作《本草拾遗》，据宋·钱易《南部新书·辛集》云："开元二十七年，明州人陈藏器撰《本草拾遗》。"开元二十七年即公元 739 年，比中和二年（882）要早 143 年。即陈藏器作《本草拾遗》时，不可能记载 143 年以后的事情。上述的文字是后人读《本草拾遗》的注文，以后误入正文，遂误为陈藏器书的正文。

（四）要考证辨误

古籍在流传中不免发生差误，作为古籍辑校者，不能简单地阅读原文，而要尽力纠正原文的错误，在纠正处，要注明依据。

《本草纲目》卷 38 收载"草麻绳索"。李时珍在该条主治项下云："主治大腹水病，取三十枚去皮，研水三合，旦服，日中当吐下水汁。"

在此方中是"取三十枚去皮"。查《本草纲目》收录此方，原出《肘后方》所载治大腹水病方的条文。两书中的"草麻绳索"究竟是何物？从条文"去皮"来看，只有植物的根、茎，或带有皮壳的果实、种子等，才可去皮。但条文中又讲"研"，植物根或茎是不好研的，只有植物果实或种仁能研。据此，"草麻绳索"应是某些植物种子。

从"草麻绳索"作用来看，言"旦服，日中当吐下水汁"。则此种子当有致泻和催吐作用。查有致泻作用的植物种子，有巴豆、千金子、蓖麻子、郁李仁、火麻仁等。那么"草麻绳索"当是此类植物种子的一种。

又《医心方》卷 10 治水瘕第 4 方云："范汪方治水瘕病……萆麻熟成好者甘枚，去皮，杯中研令熟，不用捣，水解得三合，宿不食，清旦一顿服尽，日中许，当吐下清黄如葵汁。"《外台秘要》卷 20 水瘕方所引文同。

从上述资料来看，蓖麻在《外台秘要》《医心方》作"萆麻"，萆、草字形相近，传抄舛错，误"萆麻"为"草麻"。

萆麻子去皮研之，水解之治腹水，此方最早出《范汪方》，后来《肘后方》转录此方。宋以前书的传播，都是靠手工抄录。由于《肘后方》传抄时误"萆麻"为"草麻"。明·李时珍作《本草纲目》时，不知《肘后方》中"草麻绳"由"萆麻纯熟"讹误而来，遂立"草麻绳索"一条，列在《本草纲目》卷 38 服器部。

（五） 要合理取舍

中医药古籍由于流传广，传抄或翻刻次数越多，其舛误越多，加以引用的人选择内容不同，使同一个方子或同一味药，其内容及文字在不同版本中，互有出入。对这些不同的文字，应当做到合理取舍。

例如，《唐本草》卷15"发髲"条末有"疗小儿惊热下"。《证类本草》卷15"发髲"条末作"疗小儿惊热"。《本草纲目》卷52"发髲"条作"疗小儿惊热百病"。《小儿卫生总微论方·胎中病论》引刘禹锡云：因阅本草有云，乱发合鸡子黄煎，消为水，疗小儿惊热下痢'。"（苏颂《本草图经》引刘禹锡《传信方》文字同）

以上4家书，对同一条发髲的主治各不相同。对此4家之言，如何取舍？当取"疗小儿惊热下痢"为可信。因刘禹锡云"疗小儿惊热下痢"是出自本草，则《唐本草》亦当是"疗小儿惊热下痢"，因脱"痢"字，遂成"疗小儿惊热下"。到宋代，因"疗小儿惊热下"的"下"字不可解，遂省去"下"，乃成"疗小儿惊热"。《本草纲目》又改成"疗小儿惊热百病"。

又如，《肘后方》《外台秘要》《千金方》《证类本草》同载一个熨阴癫方"以故布及毡掩肿处，取热柳枝，更互拄之"。

此方中，"故布"及"更互"，在《肘后方》中作"故纸""更取"，在《外台秘要》《千金方》《证类本草》作"故布""更互"。从医理上看，以"故布""更互"义长，当取"故布""更互"为合理。

再如，《外台秘要》卷29引《肘后方》疗烫火所灼未成疮者方："取暖灰以水和习习尔以敷之。"《医心方》卷18引葛氏方治烫火所灼未成疮者方："取冷灰，以水和沓沓尔以渍之。"

比较此二方，内容基本相同，所用个别字不同。上方有"习习"，下方有"沓沓"。"沓沓"是融合貌。从药理角度看，下方文字比上方文字义胜，当取下文较合理。

（六） 要正确断句

古人抄书、刻书多无标点，今人摘引时，则需加上标点符号。标标点前首先要明析文章意义，对原文理解如有误差，则往往造成句读差误。

例如，1957年人民卫生出版社影印《本草纲目》卷43页1574"龙"条集解项下有一段文字，作如下的断句："王符言其形有九，似头，似驼角，似鹿眼，似兔耳，似牛项，似蛇腹，似蜃鳞，似鲤爪，似鹰掌，似虎是也。"

这种断句，一看，即知是误断。正确的断法应为："王符言其形有九似：头似驼，角似鹿，眼似兔，耳似牛，项似蛇，腹似蜃，鳞似鲤，爪似鹰，掌似虎，是也。"

又如，《政和本草》卷17"鹿茸"条有"鹿茸散石淋，痈肿，骨中热疽，养骨，安胎下气，杀鬼精物，不可近阴，令痿。久服耐老。四月、五月解角时取"。

这一段文字是讲鹿茸主治功用及采用时月，文义连贯，首尾相从。但各种版本《政和本草》，均从此文中"养骨"2字处析为两橛，把"养"以上列为言鹿茸，把"骨"以下列为言鹿骨。殊误，要知文末有"四月、五月解角时取"，明言为鹿茸采收时月，并非言鹿骨采收时月。《政和本草》在"养骨"2字之间插有掌禹锡注文。这也是一种错误的断句。

（七）要搜齐资料

中医药古籍，历代各家著作都有引用。所以有些书虽亡佚，但其内容，散在后代若干书中，辑校时当遍搜无遗，使之不漏。对已收之书，应无遗漏；已收之文，亦不当漏录。

例如，孙星衍等辑的《神农本草经》即脱漏"石下长卿"条，其他各本均有此条。

又如日本传抄卷子本《唐本草》卷5"戎盐"条引陶弘景注文，校以《证类本草》卷5"戎盐"条，即脱漏92字："又巴东朐䐴县北岸大有盐井，盐水自凝，生粥子盐，方一二寸，中央突张伞形，亦有方如石膏、博棋者。李云戎盐味苦，臭，是海潮水浇山石，经久盐凝著石取之。北海者青，南海者紫赤。又云卤咸即是人煮盐釜底凝强盐滓，如此二说并未详。"

同书卷5"白垩"条的"唐本注"，校以《证类本草》"白垩"条"唐本注"，脱漏15字"胡居士言，始兴小桂县晋阳乡有白善"。

以上2例说明现存最早的古本草，亦有脱漏，在辑校时，就不能全以最早本为依据，仍须据后出本校之，方可避免遗漏。

上述各点，都是笔者在工作中碰到的一些问题，其中有些问题，很难避免。所以在拙稿中，经常犯有上述的毛病。希望年轻的同仁们，有志于本草文献工作者们，最好能在基本功上多下功夫，尽可能把错误减到最少。

九、辑校本草要据好的版本

笔者在年轻时摘录药物资料，是按古本草书归类的。如属《名医别录》药，归在《名医别录》类。如属《唐本草》药，即归入《唐本草》类，其余依次类推。

中华人民共和国成立以前，笔者在摘录陈藏器《本草拾遗》资料时，曾在《本草纲目》（简称《纲目》）卷15草部摘录过鏨菜。该条《纲目》注出典为"拾遗"。并引陈藏器曰："鏨菜生江南阴地，似益母，方茎对节，白花。苗，味辛，平，无毒。主治破血，产后腹痛，煮汁服。"

后又录商务印书馆影印《重修政和经史证类备用本草》（以下简称商务本《政和》）卷6引陈藏器"鏨菜"条文为"鏨菜，味辛，平，无毒。主破血，产后腹痛。煮汁服之，亦捣碎傅丁疮。生江南国荫地。似益母，方茎，对节，白花，花中甜。捣傅蛇咬疮，生高原，如小蒜而长。产后作羹食之，良"。

把《纲目》所引鏨菜同商务本《政和》所引鏨菜条文进行比较，商务本《政和》文长，且在"白花"之后，尚多"花中甜。捣傅蛇咬疮，生高原，如小蒜而长。产后作羹食之，良"23字。在此23字中，所言产地"生高原"与上文"生阴地"不一致；所言形态"如小蒜而长"与上文"似益母，方茎，对节，白花"不符。笔者当时怀疑此23字可能是另一条药物的文字，但又找不出证据，未敢否定。

到1957年笔者购得人民卫生出版社影印《重修政和经史证类备用本草》（以下简称人卫本《政和》），就把过去所辑陈藏器资料进行全面核对。在对到"鏨菜"条时，发现人卫本《政和》卷6所载鏨菜条文与《本草纲目》鏨菜条文基本相同。但是《纲目》比人卫本《政和》少"花中甜汁，饮之如蜜"8字。再把人卫本《政和》同商务本《政和》"鏨菜"条核对。发现商务本《政和》比人卫本《政和》少"汁饮之如蜜"5字。而商务本《政和》又比人卫本《政和》多"捣傅蛇咬疮，生高原，如小蒜而长。产后作羹食之，良"20字。

商务本《政和》鏨菜条文为何比人卫本《政和》及《纲目》多20～23字呢？当时笔者弄不清这个问题，又无机会外出查资料，只好存疑待考。

后来笔者又用人卫本《政和》往下核对，对到"蓼荞"条时，发现《纲目》、商务本《政和》、人卫本《政和》三书所引同一条蓼荞，其条文差异很大。

《纲目》卷26菜部"薤白"条附录有蓼荞，注出处为"拾遗"，并引藏器曰："味辛，温，无毒。主霍乱腹冷胀满，冷气攻击，腹满不调，产后血攻胸膈刺痛，煮服之。生平泽，其苗如葱、韭。"

商务本《政和》卷6所载蓼荞条文，大体与《纲目》相同。惟无"生平泽"3字。又"其苗如葱、韭"5字，商务本《政和》作"亦食其苗如葱、韭也"。

人卫本《政和》卷6蓼荞的条文比《纲目》及商务本《政和》多"亦捣傅蛇咬疮，生高原，如小蒜而长。产后作羹食之，良"21字，笔者发现此21字，与商务本《政和本草》所载"堇菜"条所多出23字基本相同。这时笔者就怀疑堇菜与蓼荞可能有错简，究竟是何本错简，没有证据，未敢断定。

后来笔者又往下核对，对到"甘家白药"条，又发现《纲目》、商务本《政和》、人卫本《政和》三书同引陈藏器"甘家白药"条文也不相同。

按《纲目》卷18草部"白药子"条下附录中有甘家白药。《纲目》注出典为"拾遗"，并引陈藏器曰："味苦，大寒，有小毒。解诸药毒，水研服，即吐出。未尽再吐。与陈家白药功相似。二物性冷，与霍乱下痢人相反。出龚州以南，生阴处，叶似车前，根如半夏，其汁饮之如蜜。因此而名。岭南多毒物，亦多解毒物，岂天资之乎？"

后来摘录到商务本《政和》卷6"甘家白药"条，其文如下："甘家白药，味苦，大寒，小有毒。主解诸药毒，与陈家白药功用相似。人吐毒物，疑不稳，水研服之。即当吐之，未尽又服。此二药性冷，与霍乱下痢相反。出龚州已南。甘家亦因人为号。叶似车前，生阴处，根形似半夏。岭南多毒物，亦多解物，岂天资乎？汁饮之如蜜。"

把商务本《政和》和《纲目》所引甘家白药条文比较一下，大义相同。所不同者，商务本《政和》引文中"甘家亦因人为号"，《纲目》作"其汁饮之如蜜。因此而名"，这二者意义相差很远。在商务本《政和》引文中甘家白药的名称是因人姓甘而得其名。在《纲目》引文中，说甘家白药的名称是因其汁饮之如蜜而得名的。因无旁证，不能断定谁是谁非。

又"汁饮之如蜜"5字，商务本《政和》列在文末，与甘家白药条全文的文义，不仅文理不相连贯，而且医理亦不通。

按甘家白药的性味，是说"味苦"，此与"汁饮之如蜜"味甘不相符。又甘家白药的作用有"水研服即吐"，此与"其汁饮之如蜜"也不合。甜如蜜的东西，很难有催吐作用的。

根据以上的理由，可知商务本《政和》所引"甘家白药"条末的"汁饮之如蜜"5字，疑是异文窜入本条，不像本条中文字，但无证据，不好否定。

话再说回来，在笔者用人卫本《政和》核对甘家白药时，发现人卫本《政和》所引陈藏器的甘家白药条文，并无"汁饮之如蜜"5字。这就使笔者更加怀疑《纲目》及商务本《政和》甘家白药条文中"汁饮之如蜜"5字，是异文窜入。

这时笔者就翻阅过去所辑的陈藏器资料，直至翻到"鏨菜"条，在人卫本《政和》的鏨菜条文中，找到"花中甜汁，饮之如蜜"，再把《纲目》及商务本《政和》的鏨菜条文仔细看一下，均无"汁饮之如蜜"5字，而在甘家白药条下均有此5字。查人卫本《政和》正相反。如把"汁饮之如蜜"5字列在"鏨菜"条就讲得通，若列在"甘家白药"条中就讲不通。因此，笔者就确定，"汁饮之如蜜"5字是错简。在此错简中，《纲目》同商务本《政和》是错的，而人卫本《政和》是对的。

从鏨菜、甘家白药的错简来看，《纲目》与商务本《政和》相同，这就提示《纲目》所参考的《政和本草》与商务本《政和》影印的底本，可能是同系列的版本，这种本子与人卫本《政和》影印的底本是不相同的。

除掉鏨菜与甘家白药有错简外，在上面还讲到鏨菜与蓼荞也存在错简，商务本《政和》"鏨菜"条有"捣傅蛇咬疮，生高原，如小蒜而长。产后作羹食之，良"20字。商务本《政和》蓼荞条无此20字。而人卫本《政和》正相反。究竟谁对谁错，笔者不好断定。但若不下定论，那么这些辑文就不好用，所以一定要找出谁是正确的。该怎样查，笔者当时也没有想出好的办法。

后来笔者就思考，条文相邻时才易发生错简，查《纲目》中鏨菜、甘家白药、蓼荞三药分隔很远。鏨菜，《纲目》列在卷15；甘家白药列在卷18下；蓼荞列在卷26。此三药在《纲目》分列在3处，相隔很远，不可能造成错简的。

再查《政和本草》对此三药排列，发现此三药同列在《政和本草》卷6。人卫本《政和》及商务本《政和》卷6的目录皆有此三药，兹将人卫本《政和》含此三药的部分目录抄录如下（为了方便研究，笔者特在所抄的药物前，加阿拉伯数字序码）：

①鏨菜，②益奶草，③蜀胡烂，④鸡脚草，⑤难火兰，⑥蓼荞，⑦石荠宁，⑧蓝藤根，⑨七仙草，⑩甘家白药。

在此10种药中，①、⑥、⑩即本文所讨论的药，但它们相隔亦很远，怎么会错简呢？

于是笔者又把人卫本《政和》及商务本《政和》中药物正文再对一遍。发现人卫本《政和》的正文药物排列次序与目录相同，而商务本《政和》的正文药物排列次序为：①錾菜，⑦石荠宁，⑧蓝藤根，⑨七仙草，⑩甘家白药，②益奶草，③蜀胡烂，④鸡脚草，⑤难火兰，⑥蓼荞。这时笔者才发现是商务本《政和》整个版面排列颠倒了。把商务本《政和》正文药物排列次序，按人卫本《政和》正文顺序重新排列，即把⑦、⑧、⑨、⑩这4种药，按人卫本《政和》顺序组成一个版面。再把②、③、④、⑤、⑥这5种药，亦按人卫本《政和》正文顺序组成一个版面，将这2个版面进行对调，即能恢复原来目录的次序。这样所有的错简均得到改正，而上述各种问题也就不存在了。前面的錾菜、蓼荞、甘家白药之所以出现不合理的问题，就是由于商务本《政和》的2个版面颠倒，此3种药正处在版面颠倒相接处，就产生上述各种矛盾。而《纲目》参考的《政和本草》是属于商务本《政和》底本的系列本，所以《纲目》援引此三药的条文，也就出现了错简。

从这个例子来看，同一种《政和本草》因版本不同，所刊的正误也不同。在现存各种版本《政和本草》中，以人卫本《政和》为最佳。

所以笔者辑陈藏器《本草拾遗》时参考了各种本草，如《大观本草》《政和本草》《大全本草》《本草纲目》等。每一种书，都有很多种版本。《政和本草》中，笔者是选人卫本《政和》为依据。笔者所辑的《本草拾遗》，从中华人民共和国成立初收集资料起，到1973年写成初稿，于1983年由皖南医学院科研处出版印行，当时是被当作内部资料供参考交流。

十、古本草的断句举例

在精选版本基础上，要注重断句。由于古籍文字深奥，必须精汉语、明医理，才能正确断句标点。

如《灵枢经》："神乎神，客在门。"有人断句为"神乎，神客在门"。同一句，因断法不同，意义亦不同。

因文史知识不足而误断，使文义晦涩不通。

例如，《万氏妇人科》（明·万密斋撰，1983年湖南人民出版社出版）前有裘琅小叙；叙中一段断句为"昔，王念斋，明，府尹，吾西昌日，曾授梓官衙，后解组携板以去，故江左传布不广。"

按"王念斋"为人名，古知府或郡守，亦称"明府"，"尹"，谓主事，治理。如此，句读应为"昔，王念斋明府，尹吾西昌日……"

凡句读难明，疑窦丛生，诸说并存者，应予辨明。

例如，《政和本草》卷17兽部中品"鹿茸"条有"散石淋，痈肿，骨中热疽，养（《政和本草》误作'痒'）骨，安胎下气，杀鬼精物，不可近阴，令瘘。久服耐老。四月、五月解角时取"。这一段文字是讲鹿茸主治功用及采收时节的，文义连贯，首尾相从。可是各种《政和本草》从此文中"养骨"2字处析为两橛，把"养"以上列为言鹿茸，把"骨"以下列为言鹿骨。殊误，要知文末有"四月、五月解角时取"，明言为鹿茸采收时节，并非言鹿骨采收时节。此据医理药理校勘《政和本草》鹿茸条断句有误。

又如1957年人民卫生出版社影印《本草纲目》卷43页1574"龙"条集解文的断句，误为：〔时珍曰〕按罗愿尔雅翼云："龙者鳞虫之长。王符言其形有九，似头，似驼角，似鹿眼，似兔耳，似牛项，似蛇腹，似蜃鳞，似鲤爪，似鹰掌，似虎是也。"

正确的断句应该是这样：〔时珍曰〕按罗愿《尔雅翼》云："龙者鳞虫之长。王符言其形有九似，头似驼，角似鹿，眼似兔，耳似牛，项似蛇，腹似蜃，鳞似鲤，爪似鹰，掌似虎，是也。"

校点本《本草纲目》（1977年人民卫生出版社本）第1册第52页《神农本经名例》陶弘景曰："其贵胜阮德如、张茂先辈，逸民皇甫士安。"这几句话从表面理解，张茂先是大官司空，因称贵胜。阮德如、皇甫士安是隐逸不仕，因称逸民。

对不对呢？不对，其实这几句话，原先是指3个人名，即"张茂先，裴逸民，皇甫士安"。由于"裴"误为"辈"，加以断句不妥当，把3个人名改变成2个人名了。

不过这种错误，由来已久了，1957年人民卫生出版社影印1885年合肥张绍棠味古斋重校刊本《本草纲目》卷1上第357页上栏第9行也是这样断句的："其贵胜阮德如张茂先辈。逸民皇甫士安。"

这次人民卫生出版社校点本《本草纲目》是据1603年由夏良心、张鼎思序刊的江西初刻本作为底本而校的。由于底本是如此断句，所以校点本亦承袭其旧。

按《本草纲目》原是以《证类本草》为蓝本而编纂的，《证类本草》没有断句。《本草纲目》按原文抄录，加以断句的，（见《重修政和经史证类备用本草》，1957年人民卫生出版社版，第33页上栏14~15行）说明《本草纲目》之误是由《证类本草》而来的。

现在要问，何以见得《证类本草》是有错误呢？我们把陶弘景《本草经集注》拿来核对一下即明白。1955年上海群联出版社影印的《本草经集注》第22页5~6

行说："其贵胜阮德如，张茂先，裴逸民，皇甫士安。"此文与《本草纲目》文比较一下，除"裴""辈"不同外，其余皆同，因为李时珍未见过陶弘景《本草经集注》，仅凭《证类本草》为底本而抄录，由于《证类本草》有误，所以李时珍亦承袭了《证类本草》之误。

张茂先是什么人呢？张茂先为晋朝大司空，即著《博物志》的张华，他是晋范阳方城（今河北固安县南）人，学问渊博，亦精于《经方》《本草》。后世《本草》书常引用张茂先的话，例如，《证类本草》147 页下栏 9 行卷 6 天门冬，就有关于张茂先的资料："此方以颠棘为别名，而张茂先以为异类，《博物志》云……"同书 196 页下栏倒 4 行卷 12 "茯苓"条，亦有关于张茂先的资料："一名江珠，张茂先云'今益州永昌出琥珀'。"

裴逸民是什么人呢？裴逸民为晋河东闻喜（今山西闻喜县）人，是裴秀的少子，裴秀为东晋司空（三公之一的大官），裴逸民又名裴頠，博学多才，善医经，通明方药，名闻于时，官至尚书仆射。

皇甫士安又名皇甫谧，幼名皇甫静，安定（今甘肃平凉西北）人，年 20，不好学，游荡无度，或以为痴。后得叔母任氏之教，勤于学业，遂博综典籍百家之言，以著述为务，自号玄晏先生。著《礼乐圣真论》《黄帝针灸甲乙经》《皇甫士安依诸方撰》《皇甫谧曹歙论寒食散方》，后得风痹，犹手不辍卷，武帝频下诏，敦逼不已，并不应。太康三年（282）卒，时年 60。

十一、本草文献标记发展概况

（一）本草文献标记的作用

1. 保存历代本草资料

今天我们能了解各代本草资料，主要通过古本草中所作的文献标记认识的。如果没有文献标记，那就无法了解古本草的情况。最早在本草书中作标记的是陶弘景，以后历代本草书编者，都沿用陶弘景的办法，在本草书中，对前代引文都作了不同的标记，这对古本草资料保存起到了很重要的作用。

2. 标明出处，便于查阅检索

3. 显示药物某些内容

例如，药物性味，在《唐本草》中用有颜色圆点表示。《证类本草》卷 1 序例下"诸病主治药序"末有《开宝本草》注云："唐本以朱点为热，墨点为冷，无点为平。"这就说明，《唐本草》"诸病主治"中药物性味，用"红点""黑点"标记之。

4. 概括某一类文字的内容

例如，《证类本草》各卷目录，都有"凡墨盖子已下并唐慎微续证类"。同书卷1序例下"诸病主治药"的前面有"凡墨盖子下并唐慎微续添"。这个墨盖子（▼）标记，就能概括唐慎微在《证类本草》中续添的内容。

5. 区分文字的段落

古本草有时叙述几种不同内容的文字，往往是连串在一起，看不清其间的段落，这时以圆圈"○"插在各段文字之间，能使文字段落分明。

6. 区分文中不同的内容，避免混淆

例如，《证类本草》卷10（《重修政和经史证类备用本草》，简称《政和》，1957年人民卫生出版社259页）"豚耳草"条末的注文有"《百一方》：豚耳草多种，未知何是？苾菜白叶者亦名豚耳。《颜氏家训》马苋一名豚耳，马齿苋也。又车前叶圆者亦名豚耳"。

按，《证类本草》所引的注文都用小字书写，唯所引书名用大字书写。此条注文开头《百一方》是用大字书写为标记，但注文中《颜氏家训》也是书名，并未用大字书写作标记。不用大字书写作标记，就容易误《颜氏家训》文是《百一方》之文。《百一方》是梁·陶弘景所撰，《颜氏家训》是北齐·颜之推所著。颜氏晚于陶氏，故《百一方》不可能引用《颜氏家训》的内容。在此注文中《颜氏家训》应作大字书写。

又如处方中药物炮制，药名用大字书写，药物炮制用小字书写。即用大、小字体，来区分药名与炮制的不同。如果不用大、小字体作标记，即易发生混淆。

例如，《普济方》卷102"鹿髓煎丸"中，有"厚朴去粗皮，生姜汁炙"，后一味"生姜汁"言"炙"，殊不可解。查《圣济总录》有此方，是作"厚朴去粗皮，生姜汁炙"。在此文中，"厚朴"是药名，用大字书写，"去粗皮，生姜汁炙"是厚朴的炮制文，当用小字书写。由于翻刻时，误将炮制文也刻成大字，遂误"厚朴""生姜汁"为2种药。

（二）本草文献的标记方法

古本草所引的资料，都不出注"参考文献"，多以文献标记方法表示之。古本草所用的标记方法有下列几种。

1. 用文字注明作标记

例如，《唐本草》编纂时，凡是新增的药物，均在其条文末注"新附"2字。

《开宝本草》编纂时，对新增药，亦在条文末标注"今附"2字。

2. 用颜色作标记

例如，《唐本草》编写，对《神农本草经》文用红字书写，称为"朱书"；对《名医别录》文用黑字书写，称为"墨书"。又如《开宝本草》对《神农本草经》文印成黑底白字，对《名医别录》文印成黑字。

3. 用字体大小作标记

例如，《唐本草》全书中，凡正文均用单行大字书写，全书中注文用双行小字书写，即用大、小字体来区分正文和注文。

4. 用符号作标记

《证类本草》编纂，是以《嘉祐本草》为基础，并入《本草图经》和唐慎微集录的资料。全书中对唐慎微集录的资料，都加墨盖子（▉）为标记。

（三）宋以前本草文献标记概况

《证类本草》是宋以前本草的总结，书中各方面内容，都是从前代本草发展而来，在文献标记上，也是沿袭前代本草发展而成。为此先把宋以前主流本草文献标记，回顾如下。

1. 陶弘景《本草经集注》的标记

陶弘景作《本草经集注》时，取《神农本草经》药和《名医别录》药各 365种。陶氏为了区分这 2 类药的来源，采用红、墨字书写。对《神农本草经》药物条文用红笔书写，称为"朱书"；对《名医别录》药物条文，用墨笔书写，称为"墨书"。这是中国本草史上最早用不同颜色的字作为标记，以表示文献出处的不同。另外陶氏还用大字、小字来区分书内正文和注文的不同。正文用大字书写，注文用小字书写。这样就可以把书中大字所标记正文中《神农本草经》文、《名医别录》文，和小字所标记陶氏注文区分开来。

2. 苏敬《唐本草》标记

唐·苏敬修《唐本草》时，除沿用陶氏红字、墨字、大字、小字作为标记外，还用"说明文字"作标记。

例如，《唐本草》书中，正文全用大字书写，注文皆用小字书写。正文大字属《神农本草经》文，用红字书写；属《名医别录》文用墨字书写；属《唐本草》新增药，虽用大字书写，但在条末加"新附"2字为标记。在《唐本草》全书中，凡大字条文末尾标记"新附"2字，说明该条即是《唐本草》新增的药物。

《唐本草》对书中注文，采用小字书写，小字注文出于陶氏所注，不加任何标记。小字注文出于《唐本草》所注，冠以"谨案"2字为标记。这样标记就可以把《唐本草》书中各家文字都能分辨出来。

3. 马志《开宝本草》的标记

宋以前的书，都是手工抄写的，到宋代开始用雕版印刷。那时没有发明套印技术，对《唐本草》中朱书《神农本草经》文，无法印成红色。为此，不得不改用阴阳文来区分。即把《神农本草经》文雕成阴文，印成黑底白字，即可同其他文区分了，所以《开宝本草》除沿用大字、小字作为标记外，对《神农本草经》文采用黑底白字来标记。对大字正文，出于《神农本草经》文，印成白大字；出于《名医别录》文，印成黑大字；出于《唐本草》新增药，在条文末，用小字"唐本先附"4字为标记；出于《开宝本草》新增药在条文末，用小字"今附"2字为标记。

对小字注文，出于《本草经集注》陶弘景注文，冠以"陶弘景云"；出于《唐本草》注文，冠以"唐本注"；出于《开宝本草》所注，冠以"今按""今注""今详"等为标记。

4.《嘉祐本草》标记

《嘉祐本草》标记，全袭用《开宝本草》标记。在正文大字中，凡出于《嘉祐本草》新增药，在条末标记"新补"或标记"新定"。在小字注文中，凡出于《嘉祐本草》所注，俱标记"臣禹锡等谨按"。其余标记，悉同《开宝本草》。

5.《证类本草》标记

《证类本草》是在《嘉祐本草》基础上编修而成的。所以《证类本草》资料由《嘉祐本草》合《本草图经》及唐慎微引用经、史、子、集、方书等资料汇编而成的。唐慎微仅作资料的汇集，他本人并无注释。但是《证类本草》采纳前人所著本草的内容，均明确标注原出处，这也是我国本草在发展过程中形成了一个优良的传统。兹将《证类本草》对文献出处标注介绍如下。

（1）《证类本草》对《本草经集注》资料标记。

《本草经集注》资料分为四部分：对《神农本草经》资料，印成黑底白字大字；对《名医别录》资料，印成墨书大字；对七情畏恶相反资料，印成双行小字，续在条文大字末尾；对陶隐居注文，印成双行小字，冠以"陶隐居"黑底白字小字。

（2）《证类本草》对《唐本草》资料标记。

对《唐本草》新增药印成大字，在文末注以"唐本先附"；对《唐本草》的注文，印成双行小字，在注文开头冠以"唐本注"黑底白字。

（3）《证类本草》对《开宝本草》资料标记。

对《开宝本草》新增药，印成大字，在条文末注以"今附"。

对《开宝本草》注文，印成双行小字。在注文前或冠以"今注"，或冠以"今按"，或冠以"又按"，或冠以"今详"。《开宝本草》注文多列在"唐本注"之后。

今注是《开宝本草》作者自己的注文。今按是引用前代文献论述的注文。又按在今注、今按之后，又作进一步考证辨误的注文。今详表示作者自己据医药理论作考证性的注文。

（4）《证类本草》对《嘉祐本草》资料标记。

对《嘉祐本草》新增药，书写成黑大字，在条文末，或注以"新补"，或注以"新定"。

新补表示该药是从前代本草书中摘录的。从某书摘录的，即注以"新补见某书"。新定表示该药是当时习用的药，文献尚未记载过。如海带、胡芦巴之类，由太医讨论，定为新增的药。

对新补药物三品的分类，是按同类药排列在同一品级。例如，绿矾、柳絮矾是新增的，它与矾石是同类的，矾石列在玉石上品，则新增的绿矾、柳絮矾也列在玉石上品。同理山姜花次于豆蔻，扶栘次于水杨。

有些药，前代本草并未收录为正品，但在注文中已有论述，对这些药不再另立为条，其注文在某药物条文下，即在目录的相应药名下，标明"续注"字样。例如，卷5"砒霜"条下，所引《日华子》的注文中，提到另一同类药，如"砒黄"的性味主治功用。"砒黄"算是一味药但不择出另立为一条，只是在卷5目录中"砒霜"条下，标明"砒黄续注"字样。同理在垣衣条下续注地衣，通草条下续注燕覆子，海藻条下续注马藻。

对《嘉祐本草》的注文，墨书成双行小字，在注文开头冠以"臣禹锡等谨按"黑底白字小字。在此标记下，依次标列所引用文献及内容。若是掌禹锡自己注说，则冠以"今据"，若引用某书资料作注，即冠以"某书"白字为标记。

这里要说明的一点，就是《证类本草》在编纂时，对《嘉祐本草》中某些药物条文或注文中，曾析出一些药目，并将这些药目及其内容择出另立为条，作新药来看待，书以单行大字，在条末注以"新补见某某"，该新分条的药，在目录中亦立为新增药名，并在药名下注"元附某某条下，今分条"等小字。例如，《政和》

22 页目录卷 27 "苦苣"条下注有"新补"2 字，表示苦苣为《嘉祐本草》新增药。同页目录卷 29 "白苣"条下又注云："莴苣附，元附苦苣条下，今分条。"此注文中"今分条"，当是《证类本草》编纂时所分。

兹将新分条药列举如下。

青石脂、赤石脂、黄石脂、白石脂、黑石脂 5 条自五色石脂条分出。（《政和》93 页）

铁浆自铁精条分出。（《政和》114 页）

剪草自白药条分出。（《政和》240 页）

熏陆香等 6 条自沉香条分出。（《政和》309 页）

人牙齿、耳塞自天灵盖条分出。（《政和》364、365 页）

溺白垽等 6 条自人屎条分出。（《政和》365 页）

蛤蜊等 8 条自马刀条分出。（《政和》441～442 页）

虾条新补见孟诜。（《政和》442 页）

胡麻油自胡麻条分出。（《政和》483 页）

生大豆自大豆黄卷条分出。（《政和》486 页）

白苣、莴苣自苦苣条分出。（《政和》521 页）

生姜自干姜条分出。（《政和》194 页）

瑿条自琥珀条分出。（《政和》297 页）

以上共分 36 条。

（5）《证类本草》对《本草图经》资料标记。

凡资料来自《本草图经》，即列在《嘉祐本草》注文之后，作双行小字注文。并在注文的开头，冠以"图经曰"大字。另外，《证类本草》还将《本草图经》独自的 2 卷草药图文放入《证类本草》第 30 卷和第 31 卷，称为本经外草类和本经外木蔓类。

（6）《证类本草》对唐慎微新增的资料标记。

唐慎微所增的内容，称为"唐慎微续添"，并用墨盖子（■）标记。并在各卷目录中注云"凡墨盖子已下并唐慎微续证类"。

在墨盖子下有 2 种资料。

一是唐慎微新增的 8 种药，此 8 种药物条文头上均加有墨盖子（■）标记。在各卷目录中，凡有唐慎微新增药，均列"若干种唐慎微续补"，并在"补"字下注有"墨盖子下是"5 个小字。唐慎微续补的药有灵砂、井底砂、降真香、人髭、猕猴、缘桑螺、蝉花、醍醐。这些药不论在目录中或在正文中，皆冠有墨盖子标记。

二是唐慎微对某些药物增加的本草内容及单方、验方内容，亦用墨盖子与前文隔开。所增加的本草内容或单方、验方，均作双行小字书写。并将注文标记出处，用大字冠在注文的开头。

这里要说明的是，在《证类本草》开始编纂时，其墨盖子下资料，全为唐慎微所增。到《大观本草》，其墨盖子下"别说"和某些无出处的单方为艾晟所增。到晦明轩本《政和本草》，其墨盖子下，除保留艾晟所增资料外，又添张存惠增入的寇宗奭《本草衍义》。

此外在《政和本草》中，有些药物条文下脱漏墨盖子。如人民卫生出版社影印本《政和本草》106页食盐、208页茅根、130页大盐、87页朴硝、92页白石英等条，均脱漏墨盖子的标记。

唐慎微将《本草图经》各个药图插在每个药的前面。又将《本草图经》独自的2卷草药图文放入《证类本草》第30卷、第31卷，称为本经外草类和本经外木蔓类。

唐慎微将其他书中未经掌禹锡收入《嘉祐本草》的完整药物条文，集中地附在某些卷次之末，称为"某某余"。如"唐本余""食疗余""陈藏器余""海药余""图经余"。

总之，《证类本草》文献标记，依据《嘉祐本草》。即正文用大字：《神农本草经》文用黑底白字；《名医别录》文用黑字；《唐本草》文注以"唐本先附"；《开宝本草》文注以"今附"；《嘉祐本草》新增者或用"新补"（择自文献）或用"新定"（取于当时）。注文用双行小字：《本草经集注》注冠以"陶隐居"；《唐本草》注冠以"唐本注"；《开宝本草》注冠以"今按"或"今注"；《嘉祐本草》注冠以"臣掌禹锡等谨按"。在《证类本草》中，唐慎微新加者，皆冠以墨盖子(■)作为标志。所以，《证类本草》能严谨地保持文献的原来面貌。

附 录

附录一 日本学者写给尚志钧的信

第一封信

尚志钧先生:

从 1980 到 1983 年，我留学过北京。那时通过文章和您的重辑书，已知道您的大名，但外国人的身份，不能到芜湖直接见您。我回国后，在北里研究所，一直研究医史文献，重点亦在本草方面。

今天偶然贵校的宋建国讲师来我所参观，因此我把拙作托他赠您，请您指教一下。

1988 年 11 月 9 日

弟　真柳诚①

---

① 真柳诚：日本昭和大学医学博士，现在日本茨城大学任教。

第三封信

洄溪徐灵胎先生

　　……

此也现在来日的评审主教授

我老师他请教，受益非浅。

常听到教授谈到您的学问之

淵博，因此，更有机会在日本

或在中国积关怀教诲受了许

多事我也很想把您的学问

来誊为日本的西北人一般。

我可记于十二三十日一二十六日而

中国本草为多，起经教授多辑

的刻词会，不是想听者来迟，本

非常想得到您以前的論文或論著、您若能为我提供獲得的渠道、那就免得我費時日了。百忙之中、多有打攪、實在對不起。

静候回音！

祝身体健康！

加藤久幸拜

一九九九年十月一日

于東京

第三封信

皖南医学院

尚志钧先生：

您好！4月16日，我们日本中医学采访交流团一行5人在前往贵埠采访时，有幸能拜访到您和李济仁先生，聆听您热心地回顾和讲述有关本草学史的研究，目睹您的大家学者风范，获益良多，甚感欣喜。

我们久仰先生的大名，也曾拜读过一些您的相关论著。通过本次访问，我们强烈地感受到：中国中医学的博大精深与灿烂辉煌，只有通过历代众多的像您这样学验俱丰的中医学者的存在与活动，才能充分地、集中地体现出来。

在拜访了您与李济仁先生之后，从芜湖我们又赶赴合肥，参观了安徽中医学院的新安医学展览馆，并与该校众多教授进行了座谈。

目前，我们正准备尽可能翔实地在日本的相应媒介和团体活动中，把本次访问贵埠的见闻与收获介绍给日本的医药学术界，为进一步推动日中两国的传统医药学术交流而力尽绵薄。

谨在此，特向本次热情地接待并给予我们以指导的先生您本人，以及您的女儿，再次表示衷心感谢与问候，祝愿你们全家身体健康，工作顺利！同时敬请您今后也多加指导！

专此

即颂

2002年春季日本中医学采访交流团一行

团　　长：东洋学术出版社社长，日文《中医临床》杂志总编　　山本胜旷

副团长：东京临床中医学研究会副会长，平马医院副院长　　平马直树

秘书长：日中健康科学会理事长，在日中国医药学者协会会长　　戴昭宇

团　　员：日本中国传统医学研究所主任研究员，东京中医学报主编　　加藤久幸

团　　员：日本中国传统医学研究所研究员，顺天堂大学客座研究员　　郭秀梅

2002年5月2日

于日本

第四封信

尊敬的尚志钧先生您好

东京连日持续酷暑，最近刚刚
凉爽起来。金秋正是，我们读书的
好季节。我猜想安徽省一定也是
残暑肆磨吧？

今天，奴到了先生的大作「大观本
草」，本草拾遗得零，万分高兴、

在此深表谢忱。

我们深知，不僅是本草書、涉及古医書

全部活字化、或者是古書復元这一項

工作、安收集膨大資料和付出去很大的

辛苦。尚志钧先生雖然年事已高、

仍每日筆耕不輟、為中医事業奋貢注

了全部热情、这種偉大的精神深深

地感染着我们後辈。

我们虽远远的日本、祝福先生

身体健康。殷切地希望今后将学

术交流继续下去去。请多指教。

今年十二月、森立之的"本草洛改注"

活字本将在北京学苑土版社出版、

届将这里兴悠、望斧正。

祝健康长寿！

二〇〇二年八月二十二日

平馬直樹

郭　秀梅

加藤久幸　筆

附录二　　尚志钧学术年谱

公历（年）	年龄	经　历
1918. 2. 4	1	出生于安徽全椒县东乡西观圩小庄村。排行第三
1920	3	母亲逝世，家从小庄村迁至尚家墩，父又娶一妻
1921—1927	4 ~ 10	寄居在西观圩东圩刘家村的外祖母家
1928—1931	11 ~ 14	家迁全椒县西乡江王村（中兴集北），夏、秋两季放牛兼做家务杂事，冬、春两季读私塾
1932—1933	15 ~ 16	到全椒县西门宝林寺小学读四年级，同年下半年读五年级，第二年读六年级
1934—1936	17 ~ 19	考入当地县立初级中学
1937—1939	20 ~ 22	1937 年考入芜湖第七中学（今芜湖一中）。读到 11 月，抗日战争爆发，七中解散，回到全椒。全椒沦陷，1938 年春又随着流亡人群西上，到了安庆轮船码头，见到凡芜湖的师生可到至德县（在安庆对岸一个县）第四临时中学报到的告示。3 月初即赴至德县读书。学 2 个月后学校又奉命西迁。从 5 月初开始步行，9 月中旬到湖南洪江，校址在嵩云山庙里。从至德动身 600 多人，到嵩云山只剩 90 多人。当时校名改为国立第八中学，在高中第三分部，读到毕业
1940—1944	23 ~ 27	1940 年在重庆参加统考。当时考取西北农学院，地点在陕西武功，因无路费未去成，后又考取中央大学医学院，地点在四川成都，仍因无路费又未去成。最后，重庆国立药专招生，学制 4 年，报考录取后在药专就读。毕业后被分配到当时的四川合川卫生署麻醉药品经理处，安排在分装组，带领 10 余工人称药、分药、封瓶包装、贴标签
1945	28	日本投降，辞去麻醉药品经理处工作，到卫生署医疗防疫第二大队，当时队址在芜湖。同年回老家全椒探亲，得知父亲、长兄、长嫂、小妹先后去世，只剩下继母和二哥、二嫂

公历（年）	年龄	经　　历
1946	29	从卫生署医疗防疫第二大队转到安徽省卫生处，挂技术专员的头衔，坐办公室，无具体工作可做。又回全椒请教本家老中医尚启东，尚启东讲可研究本草文献，正合其意。读清代考据学专著2年
1947 春	30	与井子东女士结婚。这年二哥也病逝
1948	31	携妻到芜湖，住在陶塘边一座小矮楼。收集、摘录《新修本草》资料，读清代考据学的专著
1949 春	32	芜湖解放，只身回全椒，继续读书、收集本草资料。同年9月到济南白求恩医学院药剂科任教
1950	33	继母生病被叫回芜湖。回芜湖在卫生干校任教，同年卫生干校改名为芜湖中级卫生技术学校、芜湖卫生学校（简称芜湖卫校）。业余时间，研究本草文献
1951—1953	34~36	在芜湖卫校任教。同年8月儿子出世。2年后的4月大女儿出世
1954	37	被调安庆卫校任教
1955—1957	38~40	被调回芜湖卫校任教，6月二女儿出世。2年后的7月小女儿（双胞胎）出世
1958—1960	41~43	芜湖卫校改为芜湖医专，被保送到北京中医学院中药研究班（卫生部举办）进修
1961—1965	44~48	芜湖医专任教
1962 秋	45	《唐·新修本草》辑复本油印出版，中国军事医学科学院研究员范行准为该书写序。患高血压、冠心病已2年。边任教，边休息，边整理亡佚的本草
1966—1969	49~52	被下派到霍邱县叶集镇搞医疗工作，又到泾县茂林搞医疗工作
1970—1971	53~54	芜湖医专并入安徽医学院，被派到安徽医学院，分在中药班教书
1972—1973	55~56	芜湖医专又从安徽医学院分出，同年芜湖医专又改名为皖南医学院。教中医学概论，并在附院中医科出门诊。晚间整理古代亡佚的本草
1974	57	高血压、心脏病复发，病休在家
1975—1977	58~60	边休息，边整理本草文献及编写《脏腑病因条辨》一书
1978	61	获安徽省科学技术大会先进科技工作者，晋升副教授。2月，以皖南医学院名义，将小女尚元藕借调回芜湖，帮助整理《唐·新修本草》辑复本半年
1979—1980	62~63	整理亡佚的本草文献
1981	64	3月，《唐·新修本草》辑复本问世，由安徽科学技术出版社出版
1982	65	收集、整理研究本草文献。从陶塘边上矮楼搬入弋矶山医院黄家院宿舍1-5-210
1983	66	3月，根据中华人民共和国卫生部关于落实《伤寒论》等6本经典著作整理任务的通知，作为特邀，与马继兴、谢海洲整理《神农本草经》。11月，《补辑肘后方》问世，由安徽科学技术出版社出版

公历（年）	年龄	经 历
1984—1985	67~68	整理本草文献
1986	69	6月，晋升为教授。《名医别录》辑复本问世，由人民卫生出版社出版
1987	70	《吴普本草》问世，由人民卫生出版社出版
1988—1989	71~72	把曾经由安徽省卫生局中西结合办公室铅印的"脏腑病因与条辨"加以整理，第二年9月由安徽科学技术出版社出版，名《脏腑病因条辨》。《历代中药文献精华》（第一作者）问世，由科学技术文献出版社出版。同年，弋矶山医院批准尚元藕脱产一年半协助整理《证类本草》
1990	73	被国家人事部、卫生部、中医药管理局确定为全国首批500名老中医药专家学术经验继承工作导师。4月17日，患疝气嵌顿，急诊在弋矶山医院手术治疗
1991—1992	74~75	被评定为对国家高等教育事业有突出贡献的专家，享受国务院特殊津贴待遇。同年，《雷公炮炙论 濒湖炮炙论》合刊本问世，由安徽科学技术出版社出版。带了2名中医药学徒
1993	76	《证类本草》（第一作者）问世，由华夏出版社出版
1994	77	《中医八大经典全注》（合著）问世，华夏出版社出版。《本草经集注》辑校本问世，由人民卫生出版社出版。《雷公药对》辑复本、《本草图经》问世，由安徽科学技术出版社出版
1995	78	继续整理待出版的本草书
1996	79	《补辑肘后方》重新修订，由安徽科学技术出版社出版
1997	80	《海药本草》辑校本问世，由人民卫生出版社出版
1998	81	《开宝本草》辑复本问世，由安徽科学技术出版社出版。8月退休
1999	82	《开宝本草》辑复本荣获华东地区科技出版社第十二届优秀科技图书二等奖
2000	83	担任中国本草工程学术委员会委员6年，《中国本草全书》里有《海药本草》辑校本资料
2001	84	《本草纲目（金陵初刻本校注)》（第一作者）问世，由安徽科学技术出版社出版
2002	85	《〈本草拾遗〉辑释》《大观本草》问世，由安徽科学技术出版社出版《本草纲目（金陵初刻本校注)》获第十五届华东地区科技出版社优秀科技图书一等奖
2003	86	《食疗本草》考异本问世，由安徽科学技术出版社出版《大观本草》获第十六届华东地区科技出版社优秀科技图书二等奖
2004	87	《新修本草》辑复本经修订由安徽科学技术出版社再版《〈本草拾遗〉辑释》获第四届全国优秀古籍整理图书二等奖，获第六届安徽图书奖二等奖

公历（年）	年龄	经　历
2005	88	7月，《日华子本草》辑释本、《蜀本草》辑复本（合刊本）问世，由安徽科学技术出版社出版 人民卫生出版社版《吴普本草》一书经修订由中医古籍出版社再版后更名《吴氏本草经》 《新修本草》辑复本第二版荣获第十八届华东地区科技出版社优秀科技图书一等奖；荣获2005年度中华中医药学会学术著作二等奖
2006	89	《药性论　药性趋向分类论》合刊本问世，由安徽科学技术出版社出版
2005—2006	88~89	10月，决定将20多年前油印的600本本草书送给弋矶山医院，由医院赠送给全国各大图书馆作为史料保存和收藏
2007	90	1月，《绍兴本草校注》由中医古籍出版社出版。7月，《新修本草》辑复本第二版获第七届安徽图书奖一等奖

注：从1957年~2007年共撰写论文268篇。报纸、杂志、电视媒体介绍其信息40余次。

后　记

　　本书主要对我的父亲即皖南医学院弋矶山医院的尚志钧教授从事本草文献的考证和辑佚做了一次全面的总结，其以研究本草精华贯穿主题，故曾冠书名为《本草人生：尚志钧本草文献研究集》。本书的问世，希望能让后辈们有所启迪，能给关注本草文献的研究、整理的学者有所帮助。

　　本草文献研究者在我国凤毛麟角，从事这项工作除要具备坚实的医药根底外，还需具备扎实的文史哲基础，更要有蚂蚁啃骨头的精神，而且要有终年累月坐冷板凳的觉悟。费力大，收获小，没有相当的毅力和坚持是很难做到的。而父亲在他27岁（1944），从重庆国立药专毕业后，就接受了安徽全椒家乡人尚启东老中医的"医药文献整理大有可为"的建议，从此专注于本草文献研究中。

　　在长达半个多世纪的漫长岁月里，父亲甘愿寂寞，淡泊名利，钻入古本草书堆里沉潜专注，孜孜不倦，钩沉辑复了久已失佚、残缺不全的30余种本草文献典籍。其中《新修本草》的辑复，填补了本草文献整复工作的空白，被誉为"本草文献工作中的一大成就"。

　　他整复的第一部本草书是《新修本草》，初以明代《本草纲目》为底本，花了几年功夫，行将完成之时，才领悟到李时珍的《本草纲目》是从《证类本草》转录的资料，不是第一手资料，不能作为辑佚依据。于是父亲断然推翻原稿，从头开始。又经过几年挥蚊呵冻，终于于1958年完成初稿。复借赴北京进修之便，苦钻北京图书馆藏书，其间得以借阅赵燏黄先生本草善本藏书，以卷子本为辑佚底本，再次作了大量修改与补充，前后历时 32 年，稿凡三易，直到 1981 年由安徽科学技术出版社正式出版。更为可贺的是，《新修本草》辑复本于 2004 年 7 月再版，并获得 2005 年度中华中医药学会学术著作二等奖。2007 年 7 月，该书又获第七届安徽图书奖一等奖。

凡是到过父亲家的人都知道，三间不大的房子内，有两间半的屋子里装的都是书和资料。从地面到房顶的几面墙被一本本、一摞摞的书籍和资料所覆盖，上面密密麻麻地注明书名与标记。旁边放着一个木梯子，下面摆着 3 个小矮凳，主要是为方便查找资料而放置的。简易的桌子上，堆放着书、纸、笔和放大镜，下边是一个用棉花和旧毛巾包裹着的竹凳子，已用了 20 多年。他的生活一直过得简朴而舒心。

父亲时常感叹时光若倒流 20 年，他还能写出几本书。如果他一天不看书，就觉得浑身不舒服，即使在最困难的日子里，他也要买书、看书、写书。

父亲一生治学严谨，孜孜以求。他常讲："对某一门课，要打好基础，认真钻研，坚持下去，要能克服一切外来的和内在的阻力，不能遇难而退。"他还认为："知识面应广，而研究的领域必须缩小在一定范围内，以求深入、有创见；治学态度必须严谨，没有充分依据，就不能急于发表论断或臆测；没有亲自研究、著书立术，就不能讨功树名。"他强调："做学问不能有半点掺假，重要的是一步一个脚印。"父亲不仅勤于治学，也乐于授业，他经常接待一些外地慕名求教的同行，也常收到求教的函件，他总是尽其所知，予以解答，甚至将自己亲手编制的索引、各种资料以及研究的课题设想提供给别人。对请他帮助审阅修改的文章，他总是一丝不苟地加以推敲，坦诚地提出自己的意见，得到了学者们的尊重和爱戴。他在本草文献研究中摸索出一套方法，形成了自己独特的风格，而今已被中国医史文献界誉为"尚派"。1990 年 10 月，父亲被国家人事部、卫生部、中医药管理局确定为全国首批 500 名老中医药专家学术经验继承工作导师；1991 年被评定为对国家高等教育事业有突出贡献的专家，享受国务院颁发的特殊津贴待遇。父亲共出版著作（独著、主篇）32 部（再版 3 部），发表学术论文 268 篇。

父亲的生活是清贫的，但父亲的人生是精彩的。

在父亲 90 岁高龄时，上海中医药大学出版社为他出版了《本草人生：尚志钧本草文献研究文集》一书，给他送上了这份大礼，父亲感到无比的快乐和兴奋。他总想把自己本草文献研究的方法和思路告诉后人，让后人在传承本草学时少走弯路。

《本草人生：尚志钧本草文献研究文献》一书的出版，要特别感谢皖南医学院弋矶山医院多年来的支持和关照，特别感谢孟庆云教授、胡世杰编审、郑金生研究员能在百忙之中抽出宝贵的时间为本书写序，特别感谢韩一民先生为本书题写书名。

2020 年北京科学技术出版社对《本草人生：尚志钧本草文献研究文集》再版，并改名为《尚志钧本草文献研究集》。

尚元藕

于皖南医学院弋矶山医院

2020 年